SAIBHRE

Cúrsa Iomlán don Ardteist

Gnáthleibhéal

Déaglán Collinge M.A. Ph.D A.T.O. T.T.G.

MENTOR PUBLICATIONS

43 Furze Road, Sandyford Ind. Est. Baile Átha Cliath Dublin 18
Tel: (01) 2952 112/3   Fax: (01) 2952 114
e-mail: mentor1@indigo.ie

Téacs le: Déaglán Collinge

Eagarthóireacht le: Alan Titley

Pictiúir agus Clúdach le: Christine Warner

Clóchuradóireacht: Caitríona Ní Choinnigh

Foilsithe ag: Mentor Publications
43 Furze Rd.,
Sandyford Ind. Est.,
Dublin 18.

3 5 7 9 10 8 6 4 2

Arna chló agus arna cheangal in Éirinn ag
Colour Books Ltd., Baile Átha Cliath 13.

Cosc ar fhótachóipeáil
Acht um fhótachóipeáil 1963

Clár

Gramadach

Ceapadóireacht

An Litir

An Comhrá

Trialacha Tuisceana

Trialacha Cluastuisceana

Tá caiséad agus lámhleabhar ar fáil SAOR IN AISCE do gach
mhúinteoir a úsáideann Saibhreas 4 mar théacsleabhar

Admhálacha

Ba mhaith leis an bhfoilsitheoir buíochas a ghabháil leis na filí, na h-údair agus na foilsitheoirí seo a leanas as ucht cead a fháil na gearrscéalta, na sleachta agus na dánta ar leo an cóipcheart a athfhoilsiú sa leabhar seo:

An Gúm le h-aghaidh *Clann Lir* le Séamas Ó Searcaigh, agus *Bríd Óg Ní Mháille*; **Sairséal Ó Marcaigh** le h-aghaidh *Fiosracht Mhná* le Síle Ní Chéilleachair, *Dúil* le Liam Ó Flaitheartha, *Chlaon Mé Mo Cheann* le Séamas Ó Néill; *Faoileán* le Michael Davitt, *Uaigneas* le Breandán Ó Beacháin agus *Reo* le Seán Ó Riordáin; **Ceard Shiopa Teo**, Inishere, Aran Islands le h-aghaidh *Amuigh Liom Féin* le Dara Ó Conaola; **Ré Ó Laighléis** le h-aghaidh an sliocht as an úrscéal *Gafa* (foilsithe ag Comhar); the novel *Hooked* (published by Móinín) is the English language version of *Gafa*. **Ré Ó Laighléis** le h-aghaidh an sliocht as an gcnuasach *Ecstasy agus Scéalta Eile* (foilsithe ag Cló Mhaigh Eo). **Cliodhna Cussen** le h-aghaidh *An Bhean Úd Thall*; **Ruaidhrí Ó Báille** le h-aghaidh *Dúnmharú ar an Dart*; **An Clóchomhar Teo** le h-aghaidh *Aisteoir Tuatach* le Máirtín Ó Direáin; **Fionnuala Uí Fhlannagáin** le h-aghaidh *Mac Eile Ag Imeacht*; **Cathal Ó Luain** le h-aghaidh *Treall*; **Cathal Ó Luain** agus **Coiscéim** le h-aghaidh *An Lasair Choille* le Caitlín Maude; **Maidhc Dainín Ó Sé** le h-aghaidh *A Thig Ná Tit Orm*; **Áine Ní Ghlinn** le h-aghaidh *Cuair*; **Máire Holmes** le h-aghaidh *Margadh*; **Pól Ó Muirí** le h-aghaidh *D-Day*; **Joan Ó Riordáin** le h-aghaidh *Agus Mé Ocht mBliana Déag* le Muiris Ó Riordáin; **Séamas Ó Maitiú** le h-aghaidh *Samhradh Samhradh*.

Beidh **Foilseacháin Mentor** sásta socrú cuí a dhéanamh le cibé údar, file nó sealbhóir cóipchirt nach raibh fáil orthu sular cuireadh an téacsleabhar seo i gcló.

CLANN LIR

——————— An t-Eagarthóir ———————

Séamas Ó Searcaigh. Rugadh é ar an gCruit, an t-oileán amach ó chósta na Rosann i nDún na nGall sa bhliain 1887. Bhí sé ina léachtóir i gColáiste na hOllscoile Baile Átha Cliath. Fuair sé bás i 1965. Tógadh an scéal seo as **Laochas**.

Leagan Gearr den Scéal

Bhuaigh Clanna Míle ar na Tuatha Dé Danann ag cath Thailteann. Bhí orthu bheith umhal do Chlann Míle as sin amach. Tháinig na Tuatha Dé Danann le chéile agus thogh siad Badhbh Dearg, mac an Daghda, mar rí orthu féin. Bhí Lear Shí Fionnachaidh ag súil le bheith ina rí agus bhí an-díomá agus fearg air nár toghadh é. Fuair bean Lir bás go luath ina dhiaidh sin. Ghlac trua ag Badhbh Dearg dó agus thug sé bean de na trí daltaí a bhí aige mar bhean chéile dó. Ba í sin Aoibh. Bhí lúcháir ar Lear agus tamall ina dhiaidh sin bhí ceathrar clainne acu - triúr mac, Aodh, Conn agus Fiachra agus iníon amháin, Fionnuala. Faraor, fuair Aoibh bás tamall ina dhiaidh sin agus thug Badhbh Dearg a deirfiúr Aoife mar bhean chéile do Lear.

Ar dtús bhí an-ghrá ag Aoife do na páistí ach tháinig éad uirthi nuair a cheap sí go raibh grá ní ba mhó ag Lear dóibh ná di féin. Tháinig fuath uirthi do Chlann Lir agus chuir sí roimpi iad a mharú. Lig sí orthu go raibh siad ag dul go dún Bhaidhbh Dheirg ach stop siad ar leataobh an bhóthair agus d'iarr sí ar thiománaí an charbaid na páistí a mharú. Nuair a dhiúltaigh seisean rug sí féin ar an gclaíomh ach níor lig a croí di iad a mharú. Ar aghaidh leo go Loch Dairbreach mar ar iarr sí ar na páistí dul ag snámh ar an loch. Agus iad ag snámh bhuail sí le slaitín draíochta iad go ndearnadh ceithre eala díobh. Dúirt sí leo ansin go mbeidís trí chéad bliain ar Loch Dairbreach, trí chéad bliain ar Shruth na Maoile aguis trí chéad bliain in Iorras Domhnann. Bhí trua aici dóibh ansin agus d'fhág sí a gcaint dhaonna féin acu agus ceol binn a chuirfeadh gach duine a chodladh a chloisfeadh é.

Dúirt Aoife ansin le Badhbh Dearg nach ligfeadh a n-athair na páistí go dtí an dún. Bhí amhras air gur imir sí feall ar Chlann Lir. Agus é ar bhruach an locha thug sé faoi deara go raibh glór daonna ag na h-ealaí. Labhair Fionnuala leis agus d'inis an scéal go léir dó. Tháinig fearg ar Bhadhbh Dearg agus bhuail sé Aoife lena shlaitín draíochta agus rinne deamhan aeir di. Chaith Clann Lir trí chéad bliain ar Loch Dairbreach agus bhí brón orthu é a fhágáil ina ndiaidh. Bhí saol ainnis acu ar Shruth na Maoile agus d'fhulaing siad fuacht agus anró ansin. Nuair a d'éirigh stoirm uafásach shocraigh siad bualadh le chéile arís ag Carraig na Rón. Scaipeadh iad óna chéile agus nuair a mhaolaigh an stoirm bhí Fionnuala bhocht léi féin. Bhain sí Carraig na Rón amach agus d'fhan sí ansin ag feitheamh. Faoi dheireadh tháinig a deartháireacha ar an láthair agus iad fliuch báite.

Tar éis dhá chéad bliain ar Shruth na Maoile tháinig oíche nimhneach orthu. Bhí síobadh sneachta ann agus bhí Carraig na Rón ina ráth amháin sneachta. Tamall ina dhiaidh sin bhí Sruth na Maoile ina leac oighir. Greamaíodh iad den charraig agus d'fhág siad clúmh agus craiceann ar Charraig na Rón sular éalaigh siad amach chun farraige arís. D'fhulaing siad pian agus píolóid gur chneasaigh na cosa agus gur fhás a gcleití arís.

Nuair a bhí trí chéad bliain istigh thug siad aghaidh ar Iorras Domhnann. Bhí cúrsaí go dona ansin freisin ach bhí a fhios acu go raibh lá a bhfuascailte ag teacht. Casadh ógfhear d'uaisle na tíre orthu darbh ainm Aibhric lá. Bhí an-chion aige orthu agus d'inis siad a scéal brónach dó. Tháinig an lá deireanach agus ghluais siad leo go Sí Fionnachaidh. Faraor, bhí an dún tréigthe agus bhí neantóga agus fiailí ag fás ann. D'imigh siad leo go brónach go h-Inis Guaire mar a mbíodh éanlaith na tíre ag cruinniú ag Loch na h-Éanlaithe ag éisteacht lena gceol binn. Faoin am sin tháinig Pádraig go h-Éirinn agus tháinig Mochaomhóg go h-Inis Guaire. Nuair a chan sé na trátha d'éist siad leis agus d'fhoghlaim siad a chuid cheoil naofa.

Chuala seisean iad ag canadh agus d'iarr ar Dhia a fhoilsiú dó cé bhí ag déanamh an cheoil áille. D'fhoilsigh Dia dó gurbh iad Clann Lir a bhí ag canadh. D'iarr Mochaomhóg orthu teacht leis go dtí a mhainistir mar a mbídís ag éisteacht Aifrinn agus ag guí. Chuir sé slabhra airgid idir gach beirt acu. Bhí Lairgneán Mac Colmáin, rí Chonnachta, pósta san am sin le Deoch, iníon rí na Mumhan.

Nuair a chuala Deoch scéal na n-ealaí chuir sí dúil a chroí iontu. Chuir an rí teachtaire chuig Mochaomhóg á n-iarraidh ach dhiúltaigh sé don rí. Bhí an rí ar buile agus bhrostaigh sé go dtí an mhainistir mar ar tharraing sé na h-ealaí ón altóir. Leis sin rinneadh seanfhir chaola sheanga d'Aodh, de Chonn agus d'Fhiachra agus seanbhean lom chaite d'Fhionnuala. Baineadh preab as an rí agus d'imigh sé abhaile. Bhaist Mochaomhóg Clann Lir agus d'éist a bhfaoistin. Fuair siad bás go luath ina dhiaidh sin agus cuireadh in aon uaigh le chéile iad. Scríobhadh a n-ainm in ogham ar a leacht agus chuaigh a n-anam chun na bhflaitheas.

GLUAIS

- bheith umhal - *to be ruled by / submit to*
- ghlac trua ag - *took pity on*
- daltaí - *foster children*
- ceathrar clainne - *four children*
- faraor - *sadly / unfortunately*
- tháinig éad uirthi - *she became jealous*

GLUAIS

- chuir sí roimpi - *she set about*
- ar leataobh an bhóthair - *on the side of the road / in a lay by*
- carbad - *chariot*
- níor lig a croí di - *she hadn't the heart*
- slaitín draíochta - *magic wand*
- caint dhaonna *human speech*
- bhí amhras air - *he was suspicious*
- feall - *treachery*
- deamhan aeir - *a demon of the air / elemental*
- saol ainnis - *wretched life*
- fuacht agus anró - *cold and hardship*
- scaipeadh - *were scattered*
- mhaolaigh - *abated*
- ar an láthair - *on the scene / to the spot*
- fliuch báite - *soaked*
- oíche nimhneach - *a bitterly cold night*
- síobadh sneachta - *a blizzard*
- ina ráth amháin sneachta - *a huge drift of snow*
- ina leac oighir - *frozen over*
- greamaíodh iad - *they were stuck*
- clúmh agus craiceann - *down and flesh*
- pian agus píolóid - *pain and torment*
- chneasaigh - *healed*
- thug siad aghaidh ar - *they headed towards*
- lá a bhfuascailte - *their day of deliverance*
- tréigthe - *deserted / derelict*
- neantóga agus fiailí - *nettles and weeds*
- nuair a chan sé na trátha - *when he sang his office*
- a fhoilsiú - *to disclose / tell*
- slabhra airgid - *a silver chain*
- chuir sí dúil a croí iontu - *she set her heart on them*
- tharraing sé - *he dragged*
- seanfhir chaola loma - *haggard old men*
- seanbhean lom chaite - *worn out old woman*
- baineadh preab as an rí - *the king was startled / shocked*
- bhaist - *baptised*
- a bhfaoistin - *their confession*
- chun na bhflaitheas - *to Heaven*

THE CHILDREN OF LIR

The Milesians defeated the Tuatha Dé Danann at the battle of Tailtean (Teltown, Co. Meath). From then on they had to serve the Milesians. The Tuatha Dé Danann convened and elected Badhbh Dearg (Bove Derg), son of the Daghda, as their king. Lir of Sí Fionnachaidh (Deadman's Hill, Co. Armagh) was hoping to become king and he was very angry and disappointed that he was not elected. Lir's wife died soon afterwards. Badhbh Dearg took pity on him and he gave him one of his foster daughters as a wife. This was Aoibh. Lir was delighted and some time after they had four children - three sons, Aodh, Conn and Fiachra and a daughter Fionnuala. Sadly, Aoibh died some time later and Badhbh Dearg gave his sister Aoife to Lir as a wife.

At first Aoife loved the chidren dearly but she became jealous when she thought that Lir loved them more than her. She grew to hate the children of Lir and set about killing them. She pretended she was taking them to Badhbh Dearg's fort but they stopped by the roadside and she asked the charioteer to kill them. When he refused she took up the sword herself but hadn't the heart to kill them. They travelled on to Lake Derravarragh (Co. Westmeath) where she asked the children to swim in the lake. As they were swimming she struck them with a magic wand and turned them into four swans. She then told them that they would be three hundred years on Lake Derravarragh, three hundred years on the Sea of Moyle (between Ireland and Scotland) and three hundred years off Iorras Domhnann (Erris, Co. Mayo). She took pity on them and left them with the power of speech and a sweet music which could put anyone to sleep who heard it.

Aoife then told Badhbh Dearg that their father would not let them go to his fort. He suspected that Aoife had dealt treacherously with the children of Lir. By the lakeside he noticed that the swans spoke with human voices. Fionnuala spoke to him and related all that had happened. In a fit of rage he struck Aoife with his magic wand and turned her into a demon of the air. The children of Lir spent three hundred years on Lake Derravarragh and were sad to leave it behind. They led a miserable existence on the Sea of Moyle and they suffered the pangs of cold and great hardship. When a terrible storm blew up they agreed to meet together at Carraig na Rón. They were scattered and when the storm abated poor Fionnuala was left alone. Finally, her brothers arrived and they were soaked to the skin.

After two hundred years on the Sea of Moyle they experienced a bitter night. There was a blizzard and Carraig na Rón was heavily drifted with snow. Some time later the Sea of Moyle was frozen over. They were frozen to the rock and they left both skin and feathers on Carraig na Rón before they could escape out to sea. They suffered pain and torment until their flesh healed and their feathers grew again.

When three hundred years was up they moved on to Erris. Conditions were very bad there also but they knew that their day of deliverance was coming. They met a young nobleman called Aibhric. He was very fond of them and they told him their sorry tale. The final day came and they moved on to Sí Fionnachaidh. Unfortunately, the fort was deserted and it was covered in nettles and weeds. They proceeded sadly to Inis Guaire (Inishglory, an island in the bay of Erris) where the birds of Ireland assembled at The Lake of Birds to hear their sweet music. By this time St Patrick had come to Ireland and St. Mochaomhóg (Kemoc, a Christian missionary) had come to Inis Guaire. When he sang his office they listened and learned his sacred music.

He heard their singing and asked God to reveal to him who was singing the beautiful music. God revealed to him that it was the children of Lir. Mochaomhóg asked them to come with him to his monastery where they heard Mass and prayed. He placed a golden chain between each pair of birds. Lairgneán Mac Colmáin, the king of Connacht, was married, at that time to Deoch, the daughter of the king of Munster. When she heard of the swans she set her heart on them. The king sent a messenger to Mochaomhóg asking for them but he refused the king's request. In a rage, the king hurried to the monastery where he dragged the swans from the altar. At that point Aodh, Conn and Fiachra turned into haggard old men and Fionnuala became a haggard old woman. The king was shocked and he returned home. Mochaomhóg baptised the children of Lir and heard their confession. They died soon afterwards and were buried in the one grave. Their names were written in ogham on their tombstone and their souls went straight to Heaven.

TÉAMA AN SCÉIL

An drochíde a tugadh do Chlann Lir de dheasca éad Aoife, a leasmháthair. An saol ainnis uaigneach a chaith siad ina dhiaidh sin.

PRÍOMHPHOINTÍ

- Bhuaigh Clanna Míle ar na Tuatha Dé Danann ag Cath Thailtean agus bhí orthu géilleadh *(they had to yield)* do Chlanna Míle.
- Thogh siad *(they elected)* a rí féin, Badhbh Dearg ach bhí fearg agus díomá ar Lear Sí Fionnachaidh mar gur theastaigh uaidh bheith in rí.
- Nuair a fuair bean Lir bás thug Badhbh Dearg duine dá daltaí *(one of his foster daughters)* dó mar bhean chéile: Aoibh ab ainm di. Rugadh ceathrar páistí di, Aodh, Conn, Fiachra agus Fionnuala.
- Nuair a fuair Aoibh bás thug Badhbh Dearg a dheirfiúr Aoife do Lear mar bhean. Mhair siad go sona sásta agus bhí an-ghrá aici do Chlann Lir ar dtús.
- Faraor, tháinig éad ar Aoife mar cheap sí go raibh níos mó grá ag Lear dóibh ná mar a bhí aige di féin.
- Bhí fuath aici dóibh ansin agus bhuail sí le slat draíochta iad go ndearna sí ceithre eala *(four swans)* díobh.
- D'fhág sí a gcaint dhaonna *(their human speech)* agus ceol binn acu ach bhí orthu trí chéad bliain a chaitheamh ar Loch Dairbreach, trí chéad bliain a chaitheamh ar Shruth na Maoile agus trí chéad bliain a chaitheamh in Iorras Domhnann.
- Nuair a d'inis Fionnuala do Bhadhbh Dearg cad a tharla bhuail sé Aoife le slat draíochta agus rinne deamhan aeir *(a demon of the air)* di.
- Chaith siad saol ainnis brónach ar Loch Dairbreach ach bhí Sruth na Maoile ní ba mheasa.
- Scaipeadh óna chéile iad le linn stoirme *(during a storm)* agus greamaíodh iad den charraig nuair a bhí an fharraige ina leac oighir *(frozen over)*.
- Bhí cúrsaí go dona in Iorras Domhnann ach thuig siad go raibh lá a bhfuascailte *(their day of deliverance)* ag teacht.
- Chan siad ceol naofa agus rug Mochaomhóg ar ais chuig a mhainistir iad. D´éist siad leis an Aifreann ansin agus bhídís ag guí.
- Chuir Deoch, iníon rí na Mumhan, dúil a chroí sna h-ealaí ach ní raibh Mochaomhóg sásta iad a thabhairt di.
- Tháinig fearg ar Lairgneán Mac Colmáin, rí Chonnachta *(her husband)* agus tharraing sé ón altóir iad.
- Rinneadh seandaoine loma caite *(haggard old folk)* díobh agus bhaist Mochaomhóg iad sula bhfuair siad bás.
- Cuireadh in aon uaigh iad agus chuaigh a n-anam *(their souls)* chun an bhflaitheas.

 CEISTEANNA

Meaitseáil na ceisteanna seo a leanas **(A, B, C, D)** leis na freagraí thíos **(1-4)** agus scríobh amach go hiomlán iad, san ord ceart.

A Cén fáth, dar leat, a ndearna Aoife ealaí de Chlann Lir?
B Céard a rinne Badhbh Dearg nuair a fuair sé amach mar gheall ar dhrochbheart Aoife?
C Céard a rinne Mochaomhóg nuair a tháinig sé ar na h-ealaí?
D Déan cur síos ar ar tharla tar éis bás Chlann Lir.

 **FREAGRAÍ**

1   Thóg sé ar ais go dtí a mhainistir iad agus bhí siad ag éisteacht leis an Aifreann ansin agus ag guí.
2   Bhí éad uirthi mar cheap sí go raibh níos mó grá ag Lir dá chlann ná di féin.
3   Cuireadh in aon uaigh le chéile iad, scríobhadh a n-ainm in ogham ar an leacht agus chuaigh a n-anam chun na bhflaitheas.
4   Bhuail sé í lena shlaitín draíochta agus rinne deamhain aeir di.

 CEISTEANNA BREISE

Léigh na ceisteanna seo a leanas (**E, F, G, H**) agus ansin líon isteach na freagraí (**5-8**) ag baint úsáide as an bhfoclóir tugtha.
E   Céard a d'fhág Aoife ag Clann Lir?
F   Déan cur síos gearr ar ar tharla dóibh ar Shruth na Maoile.
G   Céard a tharla nuair a chuala Deoch fúthu?
H   Déan cur síos ar ar tharla nuair a rug Lairgneán orthu.

FREAGRAÍ

Líon isteach na bearnaí trí úsáid a bhaint as an bhfoclóir ceart thíos.
5   D'fhág sí a nglór (1) _____ agus (2) _____ binn acu.
6   Bhí an aimsir go (3) _____ ann. Scaipeadh iad le linn stoirme agus (4) _____ iad den charraig nuair a bhí an fharraige ina (5) _____ _____ .
7   Chuir sí (6) _____ a croí iontu agus chuir Lairgneán (7) _____ chuig Mochaomhóg á (8) _____ .
8   Rinneadh (9) _____ loma caite díobh, baineadh (10) _____ as an rí agus d'imigh sé abhaile.

FOCLÓIR

A	preab	F	dona
B	daonna	G	seandaoine
C	dúil	H	teachtaire
D	greamaíodh	I	leac oighir
E	ceol	J	n-iarraidh

NATHANNA ÓN SLIOCHT

1 A Meaitseáil na nathanna seo a leanas (a)-(f) lena míniú tugtha 1-6 agus scríobh amach go h-iomlán iad, san ord ceart.

Nathanna	Míniú
(a) ag fónamh ar *(subject to)*	1 brón
(b) sásamh *(satisfaction / revenge)*	2 umhal do
(c) lúcháir *(delight)*	3 sula raibh siad fásta
(d) daltaí *(foster children)*	4 páistí altrama
(e) sula raibh méid iontusan *(before they were mature)*	5 díoltas
(f) cian *(sorrow)*	6 áthas

B Líon isteach na bearnaí sna habairtí seo a leanas ag baint úsáide as an nath ceart ón liosta (a)-(f) thuas.
(i) Bhain mé _____ as an duine a ghortaigh mo chara.
(ii) Bhí _____ an domhain ar Nóra nuair a bhuaigh sí an duais.
(iii) Thug na páistí cuairt ar an seanduine agus thóg an _____ de.
(iv) Bhí na Tuatha Dé Danann _____ _____ _____ na Gaeil nuair a buadh orthu.
(v) Bhí na _____ sa teach altrama.
(vi) Fuair máthair na bpáistí bás _____ _____ _____ _____ .

2 A Meaitseáil na nathanna seo a leanas (g)-(l) leis na freagraí thíos (7-12) agus scríobh amach go hiomlán iad, san ord ceart.

Nathanna	Míniú
(g) chuir sí i gcéill	7 codlamh sámh
(h) chuir sí ina ceann	8 chuir sí in iúl
(i) ar dhroim an domhain	9 ag triall ar na páistí
(j) faoi choinne na clainne	10 sa domhan iomlán
(k) shonraigh	11 shocraigh sí
(l) toirchim suain	12 thug faoi deara

B Líon isteach na bearnaí sna habairtí seo a leanas ag baint úsáide as an nath ceart ón liosta (g)-(l) thuas.
(vii) Chuaigh an bhean _____ _____ _____ agus rug abhaile iad.
(viii) _____ an fear go raibh an fhuinneog oscailte.
(ix) Thit _____ _____ ar na páistí mar bhí an-tuirse orthu.
(x) Bhí fearg ar an mbean agus _____ _____ _____ díoltas a imirt.
(xi) Bhí Máire go brónach agus _____ _____ _____ nach raibh sí sásta.
(xii) Níl bean chomh h-álainn léi _____ _____ _____ .

CLEACHTAÍ

Cuid A

1. Cár bhuaigh Clanna Míle ar na Tuatha Dé Danann?
2. Cé a thogh na Tuatha Dé Danann mar rí?
3. Cén fáth a raibh díomá agus fearg ar Lear?
4. Cé a thug Badhbh Dearg dó mar bhean ar dtús?
5. Ainmnigh clann Lir.
6. Cé a thug Badhbh Dearg do Lear mar bhean ina dhiaidh sin?
7. Cén fáth a raibh éad ar Aoife?
8. Céard a rinne sí do Chlann Lir?
9. Céard a d'fhág sí acu?
11. Céard a rinne Badhbh Dearg d'Aoife?
12. Cár chaith Clann Lir an chéad trí chéad bliain?
13. Cár chaith siad an dara trí chéad bliain?
14. Cén sórt saoil a bhí acu ansin?
15. Cár chaith siad na trí chéad bliain deireanacha?
16. Cén bhaint a bhí ag Mochaomhóg leo?
17. Céard a rinne Deoch nuair a chuala sí faoi na h-ealaí?
18. Céard a tharla nuair a rug Leargnán ar Chlann Lir?
19. Céard a tharla sula bhfuair siad bás?
20. Céard a tharla tar éis dóibh bás a fháil?

Cuid B

1. Cén sórt mná í Aoife, dar leat?
2. Cén sórt saoil a bhí ag Clann Lir sular tháinig éad ar Aoife?
3. Cén sórt saoil a bhí acu ar Shruth na Maoile?
4. Cén chaoi a bhfuair Badhbh Dearg amach faoin ar tharla dóibh?
5. Cén chaoi ar éirigh leo in Iorras Domhnann?
6. " . . . Dúirt Fionnuala gur mhithid dóibh imeacht go Sí Fionnachaidh." Céard a tharla nuair a shroich siad an dún?
7. "Bhaist Mochaomhóg iad agus d'éist a bhfaoistin." Déan cur síos ar ar tharla ina dhiaidh sin.

Cuid C

1. Cé a d'eagraigh an sliocht seo? Scríobh nóta faoi.
2. Ar thaitin an sliocht leat? Cén fáth?
3. " . . . *Tháinig éad ar Aoife mar shíl sí nach raibh raibh meas ar bith aige uirthi féin.*"
   (i) Céard a rinne Aoife ina dhiaidh sin?
   (ii) Céard a rinne Badhbh Dearg?
4. "*Chan agus chuala an cléireach (Mochaomhóg) iad.*" Céard a rinne Mochaomhóg ina dhiaidh sin?
5. "*Shíob an rí (Lairgneán) ar an daoraí agus amach leis.*" Céard a tharla nuair a shroich sé mainistir Mhochaomhóg?
6. Déan cur síos ar ar tharla do Chlann Lir nuair a rinneadh seandaoine díobh.

14

CLANN LIR

Bhí Tuatha Dé Danann scaipthe ar fud na hÉireann ag fónamh ar Chlanna Míleadh ó briseadh orthu i gCath Thailteann. Tháinig siad i gceann a chéile as gach aird dá raibh siad gur shocraigh siad ar rí dá gcuid féin a thoghadh. Badhbh Dearg mac an Daghdha a rogha. Rinne siad rí de. Bhí Lear Shí Fionnachaidh ag súil leis an ríocht. D'fhag sé an cruinniú agus fearg an tsaoil air nuair a chonaic sé an suíomh a bhí ar na gnóthaí. Leanfadh na huaisle é go mbainfeadh siad sásamh as, ach chomhairligh Badhbh Dearg dóibh cead a chinn a ligean leis.

Tamall ina dhiadh sin fuair bean Lir bás. Nuair a chuala Badhbh Dearg faoi bhás na mná dúirt sé go dtabharfadh sé bean de na trí daltaí a bhí aige, Aoibh, Aoife agus Ailbhe, mar bhean chéile dó, dá mba rogha leis caidreamh agus cairdeas a dhéanamh leis féin.

Is ar Lear a bhí an lúcháir caoi a fháil ar dhul i gcaidreamh agus i gcairdeas le Badhbh Dearg. Fuair sé cuireadh. Tháinig agus phós Aoibh, an cailín ba shine den triúr.

I gceann tamaill bhí ceathrar clainne acu - triúr mac, mar a bhí Aodh, Conn agus Fiachra, agus iníon amháin, mar a bhí Fionnuala. Fuair an mháthair bás sula raibh méid iontusan agus d'fhág sin an t-athair go mór faoi ghruaim, ach go raibh an chlann aige le cuid den chian a thógáil de.

Ar theacht don scéala faoi bhás na mná go dún Bhaidhbh Dheirg dúirt an rí go dtabharfadh sé a deirfiúr, Aoife, ina bean chéile do Lear. Phós Lear Aoife go gearr ina dhiaidh sin agus thug chun an bhaile leis í. Bhí gean agus grá ag Aoife ar Chlann Lir ón bhomaite a tháinig sí chun an tí chucu.

Ba mhó ná sin an gean agus an grá a bhí ag an athair orthu. Bhí an oiread sin geana agus grá aigesean orthu go dtáinig éad ar Aoife, mar shíl sí nach raibh meas ar bith aige uirthi féin. Tháinig fuath chuici do Chlann Lir. Chuir sí ina ceann a marú.

Chuir sí i gcéill gur mhaith léi cuairt a thabhairt ar dhún Bhaidhbh Dheirg agus na páistí a thabhairt léi ann. Gléasadh an carbad agus d'imigh siad, cé go raibh Fionnuala ag diúltú roimh an turas, óir d'inis a croí di go raibh feall á bheartú ag Aoife lena gcur chun báis. Ar theacht go lúb an bhealaigh mhóir dóibh d'ordaigh Aoife don tiománaí stad, thug i leataobh é agus d'iarr air Clann Lir a mharú. Dhiúltaigh seisean. Rug sí féin ar an chlaíomh ansin ach ní ligfeadh a croí di an drochghníomh a dhéanamh.

Ar aghaidh leo arís go dtáinig go trá Loch Dairbhreach. D'iarr Aoife ar Chlann Lir dul a shnámh ar an loch. Chuaigh. Níor luaithe ar an tsnámh iad ná bhuail sí le slaitín draíochta iad go ndearna ceithre healaí geala bána díobh.

Ba thrua leat a staid agus iad ag tabhairt achasáin d'Aoife cionn is a gcur sa riocht ina raibh siad. D'fhiafraigh Fionnuala di cá fhad a bheadh siad sa riocht sin.

"Trí chéad bliain," arsa sise, "a bheas sibh ar Loch Dairbhreach, agus trí chéad bliain ar Shruth na Maoile, agus trí chéad bliain in Iorras Domhnann, agus níl cumhacht ar dhroim an domhain a chuirfeas as an riocht sin sibh go ceann na naoi gcéad bliain sin."

Tháinig aithreachas beag ar Aoife ansin agus d'fhág sí a gcaint dhaonna féin acu agus ceol sárbhinn a chuireadh gach duine dá gcluinfeadh é a chodladh.

Chuaigh Aoife go dún Bhaidhbh Dheirg agus bhí iontas ar Bhadhbh Dearg nach raibh na páistí léi. Chuir sí i gcéill dó nach ligfeadh a n-athair chun a dhúin iad. Níor chreid Badhbh Dearg sin agus chuir sé teachtaire faoi choinne na clainne.

Ba ansin a tháinig an t-amhras ar Lear gur imir Aoife feall ar a chlann. Ar aghaidh leis ina charbad agus níor stad go raibh ar bhruach Loch Dairbhreach. Chonaic sé na healaí ag snámh ar an loch agus shonraigh gur glór daonna a bheith acu. Nuair a chuir sé ceist cad é ba chiall do ghlór daonna a bheith acu labhair Fionnuala gur inis an scéal go hiomlán dó. D'fhan sé féin agus a mhuintir an oíche sin ag éisteacht lena gcuid ceoil gur thit toirchim suain agus codlata orthu.

Bhain Lear dún Bhaidhbh Dheirg amach lá arna mhárach gur inis sé don rí mar a rinne Aoife ealaí dá chlann. Tháinig fearg ar Bhadhbh Dearg agus bhuail sé Aoife le slaitín draíochta go ndearna deamhan aeir di.

I gceann na dtrí chéad bliain dúirt Fionnuala lena deartháireacha go raibh a ré ar Loch Dairbhreach caite agus go gcaithfeadh siad imeacht go Sruth na Maoile. D'imigh, agus ba orthu a bhí an chumha i ndiaidh Loch Dairbhreach. Ba gharbh anróiteach Sruth na Maoile agus d'fhulaing siad fuacht agus léan agus leatrom ann nár fhulaing siad ar Loch Dairbhreach.

Tháinig oíche léanmhar agus stoirm uafásach agus iad ar Shruth na Maoile. Mhol Fionnuala dá dheartháireacha socrú ar ionad coinne dá mba i ndán is go scarfaí ó chéile iad le linn na doininne. Shocraigh siad ar theacht go Carraig na Rón.

Lean an stoirm gan maolú ar feadh i bhfad. Shéid an ghaoth agus d'éirigh na tonna agus bhí na healaí bochta á gcaitheamh anonn is anall ar bharr na farraige i rith na hoíche léanmhaire sin. Ar theacht an chiúnais bhí Fionnuala léi féin ar Shruth na Maoile agus gan aon duine de na dheartháireacha le feiceáil aici abhus. D'imigh sí á gcuartú ó charraig go carraig agus ó chuan go cuan.

Bhain sí Carraig na Rón amach. Ní raibh aon duine acu ann roimpi. Tháinig an oíche agus ní fhaca sí Aodh, Conn, ná Fiachra. B'fhada an oíche í ar an charraig lom uaigneach. Tháinig bánú an lae agus ní raibh aon duine le feiceáil thall ná abhus fad a hamhairc uaithi in aird ar bith. Sa deireadh chonaic sí chuici Conn agus é fliuch báite. Is aici a bhí an fháilte roimhe. Ba ghearr ina dhiaidh sin go bhfaca sí Fiachra ag tarraingt uirthi, a cheann ar crochadh leis agus deor as gach cleite leis. Is í a bheadh seasta dá mbeadh tásc nó tuairisc ar Aodh. Leis sin chonaic sí Aodh chuici gur bhain mullach na carraige amach go cróga.

Dhá chéad bliain a bhí Clann Lir ag fuilstin léin agus anró ar Shruth na Maoile go dtáinig oíche léanmhar eile orthu. Idir shioc agus shneachta níor mhothaigh siad a leithéid riamh. D'éirigh an ghaoth agus thosaigh an síobadh go raibh Carraig na Rón ina ráth amháin sneachta. Ní tháinig ach oíche amháin eile ba mheasa ná í, oíche dá raibh siad ar Charraigh na Rón tamall ina dhiaidh sin agus Sruth na Maoile ina leac oighir. Ar mhéad is a bhí de shiocán ann ghreamaigh a gcosa agus a gcluimhreach den charraig, ar dhóigh nach dtiocfadh leo bogadh as an áit a raibh siad. D'fhág siad craiceann na gcos agus cluimhreach a n-uchta greamaithe de Charraig na Rón sular fhéad siad aghaidh a thabhairt ar an fharraige athuair. Ba iad a d'fhulaing pian agus piolóid ag an tsáile ghoirt gur chneasaigh na cosa agus gur fhás an cluimhreach arís.

Chuir Clann Lir a seal isteach mar sin ar Shruth na Maoile. Fionnuala a d'inis do na dheartháireacha go raibh na trí chéad bliain istigh acu agus gur mhithid dóibh a n-aghaidh a thabhairt siar go hIorras Domhnann. Ba orthu a bhí an lúcháir a bheith scartha le Sruth na Maoile agus d'éirigh siad ar eiteog agus níor stad go raibh thiar. D'fhulaing siad fuacht agus anró in Iorras Domhnann, ach de réir mar a bhí na blianta á gcaitheamh bhí a ndóchas ag méadú, mar bhí a fhios acu go raibh lá a bhfuascailte ag teacht.

Casadh ógfhear d'uaisle na tíre orthu lá. Aibhric ab ainm dó. Ba mhinic a chonaic sé na healaí ar an chuan agus a chuala sé a gcuid ceoil bhinn. Thug sé gean agus taitneamh dóibh. Eisean a chruinnigh agus a d'inis ina dhiaidh sin a scéal truamhéalach.

Faoi dheireadh tháinig an lá deireanach de na geasa draíochta a bhí orthu. Nuair a dúirt Fionnuala gur mhithid dhóibh imeacht go Sí Fionnchaidh d'éirigh siad go háthasach agus ghluais go héadrom éasca gur shroich an áit. Faraor gear! Ní raibh dún ná teach ná cónaí ansin rompu. Ní raibh ann ach maolrátha glasa agus neantóga agus lustan. D'fhan siad go tromchroíoch brónach ina luí ar scáth na neantóg go maidin.

D'éirigh siad ar eiteog ar maidin agus d'imigh go raibh siad in Inis Gluaire. Chruinníodh éanlaith na tíre chucu ansin go Loch na hÉanlaithe. Thigeadh siad gach oíche go hInis Gluaire a éisteacht an cheoil bhinn a níodh na healaí.

Bhí siad mar sin, ag cur isteach a seala ar Inis Gluaire, go dtáinig Pádraig go hÉirinn agus go dtáinig Mochaomhóg go hInis Gluaire. An chéad oíche a tháinig an naomh chun na hinse chuala Clann Lir cling a chloig in am chantain na dtráth. Chuir guth an chloig eagla ar na dearthaireacha ach dúirt Fionnuala gurbh é Mochaomhóg a bhí ar a urnaithe a bhí ann agus gurb é a shaorfadh ar phian agus ar phiolóid iad. Mhol sí dóibh éisteacht le clog an chléirigh agus a gcuid ceoil síorbhinn féin a chantain.

Chan agus chuala an cléireach iad. Ghuigh sé Dia go dúthrachtach faoina fhoisiú dó cé a bhí ag cantain an cheoil iontaigh sin. D'fhoilsigh Dia dó gurbh iad Clann Lir a bhí á dhéanamh.

Chuaigh Mochaomhóg go bruach an locha ar béal maidine agus d'fhiafraigh de na healaí arbh iad Clann Lir iad. Dúirt siadsan gurbh iad.

"Míle altú do Dhia," arsa an naomh, "ar shon an eolais sin. Is é Dhia a threoraigh chun na háite seo mé thar gach áit eile in Éirinn. Taraigí i dtír agus taobhaigí sibh féin liomsa. Is anseo atá i ndán daoibh dea-oibreacha a dhéanamh agus maithiúnas a fháil in bhur bpeacaí."

Tháinig siad i dtír agus ghluais leo in éineacht leis an naomh. Uaidh sin amach bhíodh siad ag éisteacht Aifrinn, ag guí agus ag urnaí, agus ag déanamh diagantachta i mainistir Mhochaomhóg. D'iarr an naomh ar cheardaí oilte slabhraí airgid a dhéanamh a chuirfeadh sé idir gach beirt acu. Chuir sé slabhra idir Conn agus Fiachra agus an slabhra eile idir Aodh agus Fionnuala.

Lairgneán mac Colmáin ba rí ar Chonnachta san am agus ba í Deoch, iníon rí na Mumhan, ba chéile dó. Níor luaithe a chuala Deoch iomrá ar na healaí ná thug sé gean agus searc agus grá dóibh, agus dúirt leis an rí nach mairfeadh sí mí mura bhfaigheadh sí iad. Chuir an rí teachtaire ionsar Mhochaomhóg á n-iarraidh. Dhiúltaigh an naomh an teachtaire.

Shíob an rí ar an daoraí agus amach leis agus níor stad go raibh sa mhainistir, rug greim ar na slabhraí agus streachail leis na healaí ón altóir. Sular shroich sé an doras thit an cluimhreach de na héanacha, rinneadh seanfhir chaola sheanga d'Aodh, do Chonn, agus d'Fhiachra, agus seanbhean lom chaite chrom d'Fhionnuala. Bhain sin léim as an rí agus as go brách leis chun an bhaile. Labhair Fionnuala i bhfilíocht agus a bpeacaí a mhaitheamh dóibh agus a n-uaigh a dhéanamh, nó gur ghairid uathu an bás.

Bhaist Mochaomhóg iad agus d'éist a bhfaoiside. Ba ghearr ina dhiaidh sin go bhfuair siad bás, agus cuireadh in aon uaigh le chéile iad, mar a d'iarr Fionnuala – Conn and Fiachra sínte, duine ar gach taobh di, agus Aodh ina hucht. Tógadh leacht os a gcionn agus cuireadh cloch ina seasamh ar an leacht agus scríobhadh a n-ainm in ogham ar an chloch agus chuaigh a n-anam chun na bhflaitheas.

GLUAIS

- an suíomh a bhí ar na gnóthaí - an chaoi a raibh cúrsaí *(how the situation was)*
- sásamh - díoltas *(avenge)*
- sula raibh méid iontusan - sula raibh siad in inmhe *(before they were mature)*
- faoi ghruaim - go brónach *(sorrowful)*
- cian - brón / uaigneas *(sorrow / loneliness)*
- bomaite - nóiméad *(minute)*
- chuir sí ina ceann - bheartaigh sí ar *(she decided)*
- chuir sí i gcéill - lig sí uirthi *(she pretended)*
- óir - mar *(because)*
- feall á bheartú - go raibh sí ag socrú feall a imirt *(that she was plotting treachery)*
- ar an tsnámh - ag snámh *(swimming / afloat)*
- ag tabhairt achasáin - ag cáineadh / lochtadh *(reproaching)*
- aithreachas - aiféala *(regret)*
- dá gcluineadh - dá gcloisfeadh *(if one heard)*
- faoi choinne na clainne - chun an chlann a bhailiú *(to collect the children)*
- shonraigh - thug faoi deara *(noticed)*
- toirchim suain - codlamh sámh *(deep sleep)*
- a ré - a dtréimhse *(their period of time)*
- cumha - brón *(sorrow)*
- anróiteach - go dona stoirmiúil *(inclement)*
- leatrom - goilliúint *(oppression / suffering)*
- ionad coinne - láthair chun teacht le chéile *(a place to meet up)*
- gan maolú - gan stad *(unabated)*
- á gcuartú - á gcuardach *(searching for them)*
- bánú an lae - fáinne an lae *(dawn)*
- deor as gach cleite leis - a chleití fliuch báite *(his feathers soaked)*
- ag fuilstin - ag fulaingt *(suffering / enduring)*
- an síobadh - sneachta trom *(blizzard)*
- ina ráth amháin sneachta - ina muc sneachta *(snowdrift)*
- siocán - sioc *(frost)*
- a gcluimhreach - a gcleití *(their feathers)*
- ar dhóigh - sa chaoi *(so that)*
- piolóid - ciapadh *(torment)*
- gean agus taitneamh - grá agus cion *(love and affection)*
- maolrátha glasa - rampair loma ghlasa *(barren green ramparts)*
- lustan - fiailí *(weeds)*
- a níodh - a dhéanadh *(that they used to make)*
- am chantain na dtráth - in am léamh an phortúis *(when his office was being read)*
- faoina fhoilsiú dó - a insint / nochtadh dó *(to tell / reveal to him)*
- ag déanamh diagantachta - ag déanamh rudaí naofa *(performing spiritual exercises)*
- iomrá - tuairisc *(tidings / report)*
- ionsar - chuig *(to)*
- shíob an rí ar an daoraí - tháinig taom feirge ar an rí *(the king flew into a rage)*
- streachail - tharraing *(dragged)*
- bhain sin léim as - bhain sin preab as *(that shocked / frightened)*
- a bhfaoiside - a bhfaoistin *(their confession)*

FIOSRACHT MHNÁ

─────────── An t-Údar ───────────

Síle Ní Chéileachair. Rugadh í i gCúil Aodha, Co. Chorcaí. Ba mhúinteoir í sular phós sí i 1953. Scríobh sí féin agus a deartháir, Donncha, an cnuasach gearrscéalta *Bullaí Mhártain* as ar tógadh an scéal An Phiast.

Leagan Gearr den Scéal

Bhí beirt leannán ag caint le chéile. Dúirt an bhean nach raibh gá ar bith le comhrá má bhí daoine i ngrá le chéile. Dar léi go rachadh sí as a meabhair mura mbeadh sí i ngrá leis bhí sé chomh ciúin sin. D'iarr sí air ansin na smaointe a bhí ina cheann aige a insint di mar nár chóir rún ar bith a bheith ag leannáin. Ba bheag a bhí le h-insint aige.

D'inis sí dó ansin faoin mbuachaill a raibh sí ag siúl amach leis an bhliain roimhe sin. Séamas ab ainm dó agus buachaill an-deas ba ea é. Faraor, "ghoid" cailín eile é uaithi. Roimhe sin arís bhí sí mór leis an mBreatnach, buachaill taitneamhach eile a raibh post maith sa bhanc agus gluaisrothar aige cé go raibh sé pas beag maol. Dúirt sí nár chóir do chailín a croí a nochtadh ach nach mbíonn slí do rún idir leannáin.

Dúirt an fear ansin gur beag rún a bhí aige féin agus d'admhaigh an bhean gur léigh sí a dhialann agus go raibh díomá uirthi. Ní raibh ann ach tuairiscí leadránacha de cheannach bróg agus rothar.

Chuir sí brú air ansin tuairisc a thabhairt ar pé cailín a raibh sé féin i ngrá léi roimhe sin. Bhí leisce air é sin a dhéanamh ach bhí sí ag tathaint air gur inis sé di go raibh sé splanctha i ndiaidh cailín le dhá bhliain anuas.

Bhí sé chomh mór sin i ngrá léi gur cheap sé go raibh spéir bhreá agus aimsir álainn os cionn an bhaile ina raibh sí ina cónaí. Cheap sé freisin gurb é a madra an madra ba dheise ar domhan. Lá eile bhí capall ina sheasamh ag geata gar dá teach. Leag sé a lámh ar a muineál agus, dar leis, gurbh é an capall ba dheise ar domhan é freisin.

Bhí an-ionadh ar an mbean an méid seo a thuiscint agus d'fhiafraigh sí de ansin ar phóg sé an cailín. D'admhaigh sé gur thug sé na mílte póg di, rud nach ndearna sé go fóill léi féin. Faoi dheireadh, dúirt sé gur chaill sé an cailín mar gur imigh sí le fear eile.

Nach ar an mbean a bhí an t-ionadh nuair a fuair sí amach gurbh é Séamas Ó Cearnaigh an fear sin (Séamas an buachaill a raibh sí féin mór leis!) Mar bharr ar an donas bhí sí ar buile nuair a dúirt an fear gurb í Síle Ní Chathasaigh an cailín lena raibh sé féin i ngrá, an "straoill" a mheall Séamas uaithi!

Dúirt sí ansin go mba chóir náire a bheith air féin agus nach raibh teorainn leis na fir. Nóiméad ina dhiaidh sin bhí sí ag fiafrú de cén fáth a raibh sé chomh ciúin sin!

GLUAIS

- leannán *(lover)*
- as a meabhair *(out of her mind)*
- rún *(secret)*
- bhí sí mór le *(she was close to)*
- taitneamhach *(pleasant)*
- pas beag maol *(a little bald)*
- a croí a nochtadh *(to reveal her feelings)*
- d'admhaigh *(admitted)*
- tuairiscí leadránacha *(boring details)*
- brú *(pressure)*
- bhí leisce air *(he was reluctant)*
- ag tathaint air *(urging him /pestering him)*
- splanctha i ndiaidh cailín *(crazy about a girl)*
- ba dheise ar domhan *(the nicest in the world)*
- d'fhiafraigh sí de *(she asked him)*
- go fóill *(yet)*
- mar bharr ar an donas *(to make matters worse)*
- straoill *(slut)*
- a mheall *(who seduced)*
- nach raibh teorainn leis na fir *(that men were the limit)*
- ag fiafrú de *(asking him)*

A WOMAN'S INQUISITIVENESS

Two lovers were talking. The woman said there was no need for conversation if people were in love. She felt she'd go out of her mind if she wasn't in love with him, he was so quiet. Then she asked him to tell her his thoughts because lovers shouldn't have any secrets. He had little to tell.

She told him about the boy she'd been going out with a year beforehand. His name was Seamus and he was a very nice boy. Sadly, another girl had "stolen" him from her. Before that again she was close to Walsh, another pleasant boy even though he was a little bald. He had a good job in the bank and had a motorbike. She said a girl should not reveal her feelings but that there was no room for secrets between lovers.

The man then said he had few secrets himself and she had to admit that she'd read his diary and had been disappointed. All it contained were boring references to buying shoes and bikes. She then put pressure on him to give details of any girl he'd been in love with before that. He was reluctant to do this but she pestered him until he told her he'd been crazy about a girl for two years.

He was so madly in love with her that he thought there were blue skies and fine weather over her home town. He also believed her dog was the nicest dog in the world. Another day a horse was standing at a gate near her house. He stroked its neck and he felt it was the nicest horse in the world also.

The woman was amazed to hear this and she asked him if him then if he'd kissed the girl. He admitted he'd kissed her a thousand times, something he had not done to her just yet. Finally he told her he'd lost the girl to another man. Wasn't the woman amazed to find out that this man was none other than Seamus Kearney (the boy to whom she herself had been so close!) To make matters worse she was furious when the man revealed that the girl with whom he'd been in love was none other than Sile Casey, the "slut" who'd "seduced" Seamus on her!

She told him then that he should be ashamed of himself and that men were the limit. A minute later she was asking him why he was so quiet!

TÉAMA AN SCÉIL

Ní féidir mná airithe a shásamh agus is beag tairbhe a bhíonn ar fhiosracht idir leannáin.

 ## PRÍOMHPHOINTÍ

- Gearrscéal greannmhar *(humorous)* atá anseo. Tá beirt leannán ag caint le chéile.
- Dúirt an bhean nár chóir rún ar bith *(any secrets)* a bheith idir leannáin.
- Bhí sise ag siúl amach le buachaill bliain roimhe sin. Séamas ab ainm dó agus duine an-lách ba ea é.
- Faraor, "ghoid" cailín eile uaithi é. Roimhe sin bhí sí ag siúl amach le buachaill eile. Breatnach ab ainm dó agus bhí post maith aige mar chléireach bainc *(as a bank clerk)*. Bhí sé pas beag maol agus bhí gluaisrothar aige.
- Ba bheag rún a bhí ag an bhfear. Ní raibh rud ar bith rómánsúil *(romantic)* ina dhialann ach amháin tuairiscí mar gheall ar cheannach bróg agus rothar.
- Ansin d'inis an fear mar gheall ar chailín lena raibh sé féin i ngrá. Dar leis gur éirigh an ghrian óna cúl. *(He thought the world of her)*. Cheap sé go raibh an spéir geal os cionn a baile agus gurbh é a madra an madra ba dheise ar domhan!
- Lá dá ndeachaigh sé thar geata gar dá teach chonaic sé capall. Leag sé a lámh ar a mhuineál *(he stroked its neck)* agus cheap sé gurbh é an capall ba dheise ar domhan é.
- D'admhaigh sé *(he admitted)* ansin gur thug sé na mílte póg don chailín. Faraor, d'imigh a ghrá le fear eile.
- Ba é Séamas Ó Cearnaigh, iarleannán na mná, *(the woman's ex)* an fear sin.
- Bhí an bhean ar buile ansin nuair a thuig sí go raibh an fear mór leis an "straoill" (slut) a mheall Séamas uaithi!
- Dúirt sí nach raibh teorainn leis na fir *(that men were the limit)*.

 ## CEISTEANNA

Meaitseáil na ceisteanna seo a leanas (**A, B, C, D**) leis na freagraí thíos (**1-4**) agus scríobh amach go hiomlán iad, san ord ceart.

A   Cén sórt mná í an bhean sa ghearrscéal seo, dar leat?
B   Cén sórt duine é an fear sa ghearrscéal?
C   Tá an gearrscéal an-ghreannmhar. Tabhair samplaí.
D   Cén fáth a raibh an bhean ar buile faoi dheireadh?

FREAGRAÍ

1 Bhí sí ar buile mar thuig sí go raibh an fear tar éis dul amach leis an gcailín a mheall Séamas uaithi.

2 Bean fhiosrach údarásach is ea í. Cuireann sí an-bhrú ar an bhfear gach tuairisc *(every detail)* a thabhairt di faoin a iarleannán *(his ex)*. Tá sí éadmhar agus míréasúnta *(jealous and unreasonable)*.

3 Fear ciúin cúlánta *(reserved)* is ea é. Is cosúil go bhfuil sé faoi shlat ag an mbean *(at her beck and call)*.

4 Tá an gearrscéal greannmhar sna samplaí seo a leanas: deir an bhean nár chóir rún a bheith ag leannáin ach nuair a insíonn an fear faoin gcailín bíonn sí ar buile. Léann sí dialann an fhir agus níl ann ach tuairiscí leadránacha. Dar leo gur Romeo an fear mar go bhfuil sé "i ngrá" le madra an chailín!

 CEISTEANNA BREISE

Léigh na ceisteanna seo a leanas (**E, F, G, H**) agus ansin líon isteach na freagraí (**5-8**) ag baint úsáide as an bhfoclóir tugtha.

E Cén chaoi ar chaill an bhean Séamas?

F Déan cur síos ar an mBreatnach sa scéal.

F Cén fhianaise atá sa scéal go raibh an fear splanctha i ndiaidh an chailín?

G Ar thaitin an scéal seo leat? Cén fáth?

 FREAGRAÍ

Líon isteach na bearnaí trí úsáid a bhaint as an bhfoclóir ceart thíos.

5 _____ Síle Ní Chathasaigh uaithi é.

6 Buachaill deas _____ ba ea é. Bhí post maith aige sa _____ agus bhí _____ aige. Bhí sé beagáinín _____ .

7 Cheap sé go raibh an spéir _____ os cionn a baile. Dar leis gurbh é an madra ba _____ ar domhan a madra.

8 Thaitin sé go mór liom mar tá sé _____ , éadrom agus é _____ _____ .

FOCLÓIR

A	greannmhar	F	dheise
B	ghoid	G	an-chliste
C	bhanc	H	maol
D	lách	I	geal
E	gluaisrothar		

22

NATHANNA ÓN SLIOCHT

1 A Meaitseáil na nathanna seo a leanas (a)-(f) lena míniú tugtha 1-6 agus scríobh amach go h-iomlán iad, san ord ceart.

Nathanna	Míniú
(a) tost *(silent)*	1 beagáinín
(b) cuideachta *(company)*	2 mill
(c) saobhchion *(infatuation)*	3 comhluadar
(d) loit *(ruin)*	4 go ciúin
(e) straoill *(slut)*	5 saobhghrá
(f) iarrachtín *(a little)*	6 cailín gan náire

B Líon isteach na bearnaí sna habairtí seo a leanas ag baint úsáide as an nath ceart ón liosta (a)-(f) thuas.

(i) Bhí me i mo _____ mar bhí brón orm.

(ii) Tá an duine sin _____ borb.

(iii) Bhí _____ mhaith ag an gcóisir.

(iv) Níl sa chailín sin ach _____ mar tá sí gan náire ar bith.

(v) Ná _____ an ceirnín sin; bí cúramach leis.

(vi) Cheap sé go raibh sé i ngrá ach ní raibh ann ach _____ .

2 A Meaitseáil na nathanna seo a leanas (g)-(l) leis na freagraí thíos (7-12) agus scríobh amach go hiomlán iad, san ord ceart.

Nathanna	Míniú
(g) faic *(nothing)*	7 crógacht
(h) ní fiú pioc *(not worth a curse)*	8 bhí díomá orm
(i) baineadh mealladh asam (I *was disappointed)*	9 an-leadránach
(j) chomh tirim le cailc *(as dry as chalk /very boring)*	10 focal
(k) smid *(a word / breath)*	11 tada
(l) spionnadh *(spirit /courage)*	12 ní fiú biorán

B Líon isteach na bearnaí sna habairtí seo a leanas ag baint úsáide as an nath ceart ón liosta (g)-(l) thuas.

(vii) _____ _____ _____ an rothar sin agat.

(viii) Níl _____ ar bith sa duine sin; is cladhaire é.

(ix) Tá an múinteoir sin go dona; tá sé _____ _____ _____ _____.

(x) Níl _____ cearr leis an mbuachaill; níl sé ach ag ligean air go bhfuil sé tinn.

(xi) Tá tú an-chiúin; níl _____ asat.

(xii) _____ _____ _____ mar theip orm sa scrúdú.

CLEACHTAÍ

Cuid A

1 Cé atá ag caint sa ghearrscéal seo?
2 Céard faoi a bhfuil siad ag caint?
3 Cé leis a raibh an bhean ag siúl amach bliain roimhe sin?
4 Cén sórt duine an duine sin?
5 Cé a "loit" an duine sin?
6 Cé leis a raibh sí ag siúl amach roimhe sin arís?
7 Cén sórt duine é sin?
8 Cén post a bhí aige?
9 Cén locht beag a bhí air?
10 Cén sórt tuairiscí a bhí i ndialann an fhir?
11 Cé leis a raibh an fear ag siúl amach roimhe sin?
12 Cén chaoi ar chaill sé í?
13 Cén fáth a raibh an bhean ar buile?
14 Céard dúirt sí leis an bhfear?

Cuid B

1 Cén sórt mná í an bhean sa ghearrscéal?
2 Cén sórt duine é an fear sa ghearrscéal?
3 Cén fhianaise atá sa scéal go bhfuil an bhean údarásach?
4 Cén fhianaise atá sa scéal go bhfuil an fear faoi shlat aici?
5 Meas tú go bhfuil an scéal seo greannmhar? Cén fáth?

Cuid C

1 Cé chum an gearrscéal seo? Scríobh nóta gearr fúithi.
2 Ar thaitin an scéal leat? Cén fáth?
3 "Ní raibh Séamas go h-olc. Bhí sé deas liomsa i gcónaí . . ."
   Céard a tharla dó?
4 "Conas a bhraithis ina taobh? Inis go cruinn dom".
   Déan cur síos ar ghrá an fhir dá iarleannán
5 "Ba chóir don bheirt acu dul síos tríd an talamh le náire. Agus duitse chomh maith."
   Cén fáth, dar leat, a ndúirt an bhean an méid sin?

FIOSRACHT MHNÁ

- Daoine mar sinne atá i ngrá ní bhíonn gá acu le comhrá ná le caint.
- Ní bhíonn, ní bhíonn.
- Bíonn comhthuiscint sa tost eatarthu.
- Bíonn.
- Is leor de chomhluadar dóibh iad a bheith le chéile. Murach mise bheith i ngrá leatsa raghainn as mo mheabhair id chuideachta.
- Nílim chomh dona sin is dócha.
- Féach, níl ráite agat le huair an chloig ach 'sea' agus 'ní hea', agus 'níl mé chomh dona'. Bíonn fir dúr! Cad air go mbíonn tú ag smaoineamh ar chor ar bith?
- Ar aon rud.
- Ar aon rud ach ormsa. Dúire na bhfear! Ba mhaith liom fháil amach an féidir libh smaoineamh nó - . Seo pingin duit are pé ní atá id cheann faoi láthair.
- Ní fiú pingin é.
- Nach cuma sin! Is é an rud mór nach ceart dúinn aon ní a cheilt ar a chéile.
- Ach nílim ag ceilt aon ní. Ar m'anam!
- A ghrá bhig is cuma. Leor sinn a bheith i bhfochair a chéile, nach leor?
- Is leor, is leor.
- Ait é cuimhneamh ar an am sar a raibh aon aithne againn ar a chéile. An taca seo anuraidh bhíos mór le Séamas. Go deimhin cheapas go rabhas i ngrá leis. Ach ní raibh sa scéal ach saobhchion.
- Agatsa is fearr a fhios, dar ndóigh.
- Ní raibh Séamas go holc. Bhí sé deas liomsa i gcónaí gur chuir an té úd adúrt leat crúca ann. B'shin í a loit é, an straoill!
- Ní gá bheith feargach leo.
- Ní gá ó tá an bheirt againn ag a chéile. An bhliain roimhe sin bhínn i dteannta an Bhreatnaigh. Is cuimhin leat - d'inseas cheana dhuit -
- D'insis, d'insis.
- Bhí dealramh breá air, ach é bheith iarrachtín maol. Dá bhfeicfeá ar rothar gluaiste é! Chomh tapaidh leis! Agus post maith, cléireach bainc!
- An-phost, an-phost.
- Ní bheifeá ag éad leis ná dada?
- Beagán, beagán.
- Dar ndóigh ní rabhas i ngrá leis mar atáim leatsa. Ina dhiaidh sin bhí uaigneas orm nuair d'imigh sé.
- Bhí - is dócha.
- Déarfadh duine, b'fhéidir, nach cóir do chailín a croí a nochtadh ar an gcuma seo. Ach idir bheirt atá i ngrá ní bhíonn slí do rún.
- Ní bhíonn, ní bhíonn.
- Níl faic á cheilt agatsa ormsa?
- Níl, níl.
- Ach chomh beag agus atá agamsa ortsa.
- Mar a chéile sinn.
- Ach ní fiú pioc do chuidse rún.

- Ní fiú, mhuise.
- Cheapas go bhfaighinn rud éigin fónta id dhialann, ach mo lom!
- Ní raibh faic inti, faic.
- Má baineadh mealladh as éinne riamh, baineadh asamsa. Léamh tríd an drochscríbhneoireacht ó thús go deireadh gan teacht trasna ar oiread is aon ní amháin ná raibh chomh tirim le cailc.
- Dialann phearsanta, dialann phearsanta.
- 'N.B. Praghas leathair i Sasana ag ardú, ceannaigh féire bróg.'
- Bhí. Bhí sé sna páipéirí.
- 'N.B.B. Rothar nua ag Seán Ó Ceallaigh inniu; cheannaigh sé ó Mhac Aoidh É Fhéin; Raleigh spóirt; praghas £14.10.0' Níl aon dabht ná gur baineadh mealladh asam. Ní iarrfad féachaint id dhialann go brách arís.
- Ní fiú é, ní fiú -
- Ach cogar, ná raibh aon rómánsaíocht riamh ionat? An bhfaca tú aon chailín a mhúscail smaointe fileata ionat; gur mhaith leat bheith id shuí lámh léi ar chnocán gréine sa tráthnóna thiar.
- Ní haon fhile mé.
- Ach níl cothrom na féinne á fháil agamsa uait. Seo mise gach aon oíche ag insint duit conas mar bhínn féin agus buachaillí le chéile, agus gan smid uaitse. Deir an seanfhocal gurb iad na muca ciúine itheann an mhin.
- Ní ithimse an saghas sin mine.
- Aon bhuachaill go mbeadh spionnadh ann chuirfeadh sé mórán cailíní dhe sara mbuailfeadh an duine ceart leis. Ná habair liom ná fuil aon spionnadh ionat.
- Tá, tá, roinnt mhaith.
- Inis dom go raibh aon chailín amháin ar a laghad agat, aon chailín amháin. Mura neosair, raghaidh dem mheas ort. Déarfad go bhfuilir gan spionnadh.
- An cóir rud mar sin insint, an dóigh leat?
- Ná fuilimid tar éis a rá gur éagóir rud a cheilt. Brostaigh anois agus inis dom.
- Ní fiú, ní fiú -
- Á, bhí cailín agat romhamsa, mar sin?
- Bhí, ach -
- Ná bac leis an 'ach'. Bhí. Tá an méid sin socair.
- Tá, tá sé socair.
- Anois ná ceil aon ní, an raibh meas agat uirthi?
- Bhí, bhí,
- Mórchuid?
- Bhuel, bhuel, bheifeá ar buile -
- Bead ar buile mura n-inseann tú amach an scéal! Bhí mórchuid measa agat uirthi deir tú.
- Bhí, bhí.
- Conas a bhraithis ina taobh? Inis go cruinn dom.
- N'fheadar - ach - cheapainn go mbíodh spéir bhreá agus aimsir álainn os cionn an bhaile a raibh sí ina cónaí ann.
- Féach anois an fhilíocht ag briseadh amach ionat! Aon chomhartha eile?
- Cheapas gurbh é a gadhairín an gadhairín ba dheise ar domhan.
- Cheapais sin! Ní foláir nó bhís i ngrá leis an ngadhairín chomh maith.
- Agus leis an gcapall.

- An capall!!!
- Lá dá rabhas ag gabháil thar an áit bhí an capall ina sheasamh ag geata. Leagas bos ar a mhuinéal agus shíleas gurbh é an capall ba dheise ar domhan é.
- Och, níl aon teora leat. Bhí tú i ngrá le cailín, le gadhar agus le capall. Don Juan ó thalamh. Ach inis dom an raibh sí sin i ngrá leatsa?
- Ní raibh fhios aici.
- Grá éagmaiseach ar leathchois, rud ná taitníonn liom. Cé an fhaid a bhí tú in *ngrá* leis an *spéirbhean* álainn seo?
- Dhá bhliain.
- Ar feadh dhá bhliain! Agus deir tú liom ná raibh de spionnadh ionat tú féin a chur in iúl di sa mhéid sin aimsire?
- Bhí, bhí.
- Agus thug sí éisteacht duit?
- Thug, thug.
- Agus thóg tú amach ag siúl í faoi loinnir bhaoth na meathghealaí?
- Thógas, thógas, gan aon ghealach.
- Maith thú, a Romeo, maith thú. Réitíonn sé liom go breá a chlos go raibh an méid sin taithí agat. Anois b'fhéidir go neosfá dhom an raibh de spionnadh ionat do lámh a chur faoina coim?
- An dóigh leat gur cóir - ?
- Is é an éagóir an cheilt mar adúrt. Chuir tú?
- Chuir mé, cinnte.
- Chuir tú lámh faoina coim. Maith go leor. Anois phóg tú ag casadh an bhóthair í nó faoi scáth crainn nó - ?
- Bhuel! Ar chóir? An dóigh?
- Phógais nó níor phógais?
- Phógas cinnte.
- Aon uair amháin?
- Níos minicí ná sin.
- Dhá uair?
- Níos minicí.
- Deich n-uaire?
- Níos minicí.
- Céad uair?
- Níos minicí.
- Míle uair?
- Timpeall sin, timpeall sin.
- Go bhféachaidh Dia orm nach tú an Romeo agam. Ní phógfaidh tú mise míle uair go bpósfaidh tú mé. Tuig an méid sin.
- Tuigim. Tá's agam.
- Cad a tharla ar deireadh thiar idir tú féin agus an *stuaire* seo bhí chomh héasca le pógadh?
- Bhí fear eile aici, buachaill as d'áit féin. Ní chuirfinnse suas leis sin.
- Bheadh dúil ag na leads im áitse i gcailín den tsaghas sin. Cé an t-ainm bhí ar an mboc seo, bhfuil fhios agat?
- Ó Cearnaigh, Séamas Ó Cearnaigh.

- Ó! Ó! Ó! Agus ar an gcailín?
- Síle Ní Chathasaigh.
- Is é mo Jimmy é gan dabht. Ó! Ní bheidh suí suaimhnis agam arís go deo. Ó! Bhí tusa mór leis an straoill a mheall é! Ó! Ó!
- Níor mheall, níor mheall, is amhlaidh -
- Cad tá ort? Ná fuil fhios ag an saol gur mheall sí é?
- Níor mheall, níor mheall. Chaith sé a bhróga a rith ina diaidh go dtí ar deireadh gurbh éigean di imeacht leis.
- Ba chóir don bheirt acu dul síos tríd an talamh le náire. Agus duitse chomh maith. Ó, nach mé an trua Mhuire in bhur measc.
- Tá an-bhrón orm ach -
- Cé déarfadh anois gur ormsa atá an locht? Na fir! Na fir!
- Ach ní mise an t-aon duine amháin a -
- Tusa a chuir lámh faoina coim nach tú? Tusa a phóg í míle uair nach tú? Ó, na fir! Na fir!
- Cad na thaobh ná labhrann tú? Raghad as mo mheabhair . . .

GLUAIS

- comhthuiscint - tuiscint ar aon *(mutual understanding)*
- dúr - amaideach /neamh-mhothálach *(stupid / insensitive)*
- a cheilt ar a chéile - a choimeád óna chéile *(to keep from each other)*
- an taca seo anuraidh - timpeall an ama seo anuraidh *(this time last year)*
- saobhchion - mearghrá *(infatuation)*
- gur chuir crúca ann - gur mheall sí é *(until she got him in her clutches)*
- straoill - cailín dána gan náire *(slut)*
- a loit é - a mhill é *(destroyed / ruined him)*
- bhí dealramh breá air - bhí sé dathúil *(he was a fine-looking man)*
- iarrachtín maol - pas beag maol *(a little bald)*
- ná dada - ná tada *(or anything)*
- a croí a nochtadh - a cuid mothúchán a thaispeáint *(to show her feelings)*
- ní bhíonn slí do rún - ní gá rudaí a cheilt *(there is no room for secrets)*
- níl faic á cheilt - níl tada á cheilt *(there's nothing being concealed)*
- ní fiú pioc - ní fiú biorán *(not worth a curse)*
- rud éigin fónta - rud éigin suimiúil *(something worthwhile / juicy)*
- má baineadh mealladh as éinne - má bhí díomá ar aon duine *(if anyone was disappointed)*
- chomh tirim le cailc - an-leadránach *(as dry as chalk / boring)*
- ní iarrfad - ní iarrfaidh mé *(I won't ask)*
- cnocán gréine - cnoc beag grianmhar *(a sunny hillock)*
- gan smid uaitse - gan focal uaitse *(and not a peep out of you)*
- "is iad na muca ciúine a itheann an mhin" - "is minic a bhí ciúin ciontach" *(silence often denotes guilt)*
- spionnadh - anamúlacht *(spirit)*
- mura neosair - mura n-insíonn tú *(if you don't tell)*
- raghaidh dem mheas ort - caillfidh mé an meas atá agam ort *(I'll lose respect for you)*
- socair - deimhin *(settled / certain)*
- conas a bhraithis ina taobh? - cén chaoi a bhraith tú mar gheall uirthi? *(how did you feel about her?)*
- n'fheadar - níl a fhios agam *(I don't know)*
- gadhairín -madra beag *(little dog)*
- grá éagmaiseach ar leathchois - grá gan chúiteamh *(unrequited love/one-sided love)*
- faoi loinnir bhaoth na meathghealaí - faoi sholas mearaí na gealaí ag dul di *(by the giddy light of the waning moon)*
- tuig an méid sin - bíodh an méid sin ar eolas agat *(understand this)*
- stuaire - bean álainn *(beautiful woman)*
- éasca - furasta *(easy)*
- cad na thaobh - cén fáth *(why)*

AMUIGH LIOM FÉIN

─────────── An t-Údar ───────────

Dara Ó Conaola. Rugadh é ar Oileáin Árann mar a bhfuil cónaí air fós. Tá go leor saothar i gcló aige. Aistríodh roinnt díobh seo go Béarla, go Gearmáinis go Cróitis agus go Rómáinis. Tá go leor gradam bainte aige mar go bhfuil ar a chumas scéalta inchreidte a chumadh i nGaeilge ghlan shoiléir agus i stíl bheoga nua-aoiseach.

Leagan Gearr den Scéal

Ní raibh an scéalaí ach cúig bliana d'aois. D'fhág a mháthair sa teach é lena Dhaideo. Ní raibh cead aige dul amach agus bhí a Dhaideo ag tabhairt aire dó. Bhí an seanduine in aois a leanbaíochta agus mearbhall air. D'iarr sé ar an scéalaí dul amach chun "an bhó a bhleán". Rug an scéalaí ar an bhfaill agus amach leis go lúcháireach. Bhí an gadhar imithe amach cheana féin.

Bhí an t-earrach ann agus bhí spleodar ar an scéalaí. Bhí a ghadhar roimhe go meanmach. Chas an scéalaí soir róidín agus d'aimsigh sé tobar sa chúinne. Bhí cáil an tobair seo cloiste aige ó Dhaideo mar ba ann a chonaic an seanduine an leipreachán. Faraor, ní raibh an leipreachán le feiceáil an babhta seo agus shocraigh an scéalaí bád a chur soir dá n-iarraidh. Rinne sé báidín feileastraim agus chuir sé ar snámh é sa tobar. Bhí sé ag ligean air féin go raibh sé ina chaptaen ar an mbád agus é mar a raibh sé ar thaobh an tobair ag an am gcéanna!

Agus é ag breathnú ar a scáil san uisce tháinig scamall os a chionn. Cheap sé ar dtús gurbh é an madra a bhí ann ach ansin thug sé faoi deara gurbh í Máire Bhán a bhí ann. Ba bheag aithne a bhí ag an scéalaí uirthi ach chuala sé sa bhaile go raibh sí aisteach. Lig sé di a buicéad a líonadh ón tobar. D'fhiafraigh sí de ansin an raibh a mhadra imithe agus dúirt sé go raibh. Dúirt sí ansin go dtiocfadh an madra ar ais murb ionann agus "an buachaill báire eile." Ba é seo Máirtín, uncail an scéalaí "an rógaire b'iontaí a bhí sna h-oileáin sin". Dúirt Máire Bhán ansin gur fhág Máirtín í leis féin agus nár fhill sé riamh. Bhí dearmad déanta aici air ach gur chuir an scéalaí i gcuimhne di é.

Sleachta Dualgais

D'imigh an tseanbhean léi ansin go dtí a seanteachín ceanntuí mar ar chónaigh sí ina h-aonar. Bhí sé ag éirí fuar agus bhí báidín an scéalaí caite isteach sna clocha. Bhí an scéalaí ag éirí fuar ar an spórt. Leis sin chuala sé an madra ag sceamhaíl agus chonaic sé ar chreagán é. Ní raibh faill aige a fháil amach céard a bhí ar bun ag an madra mar chonaic sé a mháthair ag bun an chlaí agus í ar buile. Dúirt sí go raibh sí á thóraíocht agus go raibh an t-oileán siúlta aici. Abhaile leis an scéalaí faoi dheifir.

Tar éis an tae d'fhiafraigh an scéalaí dá Dhaideo faoin a uncail Máirtín. Dúirt an seanduine gur chuir sé Máirtín amach chuig an mbó fadó ach nach raibh tásc ná tuairisc air ó shin. Rith sé leis an scéalaí ansin gur chuir Daideo amach chuig an mbó é féin an lá sin. Dúirt a mháthair leis gan bacadh le caint Dhaideo mar nach raibh sé ach ag rámhaillí. D'inis an scéalaí gur chuala sé an scéal ó Mháire Bhán agus dúirt a mháthair go raibh seafóid uirthi sin freisin agus go dtuigfeadh sé faoin scéal nuair a bheadh sé mór. Leag an scéalaí stól bun os cionn agus rinne "currach" de. Air sin ba mhó a bhí a aird aige ansin.

GLUAIS

- in aois a leanbaíochta - páistiúlacht sheanaoise *(doting / in second childhood)*
- mearbhall - bhí a intinn scaipthe *(confused)*
- an bhó a bhleán - an bhó a chrú *(to milk the cow)*
- rug ar an bhfaill - thapaigh sé an deis *(seized his chance)*
- gadhar - madra *(hound / dog)*
- spleodar - teaspach *(exuberance / high spirits)*
- go meanmach - go croíúil *(cheerful)*
- d'aimsigh sé - tháinig sé ar *(he located / discovered)*
- ag breathnú - ag féachaint *(looking)*
- aisteach - ait *(strange / eccentric)*
- buachaill báire - fear mór ban *(playboy)*
- ceanntuí - bhí díon tuí air *(thatched)*
- ag éirí fuar ar - ag éirí bréan de *(getting tired of)*
- ag sceamhaíl - ag sianaíl *(yelping)*
- creagán - talamh ard clochach *(rocky eminence)*
- ar bun - ar siúl *(doing)*
- á thóraíocht - á lorg *(searching for him)*
- ag rámhaillí - ag baothchaint *(raving)*
- a aird - a aire *(his attention)*

OUT ON MY OWN

The story-teller was only five years of age. His mother had left him with Grandad. He was not allowed out and Grandad was looking after him. The old man was doting and was confused. He asked the story-teller to go out and "milk the cow." The story-teller seized his chance and went out delightedly. The dog had gone out ahead of him.

It was spring and the story-teller was in high spirits. His dog ran ahead of him excitedly. The story-teller turned down a small road and found a well in the corner. He'd heard about this well already from Grandad as the old man had seen a leprechaun there. Unfortunately, the leprechaun was not to be seen on this occasion and the story-teller decided to send a boat out for him. He made a little boat from a wild iris and set it afloat in the well. He was pretending to be the captain of the boat while still remaining beside the well!

While he looked at his reflection in the water a shadow passed over it. At first he thought it was the dog but then he noticed that it was Máire Bhán. He didn't know her very well but he'd heard at home that she was strange. He let her fill her bucket from the well. She asked him then if his dog had gone and he told her it had. Then she told him it would return unlike "that other playboy". This was the story-teller's uncle Martin "the greatest rogue on these islands". Máire Bhán then told him that Martin had left her alone and had never returned. She had forgotten him but the story-teller had reminded her of him.

The old woman went off then to her small thatched cottage where she lived alone. It was getting cold and the story-teller's little boat had been washed on to the stones. He was getting tired of the game. Suddenly he heard the dog yelping and saw him on a craggy ridge. He didn't have a chance to find out what the animal was doing as he saw his mother below the ditch and she was furious. She said she'd been looking for him and that she had walked the whole island. The story-teller hurried home.

After tea the story-teller asked his Grandad about his uncle Martin. The old man said he'd sent Martin out a long time ago to milk the cow but that there had never been tale or tiding of him since. It occurred to the story-teller that Grandad had sent him out to the cow that day, also. His mother told him not to mind Grandad as he was raving. The story-teller mentioned that he'd heard the story from Máire Bhán and his mother said that she was talking nonsense also and that he'd understand when he was older. The story-teller upended a stool and made a "currach" of it. He was more interested in this now.

TÉAMA AN SCÉIL

Saol na h-óige agus an caidreamh a bhíonn ann idir páistí agus daoine fásta is téama don ghearrscéal seo. Is minic nach dtuigeann ceachtar acu a chéile. Tá plé deas sa ghearrscéal ar shoineantacht na h-óige agus soineantacht sheanaoise.

 PRÍOMHPHOINTÍ

- Is gearrscéal an-chliste an gearrscéal seo a léiríonn eachtra i saol an scéalaí agus é an-óg.
- Fágadh sa teach é lena Dhaideo ach bhí mearbhall ar an seanduine *(the old man was confused)* agus chuir sé amach é "chun bó a bhleán." *(to milk a cow)*.
- Bhí áthas ar an scéalaí agus amach leis féin agus a mhadra.
- Tháinig sé ar thobar agus ba chuimhin leis go bhfaca a Dhaideo leipreachán ann.
- Nuair nár nocht *(appeared)* an leipreachán rinne an scéalaí bád beag feileastraim *(a little boat made from a wild iris)* chun é a thabhairt ar ais.
- Tháinig Máire Bhán go dtí an tobar chun buicéad uisce a fháil.
- Seanbhean aisteach ba ea í a raibh cónaí uirthi léi féin i dteach beag ceann tuí. *(small thatched cottage)*
- Thosaigh sí ag caint leis an scéalaí agus luaigh sí Máirtín, uncail an scéalaí a raibh sí mór leis *(to whom she was close)* fadó.
- Rógaire agus buachaill báire *(playboy)* ba ea é a d'imigh uaithi agus nach bhfacthas riamh arís.

Sleachta Dualgais

- D'éirigh sé fuar ansin agus bhí an scéalaí ag éirí bréan den chluiche leis an mbád.
- Chuala sé an madra ag tafann agus bhí sé chun dul ina dhiaidh ach tháinig a mháthair agus í ar buile mar go raibh sí á lorg.
- Agus é sa bhaile chuir an scéalaí ceist ar a Dhaideo faoin a uncail Máirtín. Dúirt seisean gur chuir sé Máirtín amach chun an bhó a bhleán *(to milk)* fadó ach nár tháinig sé ar ais riamh.
- Dúirt máthair an scéalaí go raibh sifil bheag ar an seanduine *(that the old man spoke nonsense)* uaireanta agus gan bacadh leis.
- Dúirt sí freisin go raibh seafóid ar Mháire Bhán ach go dtuigfeadh an scéalaí an scéal nuair a bheadh sé fásta suas.
- Thosaigh an scéalaí ag imirt le stól ansin agus rinne dearmad ar eachtraí an lae.

 CEISTEANNA

Meaitseáil na ceisteanna seo a leanas (**A, B, C, D**) leis na freagraí thíos (**1-4**) agus scríobh amach go hiomlán iad, san ord ceart.
A Cén chaoi ar ligeadh an scéalaí amach?
B Cén cháil a bhí ar an tobar?
C Céard a rinne an scéalaí ag an tobar?
D Cén gnó a bhí ag Máire Bhán ag an tobar?

 FREAGRAÍ

1 Chuaigh sí ann chun buicéad uisce a líonadh.
2 Dúirt seanathair an scéalaí go bhfaca sé leipreachán ann uair amháin.
3 Bhí a sheanathair ag tabhairt aire dó ach tháinig mearbhall air agus chuir sé amach an scéalaí chun bó a bhleán.
4 Rinne sé bád beag feileastraim agus chuir sé ar snámh sa tobar é.

 CEISTEANNA BREISE

Léigh na ceisteanna seo a leanas (**E, F, G, H**) agus ansin líon isteach na freagraí (**5-8**) ag baint úsáide as an bhfoclóir tugtha.
E Cén cineál duine ba ea uncail an scéalaí, dar le Máire Bhán?
F Céard a tharla dó?
G Cén fáth a raibh fearg ar mháthair an scéalaí?
H Cén cluiche a bhí á imirt aige faoi dheireadh?

 FREAGRAÍ

Líon isteach na bearnaí trí úsáid a bhaint as an bhfoclóir ceart thíos.
5 (1) _____ agus buachaill (2) _____ ba ea é.
6 D'imigh sé agus ní (3) _____ ó shin é.
7 Bhí sí ag (4) _____ an oileáin á (5) _____ .
8 Leag sé (6) _____ bun os cionn agus bhí sé ag (7) _____ air gur churrach é.

FOCLÓIR

A	ligean	F	fhacthas
B	rógaire	G	chuardach
C	siúl	H	bláth
D	stól	I	bog
E	báire		

 NATHANNA ÓN SLIOCHT

1 A Meaitseáil na nathanna seo a leanas (a)-(f) lena míniú tugtha 1-6 agus scríobh amach go h-iomlán iad, san ord ceart.

Nathanna

(a) in éindí liom *(with me)*
(b) gadhar *(dog)*
(c) ag cur de *(giving out)*
(d) faitíos *(fear)*
(e) scaití *(sometimes)*
(f) smeachaidí *(embers / live coal)*

Míniú

1 gríosach
2 uaireanta
3 in éineacht liom
4 eagla
5 ag tabhairt amach
6 madra

B Líon isteach na bearnaí sna habairtí seo a leanas ag baint úsáide as an nath ceart ón liosta (a)-(f) thuas.

(i) Bhí orm an páiste a choinneáil amach ó na _____ .
(ii) _____ téim ag iascaireacht le mo chairde.
(iii) Bhí _____ orm go dtitfinn le faill.
(iv) Is breá liom an _____ sin mar ní bhíonn sé riamh ag tafann.
(v) Bhí m'athair _____ _____ _____ mar bhí mé drochmhúinte.
(vi) Tháinig mo chara go dtí an dioscó _____ _____ _____ .

2 A Meaitseáil na nathanna seo a leanas (g)-(l) leis na freagraí thíos (7-12) agus scríobh amach go hiomlán iad, san ord ceart.

Nathanna

(g) cuma na maitheasa *(looking busy)*
(h) 'chaon spáig agam *(both my feet)*
(i) díocasach *(eager)*
(j) go truipeallach meanmach *(unkempt and in high spirits)*
(k) scéal scéil *(a tall story)*
(l) sáspan láimhe *(a mug)*

Míniú

7 mo dhá chos
8 go gioballach agus go beoga
9 ar bior
10 muga
11 cuma na h-oibre
12 scéal an ghamhna bhuí

Sleachta Dualgais

B   Líon isteach na bearnaí sna habairtí seo a leanas ag baint úsáide as an nath ceart ón liosta (g)-(l) thuas.

(vii)   Ní raibh i scéal na taibhse ach _____ _____ .

(viii) Chuir mé _____ _____ _____ orm nuair a chonaic mé an múinteoir ag teacht.

(ix)   Bhí an madra _____ _____ _____ nuair a ligeadh amach é.

(x)   Rug an tseanbhean ar an _____ _____ agus líon sí an buicéad ón tobar.

(xi)   Bhí _____ _____ _____ ag brostú liom mar bhí mé déanach.

(xii)   Rith an páiste go _____ _____ chuig a mháthair.

CLEACHTAÍ

Cuid A

1   Cén aois don scéalaí sa ghearrscéal?
2   Cén chaoi ar ligeadh amach é?
3   Cá raibh a ghadhar imithe?
4   Cén cháil a bhí ar an tobar?
5   Céard a rinne an scéalaí ag an tobar?
6   Cén fáth ar tháinig Máire Bhán go dtí an tobar?
7   Céard dúirt Máire Bhán mar gheall ar uncail an scéalaí?
8   Céard a tharla do bháidín an scéalaí?
9   Cén fáth ar bhrostaigh an scéalaí abhaile?
10 Céard dúirt Daideo faoin a uncail Máirtín?
11 Céard dúirt a mháthair faoi chaint Dhaideo agus caint Mháire Bháin?
12 Cén cluiche a bhí ag an scéalaí faoi dheireadh?

Cuid B

1   Cén sórt duine é Daideo, dar leat?
2   Cén sórt mná í Máire Bhán, dar leat?
3   Cén fhianaise atá sa scéal go raibh mearbhall ar Dhaideo?
4   Déan cur síos ar ar tharla nuair a bhuail Máire Bhán leis an scéalaí.
5   Déan cur síos ar ar tharla nuair a cheistigh an scéalaí Daideo faoin a uncail Máirtín.

Cuid C

1   "Ach mo Dhaideo. Ní thuigim ar chor ar bith é." Déan cur síos ar Dhaideo sa scéal agus ar an mbail a bhí air.
2   "Bhí mé amuigh. Bhí cead mo chinn agam." Déan cur síos ar ar tharla don scéalaí go dtí gur bhuail sé le Máire Bhán.
3   "Bhí mé i mo shaor báid láithreach." Cén cineál báid a rinne an scéalaí agus céard a rinne sé leis?
4   "Mura ndéanfa sé rud a rinne an buachaill eile sin ormsa fadó." Cerbh í an "buachaill báire" seo agus céard a rinne sé fadó?
5   Ar thaitin an scéal seo leat? Cén fáth?

34

AMUIGH LIOM FÉIN

Ní raibh in éindí liom ach an gadhar. Bhí níos mó deifir air sin ná a bhí orm féin. Bíonn deifir ar ghadhair i gcónaí. Ar thóir rud éigin a bhíonn siad, is dócha - ach ní bheadh fhios agamsa ceart . . .

Ach bhí fhios agam go rí-mhaith cén fáth a raibh deifir orm féin. Bhí mé scaoilte amach.

Mo Dhaideo. Sé a scaoil bóthar liom. Sé a d'oscail an doras dom agus a d'fhág slán agam. Níor thug aon duine cead don ghadhar a dhul amach. Ní raibh aon chead uaidh. Chuaigh sé de léim thar an doras beag agus seo suas an bóthar é, chomh croíúil le mionán. Áthas air a bheith amuigh - mar a bhí orm féin.

Ach mo Dhaideo. Ní thuigim ar chor ar bith é. Is deacair meabhair a fháil air. Scaití bíonn sé ag caint leis féin. Scaití eile bíonn sé ag caint go díreach liomsa. Ach uaireanta eile ní féidir liom a dhéanamh amach cé acu liomsa nó leis féin a bhíonn sé ag caint. Ach is maith liom é. Ní bhíonn sé ag troid liom, ná ag cur de liom ró-mhór. Dá mbeadh féin ní bheadh aon fhaitíos orm roimhe . . .

Thug mo mháthair fógra crua dó sular imigh sí gan an "fear beag" - sin é mé féin - a ligean amach.

"Agus freisin, fainic, ná lig gar don tine é - mar tá an mí-ádh air ag plé le rudaí nach mbaineann dó . . ."

"Ó, coinneoidh mise suas ón tine é," dúirt Daideo bocht, "ná bíodh imní ar bith ort. Coinneoidh mise as na smeachaidí é, deirimse leat. Tabharfaidh mise an maide seo ar an tóin dó," ar seisean, ag cuir cuma an oilc air féin.

D'imigh mo mháthair ansin. D'fhág sí Daideo ina shuí sa gclúid ag caitheamh a phíopa dó féin agus mise ag cartadh liom sna cúinní, ag caitheamh an ama . . . agus an gadhar ina luí sa ngath gréine.

Bhí muid mar sin ar feadh tamaill. Níor tharla tada a ndéanfadh duine iontas de. Ach ansin go tobann, labhair Daideo.

"An bhfuil tusa ag dul chuig bó ar bith inniu," ar seisean, ag breathnú ormsa go míshásta.

Níor thug mise aird ar bith air. Ar ndóigh, cheap mé gur ag caint leis féin a bhí sé. Ach ba ghearr go raibh sé ag cur de arís.

"Cogar?" a dúirt sé, "cén sórt fir tusa ar chor ar bith nach dtéann chuig na ba - agus é ina "hó, ró, raidí, . . ."

Rinne mé iarracht a mhíniú dó nach domsa ba chóir dó a bheith ag inseacht faoi bheithí ar chor ar bith, gur leis féin ba cheart dó a bheith ag caint anois, ach níor éist sé liom.

"Seo, seo, seo," deir sé, go húdarásach, "faigh do channa agus amach leat go beo, nó an bhfuil náire ar bith ort a bheith ag dul ag bleán chomh fada seo sa lá . . . Seo, seo . . ."

Suas leis go dtí an doras is bhreathnaigh amach.

"Ó, muise, a leithéid de lá breá," ar seisean, "is gan tada déanta sa teach seo fós . . ."

D'oscail sé an leathdhoras.

"Amach leat go beo, a dhuine, is cuir cuma na maitheasa ort féin. Cuir sin . . ."

Bhí mé amuigh. Bhí cead mo chinn agam. Is gearr go raibh mé ag dul suas an róidín agus chaon spáig agam agus mothú díocasach an earraigh do mo bhrostú. Nach orm a bhí an t-ádh.

Ach cá mbeadh gaiscíoch chúig bliana mar mise ag dul an mhaidin bhreá earraigh seo?

Is iomaí áit a bhféadfainn m'aghaidh a thabhairt. Ach ba chuma go fóill cá ngabhfainn. Bhí mé amuigh, agus nár leor sin faoi láthair.

Leanfainn mo shrón, mar a deireadh Daideo.

Agus níor thug mo shrón ró-fhada mé. Chas mé soir róidín eile, róidín cam clochach a raibh driseacha ann. Bhí corr neantóg freisin ann agus iad ag faire ar mo chosa nochta, le iad a dhó. Ach ní stopfadh siad sin mé.

Mo ghadhar romham. É féin go truipeallach meanmach.

Bhí casadh sa róidín. Anseo sa gcúinne bhí údar iontais. Tobar an bhaile. Ní fhéadfainn a dhul thairis gan tamall a chaitheamh ann. Bhí cáil an tobair cloiste agam ó Dhaideo agus ó dhaoine eile.

Ach is mó aird a thabharfainn ar Dhaideo ná ar aon duine eile. Bhí sé ar an mbeagán daoine a chonaic an leipreachán ann. Bhí mé buíoch de Dhia go raibh sé de phribhléid agam a bheith chomh gar i ngaol do dhuine a chonaic an leipreachán. Ní scéal scéil ar bith a bhí ann.

Agus bhí mé buíoch de Dhia freisin agus chomh buíoch céanna de Dhaideo gur thoiligh siad araon cead a thabhairt dom a theacht go dtí an tobar an lá breá earraigh seo.

Nárbh é an lá beannaithe dom é.

Ach ní raibh aon fheiceáil ar an leipreachán go fóill. B'fhéidir nach raibh sé ina shuí fós. Nó b'fhéidir nach raibh sé tagtha ar ais.

Ní raibh fhios agam céard as a mbeadh sé casta, mar ní bhíonn fhios ag aon duine cá dtéann an leipreachán. Ach cibé cén áit é ní bheadh aon iontas orm dá mbeadh sé ann inniu a leithéid de lá aoibhinn.

Shocraigh mé go gcuirfinn bád soir dhá iarraidh. B'fhurast é sin a dhéanamh. Bhí feileastram fairsing go leor ann.

Bhí mé i mo shaor báid láithreach. Tréith í an tsaoirseacht a thug mé ó Dhaideo, caithfidh sé. Ach ar ndóigh, ní báidíní feileastram a bhíodh Daideo a dhéanamh nuair a bhí sé i mbarr a réime, ach báid chearta.

Ach dhéanfadh báidín feileastraim an gnó ceart go leor dom-sa inniu. Is gearr go raibh ceann déanta agam agus seolta agam uirthi.

Sháigh mé amach í agus foireann agam innte. Chuaigh mé féin inti agus beirt eile. Agus lig mé orm féin freisin gur chuir mé Daideo freisin inti, mar cheap mé go raibh an bheirt eile aineolach ar na seolta. Soir linn ansin go deas soghluaiste - go dtí cuan a bhí taobh thoir den tobar.

Bheadh an leipreachán áit éigin thoir ann . . .

Nuair a bhí an báidín imithe soir agus muid inti bhí mé in ann mo scíth a ligean. Bhí mé in ann a ligean orm féin gur fhan mé féin i bhfus, freisin. Is iontach an buntáiste dom an bua sin a bheith agam. Ní raibh rud ar bith ab fhearr liom ná a bheith ag treabhadh na dtonn agus san am céanna a bheith ag breathnú amach ar an mbád i lár an chuain . . .

Bhí mé ag breathnú ar mo scáil thíos fúm san uisce, freisin. Ag leathnú agus ag fadú, agus ag imeacht ina thonnta beaga amach agus amach. M'éadan ag gáire aníos chugam.

Tháinig scamall os cionn an uisce. An madra a cheap mé a bhí ann. Ach ní dhá chluais gadhair a bhí ar an scáile seo. B'éigean dom iontaisí an tobair a fhágáil agus breathnú thar mo ghualainn.

Máire Bhán a bhí ann. Í ag teacht ag iarraidh buicéid uisce. D'éirigh mé go neamhchúiseach le cead a thabhairt di an t-uisce a fháil.

Ní raibh rún ar bith agam inseacht di faoi na rudaí a bhí ag tarlú sa tobar. Níor lig mé tada orm féin.

Ach ní bean ró-chainteach a bhí inti, ar aon chaoi. Ar ndóigh ní mórán aithne a bhí agamsa uirthi, cén chaoi a mbeadh, ach bhí sé cloiste agam sa bhaile go raibh sí aisteach. Ní choraíodh sí amach mórán, ná ní labhradh sí le daoine ach corr am.

Thosaigh sí ag líonadh an bhuicéid leis an sáspan láimhe.

Bhí m'imní féin ormsa. Thosaigh mé ag glaoch ar an madra. Is dócha go raibh sé sin chomh sásta cead a chinn a bheith aige is a bhí mé féin.

"An b'amhla a d'imigh sé uait?" d'fhiafraigh an bhean díom.

Is cosúil go raibh fonn cainte inniu uirthi. Labhair sí go caoin cineálta.

"Muise, sea," dúirt mé féin, "an sean-rud," mar is duine soineanta cainteach a bhí ionam an tráth sin.

"Ó, tiocfaidh sé. Ná bíodh faitíos ort," a dúirt sí. Ach ansin thug mé faoi deara gur bhreathnaigh sí go géar sna súile orm, ar nós a thiocfadh rud éigin neamhghnách isteach ina hintinn.

Shílfeá gur tháinig athrú ar a gnúis. Choinnigh sí uirthi ag caint:

"Mura ndéanfa sé rud a rinne an buachaill báire sin eile ormsa fadó . . . Gan filleadh go deo."

"Cén buachaill báire?"

"Ó bhí a leithéid de dhuine ann. Nó ar inis siad duit faoi do uncail Máirtín - an rógaire is iontaí a bhí sna hoileáin seo. D'imigh sé is d'fhág ansin mé . . ."

Níor thuig mé a cuid cainte ró-mhaith. Sé an rud is mó a bhí orm ná iontas go raibh sí ag caint liom mar seo. Shíl mé gurb é Daideo an t-aon duine a bhíodh ag cur síos ar sheanscéalta den tsórt seo. I gcás Dhaideo níor ghá dhom éisteacht mara mbeadh fonn orm. Chaithfinn éisteacht léi seo . . . Ach ní mórán eile a déarfadh sí. Cheapfá gur ghoin a haire í.

"Á muise, is fada an lá ó shin é, a mhaicín. Slán an tsamhail, ach seachain an mbeadh tusa ar nós é. Ar ndóigh, ní bheidh tú, le cúnamh Dé . . . Ó, muise, muise, nach raibh dearmad déanta agam air - go dtí gur tháinig sé isteach i mo chloigeann ar ball beag. Cibé céard a chuir isteach i m'intinn é . . ."

Agus d'imigh an tseanbhean léi agus a dhá dóthain le déanamh aici an buicéad lán a iompar. Í ag déanamh ar a seanteachín ceanntuí mar ar chónaigh sí ina haonar - Tí Mháire Bhán.

D'fhág sí mise ansin. Liom féin.

An scáil úd a spré sí ar an tobar bhí sé imithe anois ina teannta. Bhí gaimh fhuar earraigh tagtha ina áit. Thug mé faoi deara go raibh mo bháidín caite isteach sna clocha gan ceangal ná coinneáil uirthi. Í á bualadh is á tuairteáil, anonn is anall . . . Ní raibh tásc ná tuairisc ar a criú. Bhíodar imithe leo. Cén fáth nach n-imeodh?

Nach mó an aird a bhí ag a gcaptaen a bheith ag caint le seanmhná ná aire a thabhairt dá shoitheach. Captaen gan foireann, gan bád a bhí anois ionann. Bhí mé ag éirí fuar ar an bport . . .

Chuala mé an madra ag sceamhaíl, mar a bheadh coinín déanta amach aige. Chuaigh mé suas an róidín ag déanamh ar an áit a raibh an tafann.

Thuas ar an ard, istigh ar chrogán mór fairsing, ar a dtugtaí An Chreig Áird a bhí sé.

Isteach liom ar an gcrogán. Ach ní raibh faill agam a fháil amach céard a bhí ar bun aige mar bhí mo mháthair ar an gclaí faoi seo agus í ar mire.

Bhí mise ag dul ag inseacht faoi na hiontaisí a bhí feicthe inniu agam, ach chuir sí isteach orm go feargach.

"Gaibh abhaile go beo," dúirt sí, "nó céard a cheapann tú. An bhfuil fhios agat go bhfuil an t-oileán siúlta agam do thóraíocht, mar an tú an maistín againn . . ."

Bhí sí ag teannadh liom agus í dhá rá seo. Cheap mé gurbh fhearr dom fanacht glan uirthi go fóill. Chuaigh mé amach an chéim go sciobtha. Rinne muid ar an mbaile. An gadhar ar tosaigh. Bhí mé féin ina dhiaidh agus an oiread siúil agam is ab fhéidir liom, agus cúis mhaith agam leis . . .

Bhí Daideo istigh romhainn is gan mairg ná brón ná a dhath air. Chuir sé fáilte mhór romhainn agus dúirt sé rud éigin le mo mháthair - "gur mhór ab fhiú é féin, an fear beag, a bheith casta . . ."

Ba dheas an rud duine éigin a fheiceáil a bhí breá suáilceach.

Tar éis tamaill bhí mo mháthair í féin suáilceach go maith. Nuair a bhí an tae ólta aici bhí sí ag tosaí ag déanamh dearmad ar chúrsaí an lae. Ach sin é an t-am ba mhó a bhí mise ag cuimhniú ar mo chuid eachtraí.

Ar ndóigh ba é an rud ba mhó a bhí ag cur as dom go raibh an soitheach briste orm. Ach bhí rud eile freisin nárbh fhéidir liom a chur as mo choigeann: Máire Bhán is a scéal. Uncail Máirtín? Cá raibh sé?

Ní túisce an cheist i m'intinn ná bhí sé curtha agam.

"Cá ndeacha Uncail Máirtín?"

Sé Daideo a d'fhreagair mé.

"Máirtín, a bea?" deir sé.

"Sea, bhí Máire Bhán ag inseacht dom faoi. Cá'il sé anois?"

Rug Daideo ar an tlú is thosaigh ag cartadh sa ngríosach ag soláthar smeachaide a dheargadh a phíopa.

"Á, muise, stop leis," deir sé go dí-mheasúil, "nár chuir mé amach chuig an mbó fadó inniu é agus deabhal a chos ná a chnámh a tháinig abhaile ó shin. Níor tháinig sin. Tá mé mo bhaileabhair aige . . . ag iarraidh ciall a chuir ina chloigeann."

Dhearg Daideo a phíopa agus d'fhan ina thost.

B'éigin dom ceist a chur ar mo mháthair faoi.

"Céard atá Daideo a rá? Nach mise a chuir sé chuig an mbó inniu?"

"Muise, ná bac le Daideo, mhaicín. Níl sé sin ach ag rámhaillí. Bíonn sifil beag ar sheandaoine uaireanta, tá fhios agat . . .

"Ach bhí Máire Bhán ag caint liom faoi Uncail Máirtín, freisin . . ."

"Ar ndóigh, tá seafóid uirthi sin, freisin. Ní iontas ar bith di é, an bhean bhocht . . . Nuair a bhéas tú mór tuigfidh tú. Ná buair do chloiginín anois le seanscéalta a bhíonn ag daoine fásta . . . Nach bhfuil go leor rudaí eile le déanamh agat . . .

B'fhíor di. Bhí rudaí eile le déanamh agam.

Bhí an stól leagtha bunoscionn agam. Sin í an curach a bhíodh agam nuair a bhínn ag iascach. Air sin is mó a bhí aird anois agam.

GLUAIS

- in éindí liom - in éineacht liom *(with me)*
- scaoilte amach - ligthe amach *(let out)*
- mionán (meannán) - gabhar óg *(a kid)*
- scaití - uaireanta *(sometimes)*
- ag cur de - ag tabhairt amach *(giving out)*
- faitíos - eagla *(fear)*
- smeachaidí - gríosach *(hot embers)*
- cuma an oilc - cuma fheargach *(an angry look)*
- sa gclúid - sa chúinne cois tine *(chimney corner)*
- ag cartadh liom - ag piocadh *(poking about)*
- tada a ndéanfadh duine iontas de - aon rud neamhghnáth *(nothing surprising / unusual)*
- ag breathnú - ag féachaint *(looking at)*
- faoi bheithí (bheithígh) - faoi bha *(about cattle)*
- ag bleán - ag crú *(milking)*
- cuir cuma na maitheasa ort féin - beir beo ort féin *(look lively / make yourself useful)*
- chaon spág agam - bhí mé ag deifriú *(I was hurrying)*
- mothú díocasach - braistint chíocrach *(an eager feeling)*
- gaiscíoch - laoch *(warrior / hero)*
- driseacha - driseoga *(brambles / briars)*
- go truipeallach meanmach - bhí mothall fionnaidh air agus bhí teaspach air *(shaggy and in high spirits)*
- scéal scéil - scéal i mbarr bata *(a cock-and-bull story)*
- lá beannaithe - lá ámharach *(blessed / fortunate day)*
- céard as a mbeadh sé casta - cá mbeadh sé bailithe leis *(where he might have gone to)*
- feileastram - seileastrach *(wild iris)*
- saor bád - ceardaí bád *(boat builder)*
- aineolach - gan chleachtadh *(ignorant of)*
- m'éadan - m'aghaidh *(my face)*
- neamhchúiseach - fuarchúiseach *(unconcerned)*
- sáspan láimhe - muga *(a mug)*
- soineanta cainteach - saonta agus cabanta *(innocent and talkative)*
- choinnigh sí uirthi - lean sí uirthi *(she continued on)*
- buachaill báire - réice *(playboy)*
- gur ghoin a h-aire í - go raibh sí amhrasach faoi *(that her suspicions were aroused)*
- slán an tsamhail - a shamhail i gcloch *(God save the mark)*
- gaimh - goimh fuachta *(sting of cold)*
- á tuairteáil - á bhatráil *(being pounded)*
- ag sceamháil - ag sianaíl *(yelping)*
- crogán - creagán *(rocky eminence)*
- is tú an maistín againn - nach tusa an smuilcín *(aren't you a brat)*
- suáilceach - go meanmach - *(cheerful)*
- ag cartadh sa ghríosach - ag priocadh sa tine *(poking in the embers)*
- dí-mheasúil - go tarcaisneach *(contemptuously)*
- tá mé i mo bhaileabhair aige - tá mé cráite aige *(he's exasperating me)*
- sifil bheag - mearbhall beag *(confused / raving)*
- aird - aire *(my attention)*

GAFA

──────────── An t-Údar ────────────

Ré Ó Laighléis. Rugadh é sa Naigín i mBaile Átha Cliath sa bhliain 1953. D'fhreastail sé ar Choláiste na h-Ollscoile, Gaillimh, mar ar bhain sé céim amach sa tSocheolaíocht. Tá iarchéimeanna M.Ed. aige freisin san Oideachas. Ó 1992 i leith tá sé ina scríbhneoir lánaimseartha a bhfuil go leor gradam bainte aige. Ghnóthaigh **Gafa** an duais don Leabhar is Fearr do Dhéagóirí in Oireachtas na bliana 1996.

Leagan Gearr den Scéal

Bhí Eithne ag glanadh seomra codlata a mic, Eoin. Tháinig sí ar ghiuirléidí faoin leaba: sean-tiúb ruibéir, púdar bán i mála glé plaisteach, spúnóg bheag airgid, stráicí de pháipéar tinsil, steallaire agus snáthaid. Baineadh stad aisti ní h-amháin, ar theacht ar na giuirléidí seo, ach nuair a chuala sí a mac Eoin ag labhairt léi ó bhun an staighre. Dúirt sé gur ligeadh an rang amach go luath mar go raibh "Froggy," an múinteoir Fraincise, as láthair. Chuir an tagairt dhrochbhéasach don Uasal Ó Riagáin olc uirthi agus cháin sí a mac. Bhí teannas eatarthu mar go ndearna Eoin praiseach den bhliain a bhí thart ar scoil agus bhí sé ag déanamh atriail ar an mbliain chéanna. Dar léi gur bheag oibre a bhí ar siúl aige fós. Dúirt Eoin go raibh sé ag dul amach ansin agus go n-íosfadh sé a dhinnéar nuair a thiocfadh a Dhaid abhaile. Sheas Eithne ar léibheann an staighre agus laige uirthi nuair a thuig sí fírinne a raibh ag tarlú. Leis sin thosaigh sí ag caoineadh.

Agus iad ag ithe an dínnéir d'éirigh idir Daid agus Sinéad. Bhí sise trí bliana déag d'aois agus bhí sí ag iarraidh air bheith ciúin le linn *Home and Away*. D'ordaigh Daid di an "bosca" a mhúchadh agus bhí pus caillí ar Shinéad ina dhiaidh sin. Labhair Daid le h-Eoin faoin lá scoile agus nuair a luaigh Eoin an múinteoir Fraincise dúirt Daid go

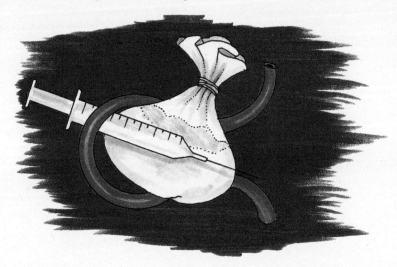

raibh aithne aige féin air mar gur múinteoir Gearmáinise Daid féin. Luaigh Daid an leasainm "Froggy" agus phléasc Eoin amach ag gáire. Bhí Eithne ar buile mar go raibh an bheirt acu isteach le chéile agus bhí an seasamh a rinne sí féin i dtaobh easpa cuirtéise Eoin don Uasal Ó Riagáin scuabtha sna ceithre h-airde ag Daid. D'ordaigh sí d'Eoin na soithí a ghlanadh agus sheas Daid léi an babhta seo. Bhí Eoin chun dúshlán a athar a thabhairt mar thuig sé go bhféadfadh sé é a scrios lena raibh ar eolas aige, ach dúirt sé eascaine nó dhó ina intinn féin agus rinne mar a dúradh leis.

Nuair a bhí Eithne agus Breandán (Daid) sa leaba an oíche sin bhí Eithne fós gan chodladh ag smaoineamh ar a bhfaca sí istigh faoi leaba Eoin. Bhí fearg uirthi fós mar gur lig a fear céile síos í an tráthnóna sin. Theann sí isteach taobh thiar de Bhreandán agus dúirt leis de chogar go raibh imní uirthi faoi Eoin. Bhí Breandán fós ina leathchodladh agus bhí sé cantalach go leor nuair a chorraigh sí é ach, leis sin, chuala siad Eoin ag teacht isteach thíos staighre ar a deich tar éis a h-aon. Bhí rírá ann ansin. D'imigh Breandán amach ina chóta oíche agus d'fhiafraigh go feargach dá mhac cá raibh sé go dtí sin. Dúirt Eoin go raibh sé i dteach Chillian Mhic Raghnaill, mac an phoitigéara, ag éisteacht le ceol. Labhair Eoin go h-ómósach lena Dhaid agus nuair a bhí seisean sásta nach raibh sé ag ól dúirt sé leis dul a chodladh gan mhoill. Bhí Eithne an-mhíshuaimhneach faoi seo ach bhí Breandán sásta nach raibh tada as an tslí. Chuimhnigh Eithne ar mhac an phoitigéara agus bhí imní ní ba mheasa uirthi.

Cúig seachtaine ina dhiaidh sin bhí an briseadh lár téarma tagtha agus bhí socraithe ag Breandán roinnt ama a chaitheamh lena dheartháir, ag imirt gailf, ag imirt snúcair nó ag ól cúpla pionta. B'aisteach le h-Eithne chomh minic is a thugadh Breandán cuairt ar a dheartháir le linn ama saoir bíodh is nach labhraíodh sé focal mar gheall air ina dhiaidh sin is nár thaitin an deartháir céanna léi féin. Go dtí seo ní raibh focal ráite aici le Breandán faoi na giuirléidí faoi leaba Eoin mar bhí sí den tuairim nach seasfadh a fear céile léi i gcoinne Eoin. Bhí sí ag iarraidh a chur ina luí uirthi féin go raibh Eoin ag coinneáil na ngiuirléidí do dhuine éigin eile mar nuair a rinne sí seiceáil ó shin ní raibh na giuirléidí ann a thuilleadh.

Bhí Eoin le bheith sa bhaile dá dhinnéar ar a sé a chlog an tráthnóna sin agus bhí sé fiche cúig chun a seacht. D'fhiafraigh Eithne de Shinéad an raibh a fhios aici cá raibh Eoin ach ba mhó a h-aird ar *Home and Away*.

D'éirigh eatarthu agus mhúch Eithne an teilifíseán. Bhailigh Sinéad léi ón seomra agus chuala Eithne doras a seomra codlata á phlabadh aici. Shuigh Eithne léi féin i suíochán ansin agus thit a codladh uirthi. Nuair a dhúisigh sí bhí sé fiche cúig tar éis a dó dhéag.

Suas léi go dtí seomra Shinéad agus bhí sí ina codladh go sámh. Ansin rinne sí seiceáil ar Eoin. Baineadh stad aisti nuair nach raibh sé ina sheomra codlata. Bhí aiféala uirthi nach raibh Breandán ní b' údarásaí leis roinnt seachtainí roimhe sin.

Bhí sí go mór trí chéile agus í ag ól cupán caife thíos staighre. Smaoinigh sí ar Chillian Mac Raghnaill agus nuair a bhí sé ag druidim lena h-aon a chlog bhí sí chun glaoch ar a theach. Dar léi go raibh sé ró-dhéanach. Smaoinigh sí ansin ar chomhluadar Eoin agus an nós a bhí aige seasamh leis na stócaigh ag an gcoirnéal. Amach léi ansin go dtí an doras agus tháinig sé isteach de phlabadh ina coinne. Thit Eoin isteach agus dath an bháis air. Ni raibh marc ná máchail air ná boladh an óil uaidh ach an oiread. Thug sí faoi deara ansin go raibh a shúile dearg agus an t-imreasc leathan bolgach. Bhí rian na snáthaide le feiceáil i lúb na h-uilinne air.

GLUAIS

- giuirléidí - gléasanna *(instruments / implements)*
- stráicí - píosaí *(strips)*
- léibheann an staighre - barr an staighre *(landing)*
- pus caillí - smuilc *(sour face)*
- é a scrios - é a mhilleadh *(to destroy him)*
- theann sí - dhruid sí *(moved / snuggled)*
- de chogar - os íseal *(whispered)*
- cantalach - crosta *(cranky)*
- go h-ómásach - go h-urramach *(respectfully)*
- tada as an tslí - faic mícheart *(nothing wrong)*
- briseadh - sos *(break)*

- nach seasfadh - nach dtacódh *(would not support)*
- ba mhó a h-aird ar - bhí a h-aire dírithe ní ba mhó ar *(she was paying more attention to)*
- d'éirigh eatarthu - thosaigh siad ag argóint / troid) *(they had a row)*
- á phlabadh - á dhúnadh le fórsa *(slamming)*
- baineadh stad aisti - baineadh léim aisti *(she was taken aback)*
- na stócaigh -na fir óga *(the youths)*
- an t-imreasc - an cuid den tsúil atá daite *(the pupil)*

ADDICTED

Eithne was cleaning her son Eoin's bedroom. She found instruments under the bed: an old rubber tube, white powder in a clear plastic bag, a small silver spoon, strips of silver paper, a syringe and a needle. She was startled, not only on finding the instruments but when she heard her son Eoin speaking to her from the bottom of the stairs. He told her the class had been released early because "Froggy," the French teacher, had been absent. The impolite reference to Mr O'Reagan made her angry and she reproached her son. Things had been tense between them because Eoin had messed up his final year at school and he was repeating. She didn't think he was doing much work still. Eoin said he was going out and that he'd eat his dinner when his Dad came home. Eithne stood on the landing feeling faint when she realised the truth of what was happening. With that she started to cry.

While they were eating dinner Dad and Sinead quarrelled. She was thirteen and she asked him to be quiet during *Home and Away*. He ordered her to turn off the "box" and Sinead had a face on her after that. Dad spoke to Eoin about his day at school and when Eoin mentioned the French teacher Dad said he knew him himself as Dad was a German teacher. Dad mentioned the name "Froggy" and Eoin burst out laughing. Eithne was furious because the two were in cahoots and the stand she had made about Eoin's lack of courtesy towards Mr O'Reagan had been completely set at nought by Dad. She ordered Eoin to clean the dishes and Dad stood by her on this occasion. Eoin was going to challenge his father because he realised that he could destroy his Dad with what he knew but he mumbled a few curses under his breath and did what he was told.

When Eithne and Brendan (Dad) were in bed that night she still could not sleep thinking about what she'd seen under Eoin's bed. She was still angry as her husband had let her down that evening. She snuggled in behind Brendan and whispered to him that she was worried about Eoin. Brendan was still half asleep and he was quite cranky when she shook him but, with that, they heard Eoin coming in downstairs at ten past one. There was uproar then. Brendan went out in his dressing gown and angrily asked his son where he had been until then. Eoin said that he'd been in Killian Reynold's house listening to music. Killian was the chemist's son. Eoin spoke respectfully to his Dad and, when the latter was satisfied that he hadn't been drinking, he told him to go to bed without delay. Eithne was very uneasy about this but Brendan was satisfied that nothing was amiss.

Five weeks later the mid-term break had come and Brendan had arranged to spend some time with his brother playing golf, playing snooker or drinking a few pints. Eithne thought it strange how often Brendan visited his brother during his free time given that he never mentioned him afterwards and that she didn't like that same brother. Until now she hadn't mentioned a word to Brendan about the instruments under Eoin's bed because she believed that her husband would not support her against Eoin. She was trying to convince herself that Eoin had been keeping the instruments for someone else because, when she'd checked since then, the instruments had not been there any more.

Eoin was to have been home for dinner at six o'clock that evening and it was twenty-five to seven. Eithne asked Sinead if she knew where Eoin was but she was more interested in *Home and Away*. They had a row and Eithne turned off the television. Sinead stormed out of the room and Eithne heard her slamming her bedroom door. Eithne sat alone on a seat and fell asleep. When she awoke it was twenty-five past twelve. She went up to Sinead's bedroom and found her sleeping peacefully. Then she checked Eoin. She was taken aback to find that he wasn't in his bedroom. She regretted that Brendan hadn't been more authoritative with him some weeks beforehand.

She was very upset as she drank a cup of coffee downstairs. She thought of Killian Reynolds and when it was close to one o'clock she was going to call his house. She felt it was too late. Then she remembered Eoin's company and his habit of standing at the corner with the young men. She went out to the door and it was slammed in on her. Eoin stumbled in looking the colour of death. There were no marks or blemishes on him nor did he smell of drink. Then she noticed his blood-shot eyes and his dilated pupils. The mark of the needle was apparent in the crook of his elbow.

TÉAMA AN SCÉIL

Andúil drugaí agus an drochthionchar a bhíonn aige ar shaol teaghlaigh. Tá easpa caidrimh idir daoine mar théama sa sliocht freisin.

 PRÍOMHPHOINTÍ

- Agus í ag glanadh seomra codlata a mic Eoin, tháinig Éithne ar ghiuirléidí : tiúb rubair, púdar bán, páipéar tinsil, spúnóg airgid, steallaire agus snáthaid.
- Leis sin tháinig Eoin isteach agus labhair Eithne leis faoin scoil. Bhí fearg uirthi mar thug Eoin "Froggy" ar an Uasal Ó Riagáin, an múinteoir Fraincise, . Bhí teannas eatarthu *(there was tension between them)* freisin mar ní dhearna Eoin staidéar ar scoil agus bhí sé ag déanamh athbhliana. Fós ní raibh sé ag obair go dian. Nuair a d'imigh Eoin thosaigh Eithne ag caoineadh.

- Agus iad ag an mbord níos déanaí d'éirigh idir Sinéad agus Daid (Breandán). Bhí Sinéad trí bliana déag d'aois agus í ag féachaint ar *Home and Away*. Nuair a dúirt sí le Daid bheith ciúin d'ordaigh sé di an teilifíseán a mhúchadh *(to put off the T.V.)* Bhí smuilc uirthi ansin.
- Labhair Daid le h-Eoin agus bhí siad ag plé cúrsaí scoile. Ba mhúinteoir Gearmáinise Daid féin agus dúirt sé go raibh aithne aige ar *"Froggy,"* an múinteoir Fraincise. Phléasc Eoin amach ag gáire agus bhí olc ar Eithne mar, dar léi, go raibh sé féin agus Daid isteach le chéile *(in cahoots)* ina coinne.
- An oíche sin agus iad sa leaba, bhí sí an-bhuartha fós faoi Eoin ach bhí Breandán ina leathchodladh go dtí gur chuala siad Eoin ag teacht isteach go déanach. Labhair Breandán leis go crosta ach nuair a thuig sé go raibh Eoin ag éisteacht le ceol i dteach Chillian Mhic Raghnaill agus nach raibh sé ag ól, bhí sé sásta. Ba mhac an phoitigéara Cillian agus bhí imní ar Eithne faoi seo.
- Cúig seachtaine ina dhiaidh sin bhí an briseadh lár téarma tagtha agus bhí Breandán imithe go dtí a dheartháir chun roinnt ama saoir a chaitheamh. Bhí ionadh ar Eithne cé chomh minic is a théadh Breandán chuig a dheartháir.
- Bhí imní ar Eithne nuair nár tháinig Eoin isteach dá dhinnéar. D'éirigh idir Sinéad agus í féin ina dhiaidh sin agus bhailigh Sinéad léi go dtí a seomra codlata. Thit Eithne ina codladh sa chathaoir agus nuair a dhúisigh sí bhí sé fiche cúig tar éis a dó dhéag. Suas léi go dtí seomra codlata Shinéad agus bhí sí ina codladh go sámh. Faraor, nuair a d'fhéach sí isteach i seomra codlata Eoin, ní raibh sé ann.
- Bhí Eithne go mór trí chéile agus bhí sí ar tí glaoch ar theach Chillian Mhic Raghnaill nuair a thit Eoin isteach an doras. Bhí dath an bháis air agus bhí a shúile dearg. Bhí an t-imreasc leathan bolgach. *(His pupils were dilated)* Thug Eithne faoi deara rian na snáthaide *(the mark of the needle)* i lúb a uilinne *(in the crook of his elbow)*.

CEISTEANNA

Meaitseáil na ceisteanna seo a leanas **(A, B, C, D)** leis na freagraí thíos **(1-4)** agus scríobh amach go hiomlán iad, san ord ceart.

A Ainmnigh roinnt de na giuirléidí a fuair Eithne faoi leaba Eoin.
B Cén fáth nach raibh Eoin agus Eithne ag réiteach le chéile?
C Céard a chuir olc ar Eithne?
D Cén chaoi ar éirigh idir Sinéad agus Daid ag am tae?

FREAGRAÍ

1 Bhí Sinéad ag féachaint ar *Home and Away* agus d'iarr sí ar Dhaid bheith ciúin. Bhí fearg ar Dhaid agus dúirt sé léi an teilifíseán a mhúchadh.
2 Fuair sí na giuirléidí seo a leanas: sean-tiúb rubair, mála púdair bháin, spúnóg bheag airgid, páipéar tinsil, steallaire agus snáthaid.
3 Rinne Eoin praiseach den bhliain dheireanach ar scoil agus bhí sé ag déanamh atrialach ar an mbliain chéanna. Ní raibh sé ag obair fós, áfach.
4 Thug Eoin "Froggy" ar an Uasal Ó Riagáin, an múinteoir Fraincise agus cheap Eithne go raibh an leasainm seo mímhúinte.

CEISTEANNA BREISE

Léigh na ceisteanna seo a leanas (**E, F, G, H**) agus ansin líon isteach na freagraí (**5-8**) ag baint úsáide as an bhfoclóir tugtha.

E   Céard a dhúisigh Breandán an oíche sin?

F   Cén fáth a raibh an-imní ar Eithne fós faoi Eoin?

G   Cén chaoi ar éirigh idir Sinéad agus Eithne ag am tae?

H   Déan cur síos ar an mbail a bhí ar Eoin nuair a tháinig sé abhaile faoi dheireadh.

 FREAGRAÍ

Líon isteach na bearnaí trí úsáid a bhaint as an bhfoclóir ceart thíos.

5   Tháinig Eoin isteach ar a (1) _____ tar éis a (2) _____ agus dhúisigh sé Breandán.

6   Bhí Eoin i dteach Chillian Mhic Raghnaill, mac an (3) _____ agus thuig Eithne go raibh seans aige (4) _____ a fháil.

7   Bhí Sinéad ag (5) _____ ar *Home and Away*. D'iarr sí ar a (6) _____ bheith (7) _____ agus bhí fearg uirthi.

8   Bhí (8) _____ an bháis air. Bhí a shúile (9) _____ agus bhí an (10) _____ leathan (11) _____ . Chonaic Eithne (12) _____ na snáthaide i lúb a uilinne.

FOCLÓIR

A	rian	G	máthair
B	deich	H	drugaí
C	féachaint	I	t-imreasc
D	dath	J	ciúin
E	h-aon	K	dearg
F	phoitigéara	L	bolgach

 NATHANNA ÓN SLIOCHT

1 A   Meaitseáil na nathanna seo a leanas (a)-(f) lena míniú tugtha 1-6 agus scríobh amach go h-iomlán iad, san ord ceart.

Nathanna
  (a) giuirléidí *(instruments)*
  (b) tá cinnte uirthi *(she cannot / is failing to)*
  (c) dromchla *(surface / top)*
  (d) faiteach amhrasach *(frightened and suspicious)*
  (e) dá mba dhóichín féin í *(even though it's easy)*
  (f) léibheann an staighre *(the landing)*

Míniú
  1 cé go raibh sé éasca
  2 gléasanna
  3 barr an staighre
  4 tá ag teip uirthi
  5 barr
  6 go h-eaglach neamhchinnte

B Líon isteach na bearnaí sna habairtí seo a leanas ag baint úsáide as an nath ceart ón liosta (a)-(f) thuas.

(i) Tá _____ _____ ciall a bhaint as caint an pháiste mar ní labhraíonn sé go soiléir.

(ii) _____ _____ _____ _____ _____ ní féidir le m'athair fiú béile beag a ullmhú!

(iii) Bhí Siobhán go _____ _____ nuair nár tháinig a tuismitheoirí abhaile go luath.

(iv) Chonaic mé _____ na farraige go soiléir fúm mar bhí sí ina gloine.

(v) Suas leis go _____ _____ _____ agus chuir sé an solas ar siúl.

(vi) Bhí go leor _____ ag an dochtúir.

2 A Meaitseáil na nathanna seo a leanas (g)-(l) leis na freagraí thíos (7-12) agus scríobh amach go hiomlán iad, san ord ceart.

Nathanna	Míniú
(g) cráiteoir (tormentor / vexatious person)	7 smuilc
(h) is rí-chuma leis faoi (he doesn't mind at all)	8 caidreamh
	9 ciapaire
(i) idirphlé (interplay)	10 le déanaí
(j) faoi ghreim éinirt (seized by a weakness)	11 is cuma leis sa tsioc faoi
	12 ag titim i laige
(k) pus caillí (a sour / sulky face)	
(l) le deireanas (recently)	

B Líon isteach na bearnaí sna habairtí seo a leanas ag baint úsáide as an nath ceart ón liosta (g)-(l) thuas.

(vii) Chonaic mé Seán _____ _____ agus bhí sé ag cur do thuairisce.

(viii) Teipfidh ar Liam sa scrúdú agus _____ _____ _____ .

(ix) Is _____ cruthanta é; bíonn drochaoibh air i gcónaí.

(x) Bhí _____ _____ ar Aisling nuair a cháin a máthair í.

(xi) Ba bheag _____ a bhí againn mar níor thuig mé focal uaidh.

(xii) Bhí mé _____ _____ _____ nuair a chuala mé an drochscéal.

CLEACHTAÍ

Cuid A

1 Cén fáth ar leath súile Eithne agus í i seomra Eoin?

2 Cén fáth a raibh Eoin sa bhaile go luath?

3 Cén fáth, meas tú, nach raibh Eithne agus Eoin ag réiteach le chéile?

4 Cén bhail a bhí ar Eithne tar éis imeacht d'Eoin?

 5 Cén chaoi ar éirigh idir Sinéad agus a h-athair ag am tae?
 6 Céard a d'ordaigh Daid di?
 7 Cén fáth a raibh fearg ar Eithne nuair a bhí Daid agus Eoin ag caint?
 8 Céard a d'fhéadfadh Eoin a dhéanamh lena raibh ar eolas aige?
 9 Cén fáth a raibh Eithne gan codladh na h-oíche?
10 Céard a dhúisigh Daid?
11 Cén fáth, dar leat, a raibh Daid sásta nach raibh aon rud as an tslí?
12 Cá ndeachaigh Breandán le linn an bhriseadh lár téarma?
13 Cén fáth a b'ionadh le h-Eithne an méid seo?
14 Cén chaoi ar éirigh idir Sinéad agus Eithne ag am tae?
15 Cá ndeachaigh Sinéad?
16 Cár thit Eithne ina codladh?
17 Cén t-am ar dhúisigh sí?
18 Cén bhail a bhí ar Eoin nuair a tháinig sé abhaile?
19 Céard a thug Eithne faoi deara?

Cuid B

1 (a) Cén sórt mná í Eithne sa sliocht seo, dar leat?
   (b) Cén sórt fir é Breandán?
2 Céard is bun leis an teannas sa teach, meas tú?
3 Cén fhianaise atá sa sliocht go bhfuil Eoin ar bhóthar a aimhleasa?
4 Déan cur síos ar ar tharla nuair a d'éirigh idir Eithne agus Sinéad.
5 Déan cur síos ar ar tharla ón am a dhúisigh Eithne go dtí gur tháinig Eoin isteach.

Cuid C

1 " . . . Is rí-chuma leis faoi, is cosúil. Cuma mhíshásta ar Eithne lena bhfuil á chloisteáil óna mac aici." Cén fáth, meas tú, a raibh Eithne míshásta lena raibh á rá ag Eoin faoin múinteoir Fraincise?
2 "Seasann Eithne ina dealbh ar léibheann an staighre . . . a colainn faoi ghreim éinirt éigin."
   Céard ba chúis leis an laige a bhí uirthi?
3 "Fuist!" arsa Sinéad agus í ag éileamh ciúnais le go gcloisfí *Home and Away*.
   Céard a tharla ina dhiaidh sin?
4 "Ó, in ainm dílis Dé, a Eithne, céard é féin? Nach féidir labhairt faoi seo ar maidin?"
   (a) Cén imní a bhí ar Eithne?
   (b) Céard a dhúisigh Breandán ina dhiaidh sin?
5 "A, a Mham." Agus leis sin éiríonn Sinéad go friochanta agus bailíonn léi an doras amach."
   (a) Cá ndeachaigh Sinéad?
   (b) Céard a thug uirthi imeacht?
6 "Cuireann Eithne ordóg ar chaipín súile Eoin agus déanann é a ardú." Cén bhail a bhí ar a mac?

GAFA

Caibidil a hAon

Leathnaíonn súile Eithne i logaill a cinn nuair a fheiceann sí na giuirléidí atá istigh faoin leaba ag Eoin. Sean-stoca atá ann, a shíleann sí, nuair a tharaingíonn sí amach ar dtús é. Ní hé, go deimhin, go gcuirfeadh sin féin aon iontas uirthi, ná baol air. Tá a fhios ag Dia nach bhfuil insint ar an taithí atá ar stocaí bréana an mhic chéanna a aimsiú lá i ndiaidh lae, seachtain i ndiaidh seachtaine ar feadh na mblianta. Ach iontas na n-iontas - é seo. Nuair a osclaíonn sí an t-éadach, a cheapann sí ar dtús a bheith ina shean-stoca, ní thuigeann sí go baileach céard tá ann dáiríre. Sean-tiúb ruibéir is cosúil, agus dath donn na meirge air - é scoilteach go maith nuair a dhéanann sí é a shíneadh. Tá cinnte uirthi aon chiall a bhaint as sin ar chor ar bith.

Céard sa diabhal a bheadh á dhéanamh aige lena leithéid? Agus an púdar bán seo atá sa mhála glé plaisteach atá in aon charn leis - is ait léi sin chomh maith. Is aistí fós é, áfach, nach ritheann sé léi iontas ar bith a dhéanamh den spúnóg bheag airgid a bheith ann ná de na stráicí de pháipéar tinsil atá fillte go deismíneach in aon bheart leis.

Ach a bhfuil sa sparáinín beag seamaí - sin é a bhaineann siar aisti, dáiríre. Steallaire beag liath-phlaisteach, a bhfuil 25ml greanta go dubh ar an dromchla air. Agus, ar bhealach, cé go mbaineann sin siar aisti ceart go leor, is measa fós é nuair a fheiceann sí cúl an tsaicín bhig páipéir agus séala briste air. Snáthaid! Ardaíonn sí os comhair a súl é - í faiteach amhrasach; ansin casann ina láimh é. Dá mba trína croí féin a thiománfaí í níor bhinbí a dhath í: snáthaid fhada ghéar a bhfuil truaill ghlé stoca ghairéadaigh de dhath an oráiste uirthi. Dá mba dhóithín féin í, ní fhéadfadh sí gan an cás a thuiscint ag an bpointe seo.

Oscailt an dorais thosaigh thíos a chuireann uirthi an fearas a shluaisteáil isteach faoin leaba athuair agus tosaíonn sí ar ghothaí na hoibre a chur uirthi féin arís.

"Haigh, a Mham," a chloiseann sí thíos.

A Mhuire Mháthair, Eoin féin atá ann. Breathnaíonn sí ar an gclog le hais leaba a haonmhic. 3.30 p.m. Tá sé luath ón scoil. "Heileo, a Eoin. Tá mé anseo thuas," ar sí, agus deifríonn sí amach as an seomra agus seasann ar léibheann an staighre. Idir chiontacht agus neirbhíseacht i ngleic le chéile a chuireann uirthi í féin a fhógairt. "Tá tú luath, a stóirín," ar sí. "Tá. Bhí Froggy as láthair inniu. Mar sin, bhí seisiún deiridh an tráthnóna saor againn." Agus Eoin á rá sin, bogann sé leis amach as an seomra suí arís agus tagann go bun an staighre. A Mham thuas, é féin thíos. Breathnaíonn siad ar a chéile agus aithníonn Eoin míshuaimhneas éigin i súile na máthara.

"An tUasal Ó Riagáin, a dúirt mé leat cheana, a Eoin. Tá sé drochbhéasach Froggy a thabhairt air."

"Ó, a Mham, ná bí i do chráiteoir seanfhaiseanta. Is múinteoir Fraincise é i ndeireadh an lae, agus, mar sin, céard eile a thabharfá air ach Froggy?"

"Bhuel, céard faoin Uasal Ó Riagáin, mar a dúirt mé. Níor mhaith leat go dtabharfaí Hitler ar do Dhaid toisc gur múinteoir Gearmáinise é, ar mhaith?"

"Huth, ba chuma liom. Kraut a thugaimidne ar an bhfear s'againne agus is rí-chuma leis faoi, is cosúil."

Cuma mhíshásta ar Eithne lena bhfuil á chloisteáil óna mac aici. Cúlú sa cheangal idir í agus Eoin le deireanas toisc praiseach a bheith déanta aige den bhliain atá thart. É anois ag déanamh atriail ar an mbliain chéanna agus, de réir mar a mheasann Eithne é, ní mórán d'iarracht atá á dhéanamh aige. Ar ndóigh ní chuidiú ar bith inniu di é go bhfuil aimsiú na ngiuirléidí úd faoin leaba ar a hintinn fós. Í ag breathnú anuas ar a mac ó bharr an staighre agus í mar a bheadh sí ag iarraidh rud éigin a ríomh ina aghaidh - rud beag éigin, b'fhéidir, nár thug sí faoi deara cheana. Go fiú an dímheas seo uaidh i dtaobh na múinteoirí - Kraut agus Froggy agus a fhios ag Dia féin amháin céard eile a thug sé ar chuid acu - is léir di anois gur géire ná riamh an nós seo aige. Ach ní hin is measa, mura mbeadh ann ach é - ach ní hea.

"Beidh mé ar ais ar ball," arsa Eoin, agus déanann sé ar an doras.

"Ach, céard faoi do dhinnéar, a Eoin? Tá sé sa . . . "

"Beidh sé agam ar ball - nuair a thagann Daid abhaile," agus cuireann plabadh an dorais ina dhiaidh deireadh leis an idirphlé. Seasann Eithne ina dealbh ar léibheann an staighre agus í ag breathnú fós ar an spota inar sheas Eoin roimh imeacht dó. A colainn faoi ghreim éinirt éigin. Fonn uirthi éalú as a hintinn féin le nach mbeidh uirthi aghaidh a thabhairt ar an bhfírinne. Agus, leis sin, caoineann sí . . .

* * * * *

Iad ciúin ag an mbord an oíche sin. Daid ag léamh an *Irish Independent* agus corrghreim á bhaint den bpláta aige ó am go chéile. Sinéad taobh le Daid agus leathshúil aici ar *Home and Away* agus í ag ithe léi. Eoin féin ag tabhairt faoin ngreim go halpach agus an chuma air go bhfuil bunús éigin leis an deifir. Agus Mam - Eithne bhocht, í ag faire othu uile: í ina príosún beag féin agus a bhfuil aimsithe faoi leaba Eoin aici tráthnóna ag cur scamaill ar a croí.

"Cén chaoi a raibh cúrsaí scoile inniu, a Eoin?" arsa Daid.

"Fuist!" arsa Sinéad, agus í ag éileamh ciúnais le go gcloisfí *Home and Away*.

Breathnaíonn Daid go géar uirthi. Murach na trí bliana déag a bheith díreach slánaithe aici agus murach gur cailín í, dhéanfadh sé an leathlámh a tharraingt uirthi. Ach amharcann sé go géar uirthi mar sin féin.

"Na déan do chuid fuisteáil liomsa, a Mhissy, nó is duitse is measa. Nach bhfuil sé de chead agam labhairt i mo theach féin?" Breathnaíonn Sinéad air soicind, 's ansin cromann sí a ceann le teann náire.

"Anois, múch an diabhal bosca sin agus bíodh ruainne éigin béasa agat feasta."

"Ach, a Dhaid . . . "

"Múch, a dúirt mé agus ná bíodh a thuilleadh faoi" agus, an babhta seo, níl aon chur ina choinne.

Sinéad ina suí ag an mbord arís agus pus caillí uirthi, gan de radharc a thuilleadh aici ar *Home and Away* ach a bhfuil ina cuimhne aici. An triúr eile ciúin chomh maith agus teannas éigin le brath.

"Anois, a Eoin, cén chaoi a raibh cúrsaí ar scoil inniu?" a fhiafraíonn Daid athuair.

"Maith go leor."

"Céard tá i gceist agat 'maith go leor'? Ní neosann sin a dhath dom. Cén diabhal atá ortsa le deireanas ar chor ar bith nach féidir leat freagra ceart a thabhairt ar rud ar bith?" arsa Daid, agus deargaíonn sé san éadan. Droch-spin ar Dhaid fós i ndiaidh na heachtra le Sinéad.

Ach tá Eoin sách géar ann féin. Tuigeann sé gur fearr gan a thuilleadh oilc a chur ar a Dhaid.

"Gnáthlá, a Dhaid, ach amháin go raibh Fro . . . " agus stopann sé den chaint. Breathnaíonn sé féin agus Mam trasna ar a chéile, 's ansin leanann sé dá chaint.

"Ach amháin go raibh an tUasal Ó Riagáin as láthair."

"An tUasal Ó Riagáin! Sin é an múinteoir Matamaitice, an ea?" arsa Daid.

"Ní hea, Fraincis - an múinteoir Fraincise."

"Ó sea, sea, is cuimhin liom é, ceart go leor. Fear beag téagartha. Stumpa de dhuine. Sea, chas mé air ag ceann éigin de na cruinnithe ceardchumainn, más buan mo chuimhne. Froggy a thugtar air, nach ea?"

Leis sin, pléascann Eoin amach ag gáire agus déanann a bhfuil de thae ina bhéal a spré amach.

"A Bhreandáin," arsa Mam le Daid, agus í ag aireachtáil go bhfuil bunús an tseasaimh a rinne sí tráthnóna i dtaobh easpa cúirtéise Eoin don Uasal Ó Riagáin scuabtha sna ceithre hairde aige. Tá Eoin sna trithí ar fad faoi seo, rud a chuireann níos mó fós leis an olc atá ar Eithne.

"Tusa," ar sí go lom borb lena mac, "tá na soithí seo le glanadh sula n-imíonn tusa in áit ar bith anocht."

"Á, a Mham."

"Glan," ar sí, agus, ach an oiread le cás Shinéid lena hathair, is léir uirthi nach cóir cur ina coinne.

"Déan mar a deir do mháthair leat, a Eoin," arsa Breandán, "agus faigh an leabhar teileafóin domsa ar an mbealach tríd an halla duit."

Breathnaíonn Eoin go géar ar an athair soicind - leathsmaoineamh aige a dhúshlán a thabhairt ach gan ach sin. D'fhéadfadh sé Breandán a scrios lena bhfuil ar eolas aige faoi, dá roghnódh sé sin a dhéanamh. Tá a fhios aige sin. Tá a fhios ag Breandán féin é, leis. Ach b'fhearr gan sin a dhéanamh ag an bpointe seo - an uile ní ina am cuí féin. Ina intinn istigh deir Eoin eascaine nó dhó agus is leor sin dó mar fhaoiseamh ar an bhfrustrachas. Brúnn sé siar a chathaoir agus déanann mar a deirtear leis.

Caibidil a Dó

Iad beirt sa leaba an oíche sin - Eithne agus Breandán. É déanach go maith. Ise fós ar buile faoi gur lig a fear céile síos í ag an mbord níos luaithe an tráthnóna sin. Ach, mar is gnách ag Eithne, ní fhógraíonn sí a díomá go hoscailte - díreach mar nach bhfuil a dhath ráite aici fós faoina bhfuair sí istigh faoi leaba Eoin. Gan déanta aici ach a droim a chasadh le Breandán agus aghaidh a thabhairt ar fhuaire an bhalla. A hintinn ciaptha fós ag a bhfaca sí faoi leaba a mic. B'fhearr di féin é dá bhféadfadh sí an fhearg atá uirthi le Breandán a chur di agus go bpléifidís ceist Eoin.

Casann Eithne sa leaba, ar deireadh, agus cúbann isteach taobh thiar dá fear céile, iad anois mar a bheadh dhá spúnóg droim ar bholg taobh lena chéile. Is ise a ghéilleann don teannas agus don bhfearg i gcónaí. Ach, ní dochar ar bith é sin, b'fhéidir - ní féith de chuid Bhreandáin é an géilleadh agus caithfidh duine éigin aghaidh a thabhairt ar an bpraiticiúlacht. Leathchodladh maith air sin faoi seo.

"A Bhreandáin," ar sí, de chogar.

"Mmm," ar seisean, agus casann sé ina treo beagáinín beag agus ansin tugann cúl arís uirthi.

"A Bhreandáin, tá imní orm."

"Mmm."

"Tá mé buartha faoi Eoin agus faoina bhfuil ar siúl aige."

"Mmm, go maith," arsa Breandán, agus é soiléir d'Eithne nach bhfuil ciall ar bith á déanamh aige dá caint.

"A Bhreandáin," ar sí arís, agus an babhta seo, déanann sí é a chroitheadh beagán.

"Ó, in ainm dílis Dé, a Eithne, céard é féin? Nach féidir labhairt faoi seo ar maidin?"

Eithne ina ciúin arís go ceann scaithimhín - a fhios aici gan ró-olc a chur air agus é san eadardhomhan ina bhfuil sé, ach tuigeann sí chomh maith go gcaithfear an aincheist seo a ríomh. Í díreach ar tí iarracht eile a dhéanamh nuair a chloistear an doras tosaigh thíos á oscailt. Leis sin, ardaíonn Breandán a chloigeann den bpiliúr de phreab.

"Céard é sin?" ar sé, agus casann i dtreo Eithne.

"Eoin, is dócha."

"Eoin!" agus casann Breandán ar ais i dtreo an chloig atá taobh leis an leaba. Soicind nó dhó eile agus déanann a shúile ciall de na huimhreacha dearga neonacha ar an ngléas ama. Casann sé ar ais i dtreo Eithne athuair.

"A Chríost sna Flaithis! Deich tar éis a haon! 'S cá raibh sé go dtí an tráth seo den oíche," agus léimeann sé as an leaba agus é á rá.

É ina ghírle guairle sa seomra codlata anois agus radann Breandán na cosa isteach ina shlipéirí, beireann greim ar an gcóta oíche, cuireann air an solas agus gabhann leis amach trí dhoras an tseomra - é sin uile mar a bheadh aon mhórghluaiseacht amháin ann. Éiríonn Eithne féin anois agus téann a fhad le doras an tseomra, ach beartaíonn gan dul amach ar an léibheannn i ndiaidh Bhreandáin. Cúlaíonn sí beagáinín arís agus amharcann tríd an scoilt idir an ursain agus an doras. Scáthanna na beirte amuigh á gcaitheamh go bagrach ar bhallaí an léibhinn ag a bhfuil de sholas á scairdeadh as an seomra codlata - iad á méadú féin ar bháine an dromchla.

"'S cá raibh tusa go dtí seo?" arsa Breandán go grod.

Corraíonn Breandán agus ní féidir le hEithne aon cheo seachas droim a fir chéile a fheiceáil. Bogann sí féin beagán istigh agus, den ala sin, corraíonn Breandán ruainnín beag éigin eile, 's anois tá radharc aici ar Eoin.

"Tá sé i ndiaidh a haon a chlog ar maidin, an bhfuil a fhios agat?"

Cloigeann Eoin cromtha's gan a dhath á rá aige.

"Bhuel, cá raibh tú?"

"Amuigh."

"Amuigh!" arsa Breandán, agus goimh sa ghlór aige. "Ná bí glic liomsa, a mhaicín. Nach gceapann tú gur rí-léir ar fad dom é go raibh tú amuigh, huth? Nach gceapann? Anois, cá háit ina raibh tú go dtí an tráth seo den mhaidin."

Eithne ag breathnú tríd an scoilt sa doras ar feadh an ama agus, d'ainneoin an leathsholais atá á chaitheamh ar an léibheann, is léir di go bhfuil Eoin neirbhíseach i láthair Bhreandáin.

"Cá háit?" a dúirt mé.

"I dtigh cara liom."

Ní tuisce as a bhéal mar fhreagra é ná tuigeann Eoin nach sásóidh sin an t-athair mar fhreagra, ach an oiread. Ní hin amháin é, ach tuigeann sé go mbreathnófar air mar fhreagra atá grod, dána, ró-dhúshlánach ar bhealach éigin.

"I dtigh Chillian Mhic Raghnaill," ar sé go sciobtha, sula mbíonn deis ag an athair a thuilleadh iniúchadh a dhéanamh.

"Hmm!" arsa Breandán, agus druideann sé níos cóngaraí don déagóir agus labhraíonn go smaointeach.

"Cillian Mac Raghnaill."

"Sea." Neirbhíseacht i nglór Eoin agus an focal aonair sin á rá aige.

Breathnaíonn Breandán é go géar - é ag baint lán na súl as an maicín seo leis. Agus, taobh thiar de dhoras an tseomra chodlata, tá Eithne á mbreathnú beirt agus an croí teann in ard a cliabhraigh.

"An raibh tusa ag ól, a bhuachaill?"

Geiteann croí Eithne sa seomra istigh ar chloisteáil na ceiste seo ag Breandán. Geiteann croí a maicín leis, ach níl a fhios sin ag Eithne. An t-athair níos cóngaraí fós anois do Eoin agus iarracht chaolchúiseach á déanamh aige ar bholadh anála a fháil ar an stócach.

"Ag ól?" An chuma ar chaint Eoin gur le faoiseamh de chineál éigin a deir sé an méid sin.

"Sea, a bhuachaill, sin a dúirt mé - ag ól." Ach is léir cheana féin do Bhreandán nach raibh, arae, níl an puithín féin den alcól le haithint ar anáil an bhuachalla.

Croí Eithne - croí an fhairtheora - ag rásaíocht leis san áit istigh.

"Ní raibh, a Dhaid," agus breathnaíonn sé i dtreo na talún. Gach seift ag an maicín céanna. É de chlisteacht aige 'a Dhaid' a rá mar go bhfuil a fhios aige go maith go sásaíonn sin an seanleaid. Cúlaíonn sé óna mhac. Is leor mar fhaoiseamh ag Breandán é, is cosúil, nach bhfuil aon ólachán i gceist, agus, go deimhin, mura bhfuil ann ach go bhfuil Eoin beagáinín mall chun a'bhaile, ní hé an fhadhb is mó ar domhan é.

"Bhuel, seo - siar a chodladh leat go beo, in ainm Dé. Nach bhfuil lá scoile romhatsa amárach ach an oiread leis an gcuid eile againn?" Agus, leis sin, déanann sé cloigeann a mhic a chroitheadh lena lámh agus scuabann chun bealaigh ansin é.

Ar a fheiceáil seo d'Eithne, deifríonn sí féin léi ar ais chun na leapa, casann isteach athuair i dtreo an bhalla agus ligeann uirthi gurbh ann a bhí sí ar feadh an ama. Streachlánacht chosa Bhreandáin isteach arís sa seomra á cloisteáil aici, ardú agus ísliú bráillíne agus ciúnas scaitheamh.

"An bhfuil sé ceart go leor?" arsa Eithne tar éis tamaillín.

"Togha, togha go deo. I dtigh Chillian Mhic Raghnaill a bhí sé, is cosúil. Iad ag éisteacht le ceol ar feadh na hoíche, is dócha - tá 's agat conas mar a bhíonn ag déagóirí."

Ciúnas arís eile. Imní ar Eithne i gcónaí - an imní chéanna a bhí uirthi ó d'aimsigh sí na giuirléidí úd faoi leaba Eoin tráthnóna. Í á ríomh go huaigneach ina hintinn nó go mbeartaíonn Breandán cur leis an méid atá ráite aige cheana féin.

"Nach iontach an saol acu é, mar sin féin - déagóirí atá mé a rá. Gan aon fhíor-fhreagracht orthu, dáiríre."

Ní thugann Eithne aon fhreagra air seo. Is ar chúrsaí eile ar fad, seachas spraoi soineanta na ndéagóirí, atá a hintinn dírithe. Í go domhain sa smaoineamh nuair a labhraíonn Breandán den tríú huair. Is deacair di a chreidiúint gurb é seo an fear céanna nach bhféadfaí an dá fhocal féin a bhaint as ar ball beag. Gan aige ach an 'mmm' codlatach úd ar feadh an ama.

"Cillian! Cé acu de na cairde é sin? An é an leaid ard fionn é, an ea?"

"Sea, sin Cillian. Leaid deas é, measaim. Ach, mar sin féin, a Bhreandáin, tá sé pas beag déanach ag Eoin a bheith amuigh i rith an téarma scoile, go fiú más i dtigh cara féin a bhíonn sé."

"Ara, ní dochar ar bith é ó am go chéile. Ní hé go bhfuil sé ag dul le drabhlás an tsaoil toisc corr-oíche mar í a chaitheamh. Is measa i bhfad ná éisteacht le ceol atá ann sa lá atá inniu ann, tá mise á rá leat."

"Mmm," arsa Eithne, agus scamall an mhíshuaimhnis ag méadú ar a croí.

"Agus an Cillian sin. Cén Raghnallach é féin? An é mac an ollaimh nó mac an phoitigéara é?"

"Óra, céard tá á rá agat, a Bhreandáin? Nach bhfuil a fhios agat go maith nár phós an tOllamh Mac Raghnaill riamh, gan trácht ar chúram ar bith a bheith air?"

"Hmm," arsa Breandán, "mac an phoitigéaraa, más ea. Sea, leaid deas é, ceart go leor."

"Sea," arsa Eithne, "mac an phoitigéara," agus leathnaigh ar a súile díreach mar a rinneadh i seomra codlata Eoin níos luaithe an lá sin.

Caibidil a Trí

Luan. Na laethanta ag greadadh leo agus an briseadh lár téarma ag na páistí cheana féin. Saoire ag an bpáiste is mó díobh leis, ar ndóigh - Daid. É ag feamaíl thart sa seomra suí, seal ag léamh an *Indo* agus seal eile le *Tribune* an lae roimhe sin. É fógraithe aige gur mhaith leis bailiú leis tráthnóna agus cúpla lá a chaitheamh ar cuairt ar a dheartháir atá thíos fán tír. Cúpla geábh ag an ngalf, roinnt snúcair, agus, ar ndóigh, corr-phionta acu beirt le chéile sula bhfilleann sé ar an mbaile. Is ait le hEithne le tamall anuas é an tóir seo a bhíonn ar a dheartháir aige a luaithe agus a fhaigheann sé cúpla lá saor ón múinteoireacht. Ní bhíonn an dá fhocal féin faoin deartháir céanna an chuid eile den bhliain. Is duine é nach dtaitníonn an oiread sin le hEithne, ar aon chaoi. Go deimhin, níorbh é an oiread sin tóra a bhí ag Breandán féin air go dtí le cúpla bliain anuas. Sinéad agus Eoin bailithe leo amach ó mhaidin agus Mam áit éigin sa teach i mbun glantacháin.

"By dad, seo é an saol, ceart go leor," a fhógraíonn Daid. Deir sé sách ard é le go dtuige Eithne go bhfuil rud éigin á fhógairt aige, go fiú mura mbíonn sí in ann ciall iomlán a dhéanamh de.

"Céard deir tú, a Bhreandáin?" arsa Eithne. Thuas staighre atá sí - í i seomra Eoin ag an bpointe seo agus a raibh de ghlantachán ina seomra féin agus i seomra Shinéid i gcrích cheana féin aici.

"Seo é an saol, a dúirt mé - sos, saoirse, faoiseamh ó na bligeaird bheaga bhréana ar scoil."

Sos, saoirse, faoiseamh. Is beag díobhsan atá blaiste ag Eithne le tamall de sheachtainí anuas - 'sé sin, cés moite den tseachtain seo thart. É dona go leor go dtáinig sí ar na giuirléidí úd i seomra Eoin, tá cúig seachtainí ó shin anois, ach ba mheasa i bhfad ó nár fhéad sí sin a chur ar a shúile do Bhreandán. Uair ar bith a dhéanfadh sí iarracht tosú isteach air bheadh seo nó siúd le déanamh ag Breandán a bheadh, ar bhealach éigin, 'níos práinní' ná comhrá. Obair scoile, b'fhéidir, nó clár spóirt éigin, nó ar ndóigh an *Indo* nó páipéar éigin eile. Níor chúnamh ar bith ag an am é, ach an oiread, nach raibh sí féin cinnte den méid a bhí feicthe aici. 'S dá mbeadh a fhios aici faoi mhímhacántacht Bhreandáin féin!

Ar chaoi ar bith, tá sí níos socra inti féin le seachtain anuas, nó mar sin. Í suaimhneach faoi Bhreandán a bheith ag imeacht leis chun tamaillín a chaitheamh lena dheartháir. Ní bheadh sí amhlaidh, ar ndóigh, murach an cíoradh intinne atá déanta aici ón uair a tháinig sí ar an bhfearas faoin leaba. Seiceáil laethúil déanta aici ó shin - faoi dhó nó faoi thrí, go fiú, ar laethanta áirithe. Ach gan a dhath eile ann arís ón gcéad lá úd. Sea, is léir di faoi seo conas mar atá an scéal: á choinneáil do dhuine éigin eile a bhí Eoin. Ní hé go bhfuil sin sásúil ach an oiread ach, ar a laghad, níl sé gar do bheith chomh práinneach leis an rud a shamhlaigh sí ar dtús. Dhéanfadh sí féin an scéal a láimhseáil gan Breandán a tharraingt isteach ann ar chor ar bith. Ar aon chaoi, nár mhinic feicthe aici le deireanas mar a dhéanfach Breandán a húdarás a laghdú i láthair Eoin, agus cá bhfios nárbh é an scéal céanna arís a bheadh ann dá n-inseodh sí scéal na ngiuirléidí dó. Buíochas le Dia nár bhac sí lena dhath a lua leis. Agus ní fearr deis a bheadh aici féin chun labhairt le hEoin faoi ná nuair a bheadh Breandán bailithe leis as baile go ceann cúpla lá.

6.35 p.m. 's gan Eoin sa mbaile fós. Tá ite cheana féin ag Sinéad agus Mam. Sé a chlog a socraíodh mar am béile sular imigh Eoin agus Sinéad amach ar maidin agus é deimhnithe ag Mam leis an mbeirt acu go mbeidís ar ais in am. Daid lonnaithe go suaimhneach i dteach tábhairne éigin i lár na tíre faoi seo, is dócha, agus é beag beann ar a bhfuil ag tarlú sa mbaile. Sinéad faoi dhraíocht ag a bhfuil ag titim amach i *Home and Away*.

"Sé a chlog a dúirt muid, nach ea, a Shinéad?"

"Sea, a Mham." Sinéad ar nós cuma léi agus í á rá. Tá a haird ar fad dírithe ar *Home and Away* agus, dá ndéarfadh Mam léi go raibh an teach féin trí thine, ní bheadh aisti ach an 'sea, a Mham' ceannann céanna.

"Meas tú cá bhfuil sé ar chor ar bith?" agus breathnaíonn Mam ar a huaireadóir agus í á rá. "An ndúirt sé dada leatsa, a Shinéad, faoin áit a mbeadh sé?"

"Sea, a Mham."

Fanann Mam cúpla soicind le go gcuire Sinéad lena caint, ach ní deir sí a dhath eile. Rian an fhrustrachais ar Eithne.

"Bhuel?"

Gan aon fhreagra ar chor ar bith an babhta seo ag Sinéad.

"Bhuel, a Shinéad?" - Dada.

"A Shinéad!"

"Fuist, a Mham, tá mé ag iarraidh breathnú air seo."

Agus, leis sin, spréachann Eithne. Déanann sí lom díreach ar an teilifís agus múchann ar an toirt é - an scáileán anois chomh dubh le hifreann féin.

"Ceart, a chailín, breathnaigh air sin anois, más mian leat, ach ná bíodh a thuilleadh den chineál sin cainte agat liomsa, an dtruigeann tú? An dtuigeann tú sin, a Shinéad?"

"Á, a Mham." Agus leis sin, éiríonn Sinéad go friochanta agus bailíonn léi an doras amach. Truplásc trom na gcos ar chéimeanna an staighre agus plabadh dhoras an tseomra leapa ina dhiaidh sin arís.

Eithne fanta ina haonar thíos. Ciúnas na háite á crá anois. Suíonn sí go ceann i bhfad nó go dtagann an codladh aniar aduaidh uirthi. Is faoiseamh de chineál éigin ann féin é sin ar aon chaoi. Cosa faoin am agus Eithne beag beann ar fad air. Ocht a chlog, naoi a chlog agus mar sin de. Gleo éigin lasmuich, nó in intinn Eithne, b'fhéidir, a mhúsclaíonn ina dúiseacht ar deireadh í. Breathnaíonn sí thart amhail is gur i dtigh strainséartha atá sí, ansin ardaíonn lámh lena muineál agus déanann sin a chuimilt.

Stangadh muiníl uirthi toisc an cloigeann a bheith leathchrochta mar a bhí. Ar a huaireadóir a fhéachann sí anois. Dia dár réiteach - preabann a croí agus suíonn sí suas caol díreach. Fiche cúig tar éis a dó dhéag! Sinéad is túisce a thagann chun a cuimhne. Éiríonn sí, téann in airde staighre agus breathnaíonn isteach i seomra codlata na hiníne. Tá Sinéad ina luí go hamscaí ar an leaba - í ina tromchodladh agus cuma aingil uirthi. Shílfeá, chun breathnú uirthi, nach ndéarfadh sí riamh ach an rud ba ghleoite lena máthair. Bheadh sé ina throid arís eatarthu dá ndéanfadh Eithne aon iarracht ar an bhfeisteas a bhaint den chailín óg. Scaoileann sí an chuilt, áit a bhfuil Sinéad ag luí air, agus clúdaíonn leis sin í. Póigín beag di ar an gclár éadain agus druideann Eithne doras an tseomra ina diaidh.

Eithne ag doras sheomra Eoin anois agus cnagann sí go héadrom air. Gan aon fhreagra uaidh - é ina shámhchodladh faoi seo, ar ndóigh, a shíleann sí. Lámh ar an murlán aici agus casann go mall réidh. Dorchadas an tseomra istigh ag breathnú amach uirthi agus sánn sí a cloigeann isteach chun a chinntiú nach bhfuil an stereo, nó, níos measa fós, an tine bheag leictreach fágtha ar siúl ag Eoin. Ach, go deimhin, níl, ná baol air, arae, ní hamháin nach bhfuil ceachtar díobhsan ar siúl ach níl Eoin féin ann, is cosúil. Cuireann sí air solas an tseomra agus, go deimhin, sin díreach mar atá - níl Eoin sa mbaile fós. A thiarcais Dia! Faraor gan Breandán a bheith beagáinín níos boirbe agus níos údarásaí leis an oíche úd roinnt seachtainí roimhe seo agus b'fhéidir nach mar seo a bheadh.

Eithne thíos staighre arís agus an dá lámh fáiscthe go daingean ar an muga caifé atá úrdhéanta aici. A Chríost, ceathrú chun a haon. Cá bhfuil sé ar chor ar bith? Le Cillian Mac Raghnaill, seans - mac an phoitigéara. Mac an phoitigéara! An t-amhras ag teacht ar ais ina thonnta chuig Eithne arís - amhras a bhí curtha di aici le tamaillín anuas. Ach cuimhníonn sí anois ar an míshuaimhneas a d'airigh sí an oíche úd ar an leaba di nuair ba mhór throm ar a hintinn é gur mac le poitigéir é Cillian. Chuirfeadh sí glaoch ar Thigh Mhic Raghnaill féachaint an ann atá Eoin. Eithne ag an bhfón anois, í ar tí an uimhir a dhiailiú ach ansin tagann an dara smaoineamh chuici. É cineál déanach a bheith ag glaoch ar theach ar bith, agus nárbh uirthi a bheadh an náire dá dtarlódh sé nárbh ann d'Eoin ar chor ar bith.

Í ar ais sa seomra suí agus an uile fhéidearthacht eile ag rith trína hintinn. Glaoch ar Bhreandán? B'fhearr gan sin a dhéanamh ach an oiread - ag an bpointe seo ar aon chaoi. Níl ann, ar sí léi féin, ach go bhfuil an scabhaitéirín ag tapú deise agus Breandán as baile, ach by daid, thabharfadh sise íde béil dó nuair a thiocfadh sé. Ach, in imeacht nóiméid eile, méadaítear ar an amhras arís. Cuimhníonn sí ar an nós seo ag Eoin le deireanas seasamh le stócaigh eile na háite thíos ag an gcoirnéal ag ceann na sráide. Gan insint ar na ráflaí atá ag dul thart faoina bhfuil ar siúl ag an gcomhluadar céanna. Drugaí luaite ar cheann de na féidearthachtaí. Ardaíonn an smaoineamh sin cuimhne na ngiuirléidí ina hintinn arís eile. Nár lige Dia gurb in is bunús le é a bheith ina measc le tamaillín anuas. Ní fhéadfadh sé go mbeidís ina seasamh amuigh ansin an tráth seo den oíche. Amach le hEithne go dtí an doras tosaigh agus osclaíonn, agus í díreach ag pointe na hoscailte nuair a thagann an doras isteach de phlabadh ina coinne. Cúlaíonn sí go tobann, ansin tagann ar aghaidh de dheifir arís agus sin roimpí é Eoin, é sínte isteach thar tairseach anois agus an uile chuma air nach bhfuil a fhios aige ó thalamh an domhain cá háit a bhfuil sé. Scaoileann Eithne osna uaithi agus cromann chun a mac a bhreathnú. Gan marc ná máchail air, is cosúil, ná boladh an óil uaidh ach an oiread. Cuireann Eithne ordóg ar chaipín súile Eoin agus déanann é a ardú. Deirge na súile céanna agus an t-imreasc leathan bolgach. Fonn riachtana ar Eithne. Í idir faitíos agus caoineadh. Músclaíonn sí a misneach, déanann muinchille gheansaí Eoin a bhrú aníos agus feiceann rian na snáthaide i lúb na huillinne air.

GLUAIS

- giuirléidí - trealamh / gléasanna *(equipment / instruments)*
- go baileach - go cruinn *(precisely)*
- scoilteach - briste *(cracked)*
- tá cinnte uirthi - tá teipthe uirthi *(she's failed)*
- glé - tréshoilseach *(translucent)*
- stráicí - stiallacha *(strips)*
- go deismíneach - go néata *(precisely)*
- dromchla - barr *(top)*
- faiteach - eaglach *(fearfully)*
- truaill - clúdach *(case)*
- dóithín - rud éasca *(an easy thing)*
- a shluaisteáil isteach - a scuabadh isteach *(to sweep away)*
- léibheann an staighre - ceannstaighre *(landing)*
- cráiteoir - seargánach *(nuisance / spoil-sport)*
- is rí-chuma leis faoi - is cuma leis sa tsioc faoi *(he doesn't give a damn)*
- praiseach - ciseach *(a mess)*
- a ríomh - a áireamh *(to work out / discern)*
- dímheas - drochmheas *(lack of respect / contempt)*
- ar ball - níos déanaí *(later on / by and by)*
- idirphlé - caidreamh *(interplay)*
- faoi ghreim éinirt éigin - go lagbhríoch *(languid)*
- corrghreim - corrsclamh *(an odd bite)*
- go h-alpach - go craosach *(hungrily)*
- bunús - ábhar *(basis / reason)*
- an leathlámh a tharraingt uirthi - í a bhualadh san aghaidh lena láimh *(to slap her face)*
- pus caillí - smuilc uirthi *(scowl)*
- ní neosann sin a dhath dom - ní nochtann sin tada dom *(that tells me nothing)*
- droch-spin - droch-ghiúmar *(bad humour / mood)*
- téagartha - teann *(stout / bulky)*
- stumpa - balcaire / puntán *(stocky man)*
- a spré amach - a chaitheamh amach *(to spit out)*
- ag aireachtáil - ag mothú *(feeling)*
- scuabtha sna ceithre h-airde - curtha ar ceal *(blown away / set at nought)*
- a dhúshlán a thabhairt - forrán a chur air *(to challenge him)*
- a scrios - a mhilleadh *(to destroy)*
- a dhath - tada *(nothing)*
- ciaptha - cráite *(tortured)*
- cúbann - druideann *(moves in / snuggles)*
- droim ar bolg - taobh le taobh *(side by side)*
- go ceann scaithimhín - ar feadh tamaillín *(for a little while)*
- eadardhomhan - idir chodladh is dhúiseacht *(twilight world)*
- aincheist - sáinn *(dilemma)*
- ina ghírle guairle - rírá *(uproar / hurly - burly)*
- cuireann air - lasann *(puts on / lights)*
- beartaíonn - cinneann *(decides)*
- go bagrach - go naimhdeach *(menacingly)*
- den ala sin - den nóiméad sin *(in that instant)*
- ruainnín beag - píosa beag *(a little bit)*
- goimh - searbhas *(bitterness / anger)*
- grod - teasaí / tobann *(short / rude)*
- go sciobtha - go tapaidh *(quickly)*
- ag baint lán na súl - ag faire go géar *(watching intently)*

GLUAIS

- teann - faoi straidhin *(tense)*
- streachlánacht chosa Bhreandáin - tarraingt chosa Bhreandáin *(Brendan's dragging feet)*
- scaitheamh - tamall *(for a while)*
- ó d'aimsigh sí - ó tháinig sé ar *(since she discovered)*
- fíor-fhreagracht - cúram dáiríre *(real responsibility)*
- spraoi soineanta - spórt soineanta *(innocent fun)*
- measaim - sílim *(I think)*
- pas beag - beagáinín *(a little)*
- gan trácht ar - ní áirím *(not to mention)*
- leathnaigh - leath *(opened wide)*
- ag greadadh leo - ag imeacht go tapa *(whizzing by)*
- ag feamaíl thart - ag scódaíocht *(wandering / gadding about)*
- geábh - babhta *(round)*
- ar aon chaoi - ar aon nós *(anyway)*
- sách ard - ard go leor *(loud enough)*
- i gcrích - déanta *(done /finished)*
- cé's moite - taobh amuigh de *(apart from)*
- a chur ar a shúile - a chur ina luí ar *(to impress upon)*
- níos práinní - níos cruógaí *(more urgent)*
- níos socra - níos suaimhní *(more at ease)*
- cíoradh intinne - scagadh intinne *(racking her brains)*
- le deireanas - le déanaí *(recently / lately)*
- deis - caoi *(chance / opportunity)*
- deimhnithe - cinntithe *(ascertained)*
- lonnaithe - socraithe síos *(settled /ensconced)*
- beag beann - ar nós cuma leis *(oblivious of)*
- a h-aird - a h-aire *(her attention)*
- rian an fhrustrachais ar - cuma uirthi go bhfuil sí sáraithe *(looking frustrated)*
- spréachann - pléascann sí le fearg *(she explodes)*
- go friochanta - go feargach *(angrily)*
- cosa faoin am - an t-am ag sleamhnú thart *(time racing on)*
- stangadh muiníl - pian ina muineál *(a crick in her neck)*
- go h-amscaí - gan ord *(sprawled unkempt)*
- feisteas - éadaí *(clothes)*
- murlán - bailcín *(door-knob)*
- arae (ar aoi) - mar *(because)*
- úrdhéanta - nuadhéanta *(freshly made)*
- ar chor ar bith - in aon chor *(at all)*
- scabhaitéirín - bligeard *(blackguard)*
- stócaigh - fir óga shingle *(young unmarried men)*
- féidearthachtaí - rudaí intarlaithe *(possibilities)*
- de phlabadh - buailtear an doras isteach *(is slammed)*
- caipín súile - an craiceann a chlúdaíonn mogall na súile *(eyelid)*
- an t-imreasc leathan bolgach - imreasán na súile ataithe *(dilated pupils)*
- fonn riachtana - fonn uirthi bogadh ar aghaidh *(a desire to reach forward)*
- lúb na h-uilinne - faoi alt na h-uilinne *(below the elbow joint)*

Sliocht as
AN BHEAN ÚD THALL

───────────── An t-Údar ─────────────

Cliodhna Cussen. Rugadh í ar an gCaisleán Nua, Co. Luimní. Is scríbhneoir í ach tá clú amuigh uirthi mar ealaíontóir freisin. Tá cónaí uirthi i mBaile Átha Cliath. Tá sí pósta le Pádraig Ó Snodaigh, scríbhneoir agus foilsitheoir.

Leagan Gearr den Scéal

Réamhrá

Tarlaíonn eachtraí an scéil seo sa seansaol fadó. Phós Ian Rua Máire. Bhí Ian go maith as agus teach breá galánta aige cois trá i mBaile Leoil. Bhí Máire bocht agus cónaí uirthi i dteach beag buí i lár an bhaile. Thug Máire grá d'Ian ó bhí sí ina cailín óg. Tar éis bás a athar rinne sí comhbhrón leis agus thit seisean i ngrá léi. Pósadh iad go luath ina dhiaidh sin.

* * * * *

Thaitin an teach nua le Máire de bhrí gur tógadh í i dteach beag bocht. Bhí éadaí breátha aici anois agus gach compord aici. Bhíodh uirthi an teach a choinneáil glan agus bia a thabhairt do na fir oibre agus do na hainmhithe. Bhí sí sona inti féin agus í ag canadh i gcónaí. Cailín gealgháireach ba ea í ach ní raibh sí ró-néata ná ró-shlachtmhar. Bhíodh Ian crosta nuair a fhilleadh sé ón iascaireacht is an bord a bheith salach roimhe agus gan a dhinnéar a bheith réidh. Chaitheadh Máire a lán ama ag siúl cois trá is ag bailiú feamainne nó éisc le hithe. Bhí sí an-sona.

Bliain ina dhiaidh sin rugadh mac dóibh agus bhí Máire ní ba dhathúla ná riamh. Rugadh leanbh eile bliain ina dhiaidh sin. Ó bhí beirt mhac anois aici bhí go leor le déanamh aici idir freastal ar na leanaí, ar na fir oibre agus ar na hainmhithe. D'éirigh sí tuirseach. Bhíodh Ian crosta nuair a bhíodh an teach salach agus na leanaí ag caoineadh. Bhí an-ghrá aige di ach cheap sé go raibh sí ag titim as a chéile. Ní dheachaigh sí go dtí an trá a thuilleadh.

Mhol a máthair di cailín aimsire a fháil chun cuidiú léi sa teach. Ní raibh Ian róshásta leis an scéal ach, faoi dheireadh, ghéill sé agus i gceann cúpla lá shocraigh sé go dtiocfadh Nessa mar chailín aimsire dóibh.

Tháinig Nessa an lá dar gcionn. Ó bhí sí gan athair, gan mháthair, bhí sí sásta cónaí sa teach leo agus cuidiú le Máire obair an tí a dhéanamh. Cailín ciúin tanaí a bhí inti. Bhí súile móra dorcha aici is gruaig fhada dhonn. Ba ghearr go raibh an teach glan néata agus an bricfeasta réidh gach maidin. Lasadh sí tine sa seomra codlata agus d'fhágadh gúna oíche Mháire amach ar an leaba di. Bhaineadh sí a bhróga salacha d'Ian tar éis a chuid oibre agus d'fhágadh sí éadaí tirime cois tine dó.

Níor thug aon duine faoi deara go leanadh súile Nessa Ian i gcónaí. Bhí sí tar éis titim i ngrá leis agus bhí olc ina croí do Mháire. Bhí sí ag smaoineamh ar an saol a bheadh aici dá mbeadh Máire imithe agus ise pósta le hIan. Bhí a croí báite leis na smaointe dorcha sin.

Sa samhradh théadh Máire, Nessa agus an bheirt leanaí cois trá. Fad is a bhí na leanaí ag súgradh bhíodh Nessa ag cíoradh ghruaig fhionn Mháire agus á moladh. Ba mhaith léi gruaig fhionn a bheith aici. Thug Máire faoi deara nach raibh Nessa ró-shásta inti féin agus dúirt sí an méid sin le hIan. Rinne Ian neamhní de.

Dar le Nessa go raibh gach rud ag Máire is nach raibh aon rud aici féin. Bhí éad dubh ina croí aici nuair a chloiseadh sí Máire ag canadh ceoil nó ag imirt leis na leanaí. Ach thar aon rud eile, bhí Ian uaithi. Ní raibh ach an smaoineamh sin ina croí: conas Ian a fháil di féin.

Lá amháin bhí duilisc agus carraigín ag teastáil ó Ian. D'iarr sé ar Mháire agus ar Nessa é a bhaint ó bhí an fharraige ag dul amach i bhfad. Mhol sé dóibh bheith cúramach mar go dtagadh an taoide isteach go tapa. Tar éis dinnéir chuaigh an bheirt bhan amach leis na leanaí. Nuair a shroich siad na carraigeacha dubha thosaigh siad ag baint carraigín. Bhí Máire ag iompar arís agus ba ghearr gur tháinig tuirse uirthi. Bhí fonn codlata uirthi agus mhol Nessa di a scíth a ligean faid a chíorfadh sise a cuid gruaige di. Ba ghearr gur thit Máire ina codladh. Bhí a cuid gruaige sínte amach ar an bhfeamainn fhada ar an gcarraig. Thapaigh Nessa an deis. Thosaigh sí ag fí na feamainne rua trí ghruaig Mháire. Níorbh fhada go raibh siad ceangailte go maith le chéile. Thóg Nessa na páistí léi ansin go dtí an trá thirim.

Tháinig an taoide isteach agus chonaic Nessa go raibh Máire ina dúiseacht. Rinne Máire iarracht éalú ach bhí sí ceangailte go dlúth agus an fharraige mórthimpeall uirthi. Ghlaoigh sí ach níor éist Nessa. Thuig sí go raibh sí ag bá agus ansin thuig sí cén fáth. Chan sí os ard an ceol a chan sí d'Ian ach le focail nua. Chuala Nessa na focail agus d'fhan siad ina croí.

Rith Nessa abhaile agus eagla uirthi faoin méid a bhí déanta aici. Ghlaoigh sí os ard ar na fir á rá go raibh Máire báite. Cuireadh fios ar Ian. Tháinig sé féin is a mháthair ach níor tháinig siad ar chorp Mháire go dtí lár na hoíche sin. Bhí Ian chomh mór sin trí chéile nár thug sé aird ar ghruaig Mháire agus í ceangailte. Tógadh an corp abhaile agus bhí croí Iain briste.

GLUAIS

- rinne sí comhbhrón leis - chuir sí a trua in iúl dó (she sympathised with him)
- a choinneáil - a choimeád (to keep)
- gealgháireach - soineanta (cheerful)
- ní raibh sí ró-néata na ró-shlachtmhar - níor chóirigh sí an teach go maith (she wasn't too tidy)
- crosta - feargach (cross/angry)

GLUAIS

- ag bailiú feamainne - ag baint feamainne *(harvesting seaweed)*
- ní ba dhathúla - níos deise *(prettier)*
- ag caoineadh - ag gol *(crying)*
- a thuilleadh - níos mó *(any more)*
- ghéill sé - thoiligh sé *(gave in/agreed)*
- i gceann - tar éis *(after)*
- cuidiú - cabhrú *(help)*
- tanaí - caol *(thin/slim)*
- olc - mailís *(evil/malice)*
- báite - tógtha *(obsessed/taken up)*
- smaointe dorcha - droch-smaointe *(dark thoughts)*

- rinne Ian neamhní de - rinne sé spior spear de *(he dismissed it/made light of it)*
- duilisc agus carraigín - sórt feamainne *(dulse and carrageen moss)*
- ag iompar - ag súil le leanbh *(pregnant)*
- thapaigh Nessa an deis - rug sí ar an bhfaill *(she seized the opportunity)*
- ag fí - ag ceangal *(weaving/tying)*
- feamainne rua - feamainn dhonn *(brown seaweed)*
- go dlúth - go teann *(tightly)*
- níor thug sé aird - níor thug sé faoi deara *(he didn't notice)*

Extract from

THAT WOMAN ACROSS THE WAY

Introduction

The events of the story take place in olden times long ago. Red-haired Ian married Máire. Ian was wealthy and had a fine house by the sea in Baile Leoil. Máire was poor and she lived in a small yellow house in the middle of the town. Máire had loved Ian since she was a little girl. After his father's death Máire sympathised with him and he fell in love with her. They were married soon afterwards.

* * * * *

Máire liked the new house as she had been brought up in a small poor house. She now had fine clothes and every comfort. She had to keep the house clean and feed the workmen and the livestock. She was happy and used to sing all the time. She was a cheerful girl but she was not very neat or tidy. Ian would be cross with her when he'd return from fishing and find the table dirty and the dinner not ready. Máire used to spend a lot of time walking by the sea and collecting scaweed or fish to eat. She was very happy.

A year later a son was born and Máire was as pretty as ever. Another child was born the following year. Since she now had two sons she had much to do looking after them as well as attending to the workmen and livestock. She became tired. Ian would be cross when the house was dirty and the children were crying. He loved her dearly but he thought she was losing control. She didn't go to the seashore any more.

Her mother advised her to get a domestic to help her in the house. Ian was not too happy about this arrangement but he finally gave in and, within a couple of days, he arranged for Nessa to come as a servant girl.

Nessa arrived the following day. Since her parents were dead she was very happy to live in and help Máire with the housework. She was a thin quiet girl. She had big dark eyes and long brown hair. Soon the house was clean and tidy and she had the breakfast ready each morning. She would light the fire in the bedroom and would leave Máire's nightdress out on the bed for her. She would remove Ian's dirty boots when he came home from work and would leave clean clothes by the fire for him.

No one noticed that Nessa's eyes always followed Ian. She had fallen in love with him and harboured malice in her heart towards Máire. She was thinking of the life she would have if Máire was gone and she were married to Ian. Her heart was obsessed with dark thoughts.

In the summer, Máire, Nessa and the children would go to the seaside. While the children played Nessa would comb Máire's fair hair and would admire it. She wished she had fair hair herself. Máire noticed that Nessa was not too happy and she told Ian. He dismissed this.

Nessa felt that Máire had everything and that she had nothing. In her heart she was bitterly jealous when she'd hear Máire singing or playing with the children. More than anything else, however, she wanted Ian. The only thought in her heart was how to get Ian for herself.

One day Ian needed dulse and carrageen moss. He asked Maire and Nessa to harvest it since the tide was far out. He advised them to be careful as the tide could come in very quickly. After dinner the two women went out with the children. When they reached the black rocks they began to pick carrageen moss. Máire was pregnant again and she tired quickly. She was sleepy and Nessa suggested she take a rest while she combed her hair. Soon Máire fell asleep. Her hair was stretched out on the brown seaweed on the rock. Nessa saw her chance. She began to weave the brown seaweed through Máire's hair. Soon they were bound tightly together. Nessa then took the children with her to the dry area of the shore.

The tide came in and Nessa saw that Máire had awoken. Máire tried to escape but she was bound fast and the sea was all around her. She called out but Nessa did not heed her. She knew she was drowning and then she realised why. She sang aloud the song she had sung for Ian but with new words. Nessa heard those words and they stayed with her in her heart.

Nessa ran home, frightened by what she had done. She called out to the men that Márie was drowned. Ian was sent for. He and his mother arrived but Máire's body was not found until the middle of that night. Ian was so upset that he paid little attention to the fact that Máire's hair was tied. The corpse was taken home and Ian was heartbroken.

TÉAMA AN SCÉIL

Téama an fhill (feall - treachery) **agus an éada agus an chaoi a gcuirtear na téamaí sin os ár gcomhair.**

Feictear dúinn gur mór idir Máire agus Nessa. Tá gach rud ag Máire: teach breá, beirt leanaí, gruaig álainn fhionn agus, go háirithe, fear céile dathúil.

Dar le Nessa go bhfuil sise thíos leis mar nach bhfuil faic aici féin. Tá a tuismitheoirí marbh agus níl pingin rua aici. Bíonn uirthi dul in aimsir i dteach Mháire. Titeann sí i ngrá le hIan agus bíonn a croí báite le smaointe dorcha. Santaíonn sí a bhfuil ag Máire agus, faoi dheireadh, dúnmharaíonn sí go fealltach í nuair a fhaigheann sí an deis. Maireann ceol Mháire ina croí, áfach.

Tá an stíl an-simplí agus gonta, ach tá an cur síos ar na carachtair an-éifeachtach.

PRÍOMHPHOINTÍ

- Éad agus dúnmharú is ábhar don scéal seo.
- Is fear saibhir Ian Rua agus tá áthas ar mhuintir Mháire nuair a phósann sí é.
- Ní raibh taithí ag Máire ar obair tí mar bhíodh sí amuigh ag obair go minic. Bhí a muintir ar an gcaolchuid.
- Thit Máire i ngrá le hIan agus í ina cailín óg. Níor thit seisean i ngrá léi go dtí go bhfuair a athair bás.
- Molann máthair Mháire di cailín aimsire a fháil ach sin é is cúis leis an trioblóid a leanann.
- Titeann Nessa i ngrá le hIan agus tá sí gan scrupall ar bith.
- Is é Ian an chloch is mó ar a paidrín.
- Cailín fealltach is ea í. Nuair a chuireann Máire a muinín inti dúnmharaíonn sí í.
- Ní thugann Ian faoi deara go raibh lámh ag Nessa i mbás Mháire.

 CEISTEANNA

Meaitseáil na ceisteanna seo a leanas (**A, B, C, D**) leis na freagraí thíos (**1-4**) agus scríobh amach go hiomlán iad, san ord ceart.

A Cá raibh cónaí ar Ian?
B Cá raibh cónaí ar Mháire?
C Cén deacracht a bhí ag Máire agus í pósta le hIan?
D Cén chaoi ar mharaigh Nessa Máire?

 FREAGRAÍ

1 Ní raibh sí ró-néata ná ró-shlachtmhar sa teach. Ní bhíodh na béilí ullamh aici agus bhíodh na leanaí ag gol. Chuir an méid sin fearg ar Ian.
2 Nuair a bhí Máire ina codladh ag na carraigeacha dubha cheangail Nessa a cuid gruaige den fheamainn rua. Nuair a tháinig an taoide isteach bádh Máire.
3 Bhí Máire ina cónaí i dteach beag buí i lár an bhaile.
4 Bhí cónaí ar Ian i dteach mór galánta cois trá.

 CEISTEANNA BREISE

Léigh na ceisteanna seo a leanas (**E, F, G, H**) agus ansin líon isteach na freagraí (**5-8**) ag baint úsáide as an bhfoclóir tugtha.

E Déan cur síos ar Mháire.
F Cén sórt duine é Ian, dar leat?
G Cén locht a fuair Ian ar Mháire?
H Cén bhail a bhí air nuair a fuair Máire bás?

FREAGRAÍ

Líon isteach na bearnaí trí úsáid a bhaint as an bhfoclóir ceart thíos.

5   Cailín álainn (1) _____ ba ea í. Bhí gruaig fhada (2) _____ uirthi agus bhíodh sí i gcónaí ag déanamh (3) _____ .

6   Fear (4) _____ dathúil ba ea é. Bhí gruaig rua air. D'oibrigh sé go crua agus bhí an-ghrá aige dá bhean is dá chlann. Bhí sé (5) _____ agus bhíodh sé crosta nuair nach gcuireadh sí (6) _____ ar an teach.

7   Dar leis nach raibh sí ró-néata ina cuid (7) _____ . Uaireanta dhéanadh sí (8) _____ ar na leanaí. Ba mhinic í ag siúl cois (9) _____ .

8   Bhí a chroí (10) _____ . Ghoil a bás chomh mór sin air nár thug sé faoi (11) _____ go raibh a cuid gruaige (12) _____ den fheamainn.

FOCLÓIR

A	ceangailte	G	briste
B	gealgháireach	H	saibhir
C	nósmhar	I	caoi
D	ceoil	J	oibre
E	trá	K	faillí
F	deara	L	fhionn

 CLEACHTAÍ

1   Ar thaitin an sliocht leat? Cén fáth?
2   Déan cur síos ar Nessa.
3   Cén fáth, meas tú, a raibh Nessa in éad le Máire?
4   "Bhí a croí báite le smaointe dorcha". Céard a bhí i gceist anseo?
5   Cén rabhadh a thug Ian do Mháire agus do Nessa?
6   Cén fáth nár bádh na leanaí?
7   Céard a rinne Máire sula bhfuair sí bás?
8   Céard dúirt Máire leis na fir?

Sliocht as
AN BHEAN ÚD THALL

An Teach Nua

De bharr gur i dteach beag bocht a rugadh agus a tógadh Máire, bhain sí an-taitneamh as na seomraí geala agus na fuinneoga gloine a bhí sa teach nua. Bhí éadaí bána ar an leaba acu agus a lán gúnaí nua di. Bhí taipéis ar an urlár agus bhí lampa ola chun solas a thabhairt istoíche.

Bhí a lán le déanamh aici chun an teach a choinneáil glan agus chun bia a thabhairt do na fir oibre agus do na hainmhithe óga. Ach bhí croí maith láidir aici agus chan sí ceol i gcónaí agus í i mbun na hoibre.

Níor chuala Ian focal crosta ó Mháire riamh. Bhí an gáire níos cóngaraí dá béal ná an caoineadh. An t-aon rud a chuirfeadh Ian ar buile ná teacht abhaile tar éis lá fada sna páirceanna nó ag iascaireacht, is an bord a bheith salach roimhe is gan a dhinnéar a bheith réidh. Ghlaodh sé ar Mháire go crosta: "Cá bhfuil mo dhinnéar, a Mháire?" nó: "Cad a bhí á dhéanamh agat an lá go léir?"

Sa teach inar tógadh Máire ní bhíodh gach rud glan i gcónaí toisc go mbíodh a máthair ag obair chomh maith lena hathair de bharr go raibh siad bocht. Níor thuig Ian é sin riamh. Chaitheadh Máire a lán ama ag siúl cois trá is bhailíodh sí feamainn is éisc le hithe go minic. Ar oíche ghaofar, sheasadh sí amach ar imeall na trá ag féachaint ar an bhfarraige. Bhí sí an-sona na laethanta sin.

I gceann bliana, rugadh mac dóibh agus bhí Máire níos dathúla ná mar a bhí sí riamh tar éis bhreith an linbh. Rugadh leanbh eile, bliain ina dhiaidh sin, agus bhí beirt mhac acu. Bhí a lán oibre le déanamh ag Máire ansin. Bhí an bheirt leanaí aici agus bhí uirthi dinnéar a dhéanamh d'Ian agus don bheirt fhear oibre. Bhí uirthi lón a thógáil amach chucu chuig na páirceanna, leis, agus bhí bia le hullmhú do na hainmhithe gach lá. Idir leanaí, fhir oibre agus ainmhithe, bhí sí tuirseach i gcónaí.

D'éirigh sí an-tuirseach; ní bhíodh an teach glanta aici gach lá. Gach tráthnóna, nuair a thagadh Ian isteach, bhíodh sí ina suí ag an mbord, í traochta, is na leanaí ag caoineadh. Bhí Ian crosta go minic: "A Mháire, a Mháire," a déarfadh sé, "cad é an tuirse seo atá ort? Tá an teach salach is tá na leanaí ag caoineadh." Bhí an-ghrá aige di ach shíl sé go raibh sí ag titim as a chéile. Ní dheachaigh sí cois trá níos mó.

Tháinig a máthair ar cuairt chuici lá agus fuair sí í ag caoineadh sa chistin, an áit salach mórthimpeall uirthi. "Cad atá ort, a Mháire?" ar sise léi.

"Tá tuirse orm," arsa Máire "is ní féidir liom obair an tí a dhéanamh. Tá Ian crosta liom; na leanaí ag caoineadh i gcónaí."

"Tá duine ag teastáil uait le cuidiú leat sa teach," arsa a máthair. "Faigh cailín aimsire agus beidh rudaí níos fearr. Tá go leor airgid ag Ian, is tá cuidiú uait."

"Is iontach an smaoineamh é sin," arsa Máire. "Labhróidh mé le hIan anocht."

Nuair a tháinig Ian abhaile trathnóna, duirt Máire leis: "A Iain, a ghrá, ní féidir liom an obair go léir sa teach a dhéanamh. Tá cuidiú uaim. Tá cailín aimsire uaim."

"Cailín aimsire, a Mháire!" arsa Ian. "Ní raibh a fhios agam go raibh tú ag smaoineamh mar sin."

"Ach a Iain, tá a lán le déanamh," arsa Máire. "Dúirt mo mháthair liom inniu . . ." is thosaigh sí ag caoineadh.

"Is dócha go bhfuil an ceart aici, a Mháire," arsa Ian. "Bhíomar chomh sona sin le chéile nár smaoinigh mé ar aon duine eile a thabhairt isteach. Ach má tá cailín uait, beidh cailín agat."

Bhí a fhios ag Máire go raibh Ian crosta léi arís agus bhí brón uirthi; shíl sí go raibh sé deacair é a shásamh.

I gceann cúpla lá, tháinig Ian ar ais tar éis oibre agus dúirt léi:

"Beidh cailín aimsire ag teacht amárach. Nessa is ainm di, is tá sí gan athair ná máthair, is beidh sí sásta cónaí sa teach seo linn agus cuidiú leat obair an tí a dhéanamh. Fuair mo mháthair dom í."

"Tá sin go hiontach, a Iain," arsa Máire, agus thug sí póg mhór dó.

An lá dár gcionn, tháinig Nessa. Cailín ciúin tanaí a bhí inti. Bhí súile móra dorcha aici, is gruaig fhada dhonn. Ní dúirt sí mórán agus d'oibrigh sí go han-mhaith. Bhí an teach glan aici i gcónaí. Bhí an tine lasta is an bricfeasta réidh aici gach maidin. Bhí Máire an-sásta léi. Dá mbeadh tuirse uirthi istoíche, bheadh tine lasta ag Nessa sa seomra codlata agus a gúna oíche amach ar an leaba aici di.

Ar theacht isteach d'Ian tráthnóna agus é fliuch salach, tar éis obair an lae, bhíodh Nessa ar a glúine roimhe chun a bhróga salacha a bhaint de agus a chuid éadaí tirime fágtha amach dó cois tine.

Dá mbeadh aon duine ag féachaint uirthi, thabharfadh sé faoi deara go leanadh a dá súil Ian i gcónaí. Ach níor thug aon duine faoi deara go raibh Nessa ag titim i ngrá le hIan. Chuaigh sí i mbun oibre gach lá ag glanadh na cistine ach ní raibh sí beo ach nuair a bhí Ian Rua ann. Thug sí na leanaí amach ag siúl chun é a fheiceáil ag obair sna páirceanna. Agus i rith na bliana, tháinig smaointe dorcha isteach ina croí. Bhí sí ag smaoineamh ar an saol a bheadh aici dá mbeadh Máire imithe agus ise pósta le hIan. Níor chuir sí na smaointe sin as a croí cosúil le haon chailín eile. Bhí sí ag féachaint ar Ian gach lá agus a croí báite leis na smaointe dorcha ...

Níor thug aon duine faoi deara í. Ní rómhinic a tháinig na seandaoine go dtí an teach. Bhí cosa tinne ar mháthair Mháire is d'fhan sise ina baile féin. Is cad a bhí le feiceáil? Cáilín aimsire ciúin ag déanamh obair an tí go han-mhaith. Is Máire ag tabhairt aire do na leanaí, ag súgradh leo, is ag gáire is ag canadh sa teach arís. Ian ag teacht isteach um thráthnóna is ag dul amach ar maidin. Bhí cuma an-sona ar an teach an t-am go léir.

Sna laethanta fada samhraidh, is minic a chuaigh Máire, Nessa agus an bheirt leanaí cois trá. Bhí an bheirt bhan ag caint leo, lá, is na leanaí ag súgradh.

"Nach deas í do chuid gruaige faoin ngrian, a mháistreás," a dúirt Nessa léi, is í ag cíoradh ghruaig Mháire.

"Ba mhaith liom gruaig fhionn mar í a bheith agam."

"Tá do chuid gruaige féin an-deas, a Nessa," arsa Máire. "Caithfear a bheith sásta lena bhfuil againn."

"Níl mise sásta," arsa Nessa, "is níl mé chun cur suas le rudaí faoi mar atá siad."

"Cad atá ag cur isteach ort, a Nessa?" arsa Máire, "nach bhfuil tú sásta linn?"

"Ní dada é," arsa Nessa, mar shíl sí go raibh an iomarca ráite aici. "Tá gach rud ceart go leor."

"Níl Nessa ró-shásta inti féin," arsa Máire le hIan, an oíche sin.

"Tá sí ceart go leor anseo," arsa Ian. "Is féidir léi imeacht más mian léi, ach is as áit an-bhocht a tháinig sí agus tá sí níos fearr as linne anseo. Nach ndéanann sí a cuid oibre go maith gach lá, a Mháire?"

"Déanann sí a cuid oibre go maith i gcónaí," arsa Máire, "ach ba mhaith liom í a bheith sona linn."

D'fhan na smaointe dorcha in aigne Nessa. D'fhéach sí go minic ar Mháire agus éad dubh ina croí. Chuala sí í ag canadh ceoil nó ag imirt leis na leanaí agus ní raibh ach éad uirthi; shíl sí go raibh gach rud ag Máire is nach raibh aon rud aici féin. Mar bhí Ian ag Máire; theastaigh Ian ó Nessa. Is nuair a dúirt sí é sin léi féin, bhí sí sásta. "Tá Ian uaim, tá Ian uaim!" a dúirt sí léi féin gach oíche agus í ag dul a chodladh. Ní raibh ach an smaoineamh sin ina croí: conas Ian a fháil di féin. "Beidh Ian agam, beidh Ian agam," ar sise léi féin agus í ag dul a chodladh.

An Tubaiste

Lá amháin, nuair a bhí siad ag ithe an dinnéir, dúirt Ian le Máire: "An bhfuil sibh ag dul cois trá inniu? Tá duilisc agus carraigín ag teastáil uaim. Inniu, tá an fharraige ag dul amach i bhfad, is féidir libh dul amach go dtí na carraigeacha dubha ag bun na trá chun an carraigín agus an duilisc a bhaint. Ach tugaigí aire, a chailíní, ná fanaigí amuigh rófhada. Tá an fharraige an-chontúirteach. Tagann sí isteach go tapa."

"Rachaimid amach mar sin," arsa Máire. "Cén t-am a bheidh an fharraige amach i bhfad?"

"Ar a trí a chlog," arsa Ian. "Ní féidir liomsa teacht libh mar tá orm dul chuig mo mháthair inniu - tá gnó le déanamh agam léi agus ní bheidh mé ar ais go dtí am tae."

"Nessa, beidh tusa in ann dul le Máire." D'fhéach Nessa air agus dúil ina súile ach ní fhaca Ian í, bhí sé ag ithe a phrátaí is ag smaoineamh ar ghnó a mháthar.

"Beidh sé agam," arsa Nessa léi féin. "Gheobhaidh mé réidh léi."

Tar éis dinnéir, chuaigh an bheirt bhan amach ar an trá leis an mbeirt leanaí. Bhí an trá fhada gheal amach rompu. Shiúil siad amach i bhfad go dtí na carraigeacha dubha agus thosaigh siad ag baint carraigín. Tháinig tuirse ar Mháire tar éis tamaill mar bhí sí ag súil le leanbh eile gan fhios d'aon duine fós ach í féin. Shuigh sí síos taobh leis na carraigeacha dubha.

"Ba mhaith liom dul a chodladh ach níor mhaith liom fanacht ró-fhada anseo mar tagann an fharraige isteach go han-tapa."

"Suigh síos anseo," arsa Nessa léi. "Níl sé contúirteach go ceann tamaill fhada agus beidh mise ag féachaint ar an bhfarraige. Tá do chíor anseo agam. Beidh mé ag cíoradh do chuid gruaige duit."

D'fhéach sí le héad ar Mháire is í ina codladh i gcoinne na carraige. Bhí a cuid gruaige sínte amach ar an bhfeamainn fhada ar an gcarraig. Gan smaoineamh níos mó, thosaigh Nessa ag fí na feamainne rua trí ghruaig Mháire. Lean sí go raibh siad ceangailte go maith le chéile. Bhí an fharraige ag líonadh isteach an t-am ar fad agus chonaic Nessa go raibh an poll idir iad agus an mhórthrá ag líonadh. Thóg sí suas an bheirt leanaí óga a bhí ag súgradh thart orthu, Dara, a bhí a haon, agus Marcus, a bhí a dó; agus ar aghaidh léi tríd an uisce go dtí an trá thirim arís. Bhí na páistí ró-óg chun an droch rud a bhí déanta aici a thuiscint, duine acu gan chaint agus an duine eile gan ach cúpla focal fós aige.

D'fhéach sí siar uair amháin agus chonaic sí go raibh Máire bhocht dúisithe is í ag iarraidh éalú ón gceangal; bhí an fharraige mórthimpeall uirthi. Ghlaoigh sí ach níor éist

Nessa léi. Thuig sí cad a bhí déanta ag Nessa agus ansin thuig sí cén fáth. Ghlaoigh sí agus ghlaoigh sí, agus thuig sí go raibh sí á bá. Chan sí os ard an ceol a chum sí fadó d'Ian, ach le focail nua. Chuala Nessa na focail ag teacht trasna na farraige is d'fhan siad ina croí:

"A bhean úd thall, a shí ogó,
Ag siúl an chladaigh, a hóró,
Nach trua leat bean faoi húire ceo
Agus í dá bá i mBaile Leoil.

Tabhair scéala do m'athair, a shí ogó
Ionsar mo mháthair, a hóró
'S ar athair mo chlainne faoi húire ceo
Go bhfuil mise mo bhá i mBaile Leoil.

Tá leanbh beag agam, a shí ogó
Agus leanbh beag eile, a hóró
Is leanbhín eile faoi húire ceo
I gcionn trí ráithe i mBaile Leoil.

Tabhair scéala do m'athair, a shí ogó
Ionsar mo mháthair, a hóró,
'S ar athair mo chlainne faoi húire ceo
Go bhfuil mise mo bhá i mBaile Leoil.

Tiocfaidh m'athair, a shí ogó
Chun an chladaigh amárach, a hóró
Gheobhaidh sé mise faoi húire ceo
I mo bhradán bog báite i mBaile Leoil.

Nach méanar don bhean óg, a shí ogó
A thiocfas i m'áitse, a hóró,
Beidh seomraí bána aici faoi húire ceo
Is fuinneoga gloine i mBaile Leoil."

Chuala na leanaí í ag canadh agus ghlaoigh Marcus. "A Mhamaí, a Mhamaí!" ach d'imigh Nessa ar aghaidh leo. Ní raibh trua ar bith ina croí dubh. D'imigh sí ón trá is ón gceol is nuair a d'fhéach sí siar arís ní raibh ann ach an fharraige ghorm gheal chiúin. Bhí Máire báite.

Rith Nessa abhaile leis na leanaí, iad ag caoineadh os ard. Bhí eagla uirthi faoin rud a bhí déanta aici anois. Ghlaoigh sí ar na fir a bhí ag obair sna páirceanna: "Tagaigí, tagaigí, tá sí báite, tá sí báite! Ó, ó, ó! Tá sí báite!"

Rith fear amháin síos go dtí an baile chun Ian a fháil i dteach a mháthar. Tháinig Ian agus a mháthair agus chuaigh siad amach i mbád ach ní fhaca siad aon rud.

I lár na hoíche nuair a bhí an fharraige amuigh arís shiúil siad síos cois trá go dtí na carraigeacha dubha agus fuair siad corp Mháire. Shíl Ian go raibh a cuid gruaige ceangailte ag an bhfeamainn ach nuair a thóg sé suas an corp fliuch tháinig an méid sin bróin air go ndearna sé dearmad air sin. Bhí a chroí briste. Thóg siad corp Mháire abhaile agus brón an bháis ar gach aon duine.

— Cliodhna Cussen

GLUAIS

- taipéis - sórt éadaigh dhaite *(tapestry)*
- istoíche - san oíche *(by night)*
- a choinneáil - a choimeád *(to keep)*
- focal crosta - focal cantallach *(a cross/angry word)*
- réidh - ullamh *(ready)*
- ar imeall - ar thaobh *(on the edge)*
- lón - bia *(lunch)*
- traochta - an-tuirseach *(jaded)*
- ag caoineadh - ag gol *(crying)*
- shíl sé - cheap sé *(he thought)*
- cuidiú - cabhrú *(help)*
- is dócha - is dóigh *(I suppose)*
- sona - sásta *(happy/content)*
- an lá dar gcionn - an lá ina dhiaidh sin *(the following day)*
- tanaí - caol *(thin)*
- gúna oíche - éadach oíche *(nightdress)*
- smaointe dorcha - drochsmaointe *(dark/evil thoughts)*
- báite leis - gafa ag *(obsessed with)*
- Ní dada é - níl sé ró-thábhachtach *(it's nothing)*
- éad dubh - formad millteach *(a terrible jealousy)*
- cois trá - cois farraige *(the seaside)*
- duilisc agus carraigín - dhá shórt feamainne *(dulse and carrageen moss)*
- an-chontúirteach - an-bhaolach *(very dangerous)*
- gnó - jab *(job/business)*
- Gheobhaidh mé réidh léi - cuirfidh mé deireadh léi *(I'll get rid of her)*
- ag súil le leanbh - ag iompar *(pregnant)*
- ag fí - ag ceangal *(weaving/tying)*
- trá thirim - an chuid den trá a bhí ard *(dry/higher area of shore)*
- a shí ogó - a shíog ó *(fairy woman)*
- trua - taise *(pity/compassion)*
- faoi húire ceo - faoi thaise ceo i.e. scamall bróin anuas air/uirthi *(under a cloud of sorrow)*

Dúnmharú ar an Dart

———————————— An t-Údar ————————————

Ruaidhrí Ó Báille. Rugadh i mBaile Átha Cliath é sa bhliain 1958. Bhain sé clú amach mar láithreoir ar an gclár Gaeilge *Anois is Arís*. Tá sé ina eagarthóir ar an iris *Mahogany Gaspipe*. Is múinteoir, údar, ceoltóir agus aisteoir é. Bhain *An Tobar*, scéal leis, gradam an Oireachtais i 1984.

Leagan Gearr den Scéal

Réamhrá

Ba mhúinteoir Niall Ó Conaill i Scoil Phobail Dhún Laoghaire. Bhí sé dhá scór dhá bhliain d'aois agus bhí sé bréan de bheith ag múineadh. Thuig a bhean chéile nach raibh sé ró-shona ann féin.

* * * * *

Maidin sheaca d'fhág Niall Ó Conaill a theach ar an tSeanchill agus rith sé ar nós na gaoithe mar ní raibh ach cúig nóiméad aige chun an *Dart* a fháil. Go tobann tógadh dá chosa é agus thit sé ar a thóin ar an talamh. Sheas sé agus lean sé air ach bhí sé ró-dhéanach agus chaill sé an traein.

Tháinig traein eile agus fuair sé suíochán gan aon trioblóid. Dar leis go raibh sé amaideach teacht amach maidin mar sin mar thuig sé go mbeadh an scoil dúnta. Nuair a stop an *Dart* ag Deilginis chonaic sé fear óg ag rith chun an traein a fháil. Bhí saothar air ó bheith ag rith agus bhí cás dubh ina láimh aige.

Shuigh an fear óg in aice le Niall. Thug Niall faoi deara go raibh cás an fhir óig díreach cosúil lena chás féin. D'iarr Niall comhrá a dhéanamh leis faoin aimsir ach thit ceann an fhir óig anuas ar a ghualainn. Sheas Niall go tobann agus thit an fear óg ar an urlár ag bualadh a chinn go dona. Lig bean scread aisti agus dúirt go raibh sé marbh. Chonaic Niall paiste dearg ar a léine. Bhí an fear óg ag cur fola go trom.

Tharraing an bhean an corda éigeandála agus tháinig an traein chun stop le screadaíl fhada. Ba ghearr go raibh an tiománaí ar an láthair. Nuair a chonaic sé an fear mhol sé fios a chur ar otharcharr mar go mbeadh an traein ag stopadh i nDún Laoghaire áit a raibh ospidéal. Bhí otharcharr ann nuair a shroich siad Dún Laoghaire. Fuair Niall blaincéad ón oifig agus chuir sé ar an duine bocht é sular cuireadh ar an síneán é. Thuig Niall nárbh fhéidir leis tada eile a dhéanamh. Thóg sé a chás agus d'imigh sé leis mar bhí sé a cúig chun a naoi.

Bhí an ceart aige. Bhí an scoil dúnta. Bhuail sé leis an ardmháistir "Biggles" i seomra na múinteoirí. Mhol seisean Niall as teacht isteach mar ní raibh duine ar bith ón bhfoireann i láthair. Bhí áthas ar Niall go raibh imprisean maith déanta. Bhí post mar leasardmháistir ag teacht aníos agus ba mhaith leis é a fháil. Sin é an t-aon éalú a bhí aige ón seomra ranga. Bhí sé ag iarraidh Biggles a fháil ar a thaobh. Dúirt Biggles leis dul abhaile agus d'imigh Niall le fonn.

Bhí Niall chun bricfeasta mór de bhágún is d'uibheacha a ithe agus sos a ghlacadh ina dhiaidh sin. Bhí sé ag obair ró-chrua agus bhí 3G ag tabhairt an-trioblóid dó na laethanta seo. Tráth dá raibh níor ghá ach scread amháin a ligean as leis an rang a smachtú ach inné thosaigh Billy "Bréan" Ó Ruairc ag caitheamh coinfeití ar Mháire Ní Mhurchú agus Tomás De Bhál. Nuair a dúirt Niall leis suí síos, dúirt Billy go raibh sé ró-shean agus d'iarr sé air dul abhaile agus bás a fháil. Ní raibh Niall ach daichead a dó agus chuir Billy scamall ar an áthas a bhí air agus é ag teacht amach ón scoil. Cé gur leathamadán Billy, thuig Niall gur phost do dhuine óg post an mhúinteora.

Chaith Niall an lá ar a shuaimhneas agus ba ghearr go raibh an scamall imithe. Ar a trí a chlog chuir "Biggles" glaoch teileafóin air agus d'iarr air liosta de scoláirí a bhí ag dul ar thuras go Londain. Dúirt sé freisin go mbeadh an scoil dúnta lá arna mhárach.

Chuaigh Niall chun a chás a fháil ach nuair a d'oscail sé é baineadh léim as. Thit go leor nótaí bainc amach ar an urlár sa pharlús. Nótaí £50 Sterling ba ea iad. Bhí an-ionadh ar Mháire, bean Niall. Thit Niall isteach i gcathaoir go lag. Dúirt sé gur chosúil gur leis an bhfear óg ar an *Dart* an cás taistil. Cheap Máire go raibh sé ag dul as a mheabhair. Thuig sí go raibh a phost ag briseadh a chroí agus bhí sí chun fios a chur ar an dochtúir. Mhínigh sé an scéal go léir di ansin agus dúirt sé go labhródh sé leis na gardaí ar an teileafón. Bhí eagla ar Mháire. Mhol sí dó an cás a thabhairt ar ais mar nach mbeadh sí ábalta dul a chodladh go dtí go mbeadh sé imithe.

Nuair a labhair Niall ar an teileafón leis na gardaí i Stáisiún na Seanchille dúirt siad go raibh a chás féin acu. Dúirt siad leis bualadh isteach lá ar bith len é a bhailiú. Bhí sé soiléir dó, áfach, nach raibh a fhios acu go raibh an cás eile aige. An oíche sin chuaigh sé go dtí an stáisiún agus bhailigh sé a chás. Níor chodail sé go maith an oíche sin mar nuair a dhún sé a shúile chonaic sé aghaidh an duine mhairbh. Nuair a thit sé a chodladh faoi dheireadh bhí tromluí aige. Cheap sé go raibh sé féin ina luí ar urlár an *Dart* agus a léine dearg le fuil. Scread sé agus dhúisigh sé Máire. Bhí a croí ina béal aici nuair a chonaic sí go raibh sé báite le hallas. Fuair sí gloine uisce dó agus cé go ndúirt sé a mhalairt roimh ré, thuig sí nár thug sé an t-airgead ar ais. Bhí fearg agus imní uirthi. Dúirt sí gur thuig sí go raibh sé buartha ach go raibh cuidiú ar fáil. Dúirt Niall ansin go borb nach raibh cuidiú uaidh. Chaith sé an chuid eile den oíche ag féachaint isteach sa dorchadas mar dhuine a bhí ag lorg solais éigin, solas nach raibh ann.

GLUAIS

- dhá scór dhá bhliain - daichead a dó *(42)*
- ró-shona - ró-shásta *(too happy)*
- ar nós na gaoithe - ar nós tintrí *(like the wind/lightning)*
- tógadh dá chosa é - shleamhnaigh sé agus thit sé *(he slipped and fell)*
- bhí saothar air - bhí stró air *(he was out of breath)*
- go dona - go trom *(heavily)*
- an corda éigeandála - an sreang slándála *(communication cord)*
- blaincéad - pluid *(blanket)*
- leas-ardmháistir - leas-phríomhoide *(vice-principal)*
- le fonn - go toilteanach *(willingly)*
- sos a ghlacadh - a scíth a ligean *(to rest)*
- tráth dá raibh - uair amháin *(once)*
- ró-shean - ró-aosta *(too old)*
- scamall - gruaim *(a cloud/depression)*
- ar a shuaimhneas - ar a shó *(at his ease)*
- baineadh léim as - baineadh geit as *(he got a fright)*
- thit Niall isteach i gcathaoir go lag - shleamhnaigh sé go tréith *(he slumped into the chair)*
- ag dul as a mheabhair - ag dul ar mire *(going insane)*
- bualadh isteach - teacht isteach *(drop/come in)*
- tromluí - drochbhrionglóid *(nightmare)*
- báite le hallas - ag cur allais go fras *(drenched in sweat)*
- cuidiú - cabhair *(help)*

Extract from
MURDER ON THE DART

Introduction

Niall O Connell was a school teacher in Dun Laoghaire Community College. He was 42 and was fed up with teaching. His wife knew that he was not happy.

* * * * *

Niall O Connell left his house in Shankill on a frosty morning and ran like the wind as he only had five minutes to catch the Dart. Suddenly, he lost his footing and he fell on the ground on his bottom. He picked himself up and continued on his way but he was too late and he missed the train.

Another train arrived and he found a seat without difficulty. He felt it was silly to have come out on such a morning as he knew the school would be closed. When the train stopped at Dalkey he saw a young man running to catch it. He was panting from the exertion and he carried a black briefcase in his hand.

The young man sat beside Niall. Niall noticed that the young man's briefcase was exactly like his own. Niall tried to make small talk about the weather but the young man's head dropped down on his shoulder. Niall stood up suddenly and the young man fell to the floor, banging his head heavily. A woman screamed and said that he was dead. Niall saw a red patch on the young man's shirt. He was bleeding heavily.

The woman pulled the communication cord and the train screeched to a halt. Soon the driver was on the scene. When he saw the man he advised that an ambulance be sent for, as the train would be stopping in Dun Laoghaire where there was a hospital. When they reached Dun Laoghaire an ambulance was waiting. Niall got a blanket from the office and covered the poor man before he was put on the stretcher. Niall knew he could do nothing more, so he took his briefcase and left, as it was five to nine.

He was right. The school was closed. He met "Biggles" the headmaster in the staff room. He commended Niall for coming in because no other member of the staff had presented themselves. Niall was pleased he had made a good impression. The position of vice-principal was coming up and Niall wanted it. That was his only escape from the classroom. He was trying to win "Biggles" over. "Biggles" told him he could go home and Niall left willingly.

Niall was going to have a big breakfast of bacon and eggs and then rest afterwards. He had been working too hard and 3G were giving him terrible trouble lately. Once he could control the class with a single roar but the day before 'smelly' Billy O' Rourke had been throwing confetti at Mary Murphy and Thomas Wall. When Niall told him to sit down Billy told him to go home and die as he was too old. Niall was only 42 and Billy had put a damper on the joy he had experienced coming out of the school. Although Billy was only a half-wit, Niall realised that a teacher's job was a young man's job.

Niall spent the whole day relaxing and soon the cloud had passed. At three o'clock "Biggles" called him on the phone and asked him to bring in a list of the students going on a trip to London. He told him also that the school would be closed the following day. Niall went to get his briefcase but when he opened it he got a fright. A pile of bank notes fell out on the sitting room floor. They were £50 Sterling notes. Niall's wife Mary was amazed. Niall slumped into a chair. He said it appeared the briefcase belonged to the young man on the Dart. Mary thought he was losing his mind. She knew his job had been breaking his heart and she was going to send for the doctor. He explained the whole situation to her then and said he would telephone the guards. Mary was frightened. She advised him to give back the briefcase as she wouldn't sleep until it was gone.

When Niall spoke to the guards at Shankill on the telephone they said they had his briefcase. They told him he could drop in and collect it any day. It was clear to him, however, that they knew nothing about his having the other case. That night he went to the station and collected the briefcase. He did not sleep that night as, when he closed his eyes, he could see the dead man's face. When he fell asleep finally he had a nightmare. He thought that he was lying on the floor of the Dart and that his shirt was red with blood. He screamed out and woke Mary. She was terrified when she saw that he was soaked in sweat. She got him a glass of water and, although he had told her otherwise earlier, she knew he had not brought the money back. She was angry and concerned. She told him that she knew he was upset but that help was available. Niall then told her rudely that he didn't need help. He spent the rest of the night peering into the darkness like a man who was looking for some light, a light which didn't exist.

TÉAMA AN SCÉIL

Téama na mistéire agus saol an mhúinteora agus an chaoi a gcuirtear os ár gcomhair iad.

Tá an stíl beo agus corraitheach sa sliocht. Déantar cur síos ar leadrán shaoil Niall. Tá a dhaltaí ag éirí crosta agus ní féidir leis iad a smachtú. Tá éalú uaidh.

Ní thugtar freagraí ar go leor ceisteanna: Cé hé an fear óg? Cé a mharaigh é? Cé leis an t-airgead? Spreagann siadsan fiosracht an léitheora. Tuigtear go bhfuil Niall chun seans a thógáil ach ní fios cad a tharlóidh dó ina dhiaidh sin. Baineann an scéal leis an nua-shaol ó thús deireadh agus tá gnéithe nua-aimseartha ann, an *Dart*, an foréigean, an leadrán 7rl. Tá an stíl gonta ach tá sé an-chorraitheach. Tarraingíonn sé léitheoirí óga.

 PRÍOMHPHOINTÍ

- Mistéir atá sa scéal seo. Tá go leor ceisteanna gan freagraí orthu.
- Tá Niall Ó Conaill ag treabhadh aon iomaire. Tá sé bréan den scoil is den saol.
- Dar leis go mbeadh éalú ann dá bhfaigheadh sé post mar leasphríomhoide. Teastaíonn uaidh imprisean maith a dhéanamh ar "Biggles", an príomhoide.
- Nuair a thagann sé ar an aigead tá drogall air é a thabhairt ar ais.
- Tá a bhean buartha faoi. Tuigeann sí go bhfuil sé míshásta ina phost ach tá imní uirthi faoin airgead.
- Nuair a deir sí an méid sin leis ní bhíonn sé buíoch di.

 CEISTEANNA

Meaitseáil na ceisteanna seo a leanas (**A, B, C, D**) leis na freagraí thíos (**1-4**) agus scríobh amach go hiomlán iad, san ord ceart.
A   Céard a tharla do Niall agus é ag brostú chun na hoibre?
B   Cérbh é Billy "Bréan" Ó Ruairc? Cén chaoi ar chuir sé as do Niall?
C   Céard a tharla do chás Niall?
D   Cén fáth a raibh imní ar bhean Niall?

 FREAGRAÍ

1   Thuig sí nach raibh Niall sásta lena phost. Cheap sí go raibh sé ag dul as a mheabhair agus bhí sí an-bhuartha nuair nár thug sé an t-airgead ar ais.
2   Dalta ba ea é sa scoil. Pleidhce ba ea é a mhol do Niall dul abhaile agus bás a fháil mar go raibh sé ró-shean!
3   Shleamhnaigh sé agus thit sé ar a thóin toisc leac oighir a bheith ar na bóithre. Ansin chaill sé an traein.
4   Bhí cás an fhir óig díreach cosúil lena chás féin. Is cosúil gur thóg sé cás an fhir óig de bhotún is gur fhág sé a chás féin ar an Dart.

 CEISTEANNA BREISE

Léigh na ceisteanna seo a leanas (**E, F, G, H**) agus ansin líon isteach na freagraí (**5-8**) ag baint úsáide as an bhfoclóir tugtha.
E   Cén sort duine é Niall Ó Conaill, dar leat?
F   Cén fáth, meas tú, nár thug sé an t-airgead ar ais láithreach?
G   Tabhair sampla den ghreann sa scéal.
H   Cén fhianaise atá sa sliocht go bhfuil Niall míshásta lena shaol?

FREAGRAÍ

Líon isteach na bearnaí trí úsáid a bhaint as an bhfoclóir ceart thíos.

5. Ba mhúinteoir maith é ach bhí ag (1) _____ air a ranganna a (2) _____ . Ba dhuine (3) _____ é. Chuir magadh Billy Bréan as go mór dó.
6. Seans gur cheap sé go dtabharfadh an t-airgead (4) _____ dó éalú óna shaol (5) _____ .
7. (6) _____ Niall agus thit sé ar a thóin. Bhí (7) _____ air nach raibh aon duine ag (8) _____ air. Chaith Billy "Bréan" Ó Ruairc coinfeití ar Mháire Ní Mhurchú agus ar Thomás de Bhál.
8. Ní (9) _____ leis smacht a choimeád sa (10) _____ . Tá sé (11) _____ dá shaol agus ba (12) _____ leis bheith ina leas-phríomhoide chun éalú ón rang.

FOCLÓIR

A	goilliúnach		G	smachtú
B	bréan		H	féachaint
C	caoi		I	Shleamhnaigh
D	teip		J	rang
E	leadránach		K	mhaith
F	féidir		L	áthas

 CLEACHTAÍ

1 Cá raibh cónaí ar Niall?
2 Cá raibh sé ag múineadh?
3 Céard a rinne Billy "Bréan" Ó Ruairc?
4 Conas a rinne Niall imprisean maith ar "Biggles"?
5 Déan cur síos ar ar tharla sa *Dart*.
6 Cén chaoi ar chaith Niall an lá nuair a d'fhill sé?
7 Cén chaoi ar tháinig Niall ar an lear mór airgid?
8 Cén fáth a raibh imní ar a bhean Máire?

Sliocht as
DÚNMHARÚ AR AN DART

"Ó a dhiabhail!"

Rith Niall Ó Conaill amach an doras ar nós na gaoithe. Bhí sé a leathuair tar éis a hocht agus bhí cúig nóiméad aige chun an *Dart* a fháil. Bhí a theach ar an tSeanchill síos an bóthar ón stáisiún, ach an mhaidin seo bhí sneachta agus leac oighir gach áit.

Nuair a tháinig sé go dtí bun an bhóthair, bhí an t-oighear an-dona. Lean sé air, ag rith agus ag scátáil go dtí gur shroich sé an stáisiún. Go tobann, tógadh dá chosa é!

"Aaaaaaaaaaaaaagh!"

Chuaigh a chás suas san aer, agus thit Niall ar a thóin ar an talamh. Bhí áthas air nach raibh aon duine timpeall. Sheas sé agus thosaigh sé ag siúl arís - go mall an uair seo. Ansin, chuala sé an traein, agus thosaigh sé ag rith. Ach bhí sé ródhéanach. Nuair a shroich sé an t-ardán, chonaic sé na doirse ag dúnadh agus an traein ag imeacht léi. "Damnú air!" ar seisean.

Tháinig traein eile, agus fuair Niall suíochán gan aon trioblóid. "Huth! Tá gach duine fós sa leaba!" a dúirt sé leis féin. "Is amadán mise ag teacht amach maidin mar seo. Beidh an scoil dúnta."

Stop an *Dart* ag Deilginis agus d'fhág cúpla duine an traein. Ach ní raibh aon duine ag fanacht ar an ardán. "Níl duine ar bith ag dul ag obair inniu!" Go tobann, chuala sé rud éigin taobh amuigh den bhfuinneog. D'fhéach sé timpeall agus chonaic sé fear óg le cás dubh ina láimh ag rith chun an traein a fháil. Bhí dath dearg ar a aghaidh ó bheith ag rith agus ní raibh cuma mhaith air ar chor ar bith.

D'oscail an fear doras na traenach, agus tháinig sé ar bord. Chonaic Niall go raibh a chás díreach cosúil lena chás féin. "Múinteoir eile? Ní hea, tá sé róshalach." Bhí fearg ar Niall nuair a shuigh an duine eile in aice leis.

"Huth! fiche suíochán folamh sa charráiste, agus caithfidh sé suí ar mo cheannsa!" Ní dúirt an fear eile rud ar bith.

"Tá sé fuar," arsa Niall chun an ciúnas a bhriseadh. Dhún an fear a shúile.

"Féach air sin! Amuigh ag damhsa go dtí a cúig a chlog ar maidin is dócha."

Thit ceann an fhir óig anuas ar ghualainn Niall. "In ainm Dé!" ar seisean leis féin. "Tá mo bhríste fliuch, tá mo thóin tinn, agus anois tá daoine ag dul a chodladh orm!" Chuir sé a lámh ar láimh an duine eile.

"Em . . . gabh mo leithscéal. An bhfuil tú ceart go leor?"

Ní bhfuair sé aon fhreagra.

"Bhuel, is féidir leatsa an lá ar fad a chaitheamh i do chodladh ansin. Tá obair le déanamh agamsa!" Sheas sé. Nuair a bhí gualainn Niall imithe, thit an fear eile síos ar an suíochán. D'fhan sé ansin soicind, agus ansin thit sé ar an urlár, é ag bualadh a chinn go dona. "Ó a dhiabhail!"

Sheas bean a chonaic an rud a tharla, agus lig sí scread aisti.

"Aaaaaaaieee! tá sé marbh!"

Chuaigh Niall síos ar a ghlúine. "Níl sé marbh, tá . . ." Stop sé. Bhí cóta an fhir oscailte anois. Bhí paiste dearg ar a léine. D'fhéach Niall ar a lámha féin. Bhí siad fliuch - le fuil!

"Stop an traein, Stop an traein!" Rith an bhean go dtí an corda éigeandála agus tharraing sí é. Chuala siad screadaíl fhada, agus, go mall, tháinig an traein chun stop. Níor thóg sé ach tríocha soicind ar an tiomanaí teacht. Fear beag ramhar a bhí ann, a raibh gruaig liath ar dhá thaobh a chinn, agus tada ar a bharr.

"Céard é seo? Céard é seo? Cé rinne é sin? £25 is ea an píonós má . . ." Chonaic sé an fear ar an talamh.

"Otharcharr! Caithfimid otharcharr a fháil. Tá ospidéal i nDún Laoghaire, beidh muid ag stopadh ansin."

Nuair a stop an traein i nDún Laoghaire, fuair Niall blaincéad ón oifig agus chuir sé ar an duine bocht é. Faoin am seo bhí grúpa daoine timpeall ar an bhfear. Bhí an tiománaí ag rith suas síos an ardán mar amadán ag fanacht ar an otharcharr. Go tobann, chonaic sé na fir leis an sínteán, agus bhris sé tríd na daoine.

"Déan spás! Déan spás! Tá siad anseo."

D'fhéach Niall ar a uaireadóir. "Cúig chun a naoi. Caithfidh mé rith." Chuaigh sé ar ais go dtí a shuíochán chun a chás a fháil. Bhí cúpla duine fós sa charráiste agus ní cuma shásta a bhí orthu. Thóg sé an cás agus d'imigh sé leis. "Ní féidir liom tada eile a dhéanamh anseo."

Bhí an ceart aige. Bhí an scoil dúnta. Bhí an t-ardmháistir, 'Biggles' i seomra na múinteoirí. Nuair a chonaic sé Niall, rinne sé gáire.

"Féarplé dhuit a mhic!" ar seisean. "Is tusa an t-aon duine amháin a tháinig isteach. Tá na bóithre an-dona."

"Tháinig mise ar an traein."

"Ó sea. Tá an *Dart* sin an-mhaith sa drochaimsir."

Bhí áthas ar Niall nach raibh aon duine eile istigh. D'fhéach sé go maith. Bhí post mar leas-ardmháistir ag teacht aníos, agus ba mhaith leis é a fháil. Sin an t-aon éalú a bhí aige ón seomra ranga. Chun é seo a dhéanamh, bhí air Biggles a fháil ar a thaobh. Sin é an t-aon rud a thóg as a leaba é ar lá mar seo.

"Bhuel, beidh cupán caife agam, agus beidh mé ag dul abhaile," ar seisean.

"Nó an féidir liom cuidiú leat ar aon bhealach?"

D'fhéach an fear eile air lena shúile beaga geala. "Imigh leat abhaile, a mhic. Tá mise chun an rud céanna a dhéanamh."

Bhí Niall an-sásta leis féin ar an mbealach abhaile. Ní raibh aon obair le déanamh aige inniu. Bhí sé tar éis impriseal maith a dhéanamh ar 'Biggles', agus anois, bhí sé ag dul abhaile go dtí bricfeásta mór de bhágún agus d'uibheacha. Ina dhiaidh sin, bhí sé chun suí síos agus sos a thógáil dó féin. Bhí sé ag obair róchrua. Bhí 3G ag tabhairt an-triobлóid dó na laethanta seo. Sna seanlaethanta bhí sé ábalta scread amháin a thabhairt uaidh, agus bhí ciúnas iomlán sa rang, ach inné thosaigh Billy 'Bréan' Ó Ruairc ag caitheamh coinfeití ar Mháire Ní Mhurchú agus Tomás De Bhál. Nuair a dúirt Niall leis suí síos, d'fhéach an buachaill air le gáire salach ar a aghaidh agus dúirt sé "Téigh abhaile a Mháistir. Tá tú róshean. Téigh abhaile agus faigh bás!" Róshean ag 42! Tháinig cuma dhorcha ar aghaidh Niall. Bhí Billy 'Bréan' Ó Ruairc tar éis scamall a chur ar an áthas a bhí air ag teacht amach ón scoil. Bhí sé tuirseach den obair seo. Ba leathamadáin é Ó Ruairc. Bhí sé a seacht déag ar a laghad agus fós ní raibh an Teastas Sóisearach déanta aige. Bhí sé fós ar scoil mar nach raibh aon áit eile le dul aige. Ach má ba leathamadáin féin é, bhí an ceart aige an uair seo. Post do dhuine óg é post an mhúinteora.

Chaith Niall an lá ar fad ag léamh an pháipéir agus ag féachaint ar an teilifís. Bhí an scamall imithe anois agus bhí sé breá sásta leis féin arís. Ag a trí a chlog, chuala sé an teileafón ag bualadh.

"A Mháire, freagair é sin."

"Freagair tú féin é!"

'Biggles' a bhí ann. "A Niall, an bhfuil an liosta sin de na scoláirí atá ag dul ar an turas go Londain agatsa?"

"Tá, tá sé i mo chás agam. An bhfuil sé uait anois?"

"Ó, níl. Ní raibh a fhios agam cá raibh sé, sin an méid. Ó, rud eile, beidh an scoil dúnta arís amárach. Beidh mé ag caint leat Dé Luain. Slán."

Nuair a d'fhág Niall slán ag 'Biggles', chuaigh sé chun a chás a fháil. Ba mhaith leis bheith cinnte go raibh an liosta aige. Isteach leis go dtí an parlús. Fuair sé an cás agus d'oscail sé é.

"Aaaaaaaaaaaaaagh !"

Thit an cás as a láimh, ag bualadh vása a bhí ar an mbord caife i lár an tseomra agus ag déanamh smidiríní de.

Nuair a chuala Máire an scread, rith sí síos an staighre agus isteach sa pharlús ar nós na gaoithe. "In ainm Dé, cad tá . . .?"

Chonaic sí Niall ina shuí ar an mbord caife, a dhá shúil chomh mór le cúpla clog. Bhí sé ag féachaint ar an urlár. Bhí an cás oscailte, agus bhí nótaí bainc gach áit. Nótaí £50 Sterling ar fud an pharlúis!

"Cá bhfuair tú an t-airgead sin?" ar sise. Bhí a súile féin chomh mór le súile Niall anois.

"Bhí sé sa chás!"

"Ach dúirt tú liom ar maidin gur cóipleabhair 3G a bhí sa chás!"

Thit Niall isteach i gcathaoir go lag. Bhí a aghaidh chomh bán anois leis an sneachta a bhí fós ag titim taobh amuigh den bhfuinneog.

"An fear!"

"Cén fear?"

"An fear ar an *Dart*, bhí cás aige a bhí cosúil le mo chás féin."

Tháinig eagla ar Mháire. Bhí sí cinnte go raibh a fear céile ag dul as a mheabhair. Bhí a fhios aici nach raibh sé sona mar mhúinteoir. Bhí an post ag briseadh a chroí. Bhí sé briste cheana; briste ag Billy 'Bréan' Ó Ruairc agus a chuid coinfeití!

"Tá mise chun an dochtúir a fháil."

Chuaigh sí amach go dtí an halla agus thóg sí an teileafón ina láimh. Rith Niall amach agus stop sé í. Bhí sé ag gáire.

"Ná déan aon rud. Níl mé craiceáilte! Fuair fear bás ar an *Dart* ar maidin, caithfidh gur thóg mé a chás in áit mo cháis féin. Sin an méid. A dhiabhail! Ní fhaca mise an méid sin airgid riamh!"

"Cad a dhéanfaidh tú anois?"

"Tá mé chun labhairt leis na gardaí ar an teileafón, agus an scéal ar fad a insint dóibh."

"Cén fáth nach ndúirt tú aon rud faoi seo nuair a tháinig tú abhaile?"

"Bhuel, ní raibh sé ródheas, bhí fuil gach áit."

"Fuil? Ó a Niall, tá eagla orm. Faigh na gardaí anois díreach agus tabhair an cás sin ar ais dóibh. Ní bheidh mise ábalta codladh go dtí go mbeidh sé imithe!

"Stáisiún na Seanchille."

"Em, Heló, an é sin stáisiún na ngardaí?"

"Is é. An féidir liom cuidiú leat?"

"Is féidir. Is mise Niall Ó Conaill. Is múinteoir mé i Scoil Phobail Dhún Laoghaire. Bhí mé ag dul ar scoil ar maidin ar an *Dart* agus fuair duine bás agus …"

Bhris an garda isteach air.

"Tusa an fear a d'fhág a chás ina dhiaidh?"

"O … em … sea, ach …"

"Bhuel tar síos go dtí an stáisiún lá ar bith, agus beidh tú ábalta do chás a fháil ar ais. Slán!"

"Ach, ach …"

Bhí an garda imithe. D'fhan Niall ansin mar amadán ar feadh nóiméid. Ní raibh a fhios ag na gardaí go raibh an cás eile aige. B'fhéidir nach raibh a fhios acu go raibh cás ag an bhfear a fuair bás ar chor ar bith. B'fhéidir. An oíche sin, chuaigh sé timpeall an chúinne go dtí an stáisiún, agus tar éis dó cúpla ceist a chur air, thug an sáirsint mór ramhar a chás féin ar ais dó.

Shuigh Niall aniar sa leaba. Bhí sé tar éis a dó a chlog ar maidin. Bhí tuirse air, ach ní raibh sé ábalta codladh. Aon uair a dhún sé a shúile, chonaic sé aghaidh an duine mhairbh. D'fhéach sé ar Mháire a bhí ina codladh go compordach in aice leis. Bhí sé tar éis a rá léi ag am suipéir gur thug sé an t-airgead ar ais do na gardaí nuair a chuaigh sé go dtí an stáisiún.

"Agus cad a dúirt siad?"

"Dúirt siad 'Go raibh maith agat!' Cad eile?"

Thug sí póg dó. "Tá áthas orm!"

Sa deireadh, thit a chodladh air. Ach ní codladh sámh a bhí ann. Bhí a cheann lán de phictiúir a chuir eagla air. Bhí sé sa *Dart* arís. Bhí an fear marbh ann freisin. Ach an uair seo, ba é Niall a bhí ar an urlár, a chóta oscailte, a léine dearg le fuil, agus bhí an sáirsint ag féachaint síos air; aghaidh mhór dhearg ag gáire, ag gáire … na fiacla ar nós ainmhí fhiáin …

"Aaaaaaaaieeeeeeeee, stop! Stop!"

Dhúisigh sé Máire lena chaoineadh. Léim sí suas, bhí a croí ina béal aici.

"In ainm Dé! Cad atá ort? Fuist! Beidh na comharsana ag fáil na ngardaí!"

D'oscail Niall a shúile. Bhí sé báite le hallas agus bhí a bhéal chomh tirim le páipéar gainimh.

"Faigh gloine uisce dom! Go tapa! Tá tart orm!"

Nuair a tháinig Máire ar ais leis an uisce, d'fhéach sí ar Niall nóiméad gan chaint. Ansin.

"Níor thug tú an t-airgead sin ar ais! Sin é an fáth nach bhfuil tú ábalta do shúile a dhúnadh ar feadh dhá nóiméad! Tá sé fós agat! Tá an ceart agam! Ní féidir leat féachaint orm idir an dá shúil, fiú. Tá tú craiceáilte! An síleann tú go mbeidh tú ábalta an t-airgead sin a choinneáil?"

Stop sí nóiméad. Ansin chuir sí a lámh ar a ghualainn.

"A Niall, tá a fhios agam nach bhfuil tú sona na laethanta seo. Tá a fhios agam go bhfuil tú tuirseach den saol. Ach ní hí seo an tslí chun tú féin a chur ar an mbóthar ceart. Éist liom. Tá cuidiú ar fáil, tá dochtúirí a thuigeann . . ."

"Damnú ort féin agus ar do chuid dochtúirí! Níl aon 'chuidiú' uaimse! Oíche mhaith!"

Chaith sé an chuid eile den oíche ag féachaint isteach sa dorchadas mar dhuine ag bhí ag lorg solais éigin. Solas nach raibh ann.

— Ruaidhrí Ó Báille

GLUAIS

- ar nós na gaoithe - ar nós tintrí (like the wind)
- tógadh dá chosa é - shleamhnaigh sé agus thit sé (he slipped and fell)
- ar chor ar bith - in aon chor (at all)
- ag damhsa - ag rince (dancing)
- is dócha - is dóigh (I suppose)
- go dona - go trom (badly/heavily)
- scread - béic (a scream)
- an corda éigeandála - an tsreang slándála (communication cord)
- tada - faic (nothing)
- beidh muid - beimid (we will be)
- déan spás - druid siar (move back/make room)
- leas-ardmháistir - leas-phríomhoide (vice-principal)
- cuidiú - cabhrú (help)
- sos a thógáil - suaimhneas a ghlacadh (have a rest)
- Bréan - bhí drochbholadh uaidh (smelly)

- gáire salach - gáire suarach (a leer)
- cuma dhorcha - dreach feargach (an angry look)
- leathamadáin - pleidhce (half-wit/fool)
- post - gairm/jab (vocation/job)
- an scamall - an ghruaim (cloud/depression)
- parlús - seomra suí (parlour/sitting room)
- go lag - go tráth (weakly)
- as a mheabhair - ag dul ar mire (going insane)
- briste - basctha (broken/worn out)
- craiceáilte - as mo mheabhair (crazy)
- caithfidh gur thóg mé - is cosúil gur thóg mé (I must have taken)
- codladh sámh - codladh trom (deep sleep)
- lena chaoineadh - lena ghol (with his crying)
- fuist! - ciúnas! (quiet!/hush!)
- báite le hallas - ag cur allais go fras (drenched in sweat)

Sliocht as

SAMHRADH SAMHRADH

———————————— An t-Údar ————————————

Séamas Ó Maitiú. Rugadh i mBaile Átha Cliath é i 1951. Bhain sé clú amach nuair a bhunaigh sé an iris *Mahogany Gaspipe* i 1980. Tá idir phrós agus fhilíocht scríofa aige. Scríobhann sé i mBéarla freisin. Tá cónaí air anois i gCill Mhantáin.

Leagan Gearr den Scéal

Réamhrá

Tá slua daoine óga ar a slí go dtí ceolchoirm na *Rolling Stones* cois Bóinne. Tosaíonn Nic ag dul síos ar bhóithrín na smaointe agus déanann sé cur síos ar shamhradh na bliana 1969 nuair a bhí sé féin sa chúigiú bliain agus é ag siúl amach le cailín álainn *hippie* darbh ainm Éadaoin.

* * * * *

Tar éis scoile théadh Nic agus Éadaoin ag féachaint isteach sna siopaí i Sráid Ghrafton i mBaile Átha Claith. Bhíodh náire ar Nic nuair a théidis isteach i siopaí éadaí cailíní mar a mbíodh aire Éadaoin ar mhionsciortaí nó ar bhríste spréite. Bhí sise pas beag ní ba shine ná Nic agus í sa séú bliain. Ba chuma le hÉadaoin faoin difríocht san aois agus ba ghearr go ndearna Nic dearmad air. D'fheicidís na *Hippies* agus iad gléasta in éadaí daite. Bhíodh foilt fhada ghruaige orthu. Bhí Nic in éad leo mar ní raibh cead aige gruaig fhada a chaitheamh ar scoil.

Dúirt Éadaoin go raibh sí míshásta ar scoil mar go raibh an córas oideachais ag déanamh meaisín di agus na mná rialta ag dúnadh a hintinne in ionad é a oscailt. Nuair a bhí an Ardteist déanta ag Éadaoin dúirt sí go raibh fúithi a hintinn a thiúnadh isteach lena corp féin agus leis an saol go léir. Bhí samhradh fada buí rompu.

Trathnóna Sathairn amháin i mí Lúnasa ag Faiche Stiofáin, chuir Éadaoin Buzz in aithne do Nic. Chaith sé róba fada agus bhí cuaráin ar a chosa. Bhí sé sna fichidí agus bhí féasóg air. "An mbeidh tú ann anocht?" a d'fhiafraigh sé d'Éadaoin. Dúirt sise go mbeadh. Níor inis sí do Nic céard a bhí i gceist acu ach d'iarr sí air bualadh léi ag príomhgheata na Faiche ag a deich a chlog. D'iarr sí air freisin éisteacht leis an gceirnín, *What's the Difference* le Scott McKenzie.

D'éist Nic go géar leis an gceirnín. Bhí McKenzie ag iarraidh ar an aos óg éirí suas agus imeacht ó chuing an ghnáthshaoil.

Oíche bhog ghealaí a bhí ann nuair a bhuail Nic le hÉadaoin. Bhí sí ag breathnú go hálainn ina gúna bán cáise agus bhí banda ar a clár éadain. Bhí sí cosnochta agus ingne beaga daite a gcos ag glioscarnach faoi sholas na lóchrann sráide.

Stop sí go tobann ansin agus d'iarr ar Nic éalú isteach thar an ráille léi go Faiche Stiofáin. I gcúinne istigh cois locha bhí dhá scór duine óg. Bhí siad i bhfoirm ciorcail agus bhí giotár ag duine nó beirt. Bhí siad ag canadh *Hey Jude*. Shuigh Nic agus Éadaoin ar imeall an tslua. Bhí na daoine óga ag luascadh leis an gceol. Nuair a tháinig an t-amhrán chun deiridh sheas fear i róba bán suas agus thosaigh ag caint. Buzz a bhí ann. D'iarr sé ar ógánach i bpancho ildaite, sliocht a léamh as *Lord of the Rings*. Lasadh coinneal agus léigh sé i nglór bog inchloiste. Bhí sceitiminí ar Éadaoin. Thosaigh siad ag canadh ansin agus ghoid siad bláthanna ó na ceapóga chun iad a chur ina gcuid gruaige. Labhair Buzz arís. D'iarr sé orthu an deis a thapú. Dúirt sé go raibh Dylan ag canadh Dé Domhnaigh a bhí chugainn ar Oileán Íocht. D'iarr sé ar na daoine óga dul ann agus as sin go Páras. Bheadh na mic léinn ansin sásta lóistín á thabhairt dá gcomrádaithe. Dúirt sé go raibh réabhlóid shíochána le briseadh amach agus go raibh siad ag brath orthu. "An mó duine atá chun teacht linn? - lámha suas anois" ar seisean. I gceann cúpla soicind bhí a lámha in airde ag trí cheathrú dá raibh ann. Chonaic Nic go raibh a lámh in airde ag Éadaoin. Chuir seisean a lámh suas go ríméadach.

GLUAIS

- slua - drong/baicle (*a group/crowd*)
- ag siúl amach - ag dul amach (*going with*)
- bríste spréite - bríste a raibh cosa leathana orthu (*flares*)
- pas beag - rud beag (*a little*)
- foilt - gruaig (*hair*)
- ag déanamh meaisín di - ag déanamh duine mharbhánta di (*turning her into a machine/zombie*)
- ag dúnadh a hintinne - ag cosc a cuid smaointe (*closing her mind*)
- a thiúnadh isteach - a nascadh (*to tune/link in*)
- cuaráin - bróga éadroma leathair (*sandals*)
- go géar - go cúramach (*intently/carefully*)
- cuing an ghnáthshaoil - bac an tsaoil chomónta (*the yoke of ordinary living*)
- ag breathnú - ag féachaint (*looking*)
- gúna bán cáise - gúna bán déanta d'éadach éadrom (*a cheesecloth dress*)
- ag glioscarnach - ag spréacharnach (*sparkling/shining*)
- lóchrann sráide - lampaí sráide (*street lamps*)
- ar imeall an tslua - ar thaobh an tslua (*at the edge of the group*)
- ildaite - bhí dathanna éagsúla air (*multicoloured*)
- ceapóga - bláthcheapacha (*flower-beds*)
- go ríméadach - go háthasach (*happily/ecstatically*)

Extract from
SUMMER SUMMER

Introduction

Agroup of young people are on their way to the Rolling Stones concert in the Boyne Valley. Nick begins to reminisce and he describes the summer of 1969 when he was in fifth year and going out with a beautiful hippie girl called Aideen.

* * * * *

After school Nick and Aideen would go window shopping in Grafton St. in Dublin. Nick would be embarrassed when they would go into ladies clothes shops where Aideen would look at the miniskirts or flares. She was a little older than Nick and she was in 6th year. The difference in age did not bother her and Nick soon forgot about it. They used to see the hippies in their coloured clothes. They wore their hair long. Nick envied them because he was not allowed wear long hair at school.

Aideen told him that she was dissatisfied with school because the educational system was turning her into a machine and the nuns were closing her mind rather than opening it up. She said that when she had done her Leaving Cert. she intended to tune her mind into her body and to the whole world. A long sunny summer lay before them.

One Saturday afternoon in August Aideen introduced Buzz to Nick. Buzz wore a long robe and had sandals on his feet. He was bearded and in his twenties. "Will you be there tonight? he asked Aideen. She said she would. She did not tell Nick what this was about but told him to meet her at the main gates of Stephen's Green at ten. She also asked him to listen to a record by Scott McKenzie, *What's the difference*. Nick listened to it carefully. McKenzie was urging young people to rise up and cast off the yoke of conventional life.

It was a mild moonlit night when Nick met Aideen. She was looking lovely in her white cheesecloth dress and she wore a headband. Her small coloured toenails glistened in the lamplight as she walked barefoot.

She stopped suddenly and asked Nick to slip in over the railing into St. Stephen's Green. In a corner within, beside a pond, were forty young people. They were ranged round in a circle and one or two were playing guitars. They were singing *Hey Jude*. Nick and Aideen sat at the edge of the group. The young people were swaying to the music. When the song ended a man dressed in a robe stood up and began to speak. It was Buzz. He asked a young man wearing a multi-coloured pancho to read an extract from *The Lord of the Rings*. A candle was lit and he read in a soft, yet audible, tone. Aideen was thrilled. They started singing then and stole flowers from the flower-beds to put in their hair. Buzz spoke again. He asked them to seize the opportunity. He told them that Dylan was playing the following Sunday on the Isle of Wight. He urged the young people to go there and on to Paris.

The students there would be prepared to accommodate their comrades. He told them that a peaceful revolution was about to take place and that they were depending on them. "How many of you are coming with us?" he asked. Within a couple of seconds three quarters of those who were there had put up their hands. Nick saw Aideen's hand up. He put up his hand ecstatically.

TÉAMA AN SCÉIL

Téama na hóige agus na saoirse agus an chaoi a gcuirtear an téama sin os ár gcomhair.

Cruthaíonn an t-údar atmasféar aerach na Seascaidí sa sliocht. Tá tagairtí ann do na *hippies*, dá gcuid éadaigh and dá meon. Is *hippie* Éadaoin agus is mór aici an tsaoirse. Feictear coimhlint ann idir na daoine óga agus na daoine in údarás. Is fuath le hÉadaoin an scoil mar nach bhfuil saoirse ar bith aici ann. Ní cheadaítear gruaig fhada i scoil Nic. Tá focail na n-amhrán ag teacht le téama na saoirse. Iarrtar ar an aos óg éirí suas agus dul i mbun réabhlóide ciúine.

Iarrann Buzz orthu an méid sin a dhéanamh. Tá "réabhlóid chiúin" ag tarlú cheana féin sa Fhrainc. Tá Buzz cinnte go mbeidh fáilte roimh aos óg na hÉireann ann.

Tá an stíl beo agus corraitheach. Tá craiceann na fírinne ar na carachtair.

 PRÍOMHPHOINTÍ

- Blaiseann Nic saoirse nua nuair a bhuaileann sé le hÉadaoin.
- Tá sise báúil leis na hippies agus lena meon. Diaidh ar ndiaidh glacann Nic leis an meon sin.
- Is beag saoirse atá aige ar scoil mar a bhfuil cosc ar ghruaig fhada.
- Is mian le hÉadaoin a hintinn a leathnú agus an saol a thuiscint.
- Míníonn Buzz go bhfuil réabhlóid tar éis tarlú i measc na mac léinn sa Fhrainc. Nuair a iarrann sé ar na daoine óga dul chun tacaíocht a thabhairt toilíonn Éadaoin.
- Bíonn Nic sásta imeacht freisin agus tá sé ag tnúth leis an turas.

 CEISTEANNA

Meaitseáil na ceisteanna seo a leanas (**A, B, C, D**) leis na freagraí thíos (**1-4**) agus scríobh amach go hiomlán iad, san ord ceart.

A   Céard a dhéanadh Éadaoin agus Nic i Sráid Ghrafton?
B   Cén fáth a raibh imní ar Nic?
C   Cén fáth a raibh Éadaoin míshásta ar scoil?
D   Déan cur síos ar Buzz.

 FREAGRAÍ

1   Fear óg ba ea é sna fichidí. Bhí féasóg air. Chaith sé róba bán agus cuaráin.
2   Cheap sí go raibh an córas oideachais ró-chúng. Bhí na mná rialta ag déanamh meaisín di. Ní raibh a hintinn ag leathnú.
3   Bhí Éadaoin pas beag ní ba shine ná é agus bhí imní air go bhfágfadh sí é. Tar éis tamaill áfach, thuig sé gur chuma léi faoin difríocht aoise.
4   Bhídís ag féachaint isteach sna siopaí agus ag tabhairt cuairte ar na siopaí éadaí.

CEISTEANNA BREISE

Léigh na ceisteanna seo a leanas **(E, F, G, H)** agus ansin líon isteach na freagraí **(5-8)** ag baint úsáide as an bhfoclóir tugtha.

E   Cén sort cailín í Éadaoin, dar leat?

F   Cén sórt saoil a bhí aici agus í ar scoil?

G   Cén fáth a raibh Nic in éad leis na *Hippies*?

H   Céard a d'iarr Buzz ar an dream daoine óga?

 FREAGRAÍ

Líon isteach na bearnaí trí úsáid a bhaint as an bhfoclóir ceart thíos.

5   Cailín (1) _____ ba ea í. Thaitin (2) _____ na *Hippies* léi agus bhí sí (3) _____ dá réir. Bhí gúna bán cáise uirthi agus í (4) _____ Chaith sí (5) _____ ar a clár éadain. Ba mhór aici an tsaoirse agus níor (6) _____ an scoil léi.

6   Bhí sí (7) _____ leis an gcóras oideachais. Ní raibh sí ag obair ar chor ar bith mar cheap sí go raibh na (8) _____ ag cúngú a hintinne.

7   Thaitin a (9) _____ agus a gcuid éadaigh leis ach bhí sé ar scoil agus ní raibh (10) _____ aige gruaig fhada a bheith aige ná éadaí (11) _____ .

8   D'iarr sé (12) _____ imeacht go hOileán Iocht mar a mbeadh Dylan ag (13) _____ agus as sin go Páras na Fraince chun (14) _____ i mbun "réabhlóide ciúine".

FOCLÓIR

A	dul		H	scuabacha
B	thaitin		I	orthu
C	an-mhíshásta		J	meon
D	álainn		K	banda
E	gléasta		L	seinm
F	mná rialta		M	stíl
G	cosnochta		N	cead

 CLEACHTAÍ

1   Déan cur síos ar Nic.

2   Déan cur síos ar Éadaoin.

3   Cá mbídis ag siopadóireacht?

4   Cén fáth a mbíodh náire ar Nic?

5   Cén dearcadh a bhí ag Éadaoin i leith na scoile?

6   Cérbh é Buzz?

7   Déan cur síos air.

8   Céard a bhí ar siúl ag na daoine óga i bhFaiche Stiofáin istoíche?

9   Céard a d'iarr Buzz orthu?

Sliocht as
SAMHRADH SAMHRADH

Caibidil a Ceathair

B hí an citeal ar bogfhiuchadh ar an sorn agus thoiligh gach duine sa chistin cupán eile tae a ghlacadh ó Stiof nuair a sméid sé orthu leis an taephota. Ní raibh fonn corraí orthu fad is a lean Nic dá scéal in ainneoin a dhéanaí a bhí sé agus a luaithe a bhí orthu éirí an mhaidin dar gcionn:

'Ní raibh seachtain dá ndeachaigh thart ina dhiaidh sin nach bhfeicinn Éadaoin dhá nó trí huaire.

'Bhuailinn léi go minic tar éis scoile - bhí sí ar Choláiste Bhríde, deich nóiméad uaimse ar scoil - ach ní bhuailinn léi róghar don scoil ar ndóigh. Bhí cúpla duine eile sa rang ag siúl amach le cailíní ceart go leor ach ní thógfá cailín riamh i ngiorracht scread asail don scoil. Tá a fhios agaibh féin. Fuarthas amach mar gheall uirthi ar aon nós agus bhíodh an t-uafás magaidh ar siúl.

'Tar éis scoile sa tráthnóna shiúlaimis go barr Shráid Ghrafton. Bhíodh a lán siopaí - siopaí éadaí is mó - sa cheantar sin go dtí gur leagadh iad le carrpháirc a dhéanamh cúpla bliain ó shin. Chastaí cairde Éadaoin orainn ansin i *mBewley's* nó i siopa éadaí nó ceirníní.

'Bhíodh náire ormsa ar dtús dul isteach i siopaí éadaí cailíní, ach ní raibh aon rogha agam le hÉadaoin - tharraingítí isteach mé. Bhíodh gach ball éadaí a d'fheiceadh sí ag teastáil uaithi; an mionsciorta sin nó an bríste spréite siúd - an cuimhin le haon duine agaibh *flares*? Ba mhaith an rud é nach raibh aon airgead ag ceachtar againn.

'Ní fhéadfadh sí fanacht go bhfágfadh sí an scoil agus go mbeadh roinnt airgid aici. Ó, sea, rinne mé dearmad a rá libh go raibh sí níos sine ná mé: bhí sí sa séú bliain agus an Ardteist roimpi amach an samhradh sin. Chuireadh an cheist seo faoi aois as domsa ar dtús ach ba chuma sa tsioc léi sin mar gheall air agus ba ghearr go ndearna mé féin dearmad air.

'Ba ag fálróid thart sa cheantar sin a chonaic cairde scoile muid ar dtús. Ach sular casadh Éadaoin orm ar chor ar bith théadh scata againn ón scoil ann le breathnú le héad ar na *Hippies* lena léinte bláfara, bráisléid choirníní timpeall a muineál agus, thar aon rud eile, foilt fhada ghruaige.

'O, d'fhéadfaimis na héadaí nó na bráisléid a chaitheamh tráthnóna Sathairn ach bheifeá ag dul sa seans ar scoil leis an ngruaig.

'Thosaigh mé a cur aithne mhaith ar na *Hippies* seo in éindí le hÉadaoin. Níor thóg sé ró-fhada orm a fháil amach nach raibh sí ag déanamh mórán oibre don Ardteist. Ní dheireadh sí faoin cheist ach; "Níl an córas oideachais chun meaisín a dhéanamh asamsa. Tá na mná rialta sin ag dúnadh m'intinne in ionad í a oscailt."

'Níorbh fhada gur chuir sí an Ardteist di, fuair mise mo laethanta saoire, agus bhíomar saor ón scoil - mise go ceann trí mhí agus ise go deo.

'Bhí an samhradh fada buí romhainn agus ní raibh aon cheangal ar Éadaoin anois. Dúirt sí go gcaithfeadh sí an dochar a rinne an scoil di ar feadh na mblianta a chur ar ceal:

"Beidh orm foghlaim conas tiúnadh isteach arís," a dúirt sí liom an lá a d'fhág sí an scoil den uair dheireanach. "Tiúnadh isteach le m'intinn is le mo chorp féin, le daoine eile agus leis an saol go léir - is uafásach na rudaí a rinneadh dom mar dhuine daonna sa scoil sin".

Tráthnóna Sathairn amháin i mí Lúnasa agus muid mar ba ghnách ag casadh le cairde timpeall Fhaiche Stíofáin, chuir Éadaoin Buzz in aithne dom. Fear féasógach, sna ficheadaí déarfainn, a bhí ann. Bhí cuaráin ar a chosa agus róba fada bán á chaitheamh aige. Agus muid ag fágáil sláin aige chuir sé ceist ar Éadaoin:

"An mbeidh tú ann anocht?"

"Cinnte," ar sí, "ní chaillfinn é. Nach anocht atá socrú dearfa le déanamh?"

"Sea. Feicfidh mé ann tú, mar sin. Slán libh. Coinnígí an creideamh."

Agus anonn leis trasna na sráide go daoine eile a d'aithin sé ansin.

"Cá bhfuil tú ag dul anocht?" a d'fhiafraigh mé agus imní bheag orm i dtaobh mo dhuine.

"Feicfidh tú anocht mar tá tú féin ag teacht," ar sí agus miongháire uirthi. "Ná habair gur cheap tú go raibh mé chun siúl amach le Buzz?"

"Cá bhfuilimid ag dul?"

"Feicfidh tú anocht. Bí ag príomhgheata na Faiche ag a deich a chlog."

"Ag a deich?" a dúirt mé agus iontas orm. "Cá mbeimis ag dul sa chathair ag an am sin?"

"Bí ann, a chroí, agus feicfidh tú," ar sí go mealltach.

Cheap mé nach bhfaighinn puinn eile aisti, ach ansin dúirt sí go rúndiamhrach:

"Tá ceirnín Scott McKenzie agat, nach bhfuil?"

'Cé nach raibh *San Francisco (With Flowers in Your Hair)*, rosc idirnáisiúnta Mhuintir na mBláth - na *Hippies* - aige?

"Tá," a deirim.

"Bhuel, éist le taobh B de, ní dhéanann go leor é. Feicfidh mé anocht tú - a deich a chlog."

'Leis sin, thug sí póg millteach dom agus as go brách léi go dtí a stad bus.

* * * * * *

Caibidil a Cúig

'Oíche a bhí inti nach bhfaighimid ach go hannamh sa tír seo. Bhí grian órga díreach ag dul faoi nuair a d'fhág mé an teach le dul faoin gcathair. Bhí teocht trom fanta ar an aer agus nuair a shéid an leoithne bog gaoithe ó am go chéile bhí brothall fiú air sin.

'Agus mé ag siúl síos Sráid Fhearchair bhí focail amhráin ag rith trí mo chloigeann. Amhrán darb ainm *What's the Difference?*. Chomh luath is a chríochnaigh mé mo chuid tae chuaigh mé ag ransú trí mo bhailiúchán ceirníní. Níor chuimhin liom cad a bhí ar an taobh B de *San Francisco*, ach chomh luath is a fuair mé é leag mé stíleas mo sheinnteora air. Thar cheol an-ghiotáir acúistigh bhí McKensie ag canadh:

Hey, friend, wake up,
I'm throwin' rocks at your window-pane,
Get out of bed, I've got somethin' to say.
Pick up a toothbrush, sneak down the stairway,
You got no reason you should stay.
Hey, what's the difference if we don't come back?

Who's goin' to miss us in a year or so?
Nobody knows us or the things we've been thinkin',
So what's the difference if we go?

'Ba léir cad a bhí i gceist. Ach cad a bhí i gceist ag Éadaoin? Bhraith mé míshuaimhneas éigin orm, ach scaip sé chomh luath is a chonaic mé uaim í ag geata na Faiche sa mheathdhorchadas ag croitheadh láimhe liom. Bhí sí ag léim le lúcháir sular shroich mé í ar chor ar bith. Ní fhaca mé riamh í ag breathnú chomh hálainn is a bhí sí an oíche sin. Bhí gúna fada bán d'éadach cáise á chaitheamh aici agus an banda ar a clár éadain. Bhí sí cosnocht. Tar éis di barróg a thabhairt dom d'fhiafraigh mé di cá rabhamar ag dul. Chuir sí corrmhéar i gcoinne mo bhéil:

"Ssshhh, ná habair focal - lean mise."

'Thóg sí mé i ngreim láimhe agus thosaíomar ag siúl ar an gcosán i dtreo Shráid Fhearchair. Timpeall chúinne na Faiche linn, ár lámha i ngreim a chéile ag luascadh go bog. Ní raibh gíog as ceachtar againn. Bhí mise meallta ag ingne beaga dailte a cos ag glioscarnach faoi sholas na lóchrann sráide.

'Nuair a bhíomar thart ar leath bealaigh thuas an taobh sin den Fhaiche, beagnach os comhair Theach Uíbh Eachach, stop sí mé go tobann agus d'fhéach suas síos an bóthar go sciobtha:

"Go mear," ar sí, "cabhraigh liom dreapadh thar an ráille."

"Céard?" arsa mise agus iontas orm. "Ach tá an pháirc dúnta."

"Nach bhfuil a fhios sin agam, a amadáin, cén fáth a gceapann tú go gcaithfidh mé dul ag dreapadh? Déan deifir nó feicfear muid." Agus leis sin, bhí greim láimhe aici ar bharr na ráillí agus í ag fanacht le cos i mbois uaimse.

"Cad tá ar siúl againn, in ainm Dé?" a d'fhiafraigh mé di nuair a thuirling mé ar an bhféar i measc na dtor ar an taobh eile.

"Ssshhh!" ar sí i gcogar, "feicfidh tú i gceann nóiméid," agus thog sí amach as na toir mé go páirc oscailte. Ní raibh duine ná deoraí le feiceáil ná faic le cloisteáil ach trácht na cathrach i bhfad ar shiúl.

'Thóg sí go gasta trasna na páirce mé go dtí an cosán ar an taobh eile. Leanamar é sin go dtí gur thángamar go dtí an droichead beag trasna an locha. Ar shroicheadh an droichid dúinn cheap mé gur chuala mé ceol. Ag dul thar dhromchla an droichid bhí mé cinnte de. Nuair a chasamar an cúinne ar an taobh eile den droichead leath mo shúile orm leis an radharc a bhí os mo chomhair. Ina suí ar an bhféar sa chlapsholas cois locha bhí suas is anuas le dhá scór duine óg. I bhfoirm ciorcail a bhíodar agus bhí giotár ag duine nó beirt. Bhí cantaireacht bhog ag éirí ón slua go léir:

Hey Jude, don't make it bad,
Take a sad song and make it better . . .

'Thóg Éadaoin mé go himeall an tslua agus shuíomar síos. An raibh mé ag brionglóidigh? Bhreathnaigh mé timpeall; bhí an slua ag luascadh leis an gceol, a súile dúnta ag cuid acu. Bhí Éadaoin ag canadh in éindí leo faoi seo. Nuair a tháinig an t-amhrán chun deiridh sheas fear i róba fada bán suas i lár an fháinne agus d'aithin mé láithreach gur Buzz a bhí ann. Thosaigh sé ag caint:

"Anois, a chairde, ba mhaith liom iarraidh ar Hip arís anocht giota a léamh as *Lord of the Rings*."

'Ní raibh an leabhar sin léite agam ag an am, ach léigh mé ó shin é.

'Rinne ógánach i *bpancho* ildaite Méicsiceánach a bhealach go lár an tslua. Lasadh coinneal agus thosaigh sé ag léamh as an leabhar i nglór a bhí bog, ach inchloiste.

'Chuir Éadaoin a lámh timpeall mo choim; bhí sceitimíní le brath ar a glór nuair a chuir sí cogar i mo chluais:

"Nach bhfuil sé go hálainn, a chroí?" ar sí agus theann sí mé go dlúth chuici féin.

'Nuair a bhí an léitheoireacht thart tosaíodh ar an amhránaíocht athuair. I lár *Blowin' in the Wind* bhris rí-rá éigin amach ar imeall an tslua ar an taobh eile uainn. Bhí gach duine ar an taobh sin ag breathnú siar agus tógadh gáir áthais a leath ó dhuine go duine. Ansin chonaiceamar cad ba chúis leis an rí-rá. Bhí beirt ag déanamh a mbealach tríd an slua agus mám bláthanna an duine acu. Bhí siad ag dul ó dhuine go duine á mbronnadh ar dhaoine a bhí á gcur i ngruaig a chéile.

'Fuaireamarna na trí bhláth dheireanacha - dhá rós chródhearga agus nóinín Mhichíl. D'fhigh mé rós amháin agus ansin an nóinín i ndlaoithe casta Éadaoin, agus chuir sise an rós eile i bhfastó i m'fholtsa aimhréidh.

'Ba léir go raibh na bláthanna stoite ag an mbeirt ó na ceapóga timpeall na Faiche, ach níor chuir sé sin isteach ar aon duine - níor smaoinigh mé féin air go dtí ina dhiaidh sin.

'Bhí Buzz ina sheasamh arís agus nuair a shíothlaigh an mheidhir roinnt thosaigh sé ag labhairt:

"Anois, tá an nóiméad tagtha a bhfuilimid ag fanacht leis le fada, a chairde. Tá an cheist seo cíortha go mion againn faoi seo. Bhí neart ama ag gach duine againn smaoineamh ar a bhfuil beartaithe. Má fhanaimid níos faide beidh an deis caillte againn."

'Bhí dúthracht ina ghlór agus bhí cluas ghéar le héisteach ar gach duine. Chrom Éadaoin chun tosaigh, a colainn righin le haire. Leag mé m'uillinn go bog ar a gualainn. Bhí Buzz fós ag caint:

"Fágfaimid Baile Atha Cliath oíche Déardaoin seo chugainn. Beidh Dylan ag casadh i Sasana, thíos ar Oileán Íocht, Dé Domhnaigh. Rachaimid ann agus ina dhiaidh sin díreach go Páras. Tá na mic léinn ansin sásta lóistín a thabhairt dá gcomrádaithe ó gach cearn den domhan. Tá an réabhlóid shíochána réidh le briseadh amach, níl siad ach ag fanacht le tuilleadh cabhrach. Tá siad ag brath orainne - ná loicimis orthu."

"Rinne siad a ndícheall an samhradh seo caite agus d'athraigh siad an Fhrainc go hiomlán. Ach thar an ngeimhreadh tá mórán dar bhain siad amach caillte agus tá an baol ann go gcaillfear an réabhlóid ar fad mura ngníomhaíonn siad go tapa. Caithfear réabhlóid eile a chur ar bun roimh dheireadh an tsamhraidh seo - réabhlóid bhuan shíochánta an uair seo."

'Stop sé agus bhreathnaigh sé timpeall ar a lucht éisteachta:

"An mó duine atá chun teacht linn? - lámha suas anois," ar sé, a ghlór ag ardú.

'Thosaigh lámha ag dul san aer thart timpeall orainn. Taobh istigh de chúpla soicind bhí lámha in airde ag trí cheathrú dá raibh ann, agus thosaigh gáir áthais ag éirí. D'fhéach mé ar Éadaoin. Bhí a lámh in airde aici agus í ag féachaint sa dá shúil orm agus í idir gol agus gáire. Chuir mé mo lámh suas go ríméadach.

— Séamas Ó Maitiú

GLUAIS

- ar bogfhiuchadh - ar fiuchadh go mall *(simmering)*
- sméid sé - chrom sé a cheann *(nodded)*
- róghar - ró-chóngarach *(too near)*
- i ngiorracht scread asail - achar fada ón áit *(within an ass's roar/a good distance)*
- ag ceachtar - ag aon duine againn *(either of us)*
- ba chuma sa tsioc - ba chuma léi sa tubaiste *(she didn't give a damn)*
- ag fálróid thart - ag siúl go réidh *(sauntering about)*
- coirníní - paidrín clocha *(beads)*
- in éindí le - in éineacht le *(along with)*
- aon cheangal - aon chosc *(no ties)*
- ag casadh le - ag bualadh le *(meeting)*
- cuaráin - bróga éadroma leathair *(sandals)*
- muid - sinn *(we)*
- dearfa - cinnte *(definite)*
- iontas - ionadh *(surprise)*
- go mealltach - go plámásach *(coaxingly)*
- go rúndiamhrach - go mistéireach *(mysteriously)*
- rosc - mana *(anthem)*
- fanta - seasta *(remaining)*
- brothall - meirbhe *(sultriness)*
- ag ransú - ag cuardach *(searching)*
- bhraith mé - mhothaigh mé *(I felt)*
- sa mheathdhorchadas - sa chlapsholas *(in the twilight)*
- lúcháir - áthas *(joy)*
- éadach cáise - éadach éadrom *(cheesecloth)*
- barróg - fáisceadh *(hug/embrace)*
- gíog - focal *(a sound/a peep)*
- lóchrann sráide - lampaí sráide *(street lamps)*
- go sciobtha - go tapaidh *(quickly)*
- cos i mbois - ardú *(a leg-up)*
- dromchla - barr *(top/surface)*
- cantaireacht - canadh bog *(gently singing/chanting)*
- go himeall - go taobh *(to the edge/side)*
- giota - dréacht *(a passage)*
- ildaite - go leor dathanna air *(multi-coloured)*
- inchloiste - ard go leor len é a chloisteáil *(audible)*
- sceitimíní - an-áthas *(delighted)*
- athuair - arís *(once more)*
- d'fhigh mé - chas mé *(I entwined)*
- chuir sí i bhfastó - cheangail sí *(she secured)*
- ceapóga - bláth cheapacha *(flower-beds)*
- nuair a shíothlaigh - nuair a laghdaigh *(diminished/died down)*
- ná loicimis orthu - ná feallaimis orthu *(let us not fail them)*
- bhreathnaigh sé - d'fhéach sé *(he looked)*
- gáir áthas - béic lúcháire *(a cry of delight)*
- go ríméadach - go háthasach *(happily/ecstatically)*

Ecstasy

Ré Ó Laighléis. Rugadh é sa Naigín i mBaile Átha Cliath sa bhliain 1953. D'fhreastail sé ar Choláiste na h-Ollscoile, Gaillimh, mar ar bhain sé céim amach sa tSocheolaíocht. Tá iarchéimeanna M.Ed. aige freisin san Oideachas. Ó 1992 i leith tá sé ina scríbhneoir lánaimseartha a bhfuil go leor gradam bainte aige. Ghnóthaigh **Gafa** an duais don Leabhar is Fearr do Dhéagóirí in Oireachtas na Bliana 1996.

Leagan Gearr den Scéal

Chuala Úna Nic Gearailt a hainm á ghlaoch ar an gcóras méaduithe sa scoil. Dhearg Úna le náire agus d'imigh sí go hoifig an phríomhoide. Níor thuig Úna cén fáth ar glaodh uirthi. Cheap sí go raibh sé mar gheall ar a éide scoile - bhí sí fós gan pilirín dúghorm na scoile ó tháinig siad ar ais trí seachtaine ó shin.

Glaodh isteach go dtí an oifig í. Bhí an príomhoide Bean Mhic Dhonncha agus an leas-phríomhoide, Seán Ó Néill, ann. Thaispeáin an príomhoide a cóta d'Úna. D'aithin Úna é mar bhí a hainm scríofa ar an éadach taobh istigh den bhóna. Iarradh uirthi ansin a raibh sna pócaí a chur amach ar an mbord. Chuir sí naipcín, airgead an bhus, sleamhnán gruaige amach. Ansin d'iarr Bean Mhic Dhonncha uirthi an póca a bhí sa líneáil a fholmhú.

Bhí mearbhall ar Úna. Ní raibh a fhios aici riamh go raibh póca sa líneáil sin. Chuardaigh sí agus bhain sí amach dhá mhilseán de chineál, páipéar bán mar fhillteán orthu; cuma *Rennies* orthu, dáiríre.

D'fhiafraigh an príomhoide di cá bhfuair sí iad ach dúirt Úna nach raibh a fhios aici. Ní raibh a fhios aici go fiú go raibh póca sa chuid sin den chóta. Dúirt sí gur cheap sí nach raibh sna milseáin ach táibléid *Rennies* nó rud éigin dá sórt.

D'amharc an bheirt oide ar a chéile agus thuig siad go raibh Úna soineanta agus nach raibh sí ciontach. Lig siad ar ais dá rang í ach bhí siad chun an cóta a choimeád ar feadh tamaillín. D'iarr siad uirthi cóta eile a fháil sa seomra stórais.

Lasmuigh bhí triúr de chailíní na cúigiú bliana ina seasamh ag Clár na bhFógraí, Hilda Bergman, ceann de bhulaithe móra na scoile ina measc. Stán siad ar Úna agus thosaigh siad ag cogarnaíl

Istigh san oifig bhí an bheirt oide ag plé na ceiste fós. Bhí siad cinnte nach raibh baint ag Úna leis na drugaí agus go raibh an ceart acu nár luaigh siad an nóta. Scrúdaigh siad arís é. Bloclitreacha: "AN MÉID SEO IN AISCE - £5 AIR FEASTA". Bhí príomhoidí scoileanna na cathrach an-imníoch faoin bhfadhb áirithe seo mar thuig siad go raibh cúrsaí ag dul in olcas.

Thuas staighre bhí intinn Úna trína chéile faoin ar tharla. Bhí sí sa scoil le trí bliana anois is níor thug sí trioblóid riamh. Níor fhéad sí díriú ar an gceacht Fraincise ná ar an rang Tráchtála. Bhí áthas uirthi nuair a bhuail clog na scoile ag deireadh an lae.

Agus í ag trasnú clós na scoile, ghlaoigh Hilda Bergman a hainm. Bhí sí in aice le doras na leithreas. Dhruid Úna go hamhrasach ina treo. Go tobann léim ceathrar eile de lucht na cúigiú bliana amach as pluaisín beag. Rug Bergman greim gruaige ar Úna agus raid aníos a glúin i mbaithis Úna. Tháinig fuil lena srón go fras. Tharraing an ceathrar eile isteach sa leithreas í ansin agus tumadh a cloigeann i ndoirteal lán d'uisce.

D'airigh sí na lámha ar cúl a muiníl á brú agus á coinneáil faoin uisce. Tharraing siad ansin ón doirteal í de ghreim gruaige agus rug Hilda greim ar a gruaig arís. "Anois, a bhitse lofa", ar sise "tuig seo: focal asat faoin E sin agus is measa i bhfad ná seo a bheidh sé duit - Comprende, huth?" Tharraing Bergman dorn sa bholg uirthi agus chúb Úna leis an bpian. Mhol Bergman di gan dada a rá faoin mbatráil agus thug dorn eile sa bholg di. Rinneadh carnán cuachta d'Úna i lár an urláir.

Tháinig an fear cothbhála uirthi níos déanaí sa tráthnóna. Bhí a srón briste, bhí roinnt fiacla scaoilte agus bhí súil ata uirthi. Tugadh go hoifig an phríomhoide í. Tharla ceistiuchán. Tugadh na gardaí agus a tuismitheoirí isteach sa scéal ach, arís agus arís eile, dúirt Úna nach raibh a fhios aici cé rinne an drochbheart uirthi. Bhí an príomhoide cinnte gur bhain scéal na dtáibhléad lena batráil ach níorbh fhéidir tada a dhéanamh nuair nár ainmníodh duine ar bith. Dúirt na gardaí féin murarbh fhéidir leo breith lom dearg ar na mioscaiseoirí narbh fhéidir leo a dhath a dhéanamh.

Níl rud is fearr le bulaí ar bith ná duine a bheith faiteach roimhe. D'éirigh an scéal ní ba mheasa nuair a thuig Hilda Bergman nach raibh Úna sásta focal a rá agus luigh sí ní ba throime uirthi. Bhí ar Úna bhocht bheith ina dáileoir drugaí sa scoil. Bhí sí féin ag cur na dtáibhléad i bpócaí daoine eile anois. Fáinne fí a bhí ann ar deireadh: Úna ag déanamh rudaí mar go raibh faitíos uirthi gan iad a dhéanamh. I ngalar na gcás a bhí sí.

Go luath i ndiaidh laethanta saoire na Nollag rinneadh batráil ar chailín eile. Ba mheasa an bhatráil sin ná an bascadh a tugadh d'Úna. Bhí an cailín bocht san ospidéal agus bhí an príomhoide ag lorg eolais ar bith faoin scéal. Nuair a thug sí cuairt ar rang Úna ag iarraidh eolais d'airigh Úna í féin ag deargadh san éadan. Bhí an faitíos i gcoimhlint intinne leis an misneach agus an misneach thíos leis.

Níor chodail Úna an oíche sin mar bhí a coinsias á priocadh agus a hintinn á ciapadh gan stad. An lá dar gcionn ag geata na scoile, sheas Hilda agus a cuid scabhaitéirí i bhfáinne timpeall uirthi. Bhagair Hilda uirthi gan focal a rá agus tharraing sí sonc sna heasnacha ar Úna.

I lár an cheachta mhatamaitice bhí an phian go dona. Ba léir d'Úna cad ba cheart di a dhéanamh. "Déan anois é" arsa an t-oide ag barr an ranga ag tagairt don cheist a bhí ar siúl ag an rang. Bhris an chaint isteach i dtoirnéis intinne Úna. Dhéanfadh sí é.

D'éirigh sí agus amach léi. Ba ghearr go raibh sí ag doras oifig an phríomhoide. Bhí sí ar tí a lámh a bhualadh ar an doras nuair a chuala sí guth. "Á, á! Úna!" ar sise. Bhí Hilda agus beirt dá comrádaithe ann. Stán Hilda uirthi ag iarraidh í a smachtú lena súile liatha fuara. Tháinig creathán i liopa íochtair Úna agus leath meangadh ar bhéal Hilda. "Úna" arsa Bergman arís, ag daingniú a stánadh. Chuimhnigh Úna ar Hilda á radadh sna heasnacha. Dhaingnigh Úna a béal an babhta seo. Bhí meangadh Hilda ag maolú. Bhuail Úna trí chnag ar dhoras na hoifige. "Tar isteach" arsa an príomhoide.

GLUAIS

- córas méaduithe *(intercom/PA)*
- dhearg Úna - las Úna *(Una blushed)*
- éide scoile - culaith scoile *(school uniform)*
- pilirín dúghorm - éadach trom dúghorm *(navy pinafore)*
- naipcín - ciarsúr *(handkerchief)*
- líneáil - an taobh istigh den chóta *(lining)*
- mar fhillteán orthu - mar chlúdach orthu *(wrapped in)*
- taibhléid -piollaí *(tablets)*
- d'amharc - d'fhéach *(looked at)*
- soineanta - neamhurchóideach *(innocent)*
- ciontach - freagrach as coir *(guilty)*
- ag cogarnaíl - ag siosarnach *(whispering)*
- oide - múinteoir
- feasta - amach anseo *(in future)*
- an-imníoch - an-bhuartha *(very worried)*
- intinn - aigne *(mind)*
- díriú - aire a thabhairt *(to concentrate)*
- go hamhrasach - go mímhuiníneach *(suspiciously)*
- pluaisín beag - cailleach *(small recess/alcove)*
- raid aníos a glúin - d'ardaigh sí suas a glúin go tapaidh *(thrust/brought up her knee)*
- i mbaithis - in aghaidh/i gceann *(into her face/head)*
- go fras - go flúirseach *(profusely)*
- tumadh - brúdh síos *(was sunk/pushed down)*
- doirteal - dabhac *(sink)*
- chúb Úna - bhí Úna cromtha *(she doubled up)*
- dada - faic *(nothing)*
- batráil - bascadh *(beating/hiding)*
- carnán cuachta - crúnca *(she was bent double)*
- fear cothbhála - giolla oibre *(maintenance man)*
- súil ata - súil dhubh *(a black eye)*
- an drochbheart - an drochghníomh *(the bad deed)*
- breith lom dearg - breith go díreach ar *(to catch red-handed)*
- a dhath - tada *(nothing)*
- faiteach - go heaglach *(afraid)*
- luigh sí ní ba throime uirthi - chuir sí níos mó brú uirthi - *(she leaned upon her more heavily)*
- dáileoir - duine a thugann amach drugaí *(a distributor/pusher)*
- fáinne fí - práinn gan réiteach *(a vicious circle)*
- galar na gcás - i gcás *(perplexed)*
- d'airigh Úna - bhraith Úna *(Una felt)*
- san éadan - san aghaidh *(in the face)*
- thíos leis - bhí ag teip air *(it was losing)*
- scabhaitéirí - a scata gaigíní *(her gang of hooligans)*
- tharraing sí sonc - thug sí buille *(she gave her a dig)*
- toirnéis intinne - mearbhall aigne *(mental turmoil)*
- meangadh - grabhas *(smile/sneer)*
- ag daingniú a stánadh - ag stánadh go feargach uirthi *(hardening her gaze/stare)*
- dhaingnigh - chruaigh *(clenched/closed tightly)*
- ag maolú - ag imeacht *(fading/diminishing)*

ECSTASY

Una Fitzgerald heard her name called out on the intercom in the school. She blushed with embarrassment and went to the principal's office. She didn't know why she'd been called. Una thought it was about her school uniform - she still hadn't her navy pinafore since they'd returned to school three weeks beforehand.

She was called into the office. The principal, Mrs McDonagh, and the vice-principal, Seán O'Neill, were there. The principal showed Una her coat. Una recognised her coat because her name was written on the tag inside the collar. She was then asked to turn out the contents of the pockets onto the table. She took out a handkerchief, her bus fare and a slide. Then Mrs McDonagh asked her to empty the pocket in the lining. She never even knew such a pocket existed. She searched and she took out two sweets wrapped in a sort of white paper: they really looked like *Rennies*.

The principal asked her where she'd got them but Una said she didn't know. She hadn't even known the pocket was in that part of the coat. She said she thought the sweets were *Rennies* tablets or something like that.

The two teachers looked at each other and they realised that Una was innocent and blameless. They let her go back to class but they said they'd keep her coat for a while. They asked her to get another coat in the store room.

Outside three Fifth Year girls stood at the notice board. Among them was Hilda Bergman, one of the biggest bullies in the school. They stared at Una and started whispering.

Inside in the office the two teachers were still discussing the matter. They were convinced that Una had nothing to do with the drugs and that they were right not to have mentioned the note. They examined it again: block letters: "This comes FREE, £5 in future". The city principals were very concerned about this particular problem because they realised it was getting worse.

Upstairs Una's mind was troubled by what had happened. She'd been in the school three years now and had given no trouble. She couldn't concentrate on her French lesson or on the commerce class. She was delighted when the final school bell rang.

As she crossed the yard, Hilda Bergman called her name. She was beside the door into the toilets. Una moved suspiciously towards her. Suddenly four other fifth years jumped out of a recess. Bergman took Una by the hair and brought up her knee into her face. Her nose pumped blood. Then the other four dragged her into the toilet and ducked her head in a hand basin full of water. She felt their hands pressing in the back of her neck and holding her under water. They then dragged her from the hand basin by the hair and Hilda took her by the hair again. "Now, you rotten bitch", she said, "get this. One word out of you about that E and it'll be a lot worse than this - comprende - huh?" Bergman drew back and punched her in the stomach and Una buckled with pain. Bergman then warned her to say nothing about the beating and gave her another punch in the stomach. Una slumped, doubled up in the middle of the floor.

She was found by the maintenance man later that evening. Her nose was broken, she had a few loose teeth and a black eye. She was taken to the principal's office. She was questioned. The gardai were brought in as were her parents, but over and over again, Una told them that she did not know who had done the foul deed on her. The principal was convinced that the tablets had something to do with the beating but nothing could be done since no one had been named. The gardai said that unless they themselves could apprehend the troublemakers red-handed, they could do nothing.

A bully likes nothing better than having a person frightened. The situation got worse when Hilda Bergman realised that Una would not say a word and she leaned more heavily on her. Poor Una was forced to become a distributor of drugs in the school. Now she was putting tablets in other people's pockets. It had finally become a vicious circle: Una doing things because she was afraid not to. She was in a quandary.

Shortly after the Christmas holidays another girl was assaulted. This assault was worse than that sustained by Una. The poor girl was in hospital and the principal was looking for any information concerning the matter. When she visited the classroom seeking information, Una felt her face reddening. Fear and courage were conflicting in her mind and courage was losing.

Una did not sleep that night as she had pangs of conscience and her mind was tortured ceaselessly. The following day, at the school gate, Hilda and her gang surrounded her. Hilda warned her not to say a word and punched her below the ribs.

The pain was terrible during the maths lesson. It was clear to Una what must be done. "Do it now," said the teacher at the top of the class referring to the question the class were doing. The words tore through Una's mental turmoil. She would do it. She got up and went out. She was soon at the door of the principal's office. She was just about to place her hand on the door when she heard a voice saying "Aw aw Una". Hilda and two of her friends were there. Hilda stared at her trying to control her with her cold grey eyes. Una's lower lip began to quiver and a sneer spread across Hilda's lips. "Una", said Bergman again, hardening her stare. Una recalled Hilda digging her in the ribs. She clenched her lips this time. Hilda's sneer was fading rapidly. Una knocked three times on the office door. "Come in," said the principal.

TÉAMA AN SCÉIL

Téamaí na bulaíochta agus na ndrugaí agus an chaoi a gcuirtear os ár gcomhair iad.

Léiríonn an t-údar an duine lag agus an duine láidir sa scéal. Is cailín ciúin soineanta Úna. Is cailín garbh Hilda a bhfuil ciall cheannaithe aici.

Tá cur síos lom sa scéal ar an bhforéigean agus ar shaol na ndrugaí. Braitheann an léitheoir pian agus crá Úna. Tá an scéal nua-aimseartha agus tá cur síos ann ar Ecstasy agus ar dháileoirí drugaí. Déanann Úna an rud ceart sa deireadh agus beirtear amach ar an mbulaí sa scéal. Tuigtear go bhfuil na drugaí an-chontúirteach. Tá na múinteoirí sa scéal an-imníoch faoin bhfadhb. Is scéal an-réadúil é an scéal. Cé go bhfuil críoch shona air is beag románsaíocht atá ann.

Tá an stíl an-chorraitheach. Tarraingíonn sí léitheoirí óga.

PRÍOMHPHOINTÍ

- Scéal cumasach atá sa ghearrscéal seo faoin mbulaíocht agus faoi na drugaí.
- Bhí Úna Nic Gearailt sa tríú bliain agus cé nach raibh sí go maith as, ba chailín béasach í.
- Níor thug sí trioblóid riamh.
- Nuair a fuarthas na drugaí i líneáil a cóta chuir an príomhoide agus an leasphríomhoide ceisteanna ar Úna. Theastaigh uathu a fháil amach an raibh sí ciontach.
- Ba ghearr gur thuig siad gur chailín soineanta í agus nach raibh baint aici leis na drugaí.
- Ba bhulaí na scoile Hilda Bergman. Bhí sise ag tógáil na ndrugaí isteach.
- Thug sí féin agus a compánaigh léasadh d'Úna d'fhonn í a choimeád ciúin.
- Ba ghearr go raibh brú uirthi arís. Bhí uirthi bheith ina dáileoir sa scoil.
- Bhí sé deacair breith amach ar Hilda mar bhí gach duine scanraithe aici.
- Bhí Úna i ngalar na gcás nuair a rinneadh batráil ar chailín eile.
- Faoi dheireadh rug sí ar a misneach agus scéith sí ar Hilda.
- Fuair Úna an lámh in uachtar ar an mbulaí sa deireadh.

 CEISTEANNA

Meaitseáil na ceisteanna seo a leanas (A, B, C, D) leis na freagraí thíos (1-4) agus scríobh amach go hiomlán iad, san ord ceart.

A   Cén chaoi a léirítear nach raibh muintir Úna go maith as?
B   Céard a bhí sna táibhléidí, dar leat?
C   Céard a tharla d'Úna tar éis di batráil a fháil?
D   Cén chaoi ar scéith Úna ar Hilda faoi dheireadh?

 FREAGRAÍ

1   Ba táibhléidí *Ecstasy* iad, cé nar thuig Úna é sin. Cheap sise nach raibh iontu ach *Rennies*.
2   Bhí Úna ar ais ar scoil le trí seachtaine ach, fós, ní raibh pilirín dúghorm na scoile ceannaithe ag a tuismitheoirí.
3   Rinneadh batráil ar chailín eile agus bhí sí san ospidéal. Bhí náire ar Úna. Lá amháin ghlac sí misneach agus chuaigh sí go dtí oifig an phríomhoide chun an scéal go léir a insint.
4   Luigh Hilda ní ba throime uirthi. Bhí uirthi bheith ina dáileoir drugaí sa scoil.

 CEISTEANNA BREISE

Léigh na ceisteanna seo a leanas (E, F, G, H) agus ansin líon isteach na freagraí (5-8) ag baint úsáide as an bhfoclóir tugtha.

E   Cén sórt cailín í Hilda Bergman sa scéal?
F   Céard a rinne na hoidí sa scoil mar gheall ar fhadhb na ndrugaí?

G   Déan cur síos ar an gcrá aigne a bhí ag Úna agus í ina dáileoir drugaí.
H   Déan cur síos ar ar tharla agus Úna ag scéitheadh an rúin faoi dheireadh.

FREAGRAÍ

Líon isteach na bearnaí trí úsáid a bhaint as an bhfoclóir ceart thíos.

5   Bulaí (1) _____ ba ea í. Bhí sí gan trua, gan (2) _____ Bhí súile fuara liatha aici. Bhain sí taitneamh as (3) _____ daoine eile. Thug sí féin agus a cairde (4) _____ d'Úna agus don chailín eile. Díoltóir drugaí ba ea í freisin gan (5) _____ ar shláinte na ndaltaí eile.

6   (6) _____ siad Úna ach thuig siad nach raibh sí (7) _____ . Nuair a batráileadh í, chuir siad fios ar na (8) _____ . Faoi dheireadh, nuair a tharla an rud céanna do chailín eile rinne siad (9) _____ agus d'iarr siad ar na daltaí (10) _____ a thabhairt dóibh.

7   Thuig sí go raibh an t-olc á dhéanamh aici ach bhí sí i bhfáinne (11) _____ . Bhí sí faoi (12) _____ ag Hilda agus níor lig an eagla di (13) _____ agus an rún a scéitheadh.

8   Agus í ar tí bualadh ar an (14) _____ , ghlaoigh Hilda uirthi. Bhí sí ag iarraidh í a smachtú lena (15) _____ . Bhí eagla ar Úna ach ansin ghlac sí (16) _____. Ar aghaidh léi isteach. Chonaic sí (17) _____ Hilda ag maolú.

FOCLÓIR

A	fiosrú	J	ciontach
B	taise	K	beann
C	Cheistigh	L	misneach
D	pian	M	cruthanta
E	éalú	N	léasadh
F	stánadh	O	gardaí
G	meangadh	P	eolas
H	smacht	Q	doras
I	fí		

CLEACHTAÍ

1   Cén bhliain ina raibh Úna?
2   Cén sórt cailín ba ea í?
3   Cén fáth ar thug Hilda agus a cairde fúithi, dar leat?
4   Cén sórt cailín í Hilda?
5   Cén praghas a bhí ar na táibhléidí?
6   Céard a spreag Úna chun an rún a ligean faoi dheireadh?
7   Cén bhail a bhí ar Hilda agus Úna ag ligean an rúin don phríomhoide?
8   Ar thaitin an scéal seo leat? Cén fáth?

ECSTASY

"Gabh mo leithscéal, a mhúinteoir. Brón orm a chur isteach ort. An gcuirfeá Úna Nic Gearailt chun na hoifige chugam, le do thoil? Úna Nic Gearailt chun na hoifige. Go raibh maith agat."

Leis sin múchadh an *intercom* agus cnagarnach uaidh mar ba ghnáth.

"Úúúúúú!" arsa cailíní an ranga, cuid acu á dhéanamh le teann mailíse, cuid eile mar nach raibh sé de mhisneach acu gan é a dhéanamh. Dhearg éadan Úna nó gur ghaire do chorcra ná do dhath ar bith eile é.

"Úna, síos leat," arsa Bean Uí Neachtain, an múinteoir Fraincise.

"Tar isteach," arsa Bean Mhic Dhonncha nuair a chnag Úna ar dhoras na hoifige. Shamhlaigh sí gur bhain an glaoch seo go hoifig an Phríomhoide le cúrsaí leabhar nó le cúrsaí éide - bhí sí fós gan pilirín dúghorm na scoile a bheith aici ó tháinig siad ar ais trí seachtaine ó shin. Bhí leithscéal réitithe ina hintinn cheana féin aici. D'oscail sí an doras agus isteach léi.

"A, Úna!" arsa Bean Mhic Dhonncha. Bhí sí ina suí ag a deasc. Bhí an Leas-Príomhoide, Seán Ó Néill, ina sheasamh taobh léi. Bhí cion ag Mac Uí Néill ar Úna agus ag Úna airsean. Mhúin sé Matamaitic di sa chéad bhliain agus arís sa dara bliain, agus réitigh siad go maith le chéile. Ach, ó rinneadh Leas-Phríomhoide de, ba lú múinteoireacht a bhí ar siúl aige.

"Úna," ar sé, agus sméid a cheann uirthi.

"A Mhic Uí Néill," arsa Úna.

"Suigh síos, a Úna, le do thoil," arsa an Príomhoide.

A luaithe agus a shuigh Úna sheas Bean Mhic Dhonncha. Shiúil sí sall go dtí seastán na gcótaí a bhí i gcúinne na hoifige agus bhain cóta dúghorm de, ceann de chótaí éide na scoile; tháinig sí anall arís agus shín trasna na deisce chuig Úna é.

"Sin é do chótasa, a Úna, ceapaim," arsa an Príomhoide. Thóg Úna uaithi é agus d'aimsigh a hainm a bhí scríofa ar an éadach taobh istigh den bhóna.

"Is é, a Bhean Mhic Dhonncha," ar sí go cúirtéiseach. Bhí sí neirbhíseach freisin. Ní raibh aon tuairim aici céard faoi a raibh an t-agallamh seo, nó cén chaoi ar tharla sé a cóta a bheith istigh in oifig an Phríomhoide.

"Ar mhiste leat a bhfuil sna pócaí a chur amach ar an mbord anseo, a Úna," arsa Mac Uí Néill.

Ina hintinn féin bhí Úna ag cíoradh agus ag cíoradh, ag iarraidh cuimhneamh ar céard a bhí sna pócaí aici. Naipcín, shíl sí, airgead an bhus is dócha, eochracha b'fhéidir. Sheas sí agus thosaigh ar na pócaí a fholmhú. Bhí gach ar shamhlaigh sí istigh ann ceart go leor, chomh maith le sleamhnán gruaige agus ticéad leabharlainne. Bhreathnaigh sí ar an mbeirt a bhí os a comhair.

"Agus anois an póca istigh," arsa Bean Mhic Dhonncha.

"Póca istigh?" arsa Úna.

"Sea, a Úna, an póca atá sa líneáil!"

Bhí cuma mhearbhallach ar Úna. Ní raibh a fhios aici riamh go raibh póca sa líneáil sin. Chuardaigh sí agus, ceart go leor, b'in ansin é, chomh soiléir feiceálach agus a bhí póca ar bith eile sa chóta. D'fhéach sí ar an mbeirt agus chuir meangadh iontais uirthi féin. Ach ní raibh aon mheangadh ar a n-aghaidheanna siúd; bhí siad righin, fuar, an-dáiríre go deo. Thum Úna a lámh isteach agus d'airigh rud nó dhó istigh ann. Rug sí greim orthu agus bhain amach iad. Dhá mhilseán, de chineál, páipéar bán mar fhillteán orthu; cuma *Rennies* orthu, dáiríre.

"Le do thoil," arsa an Príomhoide, agus shín sí lámh chuig Úna chun iad a ghlacadh uaithi. "Cá bhfuair tú iad seo, a Úna?" ar sí.

"I mo phóca, a Bhean Mhic Dhonncha," arsa Úna.

D'at éadan an Phríomhoide le teann feirge, ach shíl an Néilleach labhairt sula bpléascfadh an fhearg sin.

"Anois, a Úna, níl aon chúis a bheith glic," ar sé.

Ach ní raibh Úna ag iarraidh a bheith glic ar chor ar bith. Soineantacht ba chúis leis an bhfreagra a thug sí.

"Ó, gabh mo leithscéal," ar sí, "ní ar mhaithe le bheith glic a dúirt mé an méid sin. Níor thuig mé i gceart tú, a Bhean Mhic Dhonncha. Gabh mo leithscéal."

"Bhuel?" arsa an Príomhoide, "cá bhfuair tú iad más ea?" ar sí. Bhí a héadan righin i gcónaí.

"Níl a fhios agam, a Bhean Mhic Dhonncha. Ní raibh a fhios agam go fiú go raibh póca sa chuid sin den chóta," arsa Úna.

Ní raibh a fhios ag an mbeirt oidí an é gur soineanta a bhí an cailín seo nó arbh é an chaoi gurbh aisteoir an-mhaith í. Is cinnte nár thug sí trioblóid riamh sa scoil ó tháinig sí ann trí bliana roimhe sin, ach thuig siadsan go rímhaith gur minic nach dtugtar fadhb faoi deara nó go mbíonn sé ródhéanach. Bhí príomhoidí scoileanna na cathrach ar fad an-imníoch faoin bhfadhb áirithe seo le beagán de bhlianta anuas agus cé go raibh an-iarracht á déanamh chun í a stopadh, is ag dul in olcas a bhí cúrsaí.

"Ach céard tá iontu ach táibléid *Rennies* nó rúd éigin dá sórt, a Bhean Mhic Dhonncha!" arsa Úna.

D'amharc an bheirt oidí ar a chéile agus thuigeadar láithreach gur soineantacht agus séimhe iad na tréithe a bhain le hUna Nic Gearailt.

"Sea, Úna," arsa Bean Mhic Dhonncha, "nó rud éigin dá sórt . . ." Bhreathnaigh an Príomhoide ar Mhac Uí Néill.

"Féach, a Úna," ar seisean, "tá brón orainn tú a tharraingt amach as an rang. Anois, más cuma leat, ba mhaith linn do chóta a choinneáil ar feadh tamaillín." Chas sé i dtreo an Phríomhoide. "Tá ceann nó dhó breise sa seomra stórais, a Bhean Mhic Dhonncha, ceapaim. D'fhéadfadh Úna ceann díobhsan a thógáil idir an dá linn," ar sé.

"Ó, cinnte, cinnte. Roghnaigh ceann duit féin ar an mbealach ar ais chun an ranga, a stóirín," arsa an Príomhoide agus shiúil sí chomh fada leis an doras le hUna, "agus arís, tá an-bhrón orainn an rang a bhriseadh ort."

Lasmuigh bhí triúr de chailíní na cúigiú bliana ina seasamh ag Clár na bhFógraí, Hilda Bergman, ceann de bhullaithe móra na scoile, ina measc. Stán siad ar Úna agus thosaigh ag cogarnaíl le chéile ansin.

Istigh san oifig bhí an bheirt oidí ag plé na ceiste i gcónaí.

"Á, ní dóigh liom go bhfuil aon bhaint ar chor ar bith aici leis na cúrsaí seo," arsa an Néilleach.

"Bhuel, tá mé cinnte nach bhfuil, a Sheáin, tar éis na cainte a chualamar uaithi. Ceapaim, anois ach go háirithe, go raibh an ceart againn gan aon cheo a rá léi faoin nóta."

"Ó, aontaím go hiomlán leat. Is maith go raibh sé bainte as an bpóca roimh ré againn. Is léir nach bhfuil dada ar eolas aici faoi chúrsaí drugaí," arsa Mac Uí Néill.

Chrom siad beirt chun an nóta a scrúdú athuair. Bloclitreacha: 'AN MÉID SEO IN AISCE - £5 AIR FEASTA'

Thuas staighre, bhí intinn Úna trína chéile faoinar tharla. Ní fhéadfadh sí díriú ar an gceacht Fraincise. Ceacht dúbailte a bhí ann agus níos mó ná uair amháin in imeacht an cheachta thug Bean Uí Neachtain faoi deara go raibh intinn Úna ar fán. Buíochas le Dia go raibh sí sách géar agus a thuiscint go raibh rud beag éigin ag déanamh scime d'Úna. B'fhearr gan cur isteach uirthi agus í mar sin, a shíl sí.

Is mar sin a d'imigh an tráthnóna uirthi. Go fiú sa rang Tráchtála, rang deireanach an lae, bhí Úna bhocht gan mhaith. B'fhaoiseamh di é nuair a buaileadh clog na scoile ag deireadh an lae. Saoirse! Buíochas mór le Dia! An lá ab fhaide scoile dar chuimhin le hÚna riamh.

Bhí clós na scoile á thrasnú aici nuair a chuala sí a hainm á ghlaoch. Chas sí sa treo as ar tháinig an glaoch agus chonaic sí Hilda Bergman thíos in aice le doras ionad na leithreas.

"Mise!" arsa Úna. Bhí iontas de chineál uirthi. Bhíodh sí airdeallach ar Hilda Bergman i gcónaí, óir bhí sé de cháil uirthi gur duine garbh í.

"Sea, tusa," arsa Bergman. "Nach tusa Úna Nic Gearailt?"

"Is mé," arsa Úna. Ba léir do Hilda go raibh Úna bhocht in amhras fúithi.

"Gabh i leith anseo soicind," arsa Hilda.

Bhí faitíos ar Úna. Go deimhin, ba mhó faitíos a bhí uirthi gan dul chomh fada le Hilda ná a mhalairt. Dhruid sí go hamhrasach ina treo. A luaithe agus a tháinig sí chomh fada léi léim ceathrar eile de lucht na cúigiú bliana amach as an bpluaisín beag a bhí taobh thíos d'ionad na leithreas. Rug Bergman greim gruaige ar Úna agus tharraing síos a cloigeann. Den ala sin, d'ardaigh sí a glúin agus raid aníos i mbaithis Úna é. Tháinig fuil lena srón go fras agus ní raibh a fhios ag Úna arbh ann nó as í. Rug an ceathrar eile uirthi agus rinne siad í a tharraingt isteach trí dhoras fhorsheomra an leithris. Agus iad istigh, bhrúigh siad i dtreo ceann de na doirtil í. Bhí an doirteal lán d'uisce. Is ar éigean a bhí sé feicthe ag Úna nuair a tumadh a cloigeann ann. D'airigh sí na lámha ar cúl a muiníl á brú agus á coinneáil faoin uisce. Ní fhéadfadh sí dada a dhéanamh ach a cosa a chorraíl agus sórt rince sceimhle a dhéanamh. B'in dearmad. Rinne duine de na cailíní cic a tharraingt ar na colpaí uirthi agus murach go raibh greim acu uirthi, thitfeadh Úna i laige ar an toirt. Tharraing siad aníos as an doirteal í de ghreim gruaige agus thug anall go lár an fhorsheomra í, áit a raibh Hilda Bergman ina seasamh. Rug Hilda greim ar ghruaig Úna anois.

"Anois, a bhitseach lofa, tuig seo: focal asatsa faoin E sin agus is measa i bhfad ná seo a bheidh sé duit - Comprende, huth?"

Níor thug Úna aon fhreagra. Ní hamháin nár thuig sí a raibh á rá ag Bergman, ach bhí sí rólag chun freagra ar bith a thabhairt.

"Comprende?" arsa Hilda, agus tharraing sí dorn sa bholg uirthi. Chúb Úna leis an bpian.

"Agus ná habair dada le duine ar bith faoin mbatráil seo ach an oiread nó is ag dul ina taithí a bheidh tú!" arsa Hilda. Dorn eile sa bholg di agus rinneadh carnán cuachta d'Úna i lár an urláir.

An fear cothbhála a tháinig uirthi níos déanaí an tráthnóna sin. Srón bhriste, roinnt fiacla scaoilte agus súil ata uirthi. Tugadh go hoifig an Phríomhoide í. Tharla ceistiúchán. Tugadh na Gardaí isteach sa scéal ansin: a thuilleadh ceistiúcháin. D'fhan Úna ina tost ar feadh an ama - ní raibh a fhios aici dada, a dúirt sí. Go fiú nuair a tarraingíodh a tuismitheoirí isteach sa scéal, dhearbhaigh Úna arís agus arís eile nach raibh a fhios aici cé a rinne an drochbheart uirthi.

D'inis Bean Mhic Dhonncha scéal na dtáibléad bán do na Gardaí agus do thuismitheoirí Úna. Bhí sí cinnte de gur le scéal seo na dtáibléad a bhain batráil an lae sin. Ach céard a d'fhéadfaí a dhéanamh mura raibh Úna in ann daoine a ainmniú nó a chúiseamh!

"Dada, dáiríre," arsa sáirsint na nGardaí.

"Bheimis lánsásta teacht chun na scoile agus labhairt leis na daltaí faoi chúrsaí dá leithéid. Brúidiúlacht, gadaíocht, drugaí - tá cainteanna caighdeánta ar leith againn ar na nithe sin, más maith leat," ar sé leis an bPríomhoide. "Thairis sin, mar a dúirt mé, mura bhfuil cúiseamh ann nó mura mbeirimid féin lom dearg ar na mioscaiseoirí, ní féidir linn a dhath a dhéanamh. Is fadhb inmheánach í go dtí sin."

Níl rud is fearr le bullaí ar bith ná duine a bheith faiteach roimhe agus ba mar sin go díreach a bhí an scéal le Hilda Bergman. Nuair a chonaic sí chomh faiteach agus a bhí Úna oiread agus an méid ba lú a insint do na Gardaí agus don Phríomhoide, thuig sí go maith go bhféadfadh sí luí níos troime uirthi. Níorbh fhada Úna á húsáid mar dháileoir aici. Thuig Úna anois faoi mar a tharla an dá tháibléad úd a bheith ina póca féin an chéad lá riamh. Bhí sí féin á gcur i bpócaí daoine eile anois. Bhí a fhios aici go raibh sé mícheart, ach dá mhéad de a rinne sí is ea ba mhó greim a bhí ag Hilda uirthi agus ba mhó faitíos a bhí ar Úna roimpi. Fáinne fí ceart a bhí ann ar deireadh. Úna ag déanamh rudaí mar go raibh faitíos uirthi gan iad a dhéanamh. Faitíos roimh an bhfaitíos a bhí uirthi i ndeireadh na dála. I ngalar na gcás a bhí sí.

Tharla, lá éigin go luath i ndiaidh laethanta saoire na Nollag, gur thug an Príomhoide agus an Leas-Phríomhoide cuairt ar gach rang sa scoil. Rinneadh batráil ar chailín eile fós an lá roimhe sin, ach ba mheasa an bhatráil sin ná an bascadh a tugadh d'Úna. Bhí an cailín áirithe seo san ospidéal. Aon bhlúirín eolais dá raibh ar chor ar bith ag éinne, d'fháilteodh an Príomhoide roimhe.

D'airigh Úna í féin ag deargadh san éadan nuair a bhí Bean Mhic Dhonncha ag caint an lá sin. Bhí a fhios aici go maith gurbh iad Hilda agus a comhfheallairí ba chúis leis an mbatráil. Ach ní raibh sé de mhisneach aici é sin a rá. Faitíos i gcoimhlint intinne leis an misneach, agus an misneach thíos leis. B'eol di an rud ceart le déanamh ach bhí mar a bheadh sí ag iarraidh breith ar eireaball na gaoithe.

Bhí Úna gan mhaith ar feadh an lae scoile sin. Í ag smaoineamh ar chás an chailín úd a bualadh agus, go deimhin, ar an lá uafásach úd ar bascadh í féin. Go fiú nuair a d'imigh sí abhaile, bhí an smaoineamh mar thaibhse ina hintinn; á priocadh, á ciapadh, á crá gan stad. Níor chodail sí néal dá bharr, agus ba throime ná riamh an t-ualach uirthi ar dhul chun na scoile di lá arna mhárach.

Ag geata na scoile féin, gan trácht ar a bheith istigh sa chlós go fiú, bhí Hilda agus a cuid scabhaitéirí ag fanacht. Tháinig siad chuig Úna nuair a chonaic siad ag teacht í. Sheasadar i bhfáinne timpeall uirthi.

"Éist, a straoillín," arsa Hilda léi, agus tharraing sí sonc sleamhain sceamhach faoi na heasnacha uirthi, "focal asatsa faoi seo agus tá deireadh leat - an dtuigeann tú sin?"

"Tuigim," arsa Úna, de ghlór fann.

"Níor chuala mé tú," arsa Hilda. "Ar chuala sibhse í, a chailíní?" ar sí leis an gcuid eile.

"Níor chuala, a Hilda," ar siad as béal a chéile, agus rinne siad sciotaíl eatarthu féin. Tharraing Hilda Úna chuici - greim bharr an chóta aici uirthi.

"An gcloiseann tú é sin, a Ghearaltaigh? Níor chuala na cailíní deasa seo tú," agus tharraing Hilda sonc eile sna heasnacha ar an gcailín óg. "Anois an dtuigeann tú?" ar sí.

"Tuigim, tuigim," arsa Úna, agus í ag iarraidh a bheith chomh glórach agus a shásódh Hilda.

Leis sin, buaileadh clog na scoile agus scaip an drong.

I lár an cheachta Mhatamaitice a bhí Úna. Bhí géaruilleannacha agus maoiluilleannacha, hiopatanúis agus araile ina meascán mearaí ina hintinn. D'airigh sí pian faoi bhun na heasnacha. Bhí an phian go dona. Shíl sí, b'fhéidir, go raibh ceann nó dhó díobh briste. Bhí sí ag cíoradh na hintinne, ag iarraidh déanamh amach céard a dhéanfadh sí. Ba léir di cheana féin an rud ceart a bhí le déanamh. Ach ní hionann ceart agus cumas! 'Ba chóir dom dul chuig an bPríomhoide,' ar sí léi féin arís agus arís eile. Bhí a fhios aici gur ag dul in olcas a bheadh an scéal ar feadh an ama. Ó, dá mbeadh sé de mhisneach aici! B'fhéidir go sceithfeadh duine éigin eile é, shíl sí. Ach ní raibh aon 'duine éigin eile' ann. Bhí sí ag lorg treorach gan treoir a iarraidh.

"Déan anois é," arsa an t-oide ag barr an ranga. Ag tagairt d'ábhar an cheachta Mhatamaitice a bhí sí. Bhris an chaint isteach i dtoirnéis intinn Úna. Saighead dearfa i lár na héiginnteachta. An é gur bealach é - ag Dia b'fhéidir - í a threorú ar bhóthar a leasa? Dhéanfadh sí an rud a thuig sí a bheith ceart. Dhéanfadh sí é. D'éirigh sí agus shiúil go dtí doras an tseomra. Amach léi, síos an pasáiste, síos an staighre gur sheas sí ag doras na hoifige.

Sheas sí os comhair an dorais. Bhí a lámh crochta aici, í ar tí cnag a bhualadh ar an doras nuair a chuala sí uaithi í:

"A á! Úna!"

Chas Úna thart. Hilda agus beirt dá comrádaithe a bhí ann. Bhí siad ina seasamh ag seomra na gcótaí, díreach trasna ó dhoras na hoifige. Súile Úna agus súile Hilda mar a bheidís faoi bhriocht ag a chéile. Bhí Hilda ag iarraidh í a smachtú lena súile liatha fuara. Tháinig creathán i liopa íochtair Úna agus leath meangadh ar bhéal Hilda.

"Úna!" arsa Bergman aris, agus dhaingnigh sí a stánadh. Tháinig samhail de dhorn Hilda á radadh sna heasnacha uirthi chuig Úna. Bhreathnaigh sí ar Hilda. Dhaingnigh Úna a béal an babhta seo agus thug faoi deara anois go raibh meangadh Hilda ag maolú. Meangadh Hilda, bullaí na scoile, ag maolú? Bhuail Úna trí chnag ar dhoras na hoifige. "Tar isteach," arsa Bean Mhic Dhonncha . . .

— Ré Ó Laighléis

GLUAIS

- cnagarnach - brioscarnach (crackling)
- le teann mailíse - d'fhonn bheith mailíseach (out of malice)
- dhearg - las (blushed)
- pilirín dúghorm - éadach trom dúghorm (navy pinafore)
- deasc - binse (desk)

- réitigh - d'éirigh (got on)
- sméid - chrom sé a cheann (nodded)
- d'aimsigh - tháinig sí air (she discovered/located)
- go cúirtéiseach - go béasach (courteously)
- a fholmhú - a chur amach (to empty)
- líneáil - an taobh istigh den chóta (lining)

GLUAIS

- cuma mhearbhallach - dreach buartha (*troubled/confused look*)
- feiceálach - sofheicthe (*clear/apparent*)
- meangadh iontais - gáire iontais (*a surprised smile*)
- righin - teann (*tense*)
- d'airigh - bhraith (*felt*)
- mar fhillteán orthu - mar chlúdach orthu (*wrapped up*)
- níl aon chúis - níl aon ghá (*there's no need*)
- soineantacht - saontacht (*innocence*)
- oidí - múinteoirí (*teachers*)
- go rímhaith - go han-mhaith (*very well*)
- an-imníoch - an-bhuartha (*very worried*)
- séimhe - mánlacht (*gentleness*)
- más cuma leat - murar mhiste (*if you don't mind*)
- a choinneáil - a choimeád (*to keep*)
- seomra stórais - seomra taisce (*store-room*)
- a bhriseadh - cur isteach ar (*to interrupt*)
- stán siad - d'fhéach siad go géar (*they stared*)
- gan aon cheo a rá - gan aon rud a rá (*without saying anything*)
- roimh ré - cheana féin (*already/beforehand*)
- díriú - aire a thabhairt (*to concentrate on*)
- ar fán - ar strae (*distracted/astray*)
- sách géar - géar go leor (*observant enough*)
- ag déanamh scime - ag déanamh buartha (*troubling/bothering*)
- b'fhaoiseamh di - ba shólás di (*it was a relief to her*)
- airdeallach - cúramach (*careful/on guard*)
- óir - mar (*because*)
- de cháil uirthi - de chlú uirthi (*she had a reputation*)
- gabh i leith - tar anseo (*come here*)
- pluaisín beag - cailleach (*recess*)
- den ala sin - ag an nóiméad sin (*at the moment*)
- raid aníos - d'ardaigh sí go tapaidh (*brought up quickly*)

- i mbaithis - in aghaidh (*into her face/head*)
- go fras - go flúirseach (*abundently/profusely*)
- forsheomra - seomra seachtrach (*outside room*)
- doirteal - dabhac (*sink*)
- tumadh - brúdh síos (*ducked/pushed down*)
- chúb - chrom (*she bent/doubled up*)
- batráil - bascadh (*beating/hiding*)
- ag dul ina taithí - ag fáil taithí air (*getting used to it*)
- carnán cuachta - crúnca (*bent double*)
- fear cothbhála - giolla oibre (*maintenance man*)
- súil ata - súil dhubh (*a black eye*)
- an drochbheart - an drochghníomh (*the bad deed*)
- lom dearg - go díreach (*red-handed*)
- mioscaiseoirí - na ciontaigh (*troublemakers/offenders*)
- a dhath - tada (*nothing*)
- faiteach - go heaglach (*afraid*)
- dáileoir - duine a thugann amach drugaí (*a pusher*)
- fáinne fí - práinn gan réiteach (*a vicious circle*)
- galar na gcás - i gcás (*perplexed*)
- d'airigh Úna - bhraith Úna (*Una felt*)
- san éadan - san aghaidh (*in the face*)
- thíos leis - bhí ag teip air (*it was losing*)
- breith ar eireaball na gaoithe - ag iarraidh rud dodhéanta a dhéanamh (*trying to do the impossible*)
- scabhaitéirí - a scata gaigíní (*her gang of hooligans*)
- tharraing sí sonc - thug sí buille (*she gave her a punch*)
- dhaingnigh sí a stánadh - stán sí go feargach (*she hardened her gaze/stare*)
- dhaingnigh - chruaigh (*clenched/closed tightly*)
- ag maolú - ag imeacht (*fading/diminishing*)

DÍOLTAS AN MHADA RUA

──────── An t-Údar ────────

Séan Ó Dálaigh. Rugadh i nDún Chaoin é sa bhliain 1862. Ba mháistir scoile é. Tá tagairt dó sa leabhar Peig le *Peig Sayers*. D'úsáid sé an t-ainm cleite *Common Noun*. Chuir sé dhá leabhar i gcló *Clocha Scáil* agus *Timpeall Chinn Sléibhe*. Fuair sé bás i 1940.

Leagan Gearr den Scéal

Tá seanfhocal ann, "chomh glic le mada rua". Is fíor an seanfhocal sin. Ina theannta sin bíonn an sionnach díoltasach. Fuair fear ó Dhún Chaoin an méid sin amach go dóite.

Iascaire ba ea é, cé go raibh féar bó de thalamh aige chun braon bainne a thabhairt dó. Bhí an-chuid cearc, lachan agus géanna ag a bhean.

Lá amháin tar éis dá bhean an bhó a chrú chuaigh an fear ag cnuchairt móna ar an gcnoc. Bhí sé ag cur allais tar éis tamaill agus shuigh sé síos chun a scíth a ligean. Agus é ag féachaint amach ar an bhfarraige chiúin, thug sé faoi deara sionnach mór i bpáirc faoi. Bhí an t-ainmhí ar thóir giorria sna sceacha. Níorbh fhada gur chuala an fear scréach uafásach agus ansin chonaic sé an sionnach ag teacht ina threo agus giorria breá mór marbh ina bhéal aige.

Bhí fearg ar an bhfear go raibh an giorria ag an sionnach le n-ithe agus gan aon ghiorria aige féin. Bhí bearna i gclaí ar bharr na páirce. D'éalaigh sé ann agus chrom sé síos ionas nach bhfeicfeadh an mada rua é. Nuair a tháinig an mada rua go dtí béal na bearna phreab an fear de gheit ina shuí agus lig sé béic uafásach as. Baineadh preab as an mada rua, scaoil sé uaidh an giorria agus rith sé lena anam suas an cnoc.

Agus an fear ag dul abhaile, d'fhéach sé siar agus thug sé faoi deara go raibh an mada rua ina shuí ar a chosa deiridh thuas ar an gcnoc agus é á fhaire i gcónaí. D'fhan an t-ainmhí mar sin go dtí gur bhain an fear doras a thí amach. Bhí an-áthas ar bhean an fhir nuair a chonaic sí an seibineach mór de ghiorria a bhí aige. Bhris sí a croí ag gáire nuair

103

a chuala sí conas mar a fuair an fear an giorria chomh sonaoideach sin. Nuair a d'fhéach siad amach an doras bhí an mada rua imithe.

Chuaigh an fear ar an gcnoc arís agus chnucharnaigh sé deireadh a chuid móna. Nuair a tháinig sé abhaile bhí an giorria beirithe ag a bhean agus d'ith siad araon a ndóthain de.

An tráthnóna sin mharaigh an fear leathchéad deargán. Tar éis an tsuipéir ghlan é féin agus a bhean iad agus chuir siad ar salann iad. Bhí sé cuíosach déanach san oíche nuair a chuaigh siad a chodladh. D'éirigh siad déanach an mhaidin dar gcionn mar bhí siad leathmharbh ag na deargáin an oíche roimhe sin.

Nuair a d'oscail an fear an doras ní mór ná gur thit sé as a sheasamh le huafás. Bhí clúmh agus cleití i ngach áit. Níor fhág an mada rua gé ná lacha ná cearc beo ag a bhean. Bhí fhios aige go maith ansin go raibh an mada rua tar éis díoltas a dhéanamh air i dtaobh an ghiorria a bhaint de.

GLUAIS

- glic - cliste (cunning/clever)
- ina theannta sin - thairis sin (and besides/moreover)
- go dóite - go daor (painfully/dearly)
- an-chuid - go leor (a great deal)
- a chrú - a bhleán (to milk)
- sceacha - toir (bushes/hawthorn)
- scréach - scread (screech/squeal)
- bearna - briseadh (gap)
- phreab - léim (jumped)
- de gheit - go tobann (suddenly)
- rith sé lena anam - rith sé lena bheo (he ran for his life)
- á fhaire - ag féachaint air (watching him)
- seibineach mór de ghiorria - giorria mór ramhar (a big plump hare)
- chomh sonaoideach sin - chomh héasca sin (so easily)
- chnucharnaigh sé - ghróig sé (he footed/stacked)
- deireadh a chuid móna - fuíollach na móna (the last/remainder of the turf)
- a ndóthain - a sáith (their fill)
- leathchéad - caoga (fifty)
- deargán - sórt éisc (sea-bream)
- chuir siad ar salann iad - rinne siad na héisc a shailliú (they salted the fish)
- cuíosach déanach - réasúnta déanach (fairly late)
- leathmharbh - traochta (half dead/worn out)
- clúmh - cleití beaga (down)
- tar éis díoltas a dhéanamh air - tar éis díoltas a imirt air (had got/exacted his revenge on)

THE FOX'S REVENGE

There's an old saying "as cute as a fox". That old saying is true. The fox is also vengeful, however. A man from Dunquin once learned this to his cost.

He was a fisherman but he had enough grazing for one cow to provide him with a little milk. His wife had a large number of hens, ducks and geese.

One day, after his wife had milked the cow, he went up the hill to foot turf. Some time later he was sweating and he sat down to rest. As he looked out at the calm sea he noticed a large fox in a field below him. The animal was after a hare in the bushes. Soon the man heard a terrible squeal and then he saw the fox coming in his direction with a fine big dead hare in his mouth.

The man was angry that the fox had a hare to eat since he had none. There was a gap in a ditch at the top of the field. The man crept there and crouched down so the fox would not see him. When the fox reached the mouth of the gap the man sat up suddenly and let out a terrible roar. The fox was startled, he dropped the hare and ran for his life.

As the man went home he looked back and noticed that the fox was sitting on his hind legs up on the hill watching him all the time. The animal stayed there until the man reached the door of his house. The man's wife was delighted when she saw the fine plump hare he had. She was in stitches when she heard how easily he'd come by it. When they looked out the door the fox was gone.

The man went back up the hill and footed the last of the turf. When he came home his wife had boiled the hare and they both ate their fill.

That evening the man caught fifty sea-bream. After supper he and his wife cleaned and salted them. It was fairly late at night when they went to bed. They arose late the following morning as they were worn out from the salting of the sea-bream the night before.

When the man opened the door he nearly dropped in horror. Down and feathers lay everywhere. The fox had killed every goose, duck and hen that his wife possessed. He knew only too well then that the fox had had his revenge over the hare being taken from him.

TÉAMA AN SCÉIL
Téama an díoltais agus an chaoi a gcuirtear an téama sin os ár gcomhair.

Luann an t-údar an seanfhocal "chomh glic le mada rua" ach deir sé freisin go mbíonn sé díoltasach.

Tugann sé sampla ansin dúinn. Rinne iascaire as Dún Chaoin iarracht bob a bhualadh ar an mada rua. Scanraigh sé é agus thóg sé an giorria a mharaigh sé.

Feicimid ansin an t-ainmhí á fhaire. Bíonn sé ag feitheamh le faill. Cheap an fear go raibh an lá leis ach baineadh stad as an lá dar gcionn. Bhí an mada rua tar éis géanna, lachain agus cearca a mhná a mharú. Bhain sé díoltas amach.

Úsáidtéar an béaloideas go cliste sa scéal. Tá an stíl an-ghonta agus an-simplí.

 PRÍOMHPHOINTÍ

- Cruthaíonn an scéal go bhfuil an mada rua cliste agus díoltasach.
- Cheap an fear go raibh sé féin an-chliste nuair a bhuail sé bob ar an mada rua.
- Bhí ionadh air nuair a chonaic sé an t-ainmhí á fhaire. Níor thuig sé céard a bhí ar siúl aige.
- Fuair sé amach go dóite cé chomh cliste is a bhí an mada rua.
- Mharaigh an mada rua gach gé, gach lacha agus gach cearc dá raibh ag a bhean.
- Fuair an t-ainmhí an lámh in uachtar ar an bhfear faoi dheireadh.

CEISTEANNA

Meaitseáil na ceisteanna seo a leanas (**A, B, C, D**) leis na freagraí thíos (**1-4**) agus scríobh amach go hiomlán iad, san ord ceart.

A   Cén ghairm bheatha a bhí ag an bhfear sa scéal?

B   Conas a bhuail sé bob ar an mada rua?

C   Céard a thug an fear faoi deara?

D   Conas a rinne an mada rua díoltas ar an bhfear?

FREAGRAÍ

1   An oíche sin rinne an mada rua slad ar na cearca, na lachain agus na géanna. Níor fhág sé éan beo.

2   Iascaire ba ea é ach feirmeoir páirtaimseartha ba ea é freisin. Bhí féar bó de thalamh aige.

3   Chrom sé síos taobh thiar den chlaí. Nuair a tháinig an mada rua chomh fada leis an mbearna sa chlaí, phreab sé suas agus lig sé béic as. Scanraigh sé an mada rua agus scaoil sé uaidh an giorria.

4   Thug sé faoi deara go raibh an mada rua ina shuí thuas ar an gcnoc á fhaire i gcónaí.

CEISTEANNA BREISE

Léigh na ceisteanna seo a leanas (**E, F, G, H**) agus ansin líon isteach na freagraí (**5-8**) ag baint úsáide as an bhfoclóir tugtha.

E   Cén obair a bhí le déanamh ag an bhfear an lá sin?

F   Cén fáth a raibh a bhean "ag briseadh a croí ag gáire"?

G   Cén fáth ar chodail an fear agus a bhean go déanach an mhaidin dár gcionn?

H   Cén radharc a chonaic siad?

FREAGRAÍ

Líon isteach na bearnaí trí úsáid a bhaint as an bhfoclóir ceart thíos.

5   Bhí sé ag (1) _____ móna ar an gcnoc. Níos (2) _____ chuaigh sé ag iascaireacht (3) _____ .

6   Cheap sí go raibh an fear tar éis (4) _____ ceart a bhualadh ar an mada (5) _____ agus gur tháinig sé ar an ngiorria gan (6) _____ .

7   An oíche sin bhí siad ina suí go (7) _____ ag glanadh na ndeargán agus á gcur ar (8) _____ . Bhí siad (9) _____ tar éis na hoibre sin.

8   B'uafásach an (10) _____ a chonaic siad. Bhí clúmh is (11) _____ i ngach áit. Bhí an mada rua tar éis (12) _____ a dhéanamh ar na cearca, na lachain agus na géanna. Níor fhág sé éan (13) _____ .

FOCLÓIR

A	slad	H	salann
B	cnuchairt	I	bob
C	dua	J	deargán
D	déanach	K	an-tuirseach
E	déanaí	L	radharc
F	beo	M	rua
G	cleití		

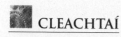 CLEACHTAÍ

1 Cá raibh cónaí ar an bhfear?
2 Céard a bhí ag a bhean?
3 Céard a bhí á dhéanamh ag an mada rua nuair a chonaic an fear é?
4 Cén chaoi ar bhuail an fear bob ar an mada rua?
5 Céard a rinne bean an fhir leis an ngiorria?
6 Cén fáth a raibh siad ina suí go déanach an oíche sin?
7 Céard a chonaic siad an mhaidin dar gcionn?
8 Cén fáth, meas tú, a ndearna an mada rua slad ar na héin?

DÍOLTAS AN MHADA RUA

Seanfhocal is ea—chomh glic le mada rua. Agus i dteannta é a bheith glic bíonn sé díoltasach. Thaispeáin sé d'fhear ó Dhún Chaoin go raibh sé díoltasach mar b'air féin a d'imir sé an díoltas.

Iascaire ba ea an fear seo. Bhí féar bó de thalamh aige, ach ar an iascach is mó a mhaireadh sé. Choimeádadh sé aon bhó amháin i gcónaí chun braon bainne a bheith aige sa séasúr a liathfadh an braon tae dó nuair a bhíodh sé ar an bhfarraige ag iascach. Bhíodh an-chuid cearc agus lachan agus géanna ag a bhean.

Thug sé an bhó leis abhaile ón ngort luath go maith maidin. Chrúigh a bhean í láithreach baill. Sháigh siad ansin chun cuigeann a dhéanamh agus nuair a bhí sí déanta acu d'imigh sé air chun an chnoic go gcríochnódh sé leis an móin a bhí ann aige á cnuchairt. Nuair a bhí sé trí nó ceathair de pháirceanna suas ón teach bhí saothar air, agus bhí brat allais tríd amach mar fuair sé beagán dua ón gcuigeann a dhéanamh. Shuigh sé síos tamall dó féin i mbun a shuaimhnis agus bhí sé ag féachaint amach ar an bhfarraige mar bhí sí chomh ciúin le linn abhann.

Pé casadh súl a thug sé síos ar pháirc a bhí faoina bhun chonaic sé fámaire mada rua agus é ag léim thall is abhus in aice le coill mhór ard sceach a bhí ann. D'fhair sé an mada rua go maith ach níor thug sé é féin le feiceáil in aon chor dó.

Níorbh fhada dó gur chuala sé cúpla scréach uafásach timpeall na sceach agus ba ghearr go bhfaca sé an mada rua ag cur de suas ar a shuaimhneas chun an chnoic, agus a fhámaire breá giorria marbh ina bhéal aige. Is amhlaidh a bhraith an mada rua an giorria ina chodladh istigh sa choill sceach, agus níor dhein sé ach na sceacha a chorraí lena lapa agus ansin nuair a léim an giorria bocht amach as na toir sceach, ghreamaigh an mada rua ar sciúch é, agus mharaigh sé láithreach baill é.

Nuair a chonaic fear na móna an mada rua ag cur de suas chun an chnoic agus fámaire giorria ina bhéal aige, dúirt sé ina aigne féin gurbh ait agus gur lánait an cúrsa é—fámaire giorria a bheith le n-ithe ag an mada rua agus gan aon ghiorria aige féin.

Bhí claí mór ard trasna ar bharr na páirce, ach bhí bearna i gceann den chlaí. Bhí an bhearna díreach faoi bhun na háite a raibh an fear ina shuí ann. D'éalaigh sé leis síos go dtí an bhearna, agus dhein sé cnuchaire de féin chun ná feicfeadh an mada rua é.

Nuair a tháinig an mada rua go dtí béal na bearna phreab an fear de gheit ina shuí, agus chuir sé béic uafásach as, agus dhein sé glam ag rá: "Hula! hula! hula!" Bhain sé an oiread sin de phreab as an mada rua gur scaoil sé uaidh an giorria agus thug sé féin, i ndeireadh an anama, suas fén gcnoc.

Ach ní fada suas a chuaigh sé nuair a shuigh sé síos ar a chosa deiridh, agus d'fhéach sé le fána, agus chonaic sé an fear agus an giorria greamaithe aige.

Thóg an fear an giorria chun dul abhaile leis. Nuair a ghluais sé anuas le fána an chnoic agus an giorria aige bhí an mada rua á thabhairt faoi deara, agus d'fhan sé ag faire air riamh is choíche go dtí go bhfaca sé ag bualadh dhoras a thí féin isteach é. D'imigh an mada rua an cnoc amach ansin.

D'fhéachadh fear an ghiorria anois is arís, nuair a bhí sé ag tabhairt an ghiorria abhaile leis, chun go mbeadh a fhios aige ar fhág an mada rua an áit a raibh sé ina stad ann, agus d'fheiceadh sé ann i gcónaí é. Fiú amháin nuair a bhí sé ag déanamh ar an doras thug sé sracfhéachaint suas ar an áit, agus chonaic sé sa phaiste céanna é.

Bhain sé preab as a bhean nuair a bhuail sé chuici an doras isteach, agus seibineach mór de ghiorria aige, ach nuair a d'inis sé di conas a fuair sé an giorria chomh sonaoideach agus an bob a bhuail sé ar an mada rua bhí sí ag briseadh a croí ag gáire. Dúirt sé léi nár thóg an mada rua an dá shúil de féin go dtí gur chuir sé an doras isteach de.

Chuaigh sé amach go dtí an doras ansin féachaint an raibh an mada rua ann ach ní raibh. B'ait leis ar fad cad ina thaobh ar fhair an mada rua é féin riamh is choíche go dtí gur bhuail sé an doras isteach. Ní raibh an mada rua gan a réasún fáin a bheith aige leis an bhfear a fhaire.

Chuaigh an fear suas ar an gcnoc ansin. Chnucharaigh sé deireadh a chuid móna, agus ansin shín sé siar go breá dó féin ar feadh tamaillín in airde ar dhroim portaigh. Ach ní fhéadfadh sé é a chaitheamh amach as a cheann in aon chor cad ina thaobh ar fhair an mada rua é féin go dtí go ndeachaigh sé isteach don teach; agus nuair a bhí an t-eolas faighte aige, cad ina thaobh ar bhailigh sé leis ansin? Ach ní raibh sé i bhfad ina mhearbhall. Níorbh fhada dó gur chuir an mada rua in iúl dó cad ina thaobh.

Nuair a bhí sé tamall sínte siar ar an bportach d'éirigh sé ina shuí, agus tháinig sé abhaile. Bhí an giorria beirithe ag a bhean roimhe agus d'itheadar araon a leordhóthain de.

Chuaigh sé ag iascach deargán ansin tráthnóna, agus nuair a tháinig sé abhaile tar éis na hoíche, bhí leathchéad deargán aige. Nuair a bhí a shuipéar caite aige, thosaigh sé féin agus a bhean ar na deargáin a ghlanadh, agus iad a chur ar salann, agus bhí sé cuíosach deireanach siar san oíche san am a ndeachaigh siad a chodladh.

Bhí smut maith den mhaidin caite sular éiríodar mar bhíodar leathmharbh ag na deargáin aréir roimhe sin. Ach nuair a d'oscail an fear an doras ní mór ná gur thit sé as a sheasamh le huafás. Ní raibh aon ní le feiceáil aige ach clúmh is cleití! Clúmh géanna, clúmh lachan agus clúmh cearc! Níor fhág an mada rua gé ná lacha ná cearc beo ag a bhean!

Bhí a fhios aige go maith ansin gur chun díoltas a dhéanamh air i dtaobh an ghiorria a bhaint de a mharaigh an mada rua a raibh de chearca agus de lachain agus de ghéanna sa tslánchruinne ag a bhean.

— Seán Ó Dálaigh

GLUAIS

- glic - cliste *(cunning/clever)*
- i dteannta - agus chomh maith *(and besides)*
- féar bó de thalamh - féar a chothódh bó *(grazing for one cow)*
- a liathfadh - a dhathfadh *(that would colour/whiten)*
- chrúigh - bhligh *(milked)*
- sháigh siad - chrom siad ar *(they began)*
- cuigeann - maistriú *(churn)*
- á cnuchairt - á gróigeadh *(footing turf)*

- bhí saothar air - bhí gearranáil air *(he was out of breath)*
- fámaire - ainmhí mór *(a huge creature)*
- sceach - tor *(bushes/hawthorn)*
- d'fhair sé - d'fhéach sé ar *(he watched)*
- ag cur de - ag imeacht *(going off)*
- fámaire giorria - giorria mór ramhar *(a big, plump hare)*
- ar sciúch - de ghreim scórnaí *(by the throat)*
- lánait - an-aisteach *(very strange)*
- dhein sé cnuchaire - chrom sé síos *(he crouched)*

GLUAIS

- glam - béic *(roar)*
- preab - geit *(a fright)*
- riamh is choíche - i gcónaí
  (all the time)
- ina stad - ina staic *(stopped/motionless)*
- sracfhéachaint - súlfhéachaint
  (a glance)
- seibineach mór de ghiorria - fámaire mór
  de ghiorria *(a big, plump hare)*
- chomh sonaoideach - chomh héasca
  (so easily)
- b'ait leis - cheap sé go raibh sé aisteach
  (he thought it strange)
- a réasún féin - a fháth féin
  (his own reason)
- deireadh - fuílleach *(the remainder/last)*
- ina mhearbhall - gan an t-eolas *(puzzled)*
- gur chuir an mada rua in iúl - gur
  thaispeáin *(showed)*
- cuíosach deireanach - réasúnta déanach
  (fairly late)
- smut maith - cuid mhaith *(a good bit)*
- ní mór ná - ba bheag nár *(he nearly)*
- sa tslánchruinne - sa domhan *(in the
  world)*

DÚIL

──────────── An t-Údar ────────────

Liam Ó Flaithearta. Rugadh é in Árainn sa bhliain 1897. Thaistil sé an domhan agus bhí sé ina shaighdiúir. Tá clú agus cáil air mar ghearrscéalaí agus aistríodh go leor dá ghearrscéalta go Béarla. Fuair sé bás sa bhliain 1988.

Leagan Gearr den Scéal

Bhí naíonán fireann ag imirt le gligín ar an mbrat urláir fad a bhí a mháthair sínte i gcathaoir in aice leis ag léamh leabhair. Thit an gligín agus shín an naíonán é féin amach chun breith air. Thit an naíonán ar a bholg ar an urlár crua agus baineadh geit as ach níor lig sé scread as mar thuig sé go raibh a mháthair fad a ghlao uaidh. Ar an bpointe sin chonaic sé rud iontach a chuir a phluca ramhra ag craitheadh le gliondar.

Bhí gath gréine sínte trasna an urláir timpeall le deich dtroigh uaidh. Bhí sé ag teacht isteach trí fhuinneog Fhrancach lánoscailte ós comhair an ghairdín. Bhí an gath mar a bheadh cuirtín síoda ina raibh na mílte agus na mílte seoid ag lonradh.

Ghluais an naíonán ina threo meallta ag an iontas. Bhí sruth fairsing uisce ag sileadh anuas óna bhéal ar a naipcín a bhí ceangailte faoina mhuineál. Sháigh sé amach a lámh dheis agus dhún na méaracha beaga go santach ach níor casadh leo ach an t-aer folamh. Thit sé i ndiaidh a thaoibh.

Níor thug sé aird ar an bpian mar bhí an oiread sin cíocrais ar a chroí. Bhí sé fós tógtha leis an gcuirtín seodach. D'ardaigh sé é féin ar a lámha agus ar a ghlúine agus lean sé air go díocasach.

Níor thug sé iarracht riamh roimhe sin ar lámhacán a dhéanamh agus mhothaigh sé pian chumasach, dá bhrí sin, ina ghéaga. Chuir bualadh a chroí míobhán ina cheann. Tháinig tuirse air agus thit sé síos ar a bholg. Bhí sé chun scread a ligean as ach stop sé mar bhí a dhúil níos láidre ná a dhoilíos.

111

Thit sé cupla uair eile agus is ar éigin a bhí sé in ann anáil a tharraing. Bhí a lámha agus a chosa ag preabadh le pian. Ba chuma leis, áfach, agus chuaigh sé ar aghaidh le fonn. Shroich sé an áit ar cheap sé an cuirtín álainn a bheith crochta.

Mo léan géar! Fuair sé amach ansin nach raibh rud ar bith ann. B'éigean dó a shúile a chaochadh bhí an solas chomh láidir sin. Bhí a chroí briste agus é ar thóir an iontais a bhí caillte aige. Ansin chonaic sé an fhuinneog oscailte agus an gairdín ar a haghaidh amach. Stad a chroí le scanradh roimh méid uafásach an domhain taobh amuigh.

Shín an domhan gan teorainn amach uaidh thar an ngairdín bláthach, síos trí ghleann mór domhain agus suas arís thar shléibhte arda go díon cumasach na spéire mar a raibh seoid mhór amhain ag lonradh thuas mar bheadh súil Dé na Glóire.

Dhún sé a shúile lena gcosaint ar sholas na gréine. Le teacht an dorchadais tháinig faitíos air. Thug sé aird uirthi anois agus a dhúil imithe i léig. Thosaigh sé ag creathadh le huafás, d'oscail sé a bhéal agus thosaigh sé ag screadaíl. Chaith a mháthair uaithi an leabhar, rith sí chuige agus thóg sí suas é. Phóg sí go ceanúil é ach choinnigh sé leis ag béicíl. Shuigh a mháthair sa chathaoir agus é ar a hucht aici.

Bhog sí go réidh anonn agus anall é agus thosaigh sí ag crónán ós íseal. D'imigh an t-uafás de agus is gearr go raibh sé ina thost. Mheall sí é leis an ngligín á chraitheadh amach roimhe. Rinne sé meangadh gáire agus rug sé ar an deis.

Anseo le taobh bruinne a mháthar ina bhfuair sé an beo, rinne sé dearmad ar phian agus ar chontúirt an tsaoil. Mheall glór binn a mháthar é. Ba ghearr go raibh sé ar a shuaimhneas.

Thosaigh sé ag taibhreamh agus a shúile móra gorma lánoscailte.

Chonaic sé arís an cuirtín lonrach agus mhothaigh sé an t-áthas a chuir sé ar a chroí. Chonaic sé meid cumasach an domhain ag síneadh amach ón bhfuinneog go beanna gorma na gcnoc. Chonaic sé súil ghlégheal Dé ag scairteadh anuas.

Nuair a thit sé ina chodladh faoi dheireadh bhí sé ag craitheadh le dúil in aistear eile ón mbroinn, tríd an domhan a bhí taobh thiar den chuirtín lonrach, aistear i ndiaidh aistir go deireadh a bheatha chorpartha le heagla agus doilíos agus áthas go beanna na sliabh ag bun na spéire agus suas as sin nó go seasfadh sé os comhair súile Dé.

GLUAIS

- naíonán - leanbh (baby)
- gligín - deis torainn (rattle)
- fad a ghlao uaidh - gar dó (within calling distance)
- ar an bpointe - láithreach (immediately)
- a phluca ramhra - a leicne ramhra (his plump cheeks)
- gliondar - áthas (delight)
- ag lonradh - ag taitneamh (shining/sparkling)
- naipcín - bib (bib)
- go santach - go craosach (greedily)
- níor casadh leo - níor bhuail siad ach le (they only met)
- i ndiaidh a thaoibh - ar a thaobh (on his side/sideways)
- aird - aire (attention/notice)
- cíocras - dúil (hunger/eagerness)
- tógtha leis - gafa ag (so taken by)
- go díocasach - go dícheallach (eagerly)
- lámhacán - gluaiseacht linbh ar a lámha is a chosa (crawling/creeping)
- mhothaigh sé pian chumasach - bhraith sé pian ghéar (He felt a sharp/terrible pain)
- míobhán - mearbhall (dizzy/giddy)
- a dhoilíos - a phian/a bhrón (his pain/sorrow)

GLUAIS

- anáil a tharraing - aer a thógáil isteach *(to draw breath/breathe)*
- ag preabadh le pian - bhraith sé pian iontu *(throbbing with pain)*
- mo léan ghéar - faraor *(unfortunately)*
- a shúile a chaochadh - a shúile a sméideadh *(to blink/close)*
- le scanradh - le himní *(with fear)*
- le teacht an dorchadais - nuair a d'éirigh sé dorcha *(as it grew dark)*
- faitíos - eagla *(fear)*
- imithe i léig - maolaithe *(subsided/diminished)*
- go ceanúil - go grámhar *(lovingly/affectionately)*
- ar a hucht aici - ar a brollach *(at her breast)*
- ag crónán ós íseal - ag canadh go ciúin *(humming/crooning gently)*
- rinne sé meangadh gáire - tháinig miongháire ar a aghaidh *(he smiled)*
- contúirt - baol *(peril/danger)*
- ag taibhreamh - ag brionglóidigh *(dreaming)*
- ag scairteadh - ag taitneamh *(shining)*
- a bheatha chorpartha - a shaol daonna *(his physical life)*

DESIRE

A baby boy was playing with a rattle on the rug while his mother sat beside him in a chair reading a book. The rattle dropped and the infant stretched forward to grab it. He fell on his stomach on the hard floor and, though he was shocked, he did not cry out as his mother was within calling distance. Suddenly he saw something wonderful that set his plump cheeks trembling with delight.

A sunray stretched across the floor about ten feet away from him. It was coming in through an open French window in front of the garden. The ray was like a silken curtain in which thousands and thousands of jewels sparkled.

The infant moved towards it enticed by the wonder. He dribbled in a long stream onto the bib which was tied around his neck. He thrust out his right hand and his small fingers closed greedily but they only met empty space. He fell over on his side.

He did not notice his pain as his heart was so eager. He was still fascinated by the jewelled curtain. He raised himself on his hands and knees and continued on keenly.

He had never before tried crawling and he felt an intense pain, accordingly, in his limbs. The beating of his heart made his head giddy. He tired and fell on his stomach. He was about to cry out but he stopped, as his desire was stronger than his difficulty.

He fell a few more times and he was barely able to catch his breath. His arms and legs were throbbing with pain. He didn't care, however, and he moved ahead willingly. He reached the place where he thought the beautiful curtain was hanging.

Alas! he found out then that there was nothing there. He had to shut his eyes as the light was so strong. His heart was broken seeking the wonder that had eluded him. Then he saw the open window and the garden beyond. His heart skipped a beat with fear at the terrible vastness of the world outside.

The world stretched out unbounded from him across the flower garden down through a big deep valley and up again over high mountains to the awesome roof of the sky where one huge jewel shone down like the eye of the almighty God.

He closed his eyes to protect them against the sunlight. As it grew dark he became frightened. He was aware of his fear now as his desire waned. He began to tremble with terror. He opened his mouth and began to scream. His mother flung aside her book, ran to him and picked him up. She kissed him affectionately yet he continued screaming. His mother sat in the chair and held him to her breast. She rocked him gently back and forth and began to croon softly. The terror left him and he was soon quiet. She coaxed him by shaking the rattle in front of him. He smiled and grasped the toy.

Here beside his mother's womb which had given him life he forgot the pain and the peril of the world. His mother's sweet voice soothed him. He was soon relaxed. He began to dream though his big blue eyes were open wide.

He saw again the shining curtain and felt the delight it brought to his heart. He saw the awesome extent of the world stretching out from the window to the blue peaks of the hills. He saw the bright eye of God shining down.

When he fell asleep finally he was trembling with desire for another journey from the womb through that world that lay beyond the shining curtain, a series of journeys to the end of his physical life through fear, sorrow and joy to the mountain peaks on the horizon and on from there until he stood before the eye of God.

TÉAMA AN SCÉIL
Téamaí na hóige agus na fionnachtana agus an chaoi a gcuirtear os ár gcomhair iad.

Taispeántar dúinn go bhfuil an páiste fiosrach. Nuair a fheiceann sé an gath gréine níl faoi ná thairis ach é. Cé go bhfuil eagla, tinneas agus tuirse air leanann sé leis chun breith air. Tá sé ag brath ar a mháthair ach is tréan é an dúil.

Nuair a thugann sé faoi deara go bhfuil saol mór lasmuigh tuigeann sé go mbeidh air dul ar aistear tríd lena shaol.

Tá an-chur síos sa scéal ar an leanbh. Léiríonn an t-údar gach cor a chuireann an leanbh de agus tá an scéal an-éifeachtach.

Tá an-léiriú sa scéal ar aigne an linbh. Tá craiceann na fírinne air.

 PRÍOMHPHOINTÍ

- Baineann an scéal seo le fiosracht an linbh agus le fionnachtain.
- Cé go bhfuil an leanbh slán in aice lena mháthair is tréan é an dúil.
- Bíonn air bualadh ar aghaidh leis féin agus an saol a bhlaiseadh agus a thástáil dó féin.
- Faigheann sé amach go dóite nach rud nithiúil an gath gréine.
- Agus é ar thóir an gha gréine, tugann sé faoi deara go bhfuil domhan mór fairsing lasmuigh.
- Caithfidh sé a shaol ar fad ag gabháil ar aistear fada trín domhan mór sin. Sin é cinniúint an duine.

 CEISTEANNA

Meaitseáil na ceisteanna seo a leanas (**A, B, C, D**) leis na freagraí thíos (**1-4**) agus scríobh amach go hiomlán iad, san ord ceart.

A   Céard a chuir tús le haistear an linbh?
B   Déan cur síos ar an nga gréine.
C   Cén fáth ar tháinig faitíos air faoi dheireadh?
D   Cén chaoi ar chuir a mháthair chun suaimhnis é?

 FREAGRAÍ

1   Bhí sé ag teacht isteach an fhuinneog oscailte agus bhí na mílte seoid ag glioscarnach ann. Bhí sé ar nós cuirtín lonraigh.
2   Thóg sí suas é agus phóg é go ceanúil. Ansin shuigh sí sa chathaoir agus bhog sí anonn agus anall é agus í ag crónán ós íseal.
3   Bhí sé ag súgradh le gligín. Thit an gligín agus shín sé amach chun breith air.
4   Thuig sí go raibh sé i bhfad óna mháthair. Bhí an solas an-láidir agus bhí sé tinn agus tuirseach.

 CEISTEANNA BREISE

Léigh na ceisteanna seo a leanas (**E, F, G, H**) agus ansin líon isteach na freagraí (**5-8**) ag baint úsáide as an bhfoclóir tugtha.

E   Céard a bhí ar siúl ag máthair an naíonáin?
F   Cén fáth nár lig an naíonán scread as nuair a tháinig eagla agus tuirse air?
G   Cén fáth a raibh díomá air nuair a shroich sé an ga gréine?
H   Céard é "súil Dé" meas tú?

 FREAGRAÍ

Líon isteach na bearnaí trí úsáid a bhaint as an bhfoclóir ceart thíos.

5   Bhí sí ina (1) _____ ar chathaoir agus í ag (2) _____ leabhair ach nuair a (3) _____ an naíonán thóg sí suas ina (4) _____ é.
6   Bhí sé chomh (5) _____ sin leis an nga (6) _____ nár thug sé (7) _____ ar eagla ná ar thuirse.
7   Thuig sé (8) _____ nach raibh aon rud ann i ndáiríre ach (9) _____ .
8   Ciallaíonn sin an ghrian sa (10) _____ ach i ndeireadh an scéil ciallaíonn sé (11) _____ féin.

FOCLÓIR

A	Dia		G	scread
B	léamh		H	aird
C	spéir		I	ansin
D	lámha		J	suí
E	tógtha		K	gréine
F	solas			

CLEACHTAÍ

1 Cá raibh an "naíonán fireann" ag imirt i dtús an scéil?
2 Céard a bhain dá threoir é?
3 Cá raibh an ga gréine?
4 Cén bhail a bhí air tar éis lámhacán a dhéanamh?
5 Cén fáth ar chuma leis faoin bpian?
6 Céard a chonaic sé trín bhfuinneog?
7 Cén fáth ar thóg a mháthair suas é?
8 Cén "aistear eile" a bhí le déanamh aige?

DÚIL

Bhí naíonán fireann ag imirt le gligín ar an mbrat urláir, in aice le cathaoir ina raibh a mháthair suite agus í ag léamh leabhair. Chuir sé scairt mheidhreach as féin, gach uile uair a chuala sé an torann binn a tháinig as an deis tar éis a craite. Ansin thit an gligín as a lámha. Tugadh scathamh beag ar siúl é, trasna an urláir, ag sciorradh agus ag iompó. Thit an naíonán ar a bholg nuair a shín sé é féin amach roimhe, le breith ar an rud beag gleoite.

Chuir teangabháil tobann a choirp le cruacht an urláir fonn air scread a ligean. Ní hé an phian a mhothaigh sé bhí ciontach leis an bhfonn sin ar fad. Sé an fhothuiscint a bhí ann ó nádúir a d'ordaigh dhó glaoch go borb ar a mháthair nuair a bhí call aige le seirbhís. Cé gur oscail sé a bhéal, ina dhiaidh sin níor chuir sé uaidh an uaill. Ar an bpointe sin agus é sínte amach ar a bholg lena cheann in airde chonaic sé rud iontach a chuir a phluca ramhra ag craitheadh le gliondar.

Bhí gath gréine sínte trasna an urláir, timpeall le deich dtroigh uaidh. Tháinig sé trí fhuinneog ard, a bhí lánoscailte do réir nóis na Fraince agus a haghaidh ar ghairdín. Bhí an gath álainn seasta ar an aer, suas anuas ó dhíon go hurlár, mar bheadh cuirtín síoda, ina raibh na mílte agus na mílte seod ag lonradh.

Gan corr dá laghad as a chorp, bhreathnaigh sé ar an iontas seo ar feadh nóiméid agus sruth fairsing uisce ag sileadh anuas óna bhéal ar an naipcín a bhí ceangailte faoina mhuineál. Ansin tháinig glothar ina scornach le teann amplachta. Sháigh sé a lámh dheis amach roimhe le greim fháil ar an áilleacht lonrach. Nuair a dhún na méaracha beaga go santach, níor casadh leo ach an t-aer folamh. Baineadh treascairt as agus thit sé i ndiaidh a thaoibh.

Anois níor chuir an teangabháil tobann leis an urlár cruaidh fonn screadaigh air in aon chor. Bhí an oiread sin samhnais ar a chroí, ó bheith ag breathnú ar an gcuirtín seodach lena shúile móra leata, nár thug sé aon aird ar an bpian. D'fhan sé mar sin ar aghaidh an iontais, nó gur neartaigh a dhúil chomh mór sin nach raibh adhradh a shúl i ndon a shásamh. Thosnaigh sé ag tnúthán, idir anam agus corp, le gabháil i dteannta leis an áilleacht. D'ardaigh sé suas é féin ar a lámha agus a ghlúine, le mórchaitheamh tola agus nirt. Sháigh sé amach a chlab íochtarach go cróga agus rinne sé ar an gcuirtín solais go díocasach.

Níor thug sé iarracht riamh roimhe sin ar lámhacán a dhéanamh. Dá bhrí sin, ba rí-ghearr nó gur mhothaigh sé pian chumasach ina ghéaga. Thosnaigh a chroí ag bualadh go tapaidh. Chuir an ghluaiseacht neamhchoitianta míobhán ina cheann. Ní raibh ach timpeall le dhá throigh siúlta aige nuair chinn ar a lámha meáchan a choirp d'iompar níos faide. Thit sé síos ar a bholg.

Cuireadh in iúl dó arís go bhfeilfeadh scread, le fios a chur ar chúnamh. D'oscail sé a bhéal, ach níor tháinig gíog as a scornach. Bhí a dhúil níos láidre ná a dhoilíos. Shín sé amach a lámha, rug sé greim cruaidh ar an mbrat urláir agus tharraing sé a chorp ar aghaidh troigh mhór eile; ag déanamh ar an gcuirtín míorúilteach. Lig sé scíth ansin ar feadh tamaill, nó gur thug an tnúthán faoi arís agus gurbh éigean dó é féin a chrochadh suas ón urlár le lámhacán eile a dhéanamh.

Chuaigh sé ar aghaidh ceithre troigh den iarraidh seo, in aon ruathar mór millteach amháin. Nuair a thit sé, is ar éigin bhí sé i ndon anál a tharraingt. Bhí a lámha agus a chosa ag preabadh le pian. Ba chuma leis, ina dhiaidh sin, faoin bpian agus faoin mbagairt bheag fhaiteach a bhí ag gabháil ar a intinn; ag rá leis éirí as an aistear contúirteach seo agus glaoch ar a mháthair. Ní raibh an t-iontas lonrach ach trí troigh uaidh anois, ag cur draíochta ar a shúile lena ghleoiteacht diaga. D'ardaigh sé suas é féin arís, le gach a raibh fágtha dá neart a chaitheamh ar iarracht deireannach. Chuaigh sé ar aghaidh ansin, ag cur orlaigh i ndiaidh orlaigh thairis gan sos, nó gur shroich sé an áit ar cheap sé an cuirtín álainn a bheith crochta.

Mo léan géar! Nuair a bhuail sé isteach imeasc an tsolais lonraigh ba léar dá shúile scanraithe nach raibh rud ar bith ina sheasamh ar an aer. Ní raibh aon tuairisc feasta ar an gcuirtín glégeal a mheall é le áilleacht a chuid seod. Bhí an solas chomh láidir gurbh éigean dó bheith ag caochadh a shúl agus é ag dearcadh, faoi bhriseadh croí, anseo agus ansiúd, ar thóir an iontais a bhí caillte aige. Ansin chonaic sé an fhuinneog oscailte a thug aghaidh ar an ngairdín. Nuair a bhreathnaigh sé amach tríd, stad a chroí le scanradh, roimh méid uafásach an domhain taobh amuigh.

Amach uaidh agus amach, do shroich éadan an domhain gan teora, amach thar an ngairdín bláthach, síos trí ghleann mór doimhin a bhí brataithe le crainnte agus suas arís thar sléibhte arda ag a raibh na beanna gorma buailte le díon cumasach na spéire agus seod mór cruinn amháin ag lonradh ansin thuas, mar bheadh súil Dé na Glóire.

D'fhan sé gan corr as ar feadh tamaillín agus é lán le eagla, ag breathnú ar an iontas nua seo a bhí thar chumas a thuisceana. Ansin do dhún sé a shúile lena gcosaint ar sholas na gréine. Le teacht an dorchadais thosnaigh an bhagairt fhaiteach ag gabháil arís ar a intinn. Thug sé aird uirthi anois agus a dhúil imithe i léic. Mhothaigh sé na pianta a bhí ag crá a choirp. Thuig sé go raibh achar mór siúlta aige go dtí an áit seo ina raibh sé aonraic. Thosnaigh sé ag craitheadh le uafás, d'oscail sé a bhéal agus leag sé air ag screadach. Chaith a mháthair uaithi an leabhar agus rith sí chuige go mear. Thóg sí suas idir lámha é agus í á phógadh go ceanúil. Choinnigh sé air ag béiciú fad bhí sí á thabhairt sall go dtí an chathaoir. Níor tháinig aon fhoighid ann nó gur shuigh sí síos agus é ar a hucht aici. Nuair a thosnaigh sí ag crónán os íseal agus á bhogadh go réidh anonn agus anall, d'imigh an t-uafás de agus is gearr go raibh sé ina thost. Phioc sí suas an gligín ansin den urlár agus chraith sí é amach roimhe. Rinne sé meangadh beag gáire agus rug sé ar an deis torainn ina dhá lámh. Thosnaigh sé á chraitheadh.

Anseo le taobh na bruinne ina bhfuair sé an beo ní raibh aon bheann aige ar phian ná ar chontúirt an tsaoil. Anois ba hé glór binn a mháthar bhí á chur faoi dhraíocht; ach go raibh an mealladh seo ciúin agus cineálta. Scuabadh glan amach as a mheabhair cuimhne ar an dochar a d'fhulaing sé agus é ag déanamh mórthriail go doras an domhain. Tháinig sámhnas air agus leisce. Shín sé amach a chosa go righin, lig sé osna fada agus theann sé isteach go dlúth le corp teolaí a mháthar. Thosnaigh sé ag taibhreamh agus a shúile móra gorma lánoscailte.

Chonaic sé arís an cuirtín lonrach agus mhothaigh sé an t-áthas a chuir rince na seod ar a chroí. Chonaic sé méid cumasach an domhain ag sroicheadh amach ón bhfuinneog, thar an ngairdín bláthach agus thar ghleann mór na gcrann, go beanna gorma na gcnoc. Chonaic sé súil ghlégeal Dé ag scairteadh, thuas amach i bhfairneacht na spéire.

Nuair a dhún sé a shúile faoi dheireadh agus é ag titim ina chodladh, bhí sé ag craitheadh le dúil in aistear eile a thabhairt amach ón mbroinn, tríd an domhan a bhí taobh thiar den chuirtín lonrach, aistear i ndiaidh aistir, go deireadh a bheatha corpartha, ag comhlíonadh dualgais an chine dhaonna, le eagla agus doilíos agus áthas, trí ghairdíní bláthacha agus gleannta iargúlta, go dtí beanna na sliabh ag bun na spéire agus suas as sin, nó go seasfadh sé os comhair súile Dé.

— Liam Ó Flaithearta

GLUAIS

- naíonán - leanbh *(baby)*
- gligín - deis torainn *(rattle)*
- scairt - béic *(roar)*
- scathamh - tamall *(a while)*
- gleoite - álainn *(lovely)*
- mhothaigh sé - bhraith sé *(he felt/experienced)*
- bhí ciontach leis - ba chúis leis *(was the cause of)*
- fothuiscint - tuiscint ó nádúr *(instinctive understanding)*
- call - gá *(need)*
- uaill - béic *(cry/shout)*
- a phluca ramhra - a leicne ramhra *(his plump cheeks)*
- gliondar - áthas *(delight)*
- ag lonradh - ag taitneamh *(shining/sparkling)*
- bhreathnaigh sé - d'fhéach sé *(he looked at)*
- bhí an oiread sin samhnais - bhí sé chomh corraithe sin *(he was so excited)*
- aird - aire *(attention)*
- adhradh a shúl - a shúile cíocracha *(his adoring eyes)*
- mórchaitheamh - iarracht mhór *(a great effort)*
- a chlab íochtarach - a bhéal íochtarach *(his lower lip)*
- go díocasach - le fonn *(enthusiastically)*
- míobhán - mearbhall *(dizziness)*
- a dhoilíos - a phian/a bhrón *(his pain/sorrow)*
- den iarraidh seo - an t-am seo *(this time)*
- ruathar mór millteach - sciúird an-mhór *(a great rush)*
- in ndon - in ann/ábalta *(able)*
- ag preabadh le pian - bhraith sé pian iontu *(throbbing with pain)*
- contúirteach - baolach *(dangerous)*
- mo léan géar - mo bhrón *(alas)*
- tuairisc - tásc *(sign)*
- ag caochadh a súl - ag sméideadh a súl *(blinking)*
- méid uafásach - achar an-mhór *(terrible extent)*
- faiteach - eaglach *(frightening/fearful)*
- i léic - maolaithe *(fading/diminishing)*
- aonraic - leis féin *(isolated/alone)*
- ag craitheadh - ag crith *(shaking)*
- go mear - go tapa *(quickly)*
- níor tháinig aon fhoighid ann - níor chiúnaigh sé *(he didn't calm down)*
- ní raibh aon bheann aige - ba chuma leis faoi *(he didn't care about)*
- dochar - díobháil *(harm)*
- sámhnas - síocháin *(peace)*
- méid cumasach - achar an-mhór *(the huge extent)*
- súil ghlégeal Dé - an ghrian *(the bright eye of God - the sun)*

A THIG NÁ TIT ORM

―――――――― An t-Údar ――――――――

Maidhc Dainín Ó Sé. Rugadh i nGaeltacht Chorca Dhuibhne é sa bhliain 1942.
Chaith sé tamall ag obair i Sasana agus tamall eile i Chicago. D'fhill sé ar Éirinn i
1969 agus thóg a chlann i gCorca Dhuibhne. Is file, scríbhneoir, amhránaí agus
ceoltóir é. Tiomáineann sé leoraí de ló agus bíonn sé ag seinm a bhosca ceoil
istoíche.

Leagan Gearr den Scéal

Réamhrá

D'fhág an t-údar Maidhc Dainín Ó Sé a bhaile dúchais agus chuaigh sé ar imirce in
aois a chúig bliana déag go leith. Chaith sé seal i Sasana ach ansin d'imigh sé go
Chicago Mheiriceá. Bhí post maith aige i Sears Roebuck agus bhíodh sé ag seinm ceoil
istoíche sna clubanna Gaelacha. Bhí sé míshásta leis féin, áfach, mar bhí sé ag éirí ró-
thugtha don ól.

∗ ∗ ∗ ∗ ∗ ∗ ∗ ∗

D'fhág Maidhc an *Holiday Ballroom* oíche amháin agus na cosa guagach faoi de
dheasca na dí. Thuig sé go gcaithfeadh sé éirí as an ól mar bhí cailíní breátha ag gabháil
thairis agus gan é ábalta a dhá chois a stiúradh i gceart. Ghlaoigh cara air, fear as Ciarraí
Thuaidh agus thug síobadh dó ina ghluaisteán. Pádraig Ó Conchúir b'ainm dó. Shuigh
sé isteach sa suíochán deiridh. Bhí cailín darbh ainm Jeannie Costello le Pádraig i
dtosach an ghluaisteáin. D'aithin Maidhc Jeannie go maith mar bhí air éalú óna hathair
tamall roimhe sin! Bhí cailín eile ina suí in aice le Maidhc sa suíochán deiridh.
D'fhiafraigh sé di cérbh í agus rinne iarracht a dhá láimh a chur ina timpeall ach
d'iompaigh sí air. "Coinnigh do dhá láimh chugat féin" ar sise "mar tá an oíche tugtha
ag ól agat." Mhínigh Jeannie ansin gurbh í Caitlín Nic Gearailt ó Oileán Chiarraí. D'fhan
Caitlín istigh i gcúinne an tsuíocháin agus troigh go leith slí idir í féin agus Maidhc.

Lá breithe Chaitlín ba ea é agus iarradh ar Mhaidhc dul ar ais leo go dtí a hárasán i Sraid Grace chun braon tae agus blúire den chíste a ithe. Nuair a shroich siad an áit cheap Maidhc go mba chóir dó fanacht mar a raibh sé ach ghlaoigh Caitlín air agus d'iarr air braon tae a ól.

Nuair a chuaigh sé isteach san árasán bhí a sheanchara Mike Scollard ann agus é i bhfochair chailín rua. Ba í sin Peig, deirfiúr Chaitlín. Shuigh siad go léir síos, Maidhc, Caitlín, Pádraig agus Jeannie, Mike agus Peig. Lasadh ocht gcoinnle déag ar an gcáca breithlae agus mhúch Caitlín iad. Ba ghearr go raibh siad ag caint is ag comhrá agus ag insint scéalta grinn. Bhí Caitlín ina suí in aice le Maidhc agus í ag baint an-shásaimh as an gcraic. Bhain sé lán a dhá shúil as Caitlín. Fámaire breá dathúil de chailín ba ea í. Bhí sé a cúig a chlog ar maidin nuair a scar siad. Sular imigh siad thug Caitlín a huimhir ghutháin do Mhaidhc.

Lá arna mhárach chuaigh Maidhc ar Aifreann a dó dhéag. Ba bheag paidir a dúirt sé ach é ag smaoineamh ar Chaitlín an t-am ar fad. Cheap sé go raibh an blúire páipéir a raibh a huimhir ghutháin air caillte aige ach nuair a d'fhill sé ar a árasán, bhí a dheirfiúr Máirín tar éis teacht air. Ní raibh sé sásta gur ghlaoigh sé ar Chaitlín. Chuaigh siad amach an oíche sin go dtí an *Keyman* mar a raibh Johnny Ó Connor ag seinm. Rinceoir den chéad scoth ba ea Caitlín agus í an-éadrom ar a cosa. Dúirt sí gur fhoghlaim sí a cuid rince i halla beag i Scairteach an Ghleanna. Ba bheag a ól Maidhc an oíche sin bhí sé chomh sásta le comhluadar Chaitlín.

Agus iad ag fágáil an halla thug sé faoi deara go raibh Jeannie ag cur cogair i gcluais Chaitlín. Fuair sé amach ansin go ndúirt Jeannie gur "ghiolla aon oíche" Maidhc. Ní raibh Caitlín ró-bhuartha, áfach. Dar léi go raibh Jeannie in éad léi. Mhínigh sí ansin go mbeadh áthas uirthi dá dteastódh ó Mhaidhc dul amach léi arís. Thuig Maidhc ansin go raibh an-chion ag Caitlín air. Mhothaigh sé "galar an ghrá" a bhí ar nós sreang leictreach beo a bhéarfá air. As sin amach bhídís i gcónaí i bhfochair a chéile. Mhínigh Maidhc go raibh i gceist aige filleadh ar Éirinn faoi dheireadh. Bhí Caitlín sásta glacadh leis sin agus pósadh iad in Aibreán 1962. Ó bhíodh Maidhc ag ceoltóireacht thall agus abhus ar fuaid na cathrach, bhí aithne aige ar an saol agus a mháthair. Ní raibh an dara rogha acu, mar sin, ach pósadh mór a bheith acu. Bhí an-lá acu mar bhí ceoltóirí as gach aird ag an mbainis.

Mhair siad go sona sásta, Maidhc ag obair leis i Sears Roebuck agus Caitlín ag obair i monarcha tae. Bhíodh Maidhc ag seinm trí oíche sa tseachtain agus ba ghearr go raibh bonn an-mhaith airgid acu.

GLUAIS

- ar imirce - thar lear (*emigrated*)
- seal - tamall gearr (*a while*)
- ró thugtha don ól - bhí dúil ró-mhór aige san ól (*too fond of drink*)
- na cosa guagach faoi - ní raibh sé ábalta siúl i gceart (*his legs were unsteady*)
- ag gabháil thairis - ag dul thar bráid (*passing by*)
- síobadh - marcaíocht (*lift*)
- i dtosach an ghluaisteáin - sa suíochán tosaigh (*in the front seat*)
- d'iompaigh sí air - chas sí go feargach air (*she turned on him*)
- tugtha ag ól - caite ag ól (*spent drinking*)
- Oileán Chiarraí (*Castleisland*)
- blúire - damhad/píosa (*slice*)
- i bhfochair - i dteannta (*in the company of*)

Sleachta Roghnacha

GLUAIS

- mhúch Caitlín - shéid Caitlín amach *(Caitleen blew them out)*
- as an gcraic - as an sult *(the craic/fun)*
- bhain sé lán a dhá shúl as - Bhí sé ag faire go géar *(He was eyeing her up and down)*
- fámaire breá dathúil - Cailín álainn córach *(a fine well-built girl)*
- lá arna mhárach - an lá dar gcionn *(the following day)*
- blúire páipéir - píosa páipéir *(piece of paper)*
- rinceoir den chéad scoth - togha rinceora *(a first class dancer)*
- Scairteach an Ghleanna *(Scartaglen)*
- giolla aon oíche - duine a fhágfadh cailín tar éis oíche amháin *(a one night stand)*
- ró-bhuartha - ró-imníoch *(too concerned)*
- galar an ghrá - aicíd na seirce *(love-sickness)*
- sreang leictreach beo - sreangán beo aibhléise *(a live-wire)*
- ag ceoltóireacht - ag seinm ceoil *(playing music)*
- aithne aige ar an saol agus a mháthair - bhí aithne aige ar gach aon duine *(he knew everyone)*
- as gach aird - as gach áit *(from everywhere)*
- bonn an-mhaith airgid - go leor airgid i dtaisce *(a good financial base)*

HOUSE DON'T FALL ON ME!

Introduction

The author, Mike Daneen O Shea, left his native home and emigrated when he was fifteen and a half years of age. He spent some time in England but then went to Chicago in America. He had a good job in Sears Roebuck and used to play music in the Irish clubs at night. He was unhappy, however, as he was getting too fond of drink.

* * * * *

Mike left the *Holiday Ballroom* one night and he was unsteady on his feet from drink. He realised that he would have to give up drink because fine girls were walking past him and he could barely move his legs. Pat O'Connor, a friend of his from North Kerry, called him over and gave him a lift in his car. He sat into the back seat. There was a girl named Jeannie Costello in the front seat of the car. Mike remembered her well because he'd had to escape from her father some time before! There was another girl sitting beside Mike in the back seat. He asked her who she was and tried to put his arms around her but she turned on him. "Keep your hands to yourself," she said, "since you've spent the night drinking." Jeannie then explained that she was Kathleen Fitzgerald from Castleisland. Kathleen sat on the edge of the seat with a foot and a half between herself and Mike.

It was her birthday and Mike was asked to go back to her apartment on Grace St. to have tea and a slice of cake. When they reached the place Mike felt he should stay put but Kathleen called him and asked him to have a cup of tea.

When he went into the apartment his old friend Mike Scollard was there with a red-haired girl. This was Kathleen's sister, Peig. They all sat down, Mike, Kathleen, Pat and Jeannie, Mike and Peig. Eighteen candles were lit on the birthday cake and Kathleen blew them out. They were soon chatting and telling jokes. Kathleen was sitting beside Mike and was really enjoying the fun. He looked Kathleen up and down. She was a fine handsome girl. It was five in the morning when they left. Before they parted Kathleen gave Mike her phone number

The following morning Mike went to twelve o'clock Mass. He said few prayers as he was thinking of Kathleen all the time. He thought he'd lost the slip of paper on which her number was written but, when he returned to his apartment, his sister Maureen had found it. He wasn't happy until he had rung Kathleen. They went out that night to the *Keyman* where Johnny O'Connor was playing. Kathleen was a first class dancer and she was very light on her feet. She said she'd learned her dancing in a small hall in Scartaglen. Mike drank little that night as he was so happy in Kathleen's company.

As they were leaving the hall he noticed Jeannie whispering in Kathleen's ear. He found out that she had described him as a "one night stand". Kathleen was not too bothered, however. She felt Jeannie was jealous of her. She then explained that she would be happy to go out with Mike again. Mike realised that she was very fond of him. He experienced love sickness which was like taking up a live wire.

From that time on they were always together. Mike explained that it was his intention to return to Ireland finally. Kathleen accepted this and they were married in April 1962. Since Mike had been playing music all over the city he knew everyone. They had no choice but to have a big wedding. They had a great day as there were musicians from every area at the reception.

They lived happily and contentedly, Mike working in Sears Roebuck and Kathleen working in a tea factory. As Mike was playing three nights a week they soon had a good financial base.

TÉAMA AN SCÉIL
Téama an ghrá agus an chaoi a gcuirtear os ár gcomhair é.
Taispéantar dúinn go raibh Maidhc míshásta leis féin. Bhí sé ar meisce go minic agus bhí gá aige le cailín a chuirfeadh ar bhóthar a leasa é. Níor ghlac Caitlín leis láithreach. Dhiúltaigh sí dó mar bhí sé ar meisce. Bhí meas aige dá réir sin uirthi.

Bhain Maidhc lán a dhá shúl as Caitlín. Cailín álainn córach ba ea í agus bhí seisean faoi dhraíocht aici. Bhíodh sé ag smaoineamh uirthi an t-am ar fad agus ní raibh sé ábalta díriú ar aon rud.

Tá sé soiléir ón sliocht go raibh an-chion ag Caitlín ar Mhaidhc. D'iarr sí air teacht isteach oíche a breithlae cé gur chas sí uirthi roimhe sin. Níor ghlac sí le tuairim Jeannie gur "ghiolla aon oíche" Maidhc. Dúirt Maidhc go raibh "galar an ghrá" ar nós sreang bheo a bhéarfá air.

Tá stíl bheo ghreannmhar ag Maidhc Dainín agus tarraingíonn sé an léitheoir.

PRÍOMHPHOINTÍ
- Léiríonn an sliocht seo conas mar a bhuail Maidhc Dainín lena bhean Caitlín.
- Tá an grá mar théama sa sliocht ach tá greann le feiceáil freisin.
- Bhí Maidhc ag éirí an-tugtha don ól agus é i Chicago. Uaireanta ní raibh sé ábalta siúl i gceart.

- Agus é ag fáil síobadh óna chara Pádraig cuireadh in aithne é do Chaitlín.
- Choimeád sise fad a rí uaithi é *(kept him at arm's length)* mar bhí sé ar meisce.
- Bhí Caitlín ocht mbliana déag d'aois. Iarradh ar Mhaidhc dul isteach go dtí a hárasán chun blúire císte a ithe.
- Bhí an-chraic aige an oíche sin mar bhí an comhluadar go maith.
- Thug Caitlín a huimhir ghutháin dó agus é ag imeacht.
- Bhí sé ag síorsmaoineamh uirthi as sin amach. Cailín álainn córach ba ea í.
- Chuir sé glaoch uirthi agus chuaigh siad amach le chéile. Bhí an-oíche acu agus rinceoir maith ba ea Caitlín.
- Thuig Maidhc go raibh galar an ghrá air. Pósadh é féin agus Caitlín agus bhí bainis mhór acu.

 CEISTEANNA

Meaitseáil na ceisteanna seo a leanas (**A, B, C, D**) leis na freagraí thíos (**1-4**) agus scríobh amach go hiomlán iad, san ord ceart.

A Déan cur síos ar "ghalar an ghrá".
B Cén fáth, dar leat, ar chas Caitlín air sa ghluaisteán?
C Cén chaoi ar chaith siad oíche bhreithlae Chaitlín?
D Cén fhadhb a bhí ag Maidhc agus é ag obair i Chicago?

 FREAGRAÍ

1 Thuig sí go raibh Maidhc ar meisce. Bhí seisean tar éis a dhá láimh a chur timpeall uirthi.
2 Chuaigh siad ar ais go hárasán Chaitlín. D'ith siad císte breithlae agus d'ól siad tae. Chaith siad an oíche ag caint, ag comhrá agus ag insint scéalta grinn.
3 Bhí sé ag éirí ró-thugtha don ól agus ba mhinic é ar meisce. Ní raibh ar a chumas bualadh leis na cailíní áille a bhíodh ag gabháil thairis.
4 Bhí Maidhc gafa. Bhíodh sé ag smaoineamh ar Chaitlín an t-am ar fad agus bhí sé ar nós sreang leictreach a bhéarfá air.

 CEISTEANNA BREISE

Léigh na ceisteanna seo a leanas (**E, F, G, H**) agus ansin líon isteach na freagraí (**5-8**) ag baint úsáide as an bhfoclóir tugtha.

E Cén chaoi ar thuig Maidhc go raibh cion ag Caitlín air?
F Cérbh í Jeannie sa sliocht?
G Cén fáth, dar leat, ar thug Pádraig Ó Conchúr síobadh do Mhaidhc?
H Cén fáth, meas tú, a raibh bainis mhór ag Maidhc agus Caitlín?

 FREAGRAÍ

Líon isteach na bearnaí trí úsáid a bhaint as an bhfoclóir ceart thíos.

5 Thug sí (1) _____ dó teacht isteach dá hárasán oíche a breithlae cé gur chas sí air (2) _____ sin. Shuigh sí in aice leis agus thug sí a huimhir ghutháin dó.

6 (3) _____ ba ea í a chuaigh amach le Maidhc roimhe sin. Bhí air
(4) _____ na hathair. Bhí sí ag siúl amach le Mike Scollard, cara Mhaidhc. Is
(5) _____ go raibh sí in (6) _____ le Caitlín mar dúirt sí gur "ghiolla aon
oíche" Maidhc.

7 Bhí cosa Mhaidhc (7) _____ tar éis an óil. Chonaic Pádraig é agus thug sé (8)
_____ dó.

8 Bhíodh Maidhc ag (9) _____ ceoil i ngach áit ar fuaid na cathrach. Bhí (10)
_____ aige ar go leor (11) _____ . Ní raibh an dara (12) _____ aige ach
bainis mhór a bheith aige féin agus ag Caitlín.

CLEACHTAÍ

1 Cén fáth a raibh cosa Mhaidhc guagach?
2 Cárb as dá chara Pádraig?
3 Cén fáth ar chas Caitlín ar Mhaidhc?
4 Déan cur síos ar ar tharla san árasán.
5 Conas a tháinig Maidhc ar uimhir ghutháin Chaitlín faoi dheireadh?
6 Céard dúirt Jeannie le Caitlín faoi Mhaidhc?
7 Déan cur síos ar an mbainis.
8 Conas a tharla go raibh bonn maith airgid acu?

Sliocht as
A THIG NÁ TIT ORM

D'fhágas halla rince an *Holiday Ballroom* aon oíche amháin agus na cosa guagach go maith fúm agus mé bailithe go maith de chúrsaí an tsaoil. "Sea mhuise, tuilleadh an diabhail chugatsa a Mhaidhc Dainín. Halla lán de mhná agus ní bhogais do chos ón gcúntar i rith na hoíche ar fad. Nuathair thug t-athair tamall maith ag plé leis an ndeoch sula dtáinig ciall dó in aois a leathchéad bliain nuair a thóg sé an *pledge*. A Mhuire, cailíní breátha ag gabháil tharam is ag beannú dhom agus gan mise ábalta ar mo dhá chois a stiúradh i gceart. Ar m'anam ach go gcaithfidh sé stad." B'shin iad na smaointe a bhí ag rith trí mo aigne agus mé ag fágaint an halla. Nuair a fuaireas mé féin taobh amuigh ar an sráid stadas ar feadh tamaill agus thairringíos m'anáil isteach. Bhí solas tráchta díreach ag cúinne an halla, áit a raibh orm féin an sráid a thrasnú chun bus a fháil ón dtaobh eile a thabharfadh abhaile mé. Faid a bhí an solas glas do bhuaileas mo láimh ar an bpola chun prapa a thabhairt dom. D'athraigh an solas agus thugas m'aghaidh trasna nuair a fuaireas an trácht stopaithe. Dheineas iarracht an líne bhán a bhí ag gabháil trasna na sráide a leanúint, mar dhea go siúlóinn díreach. "Hé a Mhichíl." D'fhéachas soir agus d'fhéachas siar. "Thall anseo sa ghluaisteán." D'fhéachas sall. Fear ó Chiarraí Thuaidh a raibh aithne agam air ó thána go Chicago a bhí ag caint. "Tair linne sa ghluaisteán, táimid ag dul i dtreo do thí." D'oscail doras cúil an ghluaisteáin. "Léim isteach a Mhaidhc. *I think you are a bit on the Kildare side.*" Dheineas rud air agus chuas isteach ar shuíochán deiridh an ghluaisteáin agus bheannaíos do mo chara, Pádraig O Conchúir. Tháinig scartadh breá gáire mná ó thosach an ghluaisteáin. D'aithníos láithreach í. "An tusa atá ann a Jeannie Costello?" Bí siúd an cailín a thugas abhaile liom oíche agus go mb'éigean dom teicheadh nuair a tháinig a hathair ar an láthair. Bhí cailín eile suite in aice liom ar an suíochán deiridh. "A Mhichíl, ní fheaca tú chomh trom ar deoch ariamh," arsa an Conchúrach. "Ó, a Phádraig, fear gan bhean gan chlann, fear gan beann ar éinne." D'fhéachas ar an gcailín a bhí i mo aice. Ní raibh aon ní á rá aici ach ag tógaint gach rud isteach. "Is cé hí tú féin nuair a bhíonn tú aige baile?", a dúrtsa agus mé ag iarraidh mo dhá láimh a chur ina timpeall. D'iompaigh sí orm. "Coinnigh do dhá láimh chugat féin," ar sí, "mar tá an oíche tugtha ag ól agat." Ansin labhair Jeannie ón suíochán tosaigh. "Caitlín Nic Gearailt ó Oileán Chiarraí is ainm di agus is minic a bhís ag caint léi sa *Keyman's Club*." "*O my!* ní maith é an t-ól agus an ragairne." Thugas iarracht mo dhá shúil a dhíriú uirthi agus radharc cheart a fháil uirthi, ach ní ró-mhaith a bhí ag éirí liom. D'fhan sí ansiúd agus í fáiscithe isteach i gcúinne an tsuíocháin agus troigh go leith slí eadrainn. "Sé inniu lá breithe Chaitlín," arsa Jeannie. "Táimid chun braon tae agus blúire den gcíste a bheith againn i dtig Chaitlín sula dtabharfam ár n-aghaidh abhaile. An bhfuil deabhadh ort a Mhichíl?" Ní raibh cuid de dheabhadh ormsa. Ag taisteal síos *Cicero Avenue* a bhíomair faoin dtráth seo. "Fair amach do Shráid Grace," arsa Caitlín ag glanadh an cheo d'fhuinneoig an ghluaisteáin. Chas Pat an gluaisteán ar chlé suas cúlshráid chiúin agus pháirceáil sé lasmuigh de bhungaló le bríceanna buí ag maisiú an fhalla tosaigh. Léim Caitlín amach as an ngluaisteán ar dtúis agus lean an bheirt eile í. Cheapas gurb fhearr fanacht san áit ina rabhas ar eagla go dtabharfaí íde béil orm. Bhíodar triúr ag siúl i dtreo an dorais. D'fhéach Caitlín ina diaidh. "Cá bhfuil Micheál Ó Sé?" ar sí agus iontas uirthi ná feaca sí ag teacht mé. Rith Caitlín ar ais go dtí doras an ghluaisteáin agus d'oscail sí é. "Era téanam ort isteach chun braon tae a Mhaidhc." Ní rabhas ag braith ró-mhaith liom féin faoin dtráth seo. "Tair isteach agus ná faigh *pneumonia*." Leanaíos isteach go breá socair í. Bhí Pat agus Jeannie suite istigh ag an mbord sa chistin agus an diabhal de sciotraíl orthu. Shuíomair go léir chun boird an fhaid a bheimis ag fanacht leis an dtae. Ní fada gur oscail doras tosaigh an tí agus tháinig cailín cinn rua isteach sa chistin agus cé bheadh ina fochair ach mo sheanchara Mike Scollard. Chuir Caitlín in aithne dúinn an cailín deas rua. Ba í a deirfiúr Peig a bhí inti. "Cad é an saghas cruinniú atá anseo?" a dúirt Mike agus bitsíocht ina ghuth. "An cruinniú de bhaitsiléirí Chiarraí atá ann." Ansin lig sé liú mhór as. *"Up Kerry!"* Chun an fhírinne a d'insint ní dúrt féin puinn mar ní ró-mhór istigh liom féin a bhíos sa chomhluadar. Cuireadh cupán, pláta agus forc os comhair gach éinne againn. Ansin thóg Caitlín císte mór amach as an reoiteoir agus hocht gcoinnle déag sáite ann. Lasadh na coinnle agus cuireadh iachall ar Chaitlín iad a mhúchadh. "Cad é an rún a ghuís?" arsa Mike Scollard, "is dócha gur fear le leabhar bainc teann atá uait." Ní dúirt sí faic ach thosnaigh sí ag gearradh an chíste. Ansin thosnaigh Mike Scollard ag scéalaíocht. "Is cuimhin liom seachtain sar a ndeineas mo chéad Chomaoine. Tháinig an sagart ar scoil chun sinn a cheistiú. An mhaidin chéanna sin fuair seanduine bás ar an mbaile. Láimh le crosaire a bhí cónaí ar an seanduine. Ghaibh an sagart chugam féin anuas. *"Scollard, who died on the Cross?"* an cheist a chur sé orm. Thugas freagra tapaidh gan smaoineamh. *"The Kaiser"*. B'shin é an ainm a bhí ar an bhfear a fuair bás ar maidin. Bhí béal Phat O'Connor lán aige leis an gcíste ach leis an racht gáire a tháinig air phléasc a raibh istigh ina bhéal amach ar fuaid an bhoird. Bhí Caitlín suite i mo aice féin agus í ag baint an-shásamh as an gcraic. Tairringíonn scéal scéal eile agus mar sin a bhí againne an oíche úd. Nuair a d'fhéach duine éigin ar an gclog bhí sé a cúig a chlog ar maidin. Faoin am seo bhí lán mo dhá shúl bainte agam as Chaitlín. Fámaire breá dathúil de chailín ab ea í, ar m'anam. Cad é an diabhal a bhí orm gur ólas an oiread sin ag an rince. Tar éis gach beart a tuigtear. De gheit léim Peig den gcathaoir. "An bhfuil aon bhaile ag éinne agaibh." "Bogaimís a fheara, sula raidfidh an bhean rua an chairt," arsa Scollard. Nuair a bhíos ag déanamh amach ar an ndoras tosaigh bhraitheas Caitlín ag teacht i mo dhiaidh. Nuair a bhí gach éinne ag comhrá lasmuigh de dhoras do chuir sí blúire pháipéir isteach i mo phóca. Ní ligeas faic orm ach ghabhas a buíochas agus léimeas isteach i ngluaisteán Phat O'Connor. D'osclaíos an fhuinneog d'fhonn aer a ligean isteach chugam féin. Labhair sí ón dtaobh amuigh. "Cathain a fheicfead arís thú?" arsa Caitlín. "Sea," arsa mise, i mo aigne féin, "cad é seo." Dúrt léi go gcuirfinn glaoch telefóin uirthi i rith na seachtaine.

Is go dtí Aifreann a dó-dhéag a chuas larnamhárach. Mise dá rá leat ná raibh an cloigeann ar fónamh. I rith an Aifrinn ar fad agus mé ag iarraidh paidir a rá rith eachtraí na hoíche roimhe sin trasna ar mo aigne níos mó ná uair amháin. Faoi mar a bheadh Sátan ansiúd ar a chroí díchill ag tarraingt na bpictiúirí os comhair mo shúl. Thagadh Caitlín Nic Gearailt agus a gúna deas gorm uimpi go soiléir os comhair mo shúl. Ansin chraithinn mo cheann. " Dhera a Mhaidhc Dainín cad é an diabhal atá ort; ná fuil milliún cailín chomh maith léi mór-thimpeall na cathrach seo." Deirinn paidir eile, nó bhaininn triail as phaidir a rá, ach b'shiúd arís í agus í ag cur rud éigin síos i mo phóca. Thosnaíos ag cuardach i bpóca mo chasóige. An póca clé, ní raibh sé ann. An póca deas, ní raibh sé ann. Tásc ná tuairisc ní raibh ar mo bhlúire páipéir. Cheapas ansin gurb fhéidir gur ag taibhreamh a bhíos nó go raibh buirlithe dí orm. B'fhéidir nár bhuaileas lena leithéid de chailín in aon chor. Ach ní foláir nó gur bhuaileas. "Ó go maithe Dia dhom mo pheacaí agus nach orm atá an cúram i lár an Aifrinn bheannaithe." Bhí an dinnéar ullamh ag mo dheirfiúr Máirín nuair a bhaineas an t-árasán amach. "Cén t-am a bhainise amach an baile ar maidin?" ar sí ag caitheamh drochshúil i mo threo. "Ní fhéadfainn é sin a fhreagairt go cruinn duit ach bhí an lá ag gealadh nuair a bhíos ag cur na heochrach isteach sa doras. Cogar, an bhfuairis aon bhlúire pháipéir ar an dtalamh ar maidin?" Ní ró-shásta a bhí Máirín le mo gheáitsí. "An í siúd a choimeád amuigh thú go maidin?" D'fhreagraíos í go ciotrúnta. "Cogar anois tá mo mháthair in Éirinn!" Chuir an méid sin ag gáirí í.

"Fuaireas an blúire pháipéir. Tá sé anáirde ansin i muga ar an gcurpard." Sea, mhuis, ní rabhas ag taibhreamh tar éis an tsaoil. D'itheas mo dhinnéar agus chuireas an telefís sa tsiúl. Ach suim dá laghad ní raibh agam ann. Aon rud a dhéanfadh fothrom d'fhonn m'aigne a stiúrú ó spéirbhean na hoíche roimhe sin. Ní raibh ar mo chumas suí socair ar feadh deich nóimintí ach ag suí agus ag éirí agus ag siúl timpeall na cistineach. Bheartaíos ar deireadh go nglaoifinn ar Chaitlín. Thosnaigh an fón ag bualadh. *Hello*, cé leis atáim ag caint?" D'fhreagair an guth. "Peig atá anseo, cé tá ag caint liom." Dúrt léi cérbh é mé féin. D'fhiafraíos di an raibh Caitlín sa bhaile. Is gearr gur bhraitheas Caitlín ag teacht go dtí an bhfón. *Hello*, a Mhichíl, cheapas go raibh deireadh feicthe agam díot nuair a d'fhágais ar maidin." Thugas cuireadh dhi dul go dtí an rince faram an oíche sin. Is í siúd a ghlac leis go fonnmhar.

Ba é banna ceoil Johnny O'Connor a bhí ag seinm sa Keyman's an oíche sin. Ní fada a bhí mo chos curtha thar tairsigh agam nuair a bheir Caitlín ar mo láimh agus d'iarr orm dul amach ag rince. Ba é seo an chéad rince riamh againn le chéile. Deirimse leat go raibh sí chomh héadrom le héan ar a cosa. "Cá bhfoghlaimís do chuid rince, a Chaitlín?" a d'fhiafraíos di. "I halla beag i Scairteach an Ghleanna cheithre mhíle ó Oileán Chiarraí." Seo oíche amháin ná rabhas meáite ar cheithre uair a chloig a chaitheamh gan bogadh ón gcúntar. Deirimse leat nár mhothaíomair an oíche sin ag imeacht.

Bhíomair amuigh ag déanamh an rince deireanach nuair a bhraitheas buille á bhualadh aniar sna slinneáin orm. D'fhéachas tharm agus siad Jeannie Costello agus Pat O'Connor a bhí ag rince taobh thiar dúinn. Chonac Jeannie ag cur cogar i gcluais Chaitlín. Ansin ghluaiseadar leo arís, Jeannie agus Pat. Duine fiosrach sea mé, uaireanta, agus d'fhiafraíos do Chaitlín cad a dúirt Jeannie léi. Bhí a dóthain de leisce uirthi ar dtúis freagra a thabhairt dom ach tar éis móran tathant a dhéanamh uirthi dúirt sí liom, "bhí Jeannie ag rá liom gur *one night stand* thú!" Nach dóigh leat go bhfuil obair i gcuid des na mná. Ach dúirt Caitlín cúpla abairt ansin a fhanfaidh i mo cheann go deo. "Tuig rud amháin," a dúirt sí, "nílim i do chur isteach i gcúinne in aon chor, más maith leat is féidir leat deireadh a chur leis. Ach mura dteastaíonn sin uait is ormsa a bheidh an t-áthas." Sea, ambaist, bhí cion ag an ainnir seo orm. "Tá a fhios agam go bhfuilid siúd ag priocadh ort, ach déarfainn go bhfuil formad ar Jeannie liom," arsa Caitlín. "Anois, a Chaitlín, abair le Jeannie i gcogar eile go bhfuil coinne againn Dé hAoine seo chugainn."

"Agus an bhfuil?" ar sí. "Ó tá agus tógfam oíche sa turas é as sin amach." D'fháisc sí chugam. Bhuel chuaigh mothú éigin trí mo chorp faoi mar a bhéarfainn ar shreang leictreach a bheadh beo. Nuair a bhí an halla á fhágaint againn an oíche sin bhí leath-thuairim agam go raibh galar an ghrá ag luí sna cnámha agam, sea agus ag beirt againn. B'fhéidir go bhfuil mo dhóthain ráite agam anois.

Is dócha go dtagann galar an ghrá aniar aduaidh ar gach éinne. Ní raibh deireadh seachtaine ina dhiaidh sin ná raibh an bheirt againn i bhfochair a chéile. Chuireas in iúl di ná raibh sé meáite agam mo shaol ar fad a chaitheamh in Meiriceá agus dúirt sí siúd go mbeadh sí lánsásta maireachtaint in Éirinn dá mba shin a bhí uaim. Thosnaigh an bheirt againn ar phleanáil romhainn amach. Faoin am go mbeadh deich mbliana caite sna Stáit ag an mbeirt againn bheadh bonn maith fúinn ó thaobh airgid de.

Do phósas féin agus Caitlín Nic Gearailt ar an ochtú lá fichead d'Aibreán 1962. Toisc mise a bheith ag ceoltóireacht thall agus abhus ar fuaid na cathrach bhí aithne agam ar an saol agus a mháthair agus bhí aithne acusan orm chomh maith. Dá bhrí sin bhí orainn beirt pósadh mór a bheith againn, nó ceann éigin acu, gan éinne bheith sa tséipéal ach mé féin agus Caitlín agus na finnéithe.

Sea mhuise pósadh mór a bheadh againn. "Nuathair ní bheimid ag pósadh ach aon uair amháin," arsa Caitlín.

B'iad Joe Cooley, Séamas Cooley agus Mike Keane na triúr ceoltóirí a hireáladh. Ach bhí cuireadh ag mórán ceoltóirí eile. Tháinig cuid mhaith ann ó cheantar Oileán Chiarraí agus cuid mhaith eile ó Chorca Dhuibhne. Deirim leat nach aon seit amháin a rinceadh an lá sin ach dosaen seit. Faoi dheireadh na hoíche bhailig na ceoltóirí ar fad isteach in aon chúinne amháin agus ceol níos breátha n'fhéadfá a chlos in aon áit ar domhan leis na stíleanna éagsúla ceoil ag meascadh le chéile. N'fheadair éinne ach an leisce a bhí orm ag fágaint an oíche sin.

Níor ghaibh aon tseachtain tharainn an bhliain sin ar fad ná go raibh cuireadh go dtí pósadh éigin agam. Chuireamair fúinn in árasán Chaitlín. Bhí sé mór agus saor agus an-oiriúnach. Lean Caitlín ag obair in áit ina bpacálaidís tae agus mise ag obair i Sears Roebuck, gan trácht ar bheith ag seinm trí oíche sa tseachtain, rud a fhág go raibh bonn an-mhaith fúinn ó thaobh bídh de.

— Maidhc Dainín Ó Sé

GLUAIS

- guagach - ag lúbadh faoi *(unsteady)*
- tuilleadh an diabhail chugatsa - a chonách san ort *(serves you right)*
- nuathair - i ndóthair i.e. dár ndóigh *(of course/sure)*
- prapa - tacaíocht *(support)*
- dheineas rud air - rinne mé mar a d'iarr sé orm *(I did as he asked)*
- chomh trom ar - chomh hólta deoch *(as drunk)*
- gan beann ar - neamhspleách ar *(independent of)*
- aon ní - aon rud *(anything)*
- d'iompaigh sí orm - chas sí orm *(she turned on me)*
- tugtha - caite *(spent)*
- an ragairne - an drabhlás *(dissipation)*
- fáiscithe isteach - greamaithe isteach *(jammed in)*
- blúire - píosa *(a bit/slice)*
- deabhadh - deifir *(hurry)*
- faoin dtráth seo - faoin am seo *(by this time)*
- íde béil - go dtabharfadh sí amach dom *(telling off)*
- téanam ort - ar aghaidh leat *(come on)*
- sciotraíl - scige *(giggling)*
- ina fochair - i dteannta léi *(with her)*
- liú - béic *(roar)*
- puinn - aon rud *(anything)*
- leabhar bainc teann - go leor airgid i dtaisce *(a big bank balance)*
- crosaire - crosbóthar *(crossroads)*
- as an gcraic - as an sult *(of the fun)*

GLUAIS

- fámaire - cailín córach *(a fine girl)*
- sula raidfidh an bhean rua an chairt - sula mbíonn an bhean rua ar buile *(before the red-haired woman kicks up)*
- Iarnamhárach - an lá dar gcionn *(the following day)*
- uimpi - uirthi *(on her)*
- tásc ná tuairisc ní raibh ar - ní raibh teacht ar *(there was no sign of)*
- ag taibhreamh - ag brionglóidigh *(dreaming)*
- buirlithe dí - meascán mearaí ón ólachán *(delirium)*
- drochshúil - súil gheargach *(an angry eye/glance)*
- mo gheáitsí - m'iompar *(my antics)*
- go ciotrúnta - go cantalach *(angrily/in contrary manner)*
- sa tsiúl - ar siúl *(on)*
- spéirbhean - bean óg álainn *(beautiful young woman)*
- faram - liom *(with me)*
- ná rabhas meáite - nach raibh ar intinn agam *(that I didn't intend)*

- leisce - drogall *(reluctance)*
- go bhfuil obair - go bhfuil siad crosta *(that they're difficult/troublesome)*
- in aon chor - ar chor ar bith *(at all)*
- ainnir - cailín/bean óg *(young woman)*
- ag priocadh ort - ag piocadh ort *(picking on you)*
- formad - éad *(envy)*
- coinne - dáta *(appointment/date)*
- oíche sa turas - oíche san iarraidh *(a night at a time)*
- d'fháisc sí chugam - dhruid sí chugam *(she pressed close to me)*
- sreang leictreach - sreang aibhléise *(an electric wire)*
- i bhfochair a chéile - i dteannta a chéile *(together)*
- maireachtaint - maireachtáil *(to live)*
- bonn maith - bunús maith *(a good foundation/base)*
- ní fheadair éinne - níl fhios ag aon duine *(no one knows)*

AN PRÓS – ACHOIMRE

1 Bíodh alt agat ar shaol agus ar shaothar an údair.
2 Bíodh príomhimeachtaí agus príomhcharachtair an scéil (an ghiota) ar eolas agat.
3 Ná déan dearmad ar théama an scéil (an ghiota).
4 Tóg nóta d'fhocail nó de nathanna nua. Beidh siadsan úsáideach sa cheapadóireacht.
5 Déan staidéar ar théamaí na scéalta agus an chaoi a gcuirtear in iúl iad.

BRÍD ÓG NÍ MHÁILLE

——————— An File ———————

File anaithnid a chum an dán seo san Ochtú hAois Déag.

Bríd Óg Ní Mháille

A Bhríd Óg Ní Mháille, 's tú d'fhág mo chroí cráite
   's chuir tú arraingeacha báis trí cheartlár mo chroí;
tá na mílte fear i ngrá led éadan ciúin náireach
   's go dtug tú barr breáchta ar Thír Oireall' más fíor.   4

Níl ní ar bith is áille ná grian os cionn gairdín
   nó bláth bán na n-airne bhíos ag fás ar an draighean;
mar siúd a bhíos mo ghrá-sa le deise 's le breáchta,
   a chúl tiubh na bhfáinní a bhfuil mo ghean ort le bliain.   8

Is buachaill deas óg mé 'tá ag triall chun mo phósta
   's ní buan i bhfad beo mé mura bhfaighe mé mo mhian;
a chuisle 's a stórach, faigh réidh is bí romhamsa
   go déanach Dé Domhnaigh ar bhóithrín Droim Chliabh.   12

Is tuirseach 's is brónach a chaithimse an Domhnach,
   mo hata 'mo dhorn 's mé ag osnaíl go trom,
's mé ag amharc ar na bóithre a mbíonn mo ghrá geal ag góil ann
   's í ag fear eile pósta 's gan í a bheith liom.   16

Bríd Óg Ní Mháille (leagan próis)

Young Brigid O Malley

A Bhríd Óg Ní Mháille, chéas tú mo
  chroí,
Is chuir tú pianta an bháis trí mo chliabh;
Tá na mílte fear i ngrá le d'aghaidh
  chiúin mhodhúil
Agus is tusa an cailín is áille i dTir
  Oireall, más fíor a deirtear.   4

Young Brigid O Malley you've broken
  my heart
And you've sent pangs of death through
  my breast;
A thousand men have loved your quiet
  modest looks
And you are truly the pride of Tír Oireall.

Níl rud ar domhan is áille ná an ghrian ag
  taitneamh ar ghairdín
Nó an bláth bán a fhásann ar an
  draighean;
Sin mar atá mo mhuirnín atá chomh
  h-aoibhinn álainn,
Cailín na gruaige casta a bhfuil mé i ngrá
  léi le bliain anuas.   8

There is nothing so fair as the sun above
  a garden
Or the flower of the sloe on the
  blackthorn bush;
My love is so fair as nice and as comely,
With ringleted hair whom I've loved for a
  year

Is fear óg deas mé atá ag dul ag pósadh
Agus ní fada a mhairfidh mé mura dtarla
  a leithéid;
A ghrá mo chroí ullmhaigh tú féin agus
  bí ag feitheamh liom
Go déanach Dé Domhnaigh ar bhóthar
  beag Droim Chliabh.   12

I'm a nice young lad going to be married
And I'll not live a year if I don't get my
  way,
My love and my treasure be ready and
  waiting
Late Sunday evening by the lane at
  Droim Cliabh.

Is gruama agus is brónach a chaithim an
  Domhnach,
Tá mo hata i mo láimh agam agus mé ag
  osnaíl go brónach,
Mar tá mé ag féachaint ar na bóithre ar a
  mbíonn mo stór ag siúl
Agus í pósta le fear eile in ionad bheith
  pósta liom féin.   16

I spend my Sunday sad and weary,
My hat in my hand sighing heavily
Looking at the road where my true
  love walks
Married to another and not to me.

GLUAIS

- cráite - céasta *(tormented)*
- arraingeacha báis - pianta an bháis *(pangs of death)*
- éadan - aghaidh *(face)*
- náireach - banúil *(modest)*
- go dtug tú barr breáchta - ba tú an cailín ba bhreátha *(you were the finest girl)*

- Tír Oireall - ceantar i gContae Shligigh *(district in Co Sligo)*
- bláth na n-áirne - bláth an draighin *(flower of sloe / blackthorn)*
- a chúl tiubh na bhfáinní - a chailín a bhfuil gruaig thiubh chasta uirthi *(girl with thick curly hair)*

GLUAIS

- gean - grá *(love)*
- ní buan i bhfad mé - ní mhairfidh mé i bhfad *(I won't survive long)*
- mo mhian - mo thoil *(my wish / desire)*
- Droim Cliabh - ainm áite i gContae Shligigh *(placename in Co Sligo)*

- bláth na n-áirne - bláth an draighin
- ar mo dhorn - i mo láimh *(in my hand)*
- ag amharc - ag féachaint *(looking at)*
- ag góil - ag gabháil / ag siúl

CÚLRA AN DÁIN

Bhí an file i ngrá le Bríd Óg Ní Mháille an cailín ba bhreátha i Sligeach. Bhí sé i gceist aige í a phósadh ach, faraor, phós sí fear eile agus bhris sí a chroí.

TÉAMA AN DÁIN

Grá gan chúiteamh / grá easnamhach *(unrequited love)* is téama don dán seo. Phós an cailín fear eile agus bhris sí croí an fhile.

 PRÍOMHPHOINTÍ

- Is dán grá é seo de chuid na ngnáthdhaoine. Chum fear anaithnid é san Ochtú hAois déag.
- Cé narbh fhile gairmiúil é *(although he wasn't a professsional poet)* tá an mothú fíor agus ó chroí agus tá na samhailteacha agus na h-íomhánna an-tírúil agus an-álainn ar fad *(the similes and images are very homely and very beautiful indeed)*
- Déanann an file cur síos ar áilleacht an chailín. Bhí sé i gceist aige í a phósadh ach bhí malairt tuairime aici *(she had a change of heart)* is dócha agus phós sí fear eile.
- Bhí an file ag feitheamh léi ag bóthar Droim Cliabh ach níor tháinig sí ar an láthair. *(She didn't turn up.)*
- Fágadh ann é ag féachaint go brónach ar na bóithre agus a fhios aige go raibh an cailín ag siúl na mbóithre céanna mar bhean ag fear eile.
- Sna dánta grá seo is minic a bhíonn an cailín faoi bhrón ach, sa chás seo, is fear a bhíonn tréigthe.
- **Ochtfhoclach nó rócán** atá mar mheadaracht sa dán. Tá an dán ina cheathrúna *(quatrains)* agus ní ina véarsaí ocht líne.
- **Príomh-íomhánna** - an cur síos ar áilleacht an chailín - tá sí chomh h-álainn leis an ngrian nó le bláth bán an draighin 7rl.
- **Príomh-mhothúcháin** - áthas an fhile ag súil leis an gcailín mar bhean - brón agus briseadh croí an fhile nuair a phósann sí fear eile.

Dánta Dualgais

 CEISTEANNA

Meaitseáil na ceisteanna seo a leanas (A, B, C, D) leis na freagraí thíos (1-4) agus scríobh amach go hiomlán iad, san ord ceart.

A Cén cineál dáin é an dán seo?
B Céard a spreag an file chun an dán a cheapadh?
C Cén chaoi ar chaith an cailín leis an bhfile?
D Cén moladh a thug an file don chailín?

 FREAGRAÍ

1 Mhol sé go spéir í. Dúirt sé go raibh sí ar dhuine de na cailíní ba bhreátha i Sligeach agus go raibh sí chomh hálainn le bláth an draighin.
2 Chaith sí go dona leis. Níor tháinig sí ar an láthair chun é a phósadh agus phós sí fear eile.
3 Is dán grá é de chuid na ngnáthdhaoine. Grá easnamhach (grá gan chúiteamh) atá ann.
4 Bhí sé i gceist ag an bhfile an cailín a phósadh ach phós sí fear eile agus d'fhág sí leis féin é go brónach.

 CEISTEANNA BREISE

Léigh na ceisteanna seo a leanas (E, F, G, H) agus ansin líon isteach na freagraí (5-8) ag baint úsáide as an bhfoclóir tugtha.

F Déan cur síos ar Bhríd Ní Mháille de réir tuairisc an dáin.
G Cén bhail atá ar an bhfile de dheasca an ghrá?
H Céard leis a raibh an file ag súil?
I Cén mheadaracht atá sa dán?

 FREAGRAÍ

Líon isteach na bearnaí trí úsáid a bhaint as an bhfoclóir ceart thíos.

5 Bhí sí an-álainn. Bhí gruaig (1) _____ _____ uirthi agus í chomh deas le (2) _____ an draighin.
6 Tá a chroí (3) _____ aige agus (4) _____ an bháis trína chliabh.
7 Bhí sé ag (5) _____ go bpósfadh Bríd é ach níor (6) _____ a leithéid.
8 Ochtfhoclach nó (7) _____ atá anseo.

FOCLÓIR

A	rócán	F	briste
B	súil	G	bláth
C	chasta thiubh	H	pianta
D	tharla	J	grian
E	bóthar		

CLEACHTAÍ

1 Céard is cúis bhróin don fhile?
2 Cén bhail atá air?
3 Cén moladh a thugann an file dá ghrá?
4 Cén fáth nár phós Bríd é, meas tú?
5 A bhfuil á rá ag an bhfile i véarsa a trí a mhíniú i d'fhocail féin.
6 Déan cur síos ar mheadaracht an dáin.
7 Cén sórt dáin é an dán seo?

MAC EILE AG IMEACHT

—————————— An File ——————————

Fionnuala Uí Fhlanagáin Rugadh Fionnuala Uí Fhlannagáin i mBréachmhaigh, Caisleán an Bharraigh, Contae Mhaigh Eo agus tá cónaí uirthi i gCill Iníon Léinín, Baile Átha Cliath. Tá spéis ar leith aici in Athbheochan na Gaeilge i Meiriceá sa naoú haois déag. Tá leabhar amháin foilsithe aici agus go leor gradam Oireachtais bainte aici. Foilsíodh an dán "Mac Eile Ag Imeacht" in *Anois* agus *Foinse*.

Mac Eile Ag Imeacht

Cuirfimidne chun bóthair arís inniu
Chuig aerfort Bhaile Átha Cliath.
Deireadh an tsamhraidh buailte linn
Mac eile ag imeacht.
Eisean féin a thiománfaidh an carr
Tús curtha ar a thuras fada.
Le mionchomhrá treallach, míloighciúil
Meilfimid an aimsir.   8

Staidéar ar ríomhtheangacha
A bheidh idir lámha aige
Béarfaidh sé ar an bhfaill
Faoi spalladh gréine i Houston, Texas.
Tar éis slán a chur leis
Agus greim láimhe againn ar a chéile
Pléifimid na buntáistí a bheidh aige thall
Nach mbeadh ar fáil sa bhaile.   16

Gealgháireach, fuadrach a bheidh
Na stráinséirí inár dtimpeall.
Ní bhacfaimid le cupán caife.
Siúlfaimid go dtí an carr go mall.
Deireadh an tsamhraidh buailte linn
Mac eile ag imeacht.   22

NÓTA:

Bhí leagan eile den dán seo ag an bhfile cheana féin. Bhí línte 6, 7, 8 agus 9 mar a leanas:

Mar is maith leis an cleachtadh.   6
Beimid ag comhrá go treallach, míloighciúil   7
Ag cur thart an ama.   8

Staidéar ar ríomhchlárú   9

Leagan próis
Mar tá cleachtadh uaidh.   6
Beimid ag caint go taghdach, gan mórán céille 7
Ag cur an ama isteach.   8

Staidéar ar chlárú ríomhairí   9

Mac Eile Ag Imeacht (leagan próis)

Buailfimid bóthar arís inniu
Go dtí aerfort Bhaile Átha Cliath.
Tá deireadh tagtha leis an samhradh
Agus tá mac eile ag fágáil tíre.
Tiománfaidh sé féin an carr
Tús curtha lena aistear fada
Beimid ag caint go taghdach, gan mórán
    céille
Agus cuirfimid an t-am isteach.   8

Staidéar ar chlárú ríomhairí
A bheidh ar siúl aige
Tapóidh sé an deis
I dteas brothallach Houston, Texas.
Tar éis slán a fhágáil aige
Agus lámh a chroitheadh lena chéile
Áireoimid na buntáistí a bheidh aige thar
    lear
Nach mbeadh aige sa tír seo.   16

Meanmach, deifreach a bheidh
Na stráinséirí mórthimpeall orainn.
Ní bheidh fiú cupán caife againn.
Rachaimid go mall de shiúl cos go dtí an
    gluaisteán.
Tá deireadh an tsamhraidh tagtha
Agus tá mac eile ag fágáil tíre.   22

Another Son Leaving

We'll head off again today
To Dublin Airport.
The summer is over
Another son leaving.
He'll drive the car himself
His long journey begun
With fitful illogical talk
We'll pass the time.

Studying computer languages
Is what he'll do
He'll seize the opportunity
Under the scorching sun of Houston,
    Texas.
After saying goodbye to him
And shaking hands
We'll discuss the advantages he'll have
    over there
That he wouldn't have at home.

Bustling, cheerfully,
The strangers will throng about us.
We won't bother with coffee.
We'll walk slowly to the car.
The summer is over
Another son leaving.

GLUAIS

- cuirfimid chun bóthair - buailfimid bóthar (we'll head off / hit the road)
- buailte linn - tagtha chugainn (has come round)
- go treallach - go taghdach / go talannach (fitfully)
- míloighciúil - gan loighic / gan chiall (illogically)
- ríomhchlárú - clárú ríomhairí (computer languages)
- idir lámha - ar siúl (doing / to hand)
- ar an bhfaill -ar an deis (the chance/ opportunity)
- spalladh gréine - teas millteach (scorching sun)
- gealgháireach - lúcháireach (cheerful / in good spirits)
- fuadrach - deifreach / go driopásach (bustling / hurrying)

CÚLRA AN DÁIN

Bhí duine de mhic an fhile ag fágáil na tíre chun post a aimsiú *(getting a job)* thar lear. Tá cur síos sa dán ar thuras an fhile agus a fear céile go dtí an t-aerfort leis agus na mothúcháin a mhúscail a leithéid inti.

TÉAMA AN DÁIN

An imirce agus an brón atá ag roinnt léi is téama don dán.

 ### PRÍOMHPHOINTÍ

- Tá mac eile leis an bhfile ag imeacht go Meiriceá.
- Téann an file agus a fear céile go dtí aerfort Bhaile Átha Cliath leis agus tiománann a mac chun cleachtadh a fháil *(for practice)*.
- Tá an comhrá eatarthu go taghdach fánach *(fitful and rambling)* agus níl fúthu ach an t-am a chur isteach.
- Tá post aimsithe ag a mac i Houston, Texas agus beidh sé ag clárú ríomhairí ann faoi theas mór na gréine.
- Fágann a thuismitheoirí slán leis agus croitheann siad lámh leis.
- Luann siad na buntáistí a bheidh aige thall nach mbeidh aige in Éirinn.
- Ansin siúlann siad ar ais go mall go dtí an gluaisteán fad is a bhíonn na stráinséirí ag deifriú mórthimpeall orthu.
- Tá deireadh an tsamhraidh ann agus tá mac eile ag imeacht.
- **Saorvéarsaíocht** le rithim ghnáthchainte is meadaracht don dán. Is beag rím atá ann.
- **Príomhíomhánna:** Deireadh an tsamhraidh ag cur na h-imirce in iúl; an comhrá fánach; an cur síos ar Mheiriceá.
- **Príomhmhothúcháin:** Teannas na ndaoine; grá na dtuismitheoirí dá mac; brón na dtuismitheoirí agus é ag imeacht.

 ### CEISTEANNA

Meaitseáil na ceisteanna seo a leanas **(A, B, C, D)** leis na freagraí thíos **(1-4)** agus scríobh amach go hiomlán iad, san ord ceart.

A Cén tráth den bhliain atá ann?
B Cén fáth a bhfuil siad ag dul go dtí an t-aerfort?
C Cén sórt comhráite atá ar siúl acu sa ghluaisteán?
D Cén fáth a bhfuil mac an fhile ag tiomáint?

 ### FREAGRAÍ

1 Teastaíonn cleachtadh uaidh.
2 Tá deireadh an tsamhraidh ann agus tá an fómhar ag teacht.
3 Tá an comhrá fánach agus gan chiall.
4 Tá mac an fhile ag imeacht go Meiriceá chun post a aimsiú.

CEISTEANNA BREISE

Léigh na ceisteanna seo a leanas (**E, F, G, H**) agus ansin líon isteach na freagraí (**5-8**) ag baint úsáide as an bhfoclóir tugtha.

E   Cén cineál oibre a bheidh ar siúl ag mac an fhile i Meiriceá?
F   Cén sórt aimsire a bheidh ann?
G   Cén chaoi a bhfágann siad slán lena mac?
H   Céard a phléann siad agus é ag imeacht?

 FREAGRAÍ

Líon isteach na bearnaí trí úsáid a bhaint as an bhfoclóir ceart thíos.

5   Beidh sé ag staidéar (1) _____ ríomhairí.
6   Beidh an (2) _____ go breá (3) _____ .
7   (4) _____ siad greim láimhe ar a (5) _____ .
8   Pléann siad na (6) _____ a bheidh ag a mac i (7) _____ .

FOCLÓIR

A	Meiriceá	F	mac
B	beireann	G	brothallach
C	buntáistí	H	maith
D	clárú	I	am
E	aimsir	J	caife

 CLEACHTAÍ

1   Cén córas taistil atá ag an bfhile agus a mac?
2   Cén fáth a dteastaíonn ón mac tiomáint?
3   Cén fhianaise atá sa dán nach bhfuil fonn cainte ar a fear céile, ar an bhfile, ná ar a mac féin?
4   Cén post a bheidh ar siúl ag mac an fhile?
5   Cén sórt aimsire a bheidh i Houston, Texas?
6   Céard a dhéanfaidh an file agus a fear céile tar éis slán a fhágáil ag a mac?
7   Cén bhail a bheidh ar na daoine mórthimpeall ar an bhfile agus a fear céile?
8   Cén fáth, dar leat, nach "mbacann (siad) le cupán caife?"
9   Céard is téama don dán seo?

CHLAON MÉ MO CHEANN

─────────── An File ───────────

Séamas Ó Néill. Rugadh é i gCo. an Dúin sa bhliain 1910. Ollamh le stair ba ea é i gColáiste Oiliúna i mBaile Átha Cliath. B'eagarthóir é ar go leor irisí Gaeilge freisin. Scríobh sé drámaí, prós agus filíocht. Fuair sé bás sa bhliain 1981.

Chlaon Mé Mo Cheann

Chlaon mé mo cheann
Ar eagla go ndearcfainn
An teach ar tógadh mé ann,
Ar eagla go bhfeicfinn
Mo mháthair sa doras   5
Agus í ag fanacht go h-imníoch liom,
Nó m'athair ag pilleadh
Tráthnóna le fonn.

Chlaon mé mo cheann
Ar eagla go scilfeadh   10
Gach bliain a scéal,
Ar eagla go bhfeicfinn
An strainséir sa doras
Is go ngéillfinn don racht
In mo chléibh.   15

Chlaon Mé Mo Cheann

(leagan próis)

I Hung my Head

Chrom mé mo cheann	I hung my head
Ar fhaitíos go bhfeicfinn	For fear I'd see
An tigh inar fhás mé aníos,	The house in which I was raised,
Ar fhaitíos go bhfeicfinn	For fear I'd see
Mo mháthair ar lic an dorais 5	My mother at the door
Ag fanacht liom agus imní uirthi,	Waiting anxiously for me,
Nó m'athair ag filleadh	Or my father returning
Go toilteanach sa tráthnóna.	Gladly, in the evening.
Chrom mé mo cheann	I hung my head
Ar fhaitíos go scéithfí 10	For fear each year
Scéalta na mblianta,	Would tell its story
Ar fhaitíos go bhfeicfinn	For fear I'd see
An duine coimhthíoch sa doras	The stranger in the doorway
Is go bhfaigheadh tocht bróin	And I'd succumb to the sorrow
An lámh in uachtar ar mo chroí. 15	In my heart.

GLUAIS

- chlaon mé mo cheann - lig mé do mo cheann titim (*I hung my head / looked down*)
- ar eagla go ndearcfainn - ar fhaitíos go bhfeicfinn (*in case / for fear I'd see*)
- ag pilleadh - ag filleadh (*returning*)
- le fonn - go toilteanach (*willingly / gladly*)

- go scilfeadh - go scéithfeadh (*would betray / reveal*)
- racht - tocht bróin (*fit of sorrow*)
- i mo chléibh - i mo chroí (*in my heart (breast)*)

CÚLRA AN DÁIN

Is cosúil go ndeachaigh an file thar an teach inar tógadh é blianta roimhe sin agus nach raibh ar a chumas féachaint air mar go raibh an iomad cuimhní brónacha á chrá.

TÉAMA AN DÁIN

Imeacht aimsire nó cuimhní an fhile dá óige is téama don dán. Is minic a bhíonn brón ar an duine a théann siar ar bhóithrín na smaointe.

PRÍOMHPHOINTÍ

- Chuaigh an file thar an teach inar fhás sé suas fadó. Ní raibh sé ábalta féachaint ar an teach mar go raibh brón chomh mór sin air.
- Ba chuimhin leis a mháthair ag fanacht sa doras ag feitheamh go h-imníoch leis mar a tharla fadó agus a athair ag filleadh abhaile gach tráthnóna le fonn.
- D'fhéach an file sa treo eile mar thuig sé nach fada go dtiocfadh cuimhní na mblianta ar ais chuige.
- Thuig sé freisin go bhfeicfeadh sé stráinséir sa doras agus go mbrisfeadh sin a chroí.
- Is cosúil go raibh a thuismitheoirí marbh agus go raibh daoine eile ina gcónaí sa seanteach.
- **Saorvéarsaíocht** le rím gharbh atá mar mheadaracht sa dán.
- **Príomhíomhánna** - an file ag claonadh a chinn; na pictiúir a chruthaíonn an file dá óige.
- **Príomh-mhothúcháin** - náire, brón agus briseadh croí an fhile ag cuimhneamh ar laethanta a óige.

 ## CEISTEANNA

Meaitseáil na ceisteanna seo a leanas (**A, B, C, D**) leis na freagraí thíos (**1-4**) agus scríobh amach go hiomlán iad, san ord ceart.

A   Cén fáth, dar leat, ar chlaon an file a cheann?
B   Céard a bhíodh ar siúl ag máthair an fhile fadó?
C   Cén pictiúr dá athair a chruthaíonn an file?
D   Cé h-é "an stráinséir sa doras," meas tú?

 ## FREAGRAÍ

1   Cruthaíonn an file pictiúr d'fhear sona ag filleadh ar an teach go fonnmhar sa tráthnóna.
2   Chlaon an file a cheann mar nár theastaigh uaidh an seanteach inar fhás sé suas a fheiceáil arís.
3   Is cosúil gurb é seo duine eile a bhfuil cónaí air / uirthi i seanteach an fhile sa lá atá inniu ann.
4   Bhíodh a mháthair ag feitheamh leis an bhfile sa doras agus imní uirthi.

 ## CEISTEANNA BREISE

Léigh na ceisteanna seo a leanas (**E, F, G, H**) agus ansin líon isteach na freagraí (**5-8**) ag baint úsáide as an bhfoclóir tugtha.

E   Cén pictiúr dá mhuintir, mar a bhí fadó, a chruthaíonn an file?
F   "Ar eagla go scilfeadh gach bliain a scéal". Céard is brí leis na línte sin, dar leat?
G   Luaigh roinnt de na mothúcháin a bhraitheann an file sa dán.
H   Ar thaitin an dán seo leat? Cén fáth?

FREAGRAÍ

Líon isteach na bearnaí trí úsáid a bhaint as an bhfoclóir ceart thíos.

5   Cruthaíonn an file an (1) _____ seo a leanas: Bhíodh a (2) _____ ag feitheamh leis sa doras agus bhíodh a athair ag (3) _____ abhaile gach tráthnóna le fonn.

6   Bhí eagla ar an bhfile go mbeadh (4) _____ dóite aige ar a shaol ó shin.

7   Braitheann an file na mothúcháin seo a leanas: Bíonn sórt (5) _____ air nuair a théann sé thar an seanteach agus ansin bíonn brón agus (6) _____ _____ air nuair a thagann na cuimhní ar ais chuige.

8   Thaitin sé go (7) _____ liom mar níl sé ró-chasta, tá (8) _____ brónach air agus tá an (9) _____ ó chroí ann.

FOCLÓIR

A	mór		G	mháthair
B	mothú		H	náire
C	pictiúr		I	doras
D	cuimhní		J	blas
E	filleadh		K	chlaon
F	briseadh croí		L	dán

CLEACHTAÍ

1   Céard a thug ar an bhfile an dán seo a scríobh, meas tú?

2   "Agus í ag fanacht go h-imníoch liom". Céard atá i gceist sa líne sin, dar leat?

3   Cén fhianaise atá sa dán go raibh muintir an fhile sona fadó?

4   "Ar eagla go scilfeadh gach bliain a scéal". A bhfuil i gceist sna línte seo a mhíniú i d'fhocail féin.

5   Cén stráinséir atá sa doras, meas tú?

6   Céard is téama don dán seo?

7   Ar thaitin an dán seo leat? Cén fáth?

8   Scríobh nóta gearr ar mheadaracht an dáin.

FAOILEÁN

──────────── An File ────────────

Michael Davitt. Rugadh i gCathair Chorcaí é sa bhliain 1950. Bhain sé céim amach sa Léann Ceilteach i gColáiste na h-Ollscoile, Corcaigh, i 1971. Ba é a bhunaigh an iris **Innti** a bhí mar bhonn na nuafhilíochta sa tír seo. Is léiritheoir é in R.T.E. a bhfuil dhá chnuasach filíochta foilsithe aige.

Faoileán

Thíos ar an trá
is an mhaidin ag pléascadh sa chuan,
braithim an bás
an púca im thimpeall go buan:
féach an faoileán uaibhreach
ina bhruscar ar charraig dhubh,
cloisim amhrán uaigneach
i saoirse na farraige.   8

Bhíodh sé ar snámh
go hard os cionn tonnta ba bhán,
leath a sciatháin
ó Bheanntraí go Dún na nGall
ach tháinig an bád ola seo
trasna na farraige
is líon sé an cuan cuachach
le fual lucht an airgid.   16

Féach an faoileán uaibhreach
ina bhruscar ar charraig dhubh,
cloisim amhrán uaigneach
i saoirse na farraige.   20

Faoileán (leagan próis)

Thíos ar an gcladach
Agus an mhaidin ag breacadh go
  torannach sa chuan,
Mothaím an bás
An taibhse atá de shíor im thimpeall:
Féach ar an bhfaoileán bródúil
Is a chorp ag dreo ar charraig dhubh,
Airím amhrán brónach
I saoirse na mara.   8

Ba mhinic é ar foluain
Go h-ard os cionn na dtonnta a bhí bán,
Leath sé a sciatháin
Ó Bhá Bheanntraí go Tír Chonaill
Ach tháinig an tancaer ola seo
Trasna na mara
Agus líon sé an cuan cuarach
Le h-eisileadh lucht an rachmais.   16

Féach ar an bhfaoileán bródúil
Is a chorp ag dreo ar charraig dhubh,
Airím amhrán brónach
I saoirse na mara.   20

Seagull

Down on the shore
As the morning explodes in the harbour,
I feel death
Like a constant ghost about me:
Behold the proud seagull
Rotting on a black rock,
I hear a lonely song
In the freedom of the ocean.

Once he soared
High above waves once white,
Spreading his wings
From Bantry to Donegal
But an oil tanker came
From across the sea
And filled the bowl-shaped harbour
With rich men's effluent.

Behold the proud seagull
Rotting on a black rock,
I hear a lonely song
In the freedom of the ocean.

GLUAIS

- ag pléascadh - ag breacadh go torannach *(exploding)*
- braithim - airím *(I hear / notice)*
- púca - taibhse *(pooka / ghost)*
- ina bhruscar - é ag titim as a chéile *(disintegrating)*
- ar snámh - ar foluain *(floating / soaring)*

- ba bhán - a bhí bán uair amháin *(once white)*
- an cuan cuachach - an cuan a bhfuil cuma babhla air *(the bowl-shaped harbour)*
- fual - mún *(urine / effluent)*
- lucht an airgid - lucht an rachmais *(the wealthy)*

CÚLRA AN DÁIN

Chum an file an dán i lár na Seactóidí tar éis dó truailliú a fheiceáil i mBá Bheanntraí. Chonaic sé faoileán marbh ag dreo ar charraig sa chuan. Thuig sé gur mharaigh eisileadh ó thancaer ola an t-éan. Chuir milleadh seo na timpeallachta brón agus fearg ar an bhfile.

TÉAMA AN DÁIN

Truailliú na timpeallachta agus an tionchar a bhíonn ag seo ar an nádúr is téama don dán. Is oth leis an bhfile gur mharaigh ola ó long faoileán agus gur mhill sé an cuan.

 PRÍOMHPHOINTÍ

- Is amhrán an dán seo ag Michael Davitt ar scríobh Tríona Ní Dhomhnaill an ceol dó.
- Nuair a bhí an file cois trá maidin amháin chonaic sé faoileán marbh caite ar charraig.
- Ba chuimhin leis go raibh an t-éan seo ag eitilt go maorga os cionn cósta na h-Éireann uair amháin.
- Thuig se gurb é an t-eisileadh *(effluent)* ó long ola a mhill an cuan agus a mharaigh an t-éan.
- Thuig sé freisin gurb iad na daoine saibhre ba chúis leis an truailliú seo.
- Ba chúis bhróin dó go raibh an timpeallacht á milleadh.
- **Saorvéarsaíocht** le rím gharbh atá mar mheadaracht sa dán.
- **Príomh-mheafair** - an mhaidin ag pléascadh. An bás mar phúca timpeall an fhile. Amhrán saoirse na farraige.
- **Príomh-mhothúcháin** - brón, fearg agus frustrachas an fhile ag féachaint ar mhilleadh na timpeallachta.

 CEISTEANNA

Meaitseáil na ceisteanna seo a leanas (**A, B, C, D**) leis na freagraí thíos (**1-4**) agus scríobh amach go hiomlán iad, san ord ceart.
A   Cá bhfaca an file corp an fhaoileáin?
B   Cár chuala sé "amhrán uaigneach?"
C   Céard a mharaigh an t-éan?
D   Cé orthu a raibh an milleán?

 FREAGRAÍ

1   Mharaigh eisileadh ola ó bhád ola, an t-éan.
2   Chonaic sé corp an fhaoileáin caite ar an gcarraig dhubh.
3   Bhí an milleán ar na daoine saibhre ar leo an bád ola.
4   Chuala sé amhrán uaigneach i saoirse na farraige.

 CEISTEANNA BREISE

Léigh na ceisteanna seo a leanas (**E, F, G, H**) agus ansin líon isteach na freagraí (**5-8**) ag baint úsáide as an bhfoclóir tugtha.
E   Cén fáth, dar leat, a dúirt an file go raibh "an mhaidin ag pléascadh sa chuan?"
F   Cá raibh an faoileán le feiceáil roimhe sin?
G   Céard a rinne "an bád ola seo?"
H   Cén bhail a bhí ar an bhfaoileán?

FREAGRAÍ

Líon isteach na bearnaí trí úsáid a bhaint as an bhfoclóir ceart thíos.

5   Is (1) _____ go raibh an mhaidin ag (2) _____ agus go raibh fuaim na (3) _____ agus fuaimeanna eile arda le cloisteáil.
6   Bhí an faoileán ag (4) _____ os cionn (5) _____ na h-Éireann.
7   (6) _____ an bád (7) _____ sa chuan.
8   Bhí corp an éin (8) _____ ar charraig agus é ag (9) _____ .

FOCLÓIR

A	dreo	F	cósta
B	eitilt	G	farraige
C	cosúil	H	eisileadh
D	scaoil	I	caite
E	breacadh	J	brón

CLEACHTAÍ

1   Céard is téama don dán seo, dar leat?
2   "Braithim an bás an púca im thimpeall go buan". Céard atá i gceist ag an bhfile sna línte sin , meas tú?
3   (a) Cá mbíodh an faoileán ag eitilt?
    (b) Céard a tharla dó?
4   "Le fual lucht an airgid"
    Mínigh a bhfuil i gceist sna línte sin.
5   " . . . os cionn tonnta ba bhán"
    Cén bhail atá orthu anois, meas tú?
6   Luaigh roinnt de na mothúcháin a nochtann an file sa dán.
7   Ar thaitin an dán seo leat? Cén fáth?
8   Scríobh nóta gearr ar shaol an fhile.

147

TREALL

——————— An File ———————

Caitlín Maude. Rugadh í i Ros Muc i gConamara i 1941. Ba mhúinteoir, amhránaí, file agus aisteoir í. Fuair sí bás i 1982.

Treall

Tabhair dhom casúr
nó tua
go mbrisfead is
go millfead   4
an teach seo,
go ndéanfad tairseach
den fhardoras
'gus urláir de na ballaí,   8
go dtiocfaidh scraith
agus díon agus
similéir anuas
le neart mo chuid   12
allais –

Sín chugam anois
Na cláir is na tairní
go dtóigfead   16
an teach eile seo –

Ach, a Dhia, táim tuirseach!

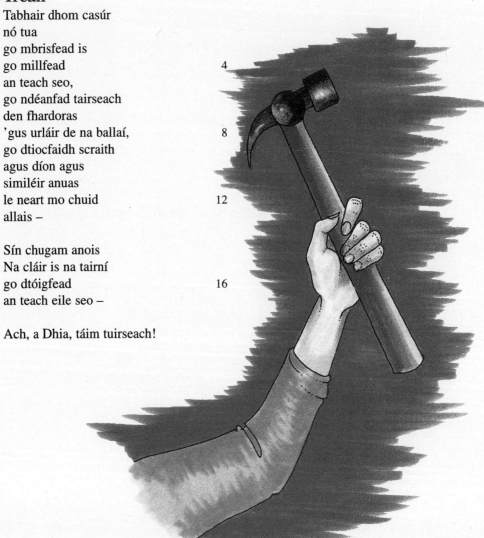

Treall (leagan próis)

Sín chugam casúr
Nó tua
Chun go mbrise agus
Go mille mé   4
An tigh seo,
Go gcuire mé an tairseach
In áit an fhardorais
Agus an t-urlár in áit na mballaí,   8
Go dtitfidh scraith
Is díon is simléir anuas
Le neart mo chuid
Saothair.   8

Tabhair dom anois
An t-adhmad agus na tairní
Go dtóga mé
An tigh eile seo-   8

Ach, a Dhia, tá mé traochta!

Impulse

Give me a hammer
Or an axe
Till I break up and
Destroy this house,
Making a threshold
Of the lintel
And floors of the walls,
Until scraw
And roof and
Chimney tumble down
By the sweat
Of my brow.

Give me over now
The boards and the nails
Till I build
This other new house-

But God, I'm so tired!

GLUAIS

- Treall - taghd, taom *(impulse, sudden fit)*
- Go mbrisfead - go mbrise mé *(till I break)*
- tairseach - an áit idir bun an dorais agus an t-urlár *(threshold)*
- fardoras - leac cloice nó adhmaid thar doras nó thar fráma na fuinneoige *(lintel)*
- scraith - fód a chuirtear faoi dhíon tuí *(scraw)*
- le neart mo chuid allais - le teann mo chuid saothair *(by the sweat of my brow)*
- go dtóigfead - go dtóga mé *(till I build)*

CÚLRA AN DÁIN

Chinn an file ar a teach a leagan agus teach eile a thógáil glan as an nua ach nuair a bhí an seanteach leagtha aici bhí sí chomh tuirseach sin nach raibh fonn uirthi an teach eile a thógáil ar chor ar bith. Ar leibhéal eile tá an file ag iarraidh an saol a athrú, rud atá dodhéanta.

TÉAMA AN DÁIN

Cinneadh an fhile an saol a athrú agus an tuiscint a leanann nach feidir é seo a dhéanamh go h-éasca.

PRÍOMHPHOINTÍ

- D'iarr an file casúr nó tua chun a teach a leagan.
- Bhí sí chun é a mhilleadh ó bhun go barr, an tairseach agus an fardoras a chur as riocht agus an díon agus an similéir a leagan.
- Nuair a bhí an gnó déanta aici d'iarr sí na cláir agus na tairní chun an teach nua a thógáil ach, faraor, bhí sí chomh tuirseach sin nach raibh fonn uirthi é sin a dhéanamh.
- Is meafar leanúnach *(extended metaphor)* an teach don saol i gcoitinne. Bíonn sé de nós ag daoine óga tabhairt faoin saol a athrú ach, le h-imeacht aimsire, tuigeann siad nach féidir é seo a dhéanamh gan dua.
- **Saorvéarsaíocht** *(free verse)* atá mar mheadaracht sa dán.
- **Príomh-mheafair** - An teach á leagan ag an bhfile ag seasamh don iarracht a dhéanann sí an saol nó a saol féin a athrú.
- **Príomh-mhothúcháin** - díograis an fhile ar dtús, tuirse agus frustrachas an fhile le h-imeacht aimsire.

 CEISTEANNA

Meaitseáil na ceisteanna seo a leanas **(A, B, C, D)** leis na freagraí thíos **(1-4)** agus scríobh amach go hiomlán iad, san ord ceart.

A   Céard is téama don dán seo?
B   Céard a theastaíonn ón bhfile?
C   Cén chaoi a léirítear nach bhfuil gnó an fhile ró-éasca?
D   Déan cur síos ar mheadaracht an dáin.

 FREAGRAÍ

1   Saorvéarsaíocht a úsáideann an file sa dán.
2   Cinneadh an fhile an saol nó a saol féin a athrú is téama don dán.
3   Teastaíonn uaithi a teach féin a leagan agus teach nua a thógáil.
4   Tá sé soiléir nach bhfuil an gnó ró-éasca mar tá an file an-tuirseach.

 CEISTEANNA BREISE

Léigh na ceisteanna seo a leanas **(E, F, G, H)** agus ansin líon isteach na freagraí **(5-8)** ag baint úsáide as an bhfoclóir tugtha.
E   Cén sórt dáin é an dán seo, meas tú?
F   Cén fáth, dar leat, ar thug an file "Treall" mar theideal ar an dán?
G   Cén chaoi a scriosfaidh an file an teach?
H   A bhfuil i gceist i línte 14-18 a mhíniú i d'fhocail féin.

FREAGRAÍ

Líon isteach na bearnaí trí úsáid a bhaint as an bhfoclóir ceart thíos.

5 Is dán (1) _____ é, 'sé sin, seasann an teach don (2) _____ nó do shaol an fhile féin.

6 Thug sí "Treall" mar theideal air mar bhuail (3) _____ í agus theastaigh uaithi a (4) _____ a leagan.

7 Úsáidfidh sí casúr nó (5) _____ agus cuirfidh sí an teach as a (6) _____ ar fad.

8 Nuair a iarrann an file na (7) _____ agus na tairní chun an teach nua a thógáil tuigeann sí go bhfuil sí (8) _____ chun an teach seo a thógáil.

FOCLÓIR

A	file	G	saol
B	fáithchiallach	H	taghd
C	tua	I	riocht
D	ró-thuirseach	J	fardoras
E	teach	K	urlár
F	cláir		

CLEACHTAÍ

1 Cén chaoi a léirítear go bhfuil an file míshásta lena saol nó leis an saol?
2 Cén leigheas a bhíonn aici ar an scéal?
3 Céard a thug ar an bhfile an dán seo a cheapadh, dar leat?
4 Cad is téama don dán?
5 Céard atá i gceist ag an bhfile i línte 6-13, dar leat?
6 Ar thaitin an dán seo leat?
7 Céard é an mothú is láidre a bhraitheann tú sa dán? Tabhair fáth le do fhreagra.
8 Mínigh bua an dáin mar mheafar leanúnach.

UAIGNEAS

──────────── An File ────────────

Breandán Ó Beacháin. Rugadh i mBaile Átha Cliath é i 1923. Tá clú amuigh air mar gheall ar a shaothar i mBéarla, *The Borstal Boy, The Quare Fella* etc. D'iarr Gael Linn air dráma a scríobh i nGaeilge agus chum sé An Giall. Aistríodh é seo go Béarla *(The Hostage).* Fear mór cuideachtan ba ea é a raibh an-tóir air. Fuair sé bás i 1964.

Uaigneas

Blas sméara dubh'
tréis báisteach
ar bharr an tsléibhe.   3

I dtost an phríosúin
Feadaoil fhuar na traenach.   5

Cogar gáire beirt leannán
don aonarán.   7

Uaigneas (leagan próis)

Loneliness

Blas sméara dubha i ndiaidh na fearthainne an mhullach an tsléibhe. 3	The taste of blackberries after rain on the mountain top.
I gciúnas an phríosúin Feadaíl fhuar na traenach. 5	In the silence of the prison The cold whistle of a train.
Gáire íseal beirt duine i ngrá don duine aonair. 7	The laughter and whispering of lovers to the solitary person.

GLUAIS

- tréis báisteach — tar éis báistí; tar éis fearthainne *(after rain)*
- i dtost — i gciúnas *(in the quiet/silence)*

- cogar gáire — gáire íseal *(low laughter/whisper and laughter)*
- aonarán — duine aonair *(solitary person)*

CÚLRA AN DÁIN

Gearradh téarma príosúin ar an bhfile mar go raibh sé gníomhach san IRA. Le linn dó bheith istigh chum sé an liric álainn seo.

TÉAMA AN DÁIN

Uaigneas i gcoitinne is téama don dán. Tá an dán an-ghonta ach tá sé an-éifeachtach. Úsáideann an file trí íomhá a léiríonn an t-uaigneas — (a) blas sméara dubha tar éis báistí ar bharr sléibhe (tá an file ag tnúth leis seo), (b) feadaíl fhuar na traenach (cuireann sin leis an uaigneas agus é faoi ghlas) agus (c) gáire beirt leannán (braitheann an duine aonair an-uaigneach ag éisteacht leo).

 PRÍOMHPHOINTÍ

- Samhlaíonn an file trí rud a chuireann uaigneas in iúl:
- An blas a bhíonn ar sméara dubha tar éis báistí ar bharr an tsléibhe.
- An fheadaíl bhrónach a dhéanann an traen nuair a chloistear í sa phríosún ciúin.
- Cogarnaíl agus gáire beirt leannán don duine aonair.
- **Saorvéarsaíocht** a úsáidtear mar mheadaracht sa dán.
- **Príomhíomhánna** *(principal images)* — Úire na sméire duibhe tar éis báistí. Gáire na leannán don aonarán.
- **Príomh-mhothúcháin** — Uaigneas agus brón an duine aonair nó an phriosúnaigh.

Dánta Roghnacha

 CEISTEANNA

Meaitseáil na ceisteanna seo a leanas (**A, B, C, D**) leis na freagraí thíos (**1-4**) agus scríobh amach go hiomlán iad, san ord ceart.

A Cá raibh an file nuair a chum sé an dán seo?
B Cén fáth, dar leat, a luann an file uaigneas le *'blas sméara dubh'*?
C Cén fáth a bhfuil feadaíl fhuar ón traein?
D Ar thaitin an dán seo leat?

 FREAGRAÍ

1 Braitheann sé fuar mar tá feadaíl na traenach an-ghéar agus cuireann tost an phríosúin leis an ngéire.
2 Bhí an file i bpríosún nuair a chum sé an dán seo.
3 Thaitin sé go mór liom mar, cé go bhfuil sé an-ghearr agus gonta, tá blas leochaileach uaigneach air.
4 Ar an gcéad dul síos is áit iargúlta barr an tsléibhe ach freisin is cuimhin leis an bhfile blas na saoirse maraon le blas úr na sméara.

 CEISTEANNA BREISE

Léigh na ceisteanna seo a leanas (**E, F, G, H**) agus ansin líon isteach na freagraí (**5-8**) ag baint úsáide as an bhfoclóir tugtha.

E Cén fáth a bhfuil feadaíl fhuar ón traein?
F Cén fáth go ngoilleann gáire beirt leannán ar an aonarán?
G Tá truamhéil ar leith sa dán seo. Cén fáth, meas tú?
H Cén ghné den dán seo is fearr a thaitníonn leat?

 FREAGRAÍ

Líon isteach na bearnaí trí úsáid a bhaint as an bhfoclóir ceart thíos.

5 Tá an príosún an-chiúin agus (1) _____ . Cuireann sin le (2) _____ agus le géire fheadaíl na traenach.
6 Bíonn an t-aonarán níos brónaí agus níos uaigní ná (3) _____ ag éisteacht le (4) _____ na leannán.
7 Tá truamhéil ar leith sa dán mar tá an (5) _____ faoi ghlas sa bpríosún agus (6) _____ sin ar an uaigneas.
8 Taitníonn (7) _____ ghonta an dáin liom go mór. Cé go bhfuil sé gearr tá sé go (8) _____ .

154

FOCLÓIR

A	áilleacht	G	file
B	uaigneach	H	dán
C	sméara	I	géaraíonn
D	riamh	J	briathra grá
E	fíorálainn	K	príosún
F	brón	L	fuaire

Téama an Uaignis / An Nádúir agus an chaoi a gcuireann an file an téama sin os ár gcomhair.

• Úsáideann an file codarsnacht sa dán.
• Tá an friotal an-ghonta ach tá an mothú ó chroí.
• Tá na híomhánna an-álainn go deo.
• Cruthaíonn an file atmaisfeár brónach sa dán.

 CLEACHTAÍ

1 Cé chum an dán seo? Scríobh nóta faoi.
2 Cad is téama don dán?
3 Céard a thug ar an bhfile an dán a cheapadh?
4 Cén íomhá sa dán is fearr leat?
5 Cén blas, dar leat, atá ar sméara dubha *'tréis báisteach'*?

CUAIR

──────── An File ────────

Áine Ní Ghlinn. Rugadh í i dTiobraid Árann i 1955. Bhain sí céim amach sa Ghaeilge i gColáiste na hOllscoile, Baile Átha Cliath. D'fhoilsigh sí dhá chnuasach filíochta, *An Chéim Bhriste* agus *Gairdín Phárthais.* Tá clú uirthi mar mhúinteoir, mar chraoltóir agus mar fhile.

Cuair

Ó ghoid máinlia
a banúlacht uaithi
bíonn sí de shíor
ag stánadh
ar éirí na gréine
ar chomhchruinneas na gcnoc.   6

Ar pháipéar déanann
stuann ciorcail
ceann i ndiaidh a chéile.
Ó fágadh coilm sceana
mar a mbíodh a brollach
tá sí ciaptha ag cuair.   12

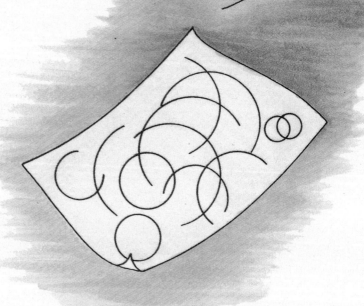

Cuair (leagan próis)

Ó ghearr máinlia
a mnáúlacht di
bíonn sí i gcónaí
ag faire go géar
ar fháinne an lae
ar sféarúlacht na gcnoc.   6

Ar phár déanann sí
stuanna ciorcail
arís is arís eile.
Ó fágadh rian sceana
san áit a mbíodh a cíocha
tá sí cráite ag cuair.   12

Curves

Since a surgeon robbed
her of her femininity
she constantly
stares
at the rising sun
on the spherical hills.

On paper she traces
arcs of a circle
one after another.
Since the scars of a scalpel were left
where her breast once was
she is obsessed with curves.

GLUAIS

- máinlia — lia/dochtúir (surgeon)
- banúlacht — mnáúlacht (femininity)
- de shíor — i gcónaí (constantly)
- comhchruinneas — fíorchruinn (spherical shape)
- stuann — stuanna (arcs)
- coilm sceana — rian sceana (scars/traces of a knife [scalpel])
- ciaptha — cráite (tormented/obsessed/plagued)

CÚLRA AN DÁIN

Tagraíonn an file do bhean a chaill a cíocha de dheasca ailse (cancer) cíche.

TÉAMA AN DÁIN

Cailliúint is téama don dán agus an crá croí a ghabhann leis. Úsáideann an file focail ar nós "ghoid" agus "coilm sceana" chun uafás na sceanairte a chur in iúl. Léiríonn sí freisin crá croí na mná ó chaill sí a banúlacht. Tá sí tógtha le cuair agus le ciorcail. Níl sa dán ach dhá véarsa ach tá an léiriú an-éifeachtach ar fad ann.

PRÍOMHPHOINTÍ

- Baineadh a cíocha de bhean agus ghoill an sceanairt go mór uirthi.
- Chaill sí a banúlacht.
- Bíonn sí tógtha anois le gach rud cuarach.
- Féachann sí ar na cnoic agus ar éirí na gréine.
- Déanann sí stuanna ciorcail ar pháipéar.
- Ó chaill sí a cíocha tá sí cráite ag cuair.

- **Saorvéarsaíocht** atá mar mheadaracht sa dán.
- **Na Príomh-mheafair** — Suim na mná sna ciorcail agus na tagairtí dóibh.
- **Na Príomh-mhothúcháin** — Briseadh croí agus crá na mná tar éis cíoch a chaillíuint.

 CEISTEANNA

Meaitseáil na ceisteanna seo a leanas (**A, B, C, D**) leis na freagraí thíos (**1-4**) agus scríobh amach go hiomlán iad, san ord ceart.

A Céard a tharla don bhean sa dán?
B Cad air a mbíonn sí ag stánadh?
C Céard a dhéanann sí ar pháipéar?
D Cén fáth a ndéanann sí na rudaí sin dar leat?

 FREAGRAÍ

1 Bíonn sí ag stánadh ar na cnoic chruinne agus ar éirí na gréine.
2 Tá sí cráite ag cuair ó chaill sí a brollach.
3 Baineadh a cíocha di de dheasca ailse is dóigh.
4 Bíonn sí ag déanamh stuanna ciorcail arís is arís eile ar pháipéar.

 CEISTEANNA BREISE

Léigh na ceisteanna seo a leanas (**E, F, G, H**) agus ansin líon isteach na freagraí (**5-8**) ag baint úsáide as an bhfoclóir tugtha.

E Cad iad na mothúcháin is láidre sa dán?
F Conas a léirítear crá croí na mná?
G *"Tá sí ciaptha ag cuair"*. Céard atá i gceist anseo, dar leat?
H Ar thaitin an dán seo leat? Cén fáth?

 FREAGRAÍ

Líon isteach na bearnaí trí úsáid a bhaint as an bhfoclóir ceart thíos.

5 Is iad an (1) _____ agus (2) _____ na mothúcháin is láidre sa dán.
6 Léirítear é seo trí thagairtí a dhéanamh dá (3) _____ chaillte agus dá (4) _____ i rudaí cruinne.
7 Tá sí (5) _____ le gach rud (6) _____ mar cuireann siadsan a brollach (7) _____ di.
8 Thaitin sé go (8) _____ liom mar níl sé (9) _____ ach tá an bhraistint (10)_____ ann.

FOCLÓIR

A	bean	H	mór
B	banúlacht	I	saol
C	cruinn	J	brón
D	ó chroí	K	ró-chasta
E	an chailliúint	L	tógtha
F	suim	M	i gcuimhne
G	cráite	N	file

Téama an bhróin / na cailliúna agus an chaoi a gcuireann an file an téama sin os ár gcomhair:

- Tá an stíl an-ghonta agus tá blas leochaileach ar an dán.
- Ní luann an file bean ar leith.
- Spreagann an file trua agus taise an léitheora.
- Tá na h-íomhánna an-éifeachtach go deo.

 CLEACHTAÍ

1 Cad is téama don dán seo?
2 Cén fáth ar thug an file *Cuair* mar theideal air?
3 Luaigh an mothúchán is láidre sa dán. Cén chaoi a gcuirtear é seo in iúl?
4 Céard a rinne an máinlia?
5 Scríobh nóta gearr ar shaol an fhile.

MARGADH

─────────── An File ───────────

Máire Holmes. Rugadh í i mBaile Átha Cliath i 1952, ach b'as an Spidéal a máthair. Tá cónaí uirthi sa Spidéal anois agus tá clú amuigh uirthi mar fhile, mar dhrámadóir agus mar chraoltóir. Rug a cnuasach "Dúrún" gradam Hennessy 1988.

Margadh

Sheas mé lá ag
margadh na Gaillimhe,
le cófra cairr, lán
de chácaí úra,
subh agus
faitíos.   6
Chonaic mé stair
na hÉireann
i gceithre roth
(cúigí na tíre)
fuil sa tsubh
dhearg,
ocras na ndaoine
sa gcáca donn,
deora sa mbáisteach,
tart san intinn.   16
Ach —
nuair a scairt an
ghrian mar dhóchas
ag seoladh
le smacht,
chonaic mé an
té a bhí os mo
chomhair amach.   24

Máire Holmes

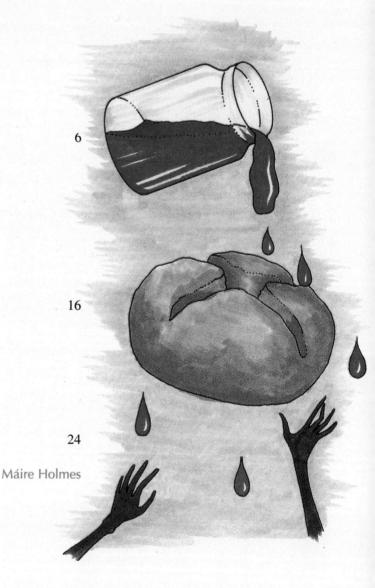

160

Margadh (leagan próis)

Market

Sheas mé lá amháin ag	I stood one day at
margadh chathair na Gaillimhe,	the Galway market,
bhí cófra mo ghluaisteáin, lán	the boot of my car, full
de arán donn úr,	of fresh brown bread,
subh agus	jam and
eagla. 6	fear.
Shamhlaigh mé stair	I saw the history
na hÉireann	of Ireland
i rotha an ghluaisteáin	in the four wheels
(cúigí na hÉireann)	(the provinces of Ireland)
fuil sa tsubh	blood in the red
dhearg,	jam,
ocras mo mhuintire	the hunger of the people
san arán donn,	in the brown bread,
deora sa bhfearthainn,	tears in the rain,
tart san aigne. 16	thirst in the mind.
Ach —	But —
nuair a thaitnigh an	when the
ghrian mar ábhar dóchais	sun shone like hope
ag gluaiseacht	moving
le ceannas,	decisively,
chonaic mé an	I saw the person
duine a bhí	who was
os mo chomhair. 24	in front of me

GLUAIS

- cófra cairr — áit stórála ghluaisteáin *(car boot)*
- cácaí úra — arán donn úr *(fresh brown bread)*
- faitíos — eagla, imní *(fear)*

- intinn — aigne *(mind)*
- scairt — shoilsigh, thaitnigh *(shone)*
- le smacht — go ceannasach *(in control/decisively)*
- an té — an duine *(person)*

CÚLRA AN DÁIN

Nuair a sheas an file ag margadh na Gaillimhe smaoinigh sí ar stair bhrónach na hÉireann.

TÉAMA AN DÁIN

Cé gur brónach stair na hÉireann tá an file dóchasach faoin todhchaí. Úsáideann an file codarsnacht *(contrast)* agus fáithchiall *(allegory)*. Seasann ceithre roth an ghluaisteáin do chúigí na hÉireann. Léirítear an foréigean *(violence)* sa tsubh dhearg agus ocras na ndaoine sa Ghorta san arán donn. Cuireann an file brón agus gruaim na ndaoine in iúl trí na tagairtí don bháisteach. Tá 'smacht' sa ghrian, áfach, agus is siombal dóchais í *(a symbol of hope)*. Cuireann solas na gréine deireadh freisin le haisling an fhile. Tagraíonn an file don bhfaitíos agus do dheora ach, faoi dheireadh, don dóchas agus don smacht.

 ## PRÍOMHPHOINTÍ

- Bhí an file ag margadh na Gaillimhe chun arán donn agus subh a dhíol.
- D'oscail sí cófra an ghluaisteáin agus ansin shamhlaigh sí stair bhrónach na hÉireann.
- Chuir ceithre roth an ghluaisteáin na cúigí i gcuimhne di.
- Shamhlaigh sí fuil na ndaoine a maraíodh nuair a d'fhéach sí ar an tsubh dhearg.
- Mheabhraigh sí uafás an Ghorta agus ocras na ndaoine san arán donn.
- Dar léi go raibh an scéal go fíor-bhrónach. Bhraith sí deora na ndaoine sa bháisteach agus cheap sí go raibh tart ar intinn na ndaoine.
- Go tobann tháinig an ghrian amach agus bhí ábhar dóchais aici.
- Thug sí faoi deara go raibh duine os a comhair.
- **Saorvéarsaíocht** atá mar mheadaracht sa dán.
- **Príomh-mheafair** — Ocras na ndaoine san arán, fuil na ndaoine sa tsubh.
- **Príomh-mhothúcháin** — Brón agus gruaim an fhile ag cuimhneamh ar stair na hÉireann. Dóchas an fhile i leith an todhchaí.

 ## CEISTEANNA

Meaitseáil na ceisteanna seo a leanas (**A, B, C, D**) leis na freagraí thíos (**1-4**) agus scríobh amach go hiomlán iad, san ord ceart.

A Céard a bhí ag an bhfile i gcófra an ghluaisteáin?
B *"Chonaic mé stair na hÉireann"*. Céard a chuir stair na hÉireann i gcuimhne di?
C *"Tart san intinn"*. Cad is brí leis seo, meas tú?
D Céard a thug dóchas don fhile?

 ## FREAGRAÍ

1 Tháinig an ghrian amach. Bhí deireadh leis an mbáisteach. Thug sin dóchas don fhile.
2 Bhí an cófra lán de chácaí úra agus de shubh.
3 Chuir na rudaí seo a leanas stair na hÉireann i gcuimhne di - rotha an ghluaisteáin *(cúigí na hÉireann)*, an tsubh dhearg *(fuil na ndaoine)*, an cáca donn *(ocras na ndaoine sa Ghorta)*, an bháisteach *(deora na ndaoine)*.
4 Is cosúil go bhfuil an file ag rá nach raibh muintir na hÉireann sásta *(ó thaobh saoirse de)*. Dar léi, mar sin, go raibh tart orthu, tart intinne.

CEISTEANNA BREISE

Léigh na ceisteanna seo a leanas (**E, F, G, H**) agus ansin líon isteach na freagraí (**5-8**) ag baint úsáide as an bhfoclóir tugtha.

E   Cén gnó a bhí ag an bhfile ag margadh na Gaillimhe, dar leat?

F   *"lán de chácaí úra, subh agus faitíos"*. Cad ba chúis le faitíos *(eagla)* an fhile, meas tú?

G   Cén tagairt a dheánann an file don drochshaol *(gorta)* sa dán?

H   Cérbh é *"an té"* a luaitear i ndeireadh an dáin, dar leat?

FREAGRAÍ

Líon isteach na bearnaí trí úsáid a bhaint as an bhfoclóir ceart thíos.

5   Is cosúil go raibh sí ag díol (1) _____ ag an margadh mar luann sí bheith ina seasamh agus (2) _____ an chairr lán de chácaí (3) _____ agus de shubh.

6   Seans go raibh faitíos uirthi mar go raibh sé ag cur (4) _____ , rud nach mbeadh (5) _____ do dhíol na n-earraí. B'fhéidir go raibh faitíos uirthi freisin agus í ag smaoineamh ar (6) _____ na tíre.

7   Luann an file *"ocras na ndaoine sa gcáca donn"*. Sa drochshaol bhí na (7) _____ gan bia nuair a tháinig an aicíd dhubh ar na (8) _____ .

8   (9) _____ a bhí ann nó (10) _____ an fhile.

FOCLÓIR

A	Custaiméir	G	cófra
B	earraí	H	prátaí
C	staid	I	faitíos
D	file	J	báistí
E	daoine	K	cara
F	úra	L	sásúil

Téama na Staire agus an chaoi a gcuireann an file an téama sin os ár gcomhair
- Usáideann sí siombail agus fáithchiall sa dán.
- Déanann an file tagairt don Ghorta agus d'uafás agus brón na staire.
- Bíonn brón ar na bhfile ar dtús.
- Ansin bíonn ábhar dóchais aici.
- Déantar dán suimiúil d'ócáid shimplí.

 **CLEACHTAÍ**

1 Cén fáth, dar leat, ar thug an file *"Margadh"* mar theideal ar an dán?
2 Céard a bhí ag an bhfile i gcófra an chairr?
3 Céard a chonaic an file i rotha an chairr?
4 Luaigh dhá ghné fháithchiallacha atá sa dán.
5 *"Tart san intinn"*. Mínigh an líne seo i d'fhocail féin.

D-DAY

———————————— An File ————————————

Pól Ó Muirí. Rugadh i mBéal Feirste é i 1965. Tá trí chnuasach filíochta foilsithe aige. Tá staidéar déanta aige ar shaol agus ar shaothar Sheosaimh Mhic Ghrianna.

D-Day

'Liberator' a thugtar ar an eitleán seo
Atá ag guairdeall i spéartha snagscamallacha briste na Normáine.
Ina shoc, ar crith, bodhar ag dordán piachánach na n-inneall, tá
Marvin, ag guí Dé go ligfeadh sé thairis an chailís seo;
I bpóca a léine taise tá pictiúr de Mary McDonald, Bóthar na bhFál,
A teachtaireacht bheag de ghlanmheabhair aige: *Tar ar ais chugam.*
Amuigh fríd néalta colgacha an *flak*, cluineann sé feothan tirim
An tsamhraidh ag bogadh thar mhachairí torthúla Minnesota —
Siosarnach thostach thaibhsí na Sioux, a deireadh na seanfhondúirí.

Pól Ó Muirí

165

D-Day (leagan próis)

Tugtar 'Liberator' ar an eitleán seo
Atá ag eitilt i gciorcail sa spéir dhorcha
    thar an Normáin.

I srón an eitleáin, ag crith, cráite ag
    dordán toll na n-inneall, tá
Marvin, ag impí ar Dhia é a thabhairt
    slán ón gcath;
Tá pictiúr aige de Mary McDonald ó
    Bhóthar na bhFál Béal Feirste i bpóca
    a léine atá tais le hallas,
Is maith a thuigeann sé an scéal atá ann:
    Tar ar ais chugam.
Trí scamaill chrosta an *flak*
    Cloiseann sé gaoth thirim (an
    tsamhraidh) ag séideadh thar
    mhachairí bisiúla Minnesota —
Dar leis na hIndiacha gurb é seo
    cogarnaíl thaibhsí na Sioux.

D-Day

This plane is called a 'Liberator'
Circling in the sobbing broken-clouded
    skies of Normandy.
In its nose trembling, deafened by the
    hoarse drone of the engines, is
Marvin, praying to God to let this chalice
    pass;
In his damp shirt pocket is a picture of
    Mary McDonald from the Falls Road,

He knows her little message by heart:
    Come back to me.
Out through the angry clouds of flak he
    hears the dry gust
Of a summer breeze moving over the
    fertile plains of Minnesota —
The silent whisper of Sioux ghosts,
    according to the natives.

GLUAIS

- ag guairdeall — ag eitilt i gciorcal *(circling/hovering)*
- snagscamallacha — scamaill bhagracha agus iad mar a bheidís ag caoineadh *(threatening sobbing clouds)*
- ina shoc — ina shrón *(in the nose of the plane)*
- dordán piachánach — tormáil chársánach *(hoarse droning/rumbling)*
- go ligfeadh sé thairis an chailís seo — go sábhálfadh Sé é ón uafás seo *(that He would let this chalice pass/save him from this horror)*
- léine thaise — léine atá fliuch le hallas *(damp/sweaty shirt)*
- de ghlanmheabhair aige — de mheabhair aige/ar a theanga aige *(off by heart)*
- fríd — tríd *(through)*

- néalta colgacha — scamaill mhallaithe *(angry clouds)*
- *flak* — canóin fhritheitleán *(anti-aircraft cannon)*
- cluineann sé — cloiseann sé *(he hears)*
- feothan tirim an tsamhraidh — séideán tirim gaoithe sa samhradh *(dry gust of summer wind)*
- ag bogadh — ag gluaiseacht *(moving)*
- torthúla — bisiúla - *(fertile)*
- siosarnach — cogarnaíl - *(whispering)*
- na Sioux — treabh Indiach Meiriceánach a raibh cónaí orthu mórthimpeall Dakota sna Stáit Aontaithe
- seanfhondúirí — daoine dúchasacha na háite - *(old/original inhabitants/natives of place)*

CÚLRA AN DÁIN

I mí an Mheithimh 1944 rinne Meiriceá agus Sasana ionradh ar an bhFrainc a bhí faoi smacht na nGearmánach. Baineann an dán seo le gunnadóir Meiriceánach atá mór le cailín as Béal Feirste.

TÉAMA AN DÁIN

Imní agus uafás an duine roimh an mbás le linn cogaidh. Léiríonn an file go raibh an gunnadóir an-mhíshuaimhneach san eitleán. Bhí sé ar crith le heagla agus bhí sé ag cur allais go fras. Luaitear *"néalta colgacha"* ag cur in iúl go raibh an *flak* an-dáinséarach. Iarrann Mary McDonald ar Mharvin teacht ar ais chuici mar go bhfuil gach seans ann go marófar é. Cuireann na tagairtí do thaibhsí na nIndiach le himní an fhir óig.

 PRÍOMHPHOINTÍ

- Tá *D-Day* tagtha agus tá na comhghuaillithe ag déanamh ionraidh ar an bhFrainc atá faoi smacht na Gearmáine.
- Tá Marvin, gunnadóir óg Meiriceánach, i soc eitleáin bhuamála agus é ag guí Dé go dtiocfaidh sé slán.
- Tá grianghraf aige i bpóca a léine de Mary McDonald a chailín as Béal Feirste.
- Is cuimhin leis gaoth thirim an tsamhraidh thar mhachairí Minnesota.
- Dar leis na hIndiaigh gur shiosarnach thaibhsí a bhí sa ghaoth sin.
- **Saorvéarsaíocht** atá sa dán ach tá comhshondas *(assonance)* ann.
- **Príomh-mheafair** — Spéartha snagscamallacha.
- **Príomh-mhothúcháin** — Eagla an ghunnadóra roimh an mbás. Grá an ghunnadóra dá chailín.

 CEISTEANNA

Meaitseáil na ceisteanna seo a leanas (**A, B, C, D**) leis na freagraí thíos (**1-4**) agus scríobh amach go hiomlán iad, san ord ceart.

A Cá raibh an t-eitleán ag eitilt?
B Cén fáth a raibh an gunnadóir ar crith?
C Céard deireadh na hIndiaigh faoi ghaoth an tsamhraidh?
D Cén *"teachtaireacht"* a bhí ag Mary McDonald dó?

 FREAGRAÍ

1 Dar leo gurbh é siosarnach thaibhsí na Sioux a bhí inti.
2 Bhí an t-eitleán ag eitilt ós cionn na Normáine sa bhFrainc.
3 D'iarr Mary air teacht ar ais slán chuici.
4 Bhí sé ar crith mar bhí eagla air go gcuirfí anuas an t-eitleán.

CEISTEANNA BREISE

Léigh na ceisteanna seo a leanas (**E, F, G, H**) agus ansin líon isteach na freagraí (**5-8**) ag baint úsáide as an bhfoclóir tugtha.

E   Cén fáth, dar leat, a luann an file *"Liberator"* mar ainm ar an eitleán?

F   Cén gnó a bhí ag Marvin i soc an eitleáin?

G   *"Ag guí Dé go ligfeadh sé thairis an chailís seo"*. Céard atá i gceist anseo?

H   Cén chodarsnacht atá sa dán?

FREAGRAÍ

Líon isteach na bearnaí trí úsáid a bhaint as an bhfoclóir ceart thíos.

5   Tá (1) _____ ag baint leis seo. Eitleán buamála ba ea é a bhí ag
(2) _____ na tíre thíos faoi. Cé go raibh sé ag *"saoradh"* na tíre bhí sé ag (3) _____ na gcéadta.

6   Ba ghunnadóir é agus é (4) _____ _____ an *Liberator* a chosaint ó eitleáin throda (5) _____ _____ .

7   Tá (6) _____ anseo do bhriathra Íosa i ngairdín Gethsemane *(Maitiú 26)*. D'iarr Íosa ar Dhia an chailís a ligean Thairis. D'iarr Marvin ar (7) _____ é a (8) _____ ón mbás.

8   Tá codarsnacht ann idir tranglam an chogaidh agus (9) _____ Minnesota (10) _____ _____ .

FOCLÓIR

A	lá samhraidh	F	ag iarraidh
B	íoróin	G	buamáil
C	na Gearmáine	H	Dhia
D	tagairt	I	marú
E	síocháin	J	shábháil

Téama na Staire / na hEagla / an Ghrá agus an chaoi a gcuireann an file an téama sin os ár gcomhair

• Úsáideann an file íoróin sa dán. Is Liberator an t-eitleán ach tá sé ag buamáil na tíre thíos faoi.

• Tá an cur síos beo agus sochreidte ar eagla an ghunnadóra.

• Cruthaíonn an file pictiúr d'uafás an chogaidh.

• Sáraíonn grá na ndaoine óga an t-uafás seo.

• Cuireann tagairtí do thaibhsí le h-atmaisféar an dáin.

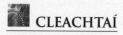 **CLEACHTAÍ**

1 Cad is téama don dán seo?
2 Cén chaoi a gcuirtear in iúl an téama seo?
3 Cá bhfuil Marvin?
4 Cén gnó atá aige san eitleán?
5 Scríobh nóta gearr ar an bhfile.

JFK

─────────── An File ───────────

Déaglán Collinge. Rugadh é i mBaile Átha Cliath. Is múinteoir agus léachtóir é. D'fhoilsigh sé dhá chnuasach filíochta i nGaeilge agus ceann i mBéarla. Tá gearrscéalta foilsithe aige freisin.

JFK

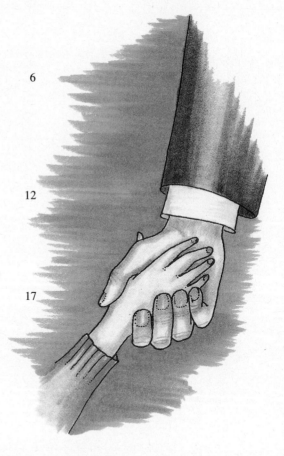

Bhí boladh bréan riamh
Ón uisce faoi thalamh:
Arbh iad piléir an CIA
Nó na Mafia féin
A phléasc do chloigeann ina phraiseach
I bhfrámaí creathánacha Zapruder?   6

Cén gnó a bhí ag Marilyn leat
Nuair 'chan sí duit de ghuth leanbaí
Oíche do bhreithlae?
Ar luigh cuimhní Bhá na Muc
Lena gcorpáin loiscthe
Go dóite ar d'aigne?   12

Ba dhóbhair dúinn uile
Nuair sheas tú féin is Khruschev
Go colgach in adharca a chéile
Is na diúracháin ar bhur gcúl
Ina gcolgseasamh.   17

Inseofar fós é do shliocht mo shleachta:
Lá gréine i Sráid Westmoreland
Shuigh tú i limisín oscailte
D'aghaidh shnoite ghriandóite
Ag cur le do chulaith gorm:
In ainneoin brú an tslua
Gan beann ar do ghardaí cosanta
Rug tú ar láimh bheag orm
Is chraith í le fonn!   26

Déaglán Collinge

JFK (leagan próis)

Bhí blas searbh riamh
Ar an gcomhcheilg:
Ar scaoil an CIA
Nó na Mafia piléir leat
A phléasc do cheann ina smidiríní
I bpictiúir lochtacha Zapruder? 6

Céard a bhí ar siúl ag Marilyn
Nuair a chan sí duit de ghuth páistiúil
Le linn oíche do bhreithlae?
Ar chuir cuimhní Bhá na Muc
Agus na gcorpán dóite
As duit go mór? 12

Ba bheag nár séideach sinn uile
Nuair a bhí tú féin is Khruschev
I ngleic le chéile
Agus na diúracáin núicléacha
Réidh chun scaoilte. 17

Beidh an scéal le hinsint fós do mo
   shliocht:
Lá breá grianmhar i Sráid Westmoreland
Shuigh tú siar i ngluaisteán mór oscailte
Agus bhí do ghnúis dhathúil bhuí
Ag cur le d'éadach gorm:
Cé go raibh an slua ag brú isteach
Dhún tú súil ar do ghardaí cosanta
Rug tú ar mo láimh bheag
Agus chraith í le dea-thoil! 26

JFK

There was always a foul smell
From conspiracy:
Was it the bullets of the CIA
Or the Mafia themselves
Who blasted your skull to pulp
In Zapruder's shaky footage?

What did Marilyn want
When she sang for you in baby tones
The night of your birthday?
Did the memories of the Bay of Pigs
And its charred corpses
Weigh painfully upon your mind?

It was a close call for all of us
When you and Khruschev
Confronted each other
And the missiles behind you
Stood bolt upright.

It will still be told to my children's
children:
One sunny day in Westmoreland Street
You sat in an open limousine
Your handsome sun-tanned face
Enhancing your blue suit:
Despite the surging crowd
Ignoring security guards
You took my small hand
And shook it willingly!

GLUAIS

- uisce faoi thalamh — comhcheilg *(conspiracy)*
- ina phraiseach — ina smidiríní *(in pulp/bits)*
- Marilyn — *(Marilyn Monroe 1926-1962)* Réaltóg scannáin ba ea í. Luadh a hainm le JFK agus lena dheartháir Robert.
- frámaí creathánacha Zapruder — Thóg Zapruder scannáin cine de dhúnmharú JFK. Bhí na pictiúir an-lochtach *(faulty)*

ach thaispeáin siad uafás na heachtra don saol.
- cuimhní Bhá na Muc — Bá i ndeisceart oileáin Cuba. Rinne Meiriceá iarracht ionradh a dhéanamh air sa bhliain 1961. Theip glan ar an iarracht, maraíodh na céadta agus tógadh breis is míle príosúnach Meiriceánach. Cuireadh an milleán ar JFK mar gur ghlac sé le comhairle an CIA.

GLUAIS

- corpáin loiscthe — coirp dhóite *(charred bodies)*
- ba dhóbair dúinn — ba bheag nár maraíodh sinn *(we were all nearly killed/it was a close call)*
- go colgach — go feargach *(angrily)*
- in adharca a chéile — i gcoimhlint/i ngleic le chéile *(locked in conflict/eyeball to eyeball)*

- snoite — dathúil *(handsome)*
- gan beann ar — ag dúnadh súl ar *(ignoring/disregarding)*
- le fonn —go toilteanach *(willingly)*

CÚLRA AN DÁIN

Tá suim ag an bhfile in imeachtaí saoil JFK ach is cuimhin leis a thaithí phearsanta nuair a chroith sé lámh le JFK agus é ina pháiste.

TÉAMA AN DÁIN

Is cuma leis an bhfile faoi mhóreachtraí na staire *(great historic events)*. Beidh cuimhne aige ar an lá a bhuail sé féin le JFK. Luann an file eachtraí i saol JFK. Níl sé cinnte faoi go leor díobh. Déanann sé tagairt don chomhcheilg *(conspiracy)* a bhain le bás JFK agus luann sé Bá na Muc, géarchéim Cuba agus Marilyn Monroe.

Ba stairiúil an ócáid *(it was an historic occasion)* freisin cuairt JFK ar Éirinn i 1963. Tuigeann an file é seo níos fearr mar chraith JFK lámh leis. I véarsaí 1-3 tá an cur síos doiléir *(vague)* ach sa véarsa deireanach tá an cur síos níos soiléire *(clearer)* mar tá cuimhne phearsanta ag an bhfile ar an ócáid.

 PRÍOMHPHOINTÍ

- Déanann an file machnamh ar shaol JFK. Níl a fhios aige arbh iad na Mafia nó an CIA a mharaigh é.
- Ní thuigeann sé ach an oiread cén fáth ar thaisteal Marilyn Monroe chun canadh dó oíche a bhreithlae.
- Is cuimhin leis an bhfile Bá na Muc (1961) agus géarchéim Cuba (1962).
- Is cuma leis áfach faoi na heachtraí móra sin mar tá cuimhne níos luachmhaire aige *(he has a more precious memory)*.
- Nuair a thug JFK cuairt ar Éirinn i 1963 chroith sé lámh leis an bhfile agus é ina pháiste. Beidh cuimhne aige go deo ar an ócáid sin.
- **Saorvéarsaíocht** atá mar mheadaracht sa dán.
- **Príomh-mheafair** — Boladh bréan ón uisce faoi thalamh. Na diúracáin ina gcolgsheasamh.
- **Príomh-mhothúcháin** — Áthas agus bród an fhile gur bhuail sé le JFK.

CEISTEANNA

Meaitseáil na ceisteanna seo a leanas (**A, B, C, D**) leis na freagraí thíos (**1-4**) agus scríobh amach go hiomlán iad, san ord ceart.

A   Cuireann an file trí cheist sa dán. Céard iad?

B   A bhfuil i gceist ag an bhfile i véarsa a trí a mhíniú id fhocail féin.

C   Cén mothú a léirítear sa véarsa deireanach den dán?

D   Cén sórt duine é JFK de réir fianaise an fhile sa dán?

 FREAGRAÍ

1   Léirítear bród an fhile. Chuaigh an eachtra i gcion go mór air agus inseoidh sé é dá chlann agus do chlann a clainne.

2   Fiafraíonn sé (a) arbh iad na Mafia nó na CIA a mharaigh JFK, (b) cén gnó a bhí ag Marilyn leis, (c) ar luigh cuimhní Bhá na Muc go trom ar a aigne.

3   Duine dathúil ba ea é. Bhí an-tóir air. Bhí sé an-lách freisin. Dhún sé súil ar na gardaí cosanta agus chraith sé lámh leis an bhfile nuair a bhí sé óg.

4   Bhí coimhlint ann idir an Rúis agus Meiriceá. Ba bheag nár tharla cogadh núicléach.

 CEISTEANNA BREISE

Léigh na ceisteanna seo a leanas (**E, F, G, H**) agus ansin líon isteach na freagraí (**5-8**) ag baint úsáide as an bhfoclóir tugtha.

E   Cad is téama don dán JFK, dar leat?

F   *"Ba dhóbair dúinn uile*
Nuair sheas tú féin is Khruschev
Go colgach in adharca a chéile".
Cad atá i gceist ag an bhfile sna línte sin?

G   Cén chaoi a gcuireann an file in iúl go raibh an-tóir ar JFK?

H   Cén mothúchán a léirítear sa véarsa deireanach? Cad is cúis leis an mothúchán sin, dar leat?

 FREAGRAÍ

Líon isteach na bearnaí trí úsáid a bhaint as an bhfoclóir ceart thíos.

5   Is í an (1) _____ is téama don dán ach tá níos mó suime ag an bhfile ina thaithí phearsanta de JFK ná na (2) _____ a bhain lena shaol.

6   Ba bheag nár tharla (3) _____ núicléach le linn (4) _____ Chuba i 1962. Bhí JFK agus Khruschev (5) _____ _____ le chéile.

7   Thaisteal Marilyn Monroe chun (6) _____ a chanadh dó. Fear óg (7) _____ ba ea é. Nuair a thug sé (8) _____ ar Éirinn bhailigh na sluaite len é a fheiceáil.

8   Léirítear bród an fhile. Chraith JFK lámh leis (9) _____ agus ní dhéanfaidh sé (10) _____ go deo air. Inseoidh sé do chlann a chlainne é.

FOCLÓIR

A	bród	G	móreachtraí
B	amhrán	H	i ngleic
C	dearmad	I	géarchéim
D	cuairt	J	cogadh
E	stair	K	lámh
F	dathúil	L	fadó

Téama na Staire / na hÓige / an Bhróid / Áthais agus an chaoi a gcuireann an file an téama sin os ár gcomhair

- Tá codarsnacht ann idir fíricí na staire agus cuimhne gheal an fhile.
- Úsáideann an file meafair éifeachtacha a léiríonn stair na h-ócáide.
- Tá an cur síos ar JFK beo agus sochreidte.
- Tá an dán neamhchasta agus tarraingíonn sé an léitheoir.

 CLEACHTAÍ

1 Déan cur síos ar JFK mar is cuimhin leis an bhfile é.
2 Luaigh dhá rud nach bhfuil an file cinnte fúthu.
3 Mínigh línte 10-12 id fhocail féin.
4 Céard a tharla de réir fianaise véarsa 3?
5 *"Inseofar fós é do shliocht mo shleachta"*. Céard a inseofar?

AGUS MÉ OCHT MBLIANA DÉAG

──────── **An File** ────────

Muiris Ó Riordáin. Rugadh i gCiarraí é i 1930. Ba léachtóir é i gColáiste Oideachais, Muire Gan Smál, Luimneach. Foilsíodh go leor dá chuid dánta in irisí éagsúla. Fuair sé bas i 1993.

Agus Mé Ocht mBliana Déag

Cailín le beartáin crochta ar gach méar aici,
Chonac ar shráideanna na cathrach aréir,
An cóta, an folt dubh is na beola a bhí daite,
Lasair 'na súile is an gáire ar a béal.   4

Is eol dom an gleann as a dtáinig an cailín,
Aithne agam uirthi ó bhí sí 'na naí,
Cuimhin liom cosnochta í, óg agus crosta í,
Páiste gealgháireach mo shean-pháirtí.   8

Níl sí sa chathair ach scaitheamh beag gairid,
Ach féach ar an athrú a tháinig gan mhoill,
Chuala sí ceolta is plódadh na slóite,
Is tháinig an fiabhras ar a dtugtar B'l' Áth Cliath.   12

Rachaidh sí abhaile um Nollaig go spleodrach,
Cuirfidh éad ar na cailíní d'fhag sí 'na diaidh,
N'fheadar a' gcuimhneoidh sí ar an gcéad uair a phógas í,
Oíche na Nollag ag binn bhán an tí.   16

Muiris Ó Riordáin

175

Agus Mé Ocht mBliana Déag   When I was Eighteen
(leagan próis)

Cailín le bearta á n-iompar aici ar a méara,	A girl with parcels on every finger,
Chonaic mé í ar bhealaigh na cathrach aréir,	I saw her on the city streets last night,
An cóta, a cuid gruaige dubh agus dath ar a beola,	Her coat, her black hair and her painted lips
Loinnir ina súile agus miongháire ar a béal. 4	Her twinkling eyes and smiling mouth.
Tá a fhios agam an gleann as a dtáinig an bhean óg,	I know the valley that girl comes from,
Tá aithne agam uirthi ó bhí sí ina páiste,	I know her since she was a child,
Is cuimhin liom í gan bróga uirthi, agus í ina páiste dána,	I remember her barefoot, young and mischievous,
Ba í mo sheanchara meidhreach í. 8	That smiling childhood sweetheart.
Níl sí sa chathair ach ar feadh tamaillín,	She is only in the city a short while,
Agus féach an t-athrú obann uirthi,	But look at how quickly she has changed,
Chuala sí ceol agus brú na sluaite,	She heard the music and the pull of the crowd,
Agus thóg sí galar Bhaile Átha Cliath. 12	And was stricken with a fever called Dublin.
Rachaidh sí abhaile don Nollaig faoi mhaise,	She will go home in style this Christmas,
Beidh éad ar na cailíní d'fhan sa bhaile,	The girls who remained will be envious of her,
Níl a fhios agam an mbeidh cuimhne aici ar an gcéad uair a phóg mé í,	I wonder will she remember the first time I kissed her,
Oíche na Nollag le falla bán an tí. 16	That Christmas Eve by the white gable wall.

GLUAIS

- beartáin — bearta *(parcels)*
- crochta — gafa *(held/hanging)*
- folt dubh — gruaig dhubh *(black hair)*
- lasair — loinnir *(fire/sparkle)*
- cosnochta — gan bhróga *(barefoot)*
- crosta — dána *(bold/mischievous)*
- mo sheanpháirtí — mo sheanchara *(my old [childhood] companion)*

- scaitheamh — tamall gearr *(short while)*
- plódadh na slóite — brú an tslua *(the pressure of the crowd)*
- go spleodrach — faoi mhaise *(in style/resplendent)*
- binn — falla *(gable)*

CÚLRA AN DÁIN

Chonaic an file cailín i mBaile Átha Cliath. Ba chuimhin leis gur phóg sé í blianta roimhe sin.

TÉAMA AN DÁIN

An grá agus cuimhne óige an fhile is téama don dán. Cruthaíonn an file pictiúr de chailín álainn maisiúil agus í ag ar shráideanna na cathrach um Nollaig. Ansin tugann sé pictiúr difriúil dúinn den chailín mar a bhí fadó. Insíonn sé dúinn ansin gurbh í a sheanpháirtí í. Faoi dheireadh nochtann sé gur phóg sé í Oíche Nollag den chéad uair. **Téama eile atá sa dán ná an t-athrú a thagann ar dhaoine sa chathair.**

 PRÍOMHPHOINTÍ

- Chonaic an file cailín i mBaile Átha Cliath um Nollaig.
- Speirbhean mhaisiúil ba ea í agus í ag iompar beartán Nollag.
- Bhí sean-aithne ag an bhfile uirthi faoin tuath fadó. Bhí sí ina cara aige nuair a bhí siad an-óg.
- Anois bhí sí fásta suas ina bhean óg mhaisiúil agus í tar éis glacadh le nósanna faiseanta Bhaile Átha Cliath.
- Dar leis an bhfile go rachaidh sí abhaile faoi mhaise don Nollaig agus go mbeidh éad ar chailíní na tuaithe. Níl fhios aige an bhfuil cuimhne aici fós ar an oíche a phóg seisean den chéad uair í ag binn an tí Oíche Nollag. Tharla sin roinnt blianta roimhe sin nuair nach raibh an file ach ocht mbliana déag d'aois.
- Tá **meadaracht aiceanta** de shaghas sa dán agus rím gharbh ann.
- **Príomh-mheafair** — Fiabhras Bhaile Átha Cliath; ceolta agus plódadh na sluaite.
- **Príomh-mhothúcháin** — Cion an fhile ar an gcailín, cuimhní geala an fhile dá óige.

 CEISTEANNA

Meaitseáil na ceisteanna seo a leanas (**A, B, C, D**) leis na freagraí thíos (**1-4**) agus scríobh amach go hiomlán iad, san ord ceart.

A Déan cur síos ar an gcailín mar a fheictear don fhile í i véarsa a haon.
B Cad is cuimhin leis an bhfile i véarsa a dó?
C Cén *'fiabhras'* atá ar an gcailín dar leis an bhfile?
D Céard a rinne an file Oíche Nollag fadó?

 FREAGRAÍ

1 Is cuimhin leis an cailín agus í ina páiste crosta cosnochta faoin tuath.
2 Dar leis go bhfuil *'fiabhras'* Bhaile Átha Cliath uirthi, is é sin go bhfuil sí tógtha le nósanna faiseanta na cathrach.
3 Phóg sé an cailín ag binn an tí.
4 Bhí gruaig dhubh uirthi agus bhí dath ar a béal. Chaith sí cóta agus bhí go leor bearta á n-iompar aici. Bhí loinnir ina súile agus gáire ar a béal.

Dánta Roghnacha

 CEISTEANNA BREISE

Léigh na ceisteanna seo a leanas (**E, F, G, H**) agus ansin líon isteach na freagraí (**5-8**)
ag baint úsáide as an bhfoclóir tugtha.

E   Cén cur síos a thugann an file dúinn ar an gcailín mar a bhí sí agus í *"na naí"*?
F   Cén fáth, meas tú, a mbeidh *'éad ar na cailíní d'fhág sí 'na diaidh'*?
G   Déan cur síos gearr ar mheadaracht an dáin.
H   Céard is ciall, dar leat, le *'ceolta is plódadh na slóite'*?

 FREAGRAÍ

Líon isteach na bearnaí trí úsáid a bhaint as an bhfoclóir ceart thíos.

5   Páiste (1) _____ ba ea í. Bhí sí (2) _____ uaireanta agus is cuimhin leis an
     bhfile í a bheith (3) _____ .
6   Is cosúil go mbeidh éad orthu nuair a fheicfidh siad an cailín (4) _____ a bhfuil
     ciall cheannaithe na (5) _____ aici.
7   Tá meadaracht (6) _____ de shaghas ann — *á o é; á a é*. Tá rím gharbh ann (7)
     _____ mar shampla i véarsa a dó — *a b b b*.
8   Ciallaíonn sin go (8) _____ nósanna agus sluaite na cathrach daoine ón (9)
     _____ chuici.

FOCLÓIR

A	cosúil	H	meallann
B	gealgháireach	I	diaidh
C	cathrach	J	aiceanta
D	páiste	K	maisiúil
E	fáth	L	freisin
F	cosnochta	M	tuath
G	crosta		

**Téama na hÓige / an Ghrá / Áthais agus an chaoi a gcuireann an file an téama sin
os ár gcomhair**
• Úsáideann an file rithim cheolmhar sa dán.
• Tá an cur síos an-bheo ar an gcailín sa tsráid.
• Baineann an file úsáid as codarsnacht sa dán i.e. an cailín mar atá agus an cailín mar
  a bhí.
• Tá na meafair an-chliste sa dán.
• Cruthaíonn an file atmaisféar rómánsúil sa dán.

178

 **CLEACHTAÍ**

1 Déan cur síos ar an gcailín i véarsa a haon.
2 Céard is eol leis an bhfile i véarsa a dó?
3 Céard é *'an fiabhras ar a dtugtar B'l'Áth' Cliath'*?
4 Cén bhail a bheidh ar an gcailín nuair a fhillfidh sí abhaile um Nollaig?
5 Cén chuimhne a luann an file i véarsa a ceathair?
6 Déan cur síos ar mheadaracht an dáin.

REO

──────── An File ────────

Seán Ó Ríordáin. Rugadh é i mBaile Bhúirne i 1917. D'fhoilsigh sé trí leabhar filíochta. Ghlac sé eitinn le linn a óige agus bhí an tsláinte go dona aige i rith a shaoil. Tá sé ar dhuine de mhórfhilí ár linne. Fuair sé bás i 1977.

Reo

Maidin sheaca ghabhas amach
Is bhí seál póca romham ar sceach,
Rugas air le cur im phóca
Ach sciorr sé uaim mar bhí sé reoite:
Ní héadach beo a léim óm ghlaic   5
Ach rud fuair bás aréir ar sceach:
Is siúd ag taighde mé fé m'intinn
Go bhfuaireas macasamhail an ní seo —
   Lá dár phógas bean dem mhuintir
   Is í ina cónra reoite, sínte.   10

180

Reo (leagan próis)

Chuaigh me amach maidin sheaca
Agus bhí ciarsúr romham ar chlaí,

Rug mé greim air chun é a chur i mo
   phóca
Ach shleamhnaigh sé uaim mar bhí sé
   reoite:
Ní ceirt bheo a phrcab ó mo láimh   5
Ach rud a fuair bás oíche roimh ré ar
   chlaí:

Ar aghaidh liom ag cuardach i m'aigne
Gur tháinig mé ar rud cosúil leis —
   Phóg mé bean mhuinteartha lá
   Agus í go fuar marbh sínte ina cónra.10

Frozen

On a frosty morning I went out
And a handkerchief lay before me on a
   bush,
I grasped it to put it in my pocket

But it slipped from me because it was
   frozen:
No living cloth jumped from my hand
But a thing that had died last night on a
   bush:

And off I went racking my brain
Until I found the likeness of this thing —
   One day I kissed a female relative
   Laid out frozen in her coffin.

GLUAIS

- Ghabhas amach — chuaigh mé amach
(*I went out*)
- seál póca — ciarsúr (*handkerchief*)
- sceach — tor (*bush/hawthorn bush*)

- ag taighde — ag cuardach (*searching*)
- macasamhail — rud a bhí cosúil leis (*its likeness*)
- sínte — ina luí (*stretched out/lying*)

CÚLRA AN DÁIN

Maidin sheaca rug an file ar chiarsúr a bhí reoite thar oíche. Chuir sé i gcuimhne dó corpán mná a phóg sé roimhe sin.

TÉAMA AN DÁIN

Tá cosúlacht ann idir an rud atá reoite agus an corpán féin. Cuireann an file an-bhéim (*great emphasis*) ar fhuaire sa dán. Bíonn an rud marbh fuar agus, mar sin, déanann an file ceangal (*association*) idir an ciarsúr reoite agus an bhean mharbh. Déanann an file iarracht preab a bhaint asainn (*to startle us*) — "*sciorr*" an ciarsúr óna láimh agus is rud é a "*fuair bás*". Tá na meafair seo an-éifeachtach (*very effective*). Bhí corpán na mná "*reoite*" agus is cosúil gur chuir sí eagla ar an bhfile.

 ## PRÍOMHPHOINTÍ

- Bhí ciarsúr an fhile ag triomú (*drying*) thar oíche amuigh ar sceach.
- Chuaigh an file amach chun breith air maidin sheaca (*on a frosty morning*).

181

- Shleamhnaigh sé uaidh mar bhí sé reoite. Dar leis an bhfile go raibh sé tar éis bás a fháil thar oíche.
- Bhí an file ag iarraidh teacht ar mhothú a bhí cosúil lenar bhraith sé.
- Smaoinigh sé ansin ar chomh fuar is a bhí corpán a phóg sé tamall roimhe sin.
- **Saorvéarsaíocht** le rím gharbh atá mar mheadaracht sa dán.
- **Príomh-mheafair** — An seál póca ag fáil bháis. An seál póca ag léim ó láimh an fhile.
- **Príomh-mhothúcháin** — Imní an fhile ag samhlú an mhairbh. Trua an fhile dá gaol a fuair bás.

 CEISTEANNA

Meaitseáil na ceisteanna seo a leanas (**A, B, C, D**) leis na freagraí thíos (**1-4**) agus scríobh amach go hiomlán iad, san ord ceart.

A   Cén chaoi a raibh an aimsir sa dán?
B   Céard a bhí ag teastáil ón bhfile?
C   Céard a thug sé chun a chuimhne?
D   Cén fáth ar *"sciorr"* an t-éadach óna láimh?

 FREAGRAÍ

1   Thug sé chun a chuimhne corpán mná a phóg sé uair amháin agus í sínte ina cónra.
2   Bhí an aimsir go fuar binbeach agus bhí sé ag cur seaca.
3   Sciorr sé ona láimh mar bhí sé reoite.
4   Bhí seál póca *(ciarsúr)* ag teastáil uaidh.

 CEISTEANNA BREISE

Léigh na ceisteanna seo a leanas (**E, F, G, H**) agus ansin líon isteach na freagraí (**5-8**) ag baint úsáide as an bhfoclóir tugtha.

E   Cad é an mothúchán is láidre, dar leat, sa dán?
F   Cén cur síos a thugann an file dúinn ar an *"seál póca"* *(ciarsúr)* sa dán?
G   Cén chomparáid a rinne an file?
H   Cén chaoi a gcuirtear téama an bháis os ár gcomhair?

 FREAGRAÍ

Líon isteach na bearnaí trí úsáid a bhaint as an bhfoclóir ceart thíos.

5   Is dócha gurb é an (1) _____ an mothúchán is láidre sa dán. Cuireann (2) _____ an chiarsúir reoite an bás i gcuimhne don fhile.

6   Dar leis go raibh sé (3) _____ thar (4) _____ . Ní rud beo a bhí ann ach *"rud fuair bás"* oíche roimhe sin. (5) _____ sé óna láimh.

7   Rinne sé comparáid idir an ciarsúr reoite agus (6) _____ mná a phóg sé uair amháin agus í sínte ina (7) _____ .

8   Úsáideann an file íomhánna an-chruinne den chiarsúr reoite. Dar leis go raibh sé
marbh. Baineann sé preab as an (8) _____ . Léimeann an t-éadach óna láimh.
Tá cur síos lom freisin ar an mbean dá mhuintir a bhí (9) _____ ar chlár agus í
go fuar marbh.

FOCLÓIR

A	léitheoir	G	póg
B	corpán	H	cónra
C	sínte	I	reoite
D	eagla	J	oíche
E	file	K	Shleamhnaigh
F	fuaire	L	bás

**Téama an Bháis / na Cuimhne agus an chaoi a gcuireann an file an téama sin os
ár gcomhair**
• Tá an cur síos an-chruinn sa dán.
• Cruthaíonn an file atmaisféar na fuaire sa dán.
• Tá an dán an-ghonta ach tá sé an-éifeachtach.
• Baineann sé preab as an léitheoir.

 CLEACHTAÍ

1   Cad is téama don dán seo, dar leat?
2   Cén bhaint atá ag teideal an dáin leis an téama sin?
3   Déan cur síos ar an seál póca.
4   Cén chaoi a gcuirtear in iúl gur bhain sé stad as an bhfile?
5   Conas a bhraith an corpán de réir cuimhne an fhile?
6   Cén fáth, dar leat, ar tháinig an file ar *"macasamhail an ní seo"*?

AISTEOIR TUATACH

─────────── An File ───────────

Máirtín Ó Direáin. Rugadh in Inis Mór Árainn é i 1910. D'fhág sé an t-oileán sa bhliain 1928 agus ghlac sé post in Oifig an Phoist i nGaillimh. Ó 1937 i leith bhí sé ag obair sa Státseirbhís agus bhí cónaí air i mBaile Átha Cliath. Tá clú agus cáil air mar dhuine d'fhilí móra ár linne. D'fhoilsigh sé go leor leabhar filíochta agus leabhar próis amháin. Fuair sé bás i mBaile Átha Cliath i 1988.

Aisteoir Tuatach

Ná ceap gur ní liomsa
Tú éirí in airde
Mar stail ó thalamh
Ar theacht i mo airichis duit,   4
Má cheapairse a leithéid
Is beag is eol duit mise,
Óir ní maidrín lathaigh mé
Ag fear ar bith,   8
Feicim an meath ag teacht
Is an bás ar a shála go tiubh,
Meabhraigh féin an t-éag,
Meabhraigh an chónra cláir,   12
Meabhraigh an chruimh
A mhaireann sa chré
Ag faire ar a cuid,
Is tar ar do chéill   16
Is ar acmhainn grinn.

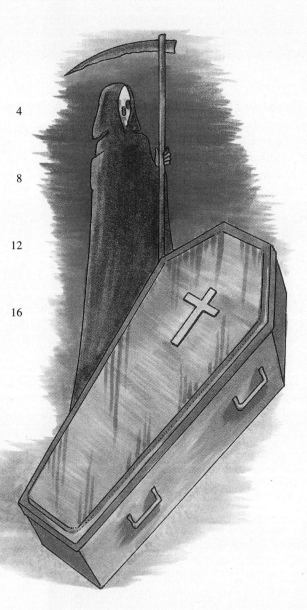

Aisteoir (leagan próis)

Boorish Actor

Ná síl go gcuireann sé as domsa	Don't think that I care
Tú ag éirí stuacánta	If you flare up
Mar stail ó thalamh	Like a stallion
Nuair a thagann mé chugat, 4	When I approach you,
Má thuigeann tú an méid sin	If you think that
Ní heol duit mise go maith,	You hardly know me,
Mar ní lútálaí mé	For I am a lap dog
Ag duine ar bith, 8	To no man,
Feicim an turnamh ag teacht	I see decline ahead
Agus an bás ina dhiaidh,	With death hot on its heels,
Cuimhnigh ar an mbás tú féin,	Remember death yourself,
Cuimhnigh ar an gcónair adhmaid, 12	Remember the wooden coffin,
Cuimhnigh ar an bpéist	Remember the worm
A chónaíonn sa talamh	That lingers in the clay
Ag feitheamh le béile,	Awaiting his share,
Agus bíodh ciall 16	Then come to your senses
Agus cumas grinn agat.	And have a sense of humour.

GLUAIS

- gur ní liomsa — go ndéanann sí difríocht domsa (*that it concerns me/that it's anything to me*)
- i mo airichis duit — ag teacht chugam/ag teacht i ngar domsa (*approaching me*)
- maidrín lathaigh — lútálaí (*sycophant/lap dog*)
- an meath — an bás (*decline*)
- meabhraigh — cuimhnigh ar (*be mindful/remember*)
- an chruimh — an phéist (*the worm*)
- ag faire ar a cuid — ag feitheamh le béile (*watching for his share*)
- acmhainn grinn — cumas grinn (*sense of humour*)

CÚLRA AN DÁIN

Bhí an file ag plé le haisteoireacht agus é ina fhear óg i dTaibhdhearc na Gaillimhe. Is cosúil gur chaith aisteoir éigin go míbhéasach leis is gur chuir sin fearg ar an bhfile.

TÉAMA AN DÁIN

Níor chóir d'aon duine éirí in airde a bheith air/uirthi mar ní buan an saol.
Caitheann an t-aisteoir go míbhéasach leis an bhfile. Cuireann sin fearg ar an bhfile. Molann an file ansin dó bheith umhal agus gan a bheith sotalach. Deir sé nach fada go dtiocfaidh an bás agus mar sin go mba chóir dó ciall agus cumas grinn a bheith aige.

PRÍOMHPHOINTÍ

- Bhí aisteoir éigin an-mhíbhéasach leis an bhfile.
- Deir an file leis gur cuma leis faoin a dhrochbhéasa.
- Meabhraíonn sé dó nach fada an saol agus go dtagann an bás ró-luath.
- Iarrann sé air bheith réasúnta agus cumas grinn a bheith aige.
- **Saorvéarsaíocht** rithimiúil atá mar mheadaracht sa dán.
- **Príomh-mheafair** — An t-aisteoir ag éirí suas mar stail in airde. An cónra cláir ag léiriú an bháis.
- **Príomh-mhothúcháin** — Bród agus fearg an fhile i ndiaidh drochbhéasa an aisteora. Trua an fhile don aisteoir féin.

 CEISTEANNA

Meaitseáil na ceisteanna seo a leanas (**A, B, C, D**) leis na freagraí thíos (**1-4**) agus scríobh amach go hiomlán iad, san ord ceart.

A Céard a rinne an "t-aisteoir tuatach", dar leat?
B *"Óir ní maidrín lathaigh mé"*. Céard atá i gceist ag an bhfile anseo?
C Cad air a bhfuil aird an fhile?
D Cad a iarrann an file ar an aisteoir tuatach?

 FREAGRAÍ

1 Tá aird an fhile ar mheath an duine agus ar an mbás a leanann é.
2 Deir an file gur fear bródúil é is nach lútálaí é ag fear ar bith.
3 Iarrann an file air teacht ar a chiall agus cumas grinn a bheith aige.
4 Is cosúil gur chaith sé go tuatach nó go míbhéasach leis an bhfile.

 CEISTEANNA BREISE

Léigh na ceisteanna seo a leanas (**E, F, G, H**) agus ansin líon isteach na freagraí (**5-8**) ag baint úsáide as an bhfoclóir tugtha.

E Céard a chuir fearg ar an bhfile?
F Cén rabhadh a thug sé don aisteoir tuatach?
G *"Tar ar do chéill/Is ar acmhainn grinn"*. Cad atá i gceist ag an bhfile anseo, dar leat?
H Cén fáth, dar leat, ar thug an file *"Aisteoir Tuatach"* mar theideal ar an dán?

 FREAGRAÍ

Líon isteach na bearnaí trí úsáid a bhaint as an bhfoclóir ceart thíos.

5 Bhí aisteoir áirithe (1) _____ agus (2) _____ . Chaith sé go dona leis an bhfile agus (3) _____ sin fearg air.
6 Mhol sé dó (4) _____ ar an meath agus ar an mbás féin. Dar leis nach fada (5) _____ an duine.

7   Tá an file ag iarraidh ar an (6) _____ bheith go (7) _____ ciallmhar agus gan bheith ró-dháiríre ann féin. Is cóir dó cumas grinn a bheith (8) _____ .

8   Ciallaíonn '*tuatach*' míbhéasach nó (9) _____ . Ní raibh béasa ag an aisteoir. Ciallaíonn an focal freisin 'tuathallach' *(awkward)*. Ní raibh an t-aisteoir (10) _____ mar aisteoir is dócha!

FOCLÓIR

A	aisteoir	H	tuatach
B	béasa	I	ró-mhaith
C	sotalach	J	borb
D	meath	K	réasúnta
E	chuir	L	cuimhneamh
F	míbhéasach	M	aige
G	saol		

Téama an Bháis / an Bhróid/ Neamhbhuaine an tsaoil agus an chaoi a gcuireann an file an téama sin os ár gcomhair
- Tá na h-íomhánna agus na meafair an-chliste.
- Múineann an dán ceacht ar leith.
- Tá tagairtí cliste don aisteoireacht sa dán.
- Tá an stíl simplí ach tá an dán an-éifeachtach.

 CLEACHTAÍ

1   Cé chum an dán seo? Scríobh nóta faoi.
2   Cad a thug ar an bhfile an dán a scríobh?
3   Cén moladh a thug an file don aisteoir?
4   Cad is brí le "*tuatach*" sa dán seo?
5   Cén tagairt a dhéanann an file don bhás sa dán?
6   Cad is téama don dán seo?

AN FHILÍOCHT – ACHOIMRE

1 Bíodh alt agat ar **shaol** agus ar **shaothar** an fhile.
2 Bí ar do chumas línte an dáin a mhíniú **id fhocail féin**.
3 Tabhair aire do **theideal an dáin**. I gcásanna áirithe beidh ort é seo a mhíniú.
4 Ná déan dearmad ar **mhothú** an fhile.
5 Bíodh **príomh-mheafair** agus **íomhánna** an dáin ar eolas agat.
6 Má spreag **ócáid ar leith** an file, bíodh **eolas maith** agat uirthi.

GRAMADACH

· REGULAR VERBS ·

Briathra Simplí	Imperative	Past	Future	Present	Conditional	Verbal Nouns
Clean	glan	ghlan	glanfaidh	glanann	ghlanfadh	glanadh
Run	rith	rith	rithfidh	ritheann	rithfeadh	rith
Drink	ól	d'ól	ólfaidh	ólann	d'ólfadh	ól
Praise	mol	mhol	molfaidh	molann	mholfadh	moladh
Leave	fág	d'fhág	fágfaidh	fágann	d'fhágfadh	fágáil
Spend/throw	caith	chaith	caithfidh	caitheann	chaithfeadh	caitheamh
Ask	iarr	d'iarr	iarrfaidh	iarrann	d'iarrfadh	iarraidh
Burn	dóigh	dhóigh	dófaidh	dónn	dhófadh	dó
Read	léigh	léigh	léifidh	léann	léifeadh	léamh
Discuss	pléigh	phléigh	pléfidh	pléann	pléifeadh	plé

Briathra Fada	Imperative	Past	Future	Present	Conditional	Verbal Nouns
Buy	ceannaigh	cheannaigh	ceannóidh	ceannaíonn	cheannódh	ceannach
Greet/bless	beannaigh	bheannaigh	beannóidh	beannaíonn	bheannódh	beannú
Arrange/settle	socraigh	shocraigh	socróidh	socraíonn	shocródh	socrú
Rise/get up	éirigh	d'éirigh	éireoidh	éiríonn	d'éireodh	éirí
Question	ceistigh	cheistigh	ceisteoidh	ceistíonn	cheisteodh	ceistiú
Help	cabhraigh	chabhraigh	cabhróidh	cabhraíonn	chabhródh	cabhrú
Tie/join	ceangail	cheangail	ceanglóidh	ceanglaíonn	cheanglódh	ceangal
Banish	díbir	dhíbir	díbreoidh	díbríonn	dhíbreodh	díbirt
Threaten	bagair	bhagair	bagróidh	bagraíonn	bhagródh	bagairt
Pull	tarraing	tharraing	tarraingeoidh	tarraingíonn	tharraingeodh	tarraing

· IRREGULAR VERBS ·

	Imperative	Past	Future	Present	Conditional	Verbal Nouns
Be	bí	bhí ní raibh an raibh?	beidh	tá níl an bhfuil?	bheadh	bheith
Catch	beir (ar)	rug	béarfaidh	beireann	bhéarfadh	ag breith
Come	tar	tháinig	tiocfaidh	tagann	thiocfadh	ag teacht
Do/make	déan	rinne ní dhearna an ndearna?	déanfaidh	déanann	dhéanfadh	ag déanamh
Eat	ith	d'ith	íosfaidh	itheann	d'íosfadh	ag ithe
Get	faigh	fuair ní bhfuair an bhfuair?	gheobhaidh ní bhfaighidh an bhfaighidh?	faigheann	gheobhadh	ag fáil
Give	tabhair	thug	tabharfaidh	tugann	thabharfadh	ag tabhairt
Go	téigh	chuaigh ní dheachaigh an ndeachaigh?	rachaidh	téann	rachadh	ag dul
Hear	clois cluin	chuala	cloisfidh cluinfidh	cloiseann cluineann	chloisfeadh	ag cloisteáil ag cluinstin
Say	abair	dúirt ní dúirt	déarfaidh ní déarfaidh	deir ní deir	déarfadh	ag rá
See	feic	chonaic ní fhaca an bhfaca?	feicfidh	feiceann	d'fheicfeadh	ag feiceáil

A. ACHOIMRE AR NA BRIATHRA

Aimsir Chaite (Past Tense)

Briathra Simplí

1 *Cuir na habairtí seo a leanas san Aimsir Chaite.*

Aimsir Chaite le
inné
aréir
anuraidh
an bhliain seo caite
cúpla lá ó shin *7rl*

   (i)   Seasann Liam ag deireadh na líne.
   (ii)   Rithimid abhaile nuair a bhímid déanach.
   (iii) Ólann sibh gloine bainne.
   (iv) Cuireann siad a gcótaí orthu.
   (v)   Dúnann tú an fhuinneog.
   (vi) Tógann Aisling a mála.

2 *Cuir na habairtí seo a leanas san Aimsir Chaite.*
   (i)   Ní chasaim ar aon duine.
   (ii)   Ní bhriseann Seán na cipíní.
   (iii) Ní chaithimid éadaí dubha.
   (iv) Ní mhúineann sibh Béarla.
   (v)   Ní ghléasann siad iad féin go luath.
   (vi) Ní thiteann Máire den chapall.

3 *Cuir na habairtí seo a leanas san Aimsir Chaite.*
   (i)   Léim leabhair.
   (ii)   Ní shuíonn tú síos.
   (iii) Sábhálann Seán an páiste.
   (iv) Taispeánann Nóra an ceacht dom.
   (v)   Ní thionólaimid an cruinniú.
   (vi) An meánn sibh na prátaí?

Briathra Fada

4 *Cuir na habairtí seo a leanas san Aimsir Chaite.*
   (i)   Ceannaím milseáin.
   (ii)   Socraíonn tú na gréithre.
   (iii) Ní osclaíonn sé an fhuinneog.
   (iv) An gceanglaíonn sí an téad?
   (v)   Ní bhailimíd na cóipleabhair.
   (vi) An aimsíonn siad poist?

Gramadach

Briathra Neamhrialta

5   *Cuir na habairtí seo a leanas san Aimsir Chaite.*
    (i)   Tá mé anseo le tamall.
    (ii)   Feiceann tú an scannán.
    (iii)   Ní chloiseann sé an scéal.
    (iv)   An ndeánann Nuala an cheist?
    (v)   Tugaimid aire don mhúinteoir.
    (vi)   Beireann sibh ar bhur málaí.
    (vii)   Ní thagann siad ar scoil.
    (viii) An bhfaigheann Síle airgead?
    (ix)   Téimid cois farraige.
    (x)   Ithim milseáin.

6   *Cuir na habairtí seo a leanas san Aimsir Chaite.*
    (i)   Táimid ábalta é a chríochnú.
    (ii)   Ní fheiceann sibh an clár.
    (iii)   An gcloiseann sí an fógra?
    (iv)   Ní dhéanaim an obair sin.
    (v)   Tugann siad cabhair dúinn.
    (vi)   Beireann sé ar an gcamán.
    (vii)   An dtagann siad abhaile?
    (viii) Ní fhaighimid aon airgead.
    (ix)   An dtéann tú ar scoil?
    (x)   Ní itheann sí iasc.

 CLEACHTAÍ ÉAGSÚLA

7   *Athscríobh na habairtí seo a leanas san Aimsir Chaite agus scríobh an leagan*
    ceart den bhriathar sa lúibiní i ngach cás.
    (i)   (Seasaim) Liam ag deireadh an ranga inné.
    (ii)   (Rith) abhaile nuair a bhíomar déanach.
    (iii)   Níor (léigh) an ceacht mar bhí tuirse orainn.
    (iv)   (Sabhálaim) sí an tseanbhean aréir.
    (v)   (Léamar) sibh an leabhar cheana.
    (vi)   (Tá mé) ag an gcluiche inné.
    (vii)   (Ní fheicim) Seán an scannán.
    (viii) An (faigh) tú do dhinnéar fós?
    (ix)   Ní (téim) siad cois farraige.
    (x)   Ar (cloisim) sibh an scéal?

Aimsir Ghnáthláithreach (Present Habitual Tense)

Briathra Simplí

8 *Cuir na habairtí seo a leanas san Aimsir Ghnáthláithreach.*

(i)   Dhún mé an doras.

(ii) Chuir tú an mála ar an mbord.

(iii) Thóg Nóra ceapaire.

(iv) Chaill Seán an eochair.

(v)   D'ólamar Coke.

(vi) Rith sibh ar nós na gaoithe.

(vii) Sheas siad amach.

Aimsir Ghnáthláithreach le
gach lá/oíche/seachtain
go minic
de ghnáth
i gcónaí
uaireanta 7rl

9 *Cuir na habairtí seo a leanas san Aimsir Ghnáthláithreach.*

(i)   Níor thit mé den rothar.

(ii) Níor ghléas tú tú féin go tapaidh.

(iii) Níor mhúin an múinteoir an ceacht.

(iv) Níor chasamar ar ár gcairde.

(v)   Níor chaith sibh cótaí móra.

(vi) Níor bhris Máire an fhuinneog.

10 *Cuir na habairtí seo a leanas san Aimsir Ghnáthláithreach.*

(i)   Mheáigh mé na torthaí.

(ii) Thionóil tú an cruinniú.

(iii) Níor léigh sé leabhar.

(iv) Ar shuigh sí síos?

(v)   Thaispeánamar dó ár gcóipleabhair.

(vi) Shábháil siad an fear bocht.

Briathra Fada

11 *Cuir na habairtí seo a leanas san Aimsir Ghnáthláithreach.*

(i)   D'aimsigh mé an sprioc.

(ii) Níor bhailigh tú na leabhair.

(iii) An cheangail sé an téad?

(iv) Níor oscail sí an bosca.

(v)   Shocraíomar an scéal.

(vi) Cheannaigh siad arán.

Briathra Neamhrialta

12 *Cuir na habairtí seo a leanas san Aimsir Ghnáthláithreach.*

    (i)   Chuaigh mé abhaile.

    (ii)   An bhfuair tú airgead?

    (iii) Níor thug sí aird air.

    (iv) Rug sibh ar na gadaithe.

    (v)   Thugamar punt dó.

    (vi) An ndearna sibh an ceacht?

    (vii) Nár chuala siad an t-amhrán?

    (viii)Níor ith mé iasc.

    (ix) An bhfaca Aisling é?

    (x)   Bhí siad ag snámh.

 CLEACHTAÍ ÉAGSÚLA

13 *Athscríobh na habairtí seo a leanas san Aimsir Ghnáthláithreach.*

    (i)   Ar chas tú ar Nóra?

    (ii)   Ghlan mé as an áit.

    (iii) Léigh sí an leathanach.

    (iv) Níor shábháil sé duine ar bith.

    (v)   Ar itheamar an béile?

    (vi) Nár chuala sibh an ceol?

    (vii) Cheannaigh siad éadaí nua.

    (viii)Nár oscail sibh an doras?

    (ix) Chuamar go Corcaigh.

    (x)   Bhí siad an-chrosta.

Aimsir Fháistineach (Future Tense)

Briathra Simplí

14   *Cuir na habairtí seo a leanas san Aimsir Fháistineach.*
   (i)   Pógann sí an leanbh.
   (ii)   Titimid den bhalla.
   (iii) Molann sí an pictiúr.
   (iv)   Loiteann siad an obair.
   (v)   Caithim cóta mór.
   (vi)   Bogann siad ón áit.

Aimsir Fháistineach le
as seo amach
an bhliain/tseachtain
seo chugainn
amárach 7rl

15   *Cuir na habairtí seo a leanas san Aimsir Fháistineach*
   (i)   Ní ghabhaim leithscéal.
   (ii)   Ní lúbann tú an t-adhmad.
   (iii) Ní ghlacann sí leis.
   (iv)   Ní chreidimid an scéal.
   (v)   Ní shroiseann sibh an siopa in am.
   (vi)   Ní bhriseann siad na fuinneoga.

16   *Cuir na habairtí seo a leanas san Aimsir Fháistineach.*
   (i)   Crúim na ba.
   (ii)   Ní shuíonn tú anseo.
   (iii) An léann sí leabhair?
   (iv)   Ní thaispeánann sí pictiúir.
   (v)   Siúlaimid abhaile.
   (vi)   Nach mbrúnn siad an cnaipe?

Briathra Fada

17   *Cuir na habairtí seo a leanas san Aimsir Fháistineach.*
   (i)   Beannaím do mo chairde.
   (ii)   Ní chodlaíonn tú go mall.
   (iii) An mbagraíonn sé orthu?
   (iv)   Nach bhfreagraíonn sí an cheist?
   (v)   Osclaímid na fuinneoga.
   (vi)   Ní labhraíonn siad os ard.

Briathra Neamhrialta

18 *Cuir na habairtí seo a leanas san Aimsir Fháistineach.*

   (i)   Deirim mo phaidreacha.

   (ii)   Tá tú an-tuirseach.

   (iii) An gcloiseann sí an clár?

   (iv) Déanann sé a dhícheall.

   (v)   Faigheann sí cabhair.

   (vi) Ní fheicimid tada.

   (vii) An itheann sibh milseáin?

   (viii) Nach dtugann siad aire dó?

   (ix) Tagaimid isteach go luath.

   (x)   Téim abhaile ar a deich.

19 *Cuir na habairtí seo a leanas san Aimsir Fháistineach.*

   (i)   Ní théann tú ar scoil.

   (ii)   An dtagann siad anseo?

   (iii) Tugann sé airgead dúinn.

   (iv) Ní itheann sí feoil.

   (v)   Nach bhfeicimid é?

   (vi) Ní fhaigheann sibh obair.

   (vii) Ní dhéanaimid morán.

   (viii) Ní chloiseann siad an scéal.

   (ix) Tá mé tinn.

   (x)   An ndeirimid paidir?

 CLEACHTAÍ ÉAGSÚLA

20 *Athscríobh na habairtí seo a leanas san Aimsir Fháistineach. agus scríobh an leagan ceart den bhriathar sa lúibiní i ngach cás.*

   (i)   (Ólaim) deoch amárach.

   (ii)   (Caitheann) ár laethanta saoire thar lear an bhliain seo chugainn.

   (iii) (Léann) mé níos cúramaí as seo amach.

   (iv) (Táim) sí ag an gcluiche amárach.

   (v)   Ní (fheicim) ár n-aistí go dtí an chéad lá eile.

   (vi) (Faigheann) sibh airgead uathu ar ball.

   (vii) An (téim) siad cois farraige nuair a bheidh seans acu?

   (viii) Ní (cloisim) Aisling focal uaidh.

   (ix) (Déanaim) a gceachtanna baile go luath amach anseo.

Modh Coinníollach (Conditional Mood)

Briathra Simplí

21 *Cuir na habairtí seo a leanas sa Mhodh Coinníollach.*

(i)   Ólaim cupán tae.

(ii) Glanann tú an bord.

(iii) Ritheann sí isteach.

(iv) Cuireann sé a chóta air.

(v)   Pógaimid ár máthair.

(vi) Bogann siad amach.

Modh Coinníollach le
dá mbeadh
mura mbeadh

22 *Cuir na habairtí seo a leanas sa Mhodh Coinníollach.*

(i)   Ní ghlacaim airgead.

(ii) Ní ghléasann tú an bord.

(iii) An gcreideann sé an scéal?

(iv) Ní mhúinimid an ceacht dóibh.

(v)   An mbriseann sibh na cipíní?

(vi) Ólann siad cupán caife.

23 *Cuir na habairtí seo a leanas sa Mhodh Coinníollach.*

(i)   Ní shuím síos.

(ii) An meánn tú na glasraí?

(iii) Taispeánann sí an aiste dó.

(iv) Ní shiúlaimid abhaile.

(v)   Léann sibh an nuachtán.

(vi) Ní chrúnn siad na ba.

Briathra Fada

24 *Cuir na habairtí seo a leanas sa Mhodh Coinníollach.*

(i)   Aimsím an sprioc.

(ii) Ní bhailíonn tú na leabhair.

(iii) An gceannaíonn sé milseáin?

(iv) Osclaímid ár leabhair.

(v)   Ní cheanglaíonn sibh an téad.

(vi) Díbríonn siad na pleidhcí.

Briathra Neamhrialta

25   *Cuir na habairtí seo a leanas sa Mhodh Coinníollach.*

    (i)   Tá go leor ama agam.

    (ii)   An bhfeiceann tú an crann?

    (iii) Cloiseann sí an múinteoir.

    (iv) Ní dhéanann Seán an obair.

    (v)   Tugaimid airgead do na bochtáin

    (vi) Nach mbeireann sibh ar na gadaithe?

    (vii) An dtagann siad abhaile?

    (viii)Ní fhaighim aon chabhair.

    (ix) Téann Aisling ag siúl.

    (x)   Ní ithimid morán.

26   *Cuir na habairtí seo a leanas sa Mhodh Coinníollach.*

    (i)   Ní théim ar ais.

    (ii)   An dtagann tú isteach?

    (iii) Ní thugann sé aire dóibh.

    (iv) Itheann sé an iomad.

    (v)   Ní fheicimid an scannán.

    (vi) An bhfaigheann sibh cabhair?

    (vii) Déanaimid ár ndícheall.

    (viii)An gcloiseann sibh an ceol?

    (ix) Tá siad as láthair.

    (x)   Deirimid ár bpaidreacha.

 CLEACHTAÍ ÉAGSÚLA

27   *Athscríobh na habairtí seo a leanas sa Mhodh Coinníollach agus scríobh an leagan ceart den bhriathar sa lúibiní i ngach cás.*

    (i)   Ní (casaim) tú ar dhuine ar bith.

    (ii)   An (ritheann) sé abhaile dá mbeadh an dinnéar réidh?

    (iii) (Creideann) sí an scéal sin dá mbeadh sé fíor.

    (iv) Nach (tá) sí níos fearr dul ann láithreach?

    (v)   Cá (faighim) tú carbhat mar sin?

    (vi) An (léim) na nuachtáin dá mbeadh seans againn?

    (vii) Ní (cloiseann) siad an ceol dá mbeadh sé an-íseal.

    (viii)(Beirim) na gardaí air dá n-éalódh sé.

    (ix) Ní (ceannaíonn) siad na héadaí sin dá mbeidís an-daor.

    (x)   (Suím) Nóra cois tine dá mbeadh an aimsir fuar.

B. Claoninsint ar na Briathra

Claoninsint i ndiaidh	Briathra rialta	Roinnt briathra neamhrialta
Dúirt mé/sé/Seán	Dúirt sé *gur*	Dúirt sé *go* raibh
Cheap mé/sé/Seán	Dúirt sé *nár*	Dúirt sé *nach* raibh
Shíl mé/sé/Seán		*go* ndeachaigh
		nach ndeachaigh
		go bhfuair
		nach bhfuair

1 *Déan claoninsint ar na habairtí seo a leanas ag tosú le "Dúirt Máire".*
   (i) "Sheas Liam amach ach ansin rith sé abhaile."
   (ii) "D'ólamar gloine uisce agus chuireamar na gloiní ar leataobh."
   (iii) "Dhún siad an fhuinneog agus thóg siad gach rud abhaile."
   (iv) "Chas Nóra sular bhris sí cos léi."
   (v) "Mhúin an múinteoir sinn agus chaitheamar éadaí scoile."
   (vi) "Ghléas siad iad féin agus ansin shiúil siad amach."
   (vii) "Léamar faoin eachtra nuair a shuíomar síos."
   (viii) "Shábháil siad an páiste a thaispeáin an fear dóibh."
   (ix) "Níor mheáigh mé na prátaí fós ach chuir mé sa mhála iad."

2 *Déan claoninsint ar na habairtí seo a leanas ag tosú le "Cheap Seán".*
   (i) Cheannaigh mé milseáin ach níor cheistigh mé an cailín.
   (ii) D'oscail sé an doras ach níor cheangail sé an madra.
   (iii) Bhailigh siad na foirmeacha agus d'aimsigh siad an post.
   (iv) Bhí sé anseo le dhá bhliain agus chonaic sé gach áit.
   (v) Chuala siad an scéal ach ní dhearna siad tada.
   (vi) Thugamar seans dó ach níor rug sé ar an bhfaill.
   (vii) Tháinig mé go luath agus fuair mé áit mhaith.
   (viii) Chuamar abhaile ach níor itheamar béile mór.
   (ix) Ní raibh ocras orm agus níor ith mé ach cáca beag.
   (x) Chonaic mé Nóra ach ní raibh a cara léi.

Inniu	⟶ an lá sin	Sin	⟶ siúd
Inné	⟶ an lá roimhe sin	Amárach	⟶ lá arna mhárach/ an
Anois	⟶ ansin		lá ina dhiaidh sin
Ansin	⟶ ansiúd	Seo chugainn	⟶ a bhí chugainn
Seo	⟶ sin		

Gramadach

 CLEACHTAÍ ÉAGSÚLA

3 *Déan claoninsint ar na habairtí seo a leannas ag tosú le "Dúirt an múinteoir".*

  (i) "D'fhan mé sa teach sin inné agus thaitin sé go mór liom."

  (ii) "Chuir mo mhac suíochán in áirithe agus d'imigh mé go dtí an cheolchoirm."

  (iii) "Níor léigh mé an leabhar seo go fóill ach tosóidh mé air amárach."

  (iv) "Beimid ag imeacht an tseachtain seo chugainn agus ní thiocfaimid abhaile go ceann coicíse."

  (v) "Chuaigh mé go dtí rang a sé inniu ach ní fhaca mé aon duine ann."

  (vi) "Fuair mé peann nua inniu ach gheobhaidh mé peann luaidhe amárach."

4 **An Chopail "Is/Ní"**

  (a) **Is/Ní** — followed by word beginning with a consonant.

"**Is** carr dubh é," arsa Nóra.
Dúirt Nóra *gur* charr dubh é.

"**Ní** carr dubh é," arsa Nóra.
Dúirt Nóra *nár* charr dubh é.

Díreach	Claoninsint
is	gur
ní	nár

 CLEACHTAÍ

Athscríobh na giotaí seo a leanas ag tosú le *"Dúirt Seán le Liam."*

  (i) "Is bord nua é; ní seanbhord é."

  (ii) "Is cat bán í; ní cat dubh í."

  (iii) "Is dána an buachaill é; ní deas an buachaill é."

  (iv) "Is glic an fear é; ní gligín é."

  (v) "Is páirc mhór í; ní páirc bheag í."

  (b) **Is/Ní** — followed by vowel or *f*.

"**Is** éan é sin," arsa Seán.
Dúirt Seán **gurbh** éan é sin (nó é siúd).

"**Ní** héan é sin," arsa Seán.
Dúirt Seán **nárbh** éan é sin.

Díreach	Claoninsint
is	gurbh
ní	nárbh

"**Is** fiú bainne a ól," arsa Liam.
Dúirt Liam **gurbh** fhiú bainne a ól.

"**Ní** fiú bainne a ól," arsa Liam.
Dúirt Liam **nárbh** fhiú bainne a ól.

 **CLEACHTAÍ**

Athscríobh na giotaí seo a leanas ag tosú le *"Dúirt Aisling le Máire."*
- (i) "Is é Séamas a bhí ann agus ní hé Seán."
- (ii) "Is úll é sin; ní oráiste é."
- (iii) "Is ainmhí é sin; ní iasc é."
- (iv) "Is fear é sin; ní féar é!"
- (v) "Is fearr an tsláinte ná na táinte."

(c) Is/Ní — Modh Coinníollach *(Conditional)*

Ba mhaith liom úll," arsa Nóra.
Dúirt Nóra *go mba mhaith léi* úll.

Díreach	Claoninsint
ba	go mba
níor	nár
níorbh	nárbh

Níor mhaith liom cáca," arsa Nóra.
Dúirt Nóra *nár mhaith léi* cáca.

B'fhearr liom deoch," arsa Seán.
Dúirt Seán *go mb'fhearr leis* deoch.

Níorbh fhearr liom béile," arsa Seán.
Dúirt Seán *nárbh fhearr leis* béile.

 CLEACHTAÍ

Athscríobh na giotaí seo a leanas ag tosú le *"Dúirt Máirtín le Pól."*
- (i) "Ba mhaith liom cáca ach níor mhaith liom arán."
- (ii) "Ba mhian liom imeacht ach níor mhian liom fanacht."
- (iii) "Ba bhreá liom dul ach níor bhreá liom dul láithreach."
- (iv) "B'fhearr liom an peann buí; níorbh fhearr liom an peann dubh."
- (v) "B'fhearr liom siúl; níorbh fhearr liom rith."

 CLEACHTAÍ ÉAGSÚLA

Athscríobh na giotaí seo a leanas ag tosú le *"Dúirt Aisling le Póilín."*
- (i) "Is cat é sin ach is fearr liom madra."
- (ii) "Ní iasc é sin agus is mian liom feoil."
- (iii) "Ní féar maith é sin; ba mhian liom páirc eile."
- (iv) "Is fiú deoch a ól ach b'fhearr liom béile."
- (v) "Is dána an buachaill é; ní fiú faic é."
- (vi) "Is bád nua é sin ach ní maith liom é"
- (vii) "Ní iascaire an duine sin; is fear ón monarcha é."
- (viii) "Is fearr an deoch a ól níos déanaí cé gur mhaith leat é a ól anois."
- (ix) "Is dona an scéal é; ní fiú tada a dhéanamh."
- (x) "Ba mhaith liom imeacht; is fearr deifir a dhéanamh."

5   **Modh Ordaitheach** *(Imperative Mood i.e. giving an order)*

   (a)   With no *object* in sentence.

"**Suigh** síos," arsa Seán.
Dúirt Seán *suí* síos.

"**Ná suigh** síos," arsa Seán.
Dúirt Seán *gan suí* síos.

"**Seas** suas," arsa Seán.
Dúirt Seán *seasamh* suas.

"**Ná seas** suas," arsa Seán.
Dúirt Seán *gan seasamh* suas.

Díreach	Claoninsint
suigh	suí
seas	seasamh
fan	fanacht
tar	teacht
éist	éisteacht
bí	bheith
téigh	dul

 CLEACHTAÍ

Athscríobh na giotaí seo a leanas ag tosú le *"Dúirt Pádraig le Cathal."*
   (i)   "Téigh ar aghaidh ach ná bí i bhfad leis."
   (ii)   "Tar ar ais ach ná rith ró-thapaidh."
   (iii) "Fan go fóill ach ná seas suas."
   (iv)   "Éist liom go géar agus ná bí ag pleidhcíocht."
   (v)   "Ná suigh ar an gcathaoir ach seas in aice na fuinneoige."

   (b)   With *object* in sentence.

"**Glan** an clárdubh a Liam," arsa an múinteoir.
Dúirt an múinteoir le Liam an clárdubh **a ghlanadh**.

"**Ná glan** an clárdubh a Liam," arsa an múinteoir.
Dúirt an múinteoir le Liam *gan* an clárdubh *a ghlanadh*.

"**Dún** an doras a Mháire," arsa Pádraig.
Dúirt Pádraig le Máire an doras **a dhúnadh**.

"**Ná dún** an doras a Mháire," arsa Pádraig.
Dúirt Pádraig le Máire *gan* an doras **a dhúnadh**.

Díreach	Claoninsint
glan	a ghlanadh
dún	a dhúnadh
ith	a ithe
tóg	a thógáil
ceannaigh	a cheannach
bris	a bhriseadh

CLEACHTAÍ

Athscríobh na giotaí seo a leanas ag tosú le *"Dúirt a chara le Pádraig."*
    (i)   "Tóg an t-airgead leat ach ná tóg an leabhar."
    (ii)   "Fág an cat sa chlós agus ná fág sa seomra í."
    (iii) "Ná hith an cáca sin ach ith do dhinnéar anois."
    (iv) "Bris na cipíní ach ná bris an seanbhord."
    (v)   "Tóg an deoch anois ach ná hól ach gloine amháin."

CLEACHTAÍ ÉAGSÚLA

Athscríobh na giotaí seo a leanas ag tosú le *"Dúirt an múinteoir leis an dalta."*
    (i)   "Fan socair agus ansin déan an ceacht."
    (ii)   "Ná críochnaigh an aiste ach seas amach ar feadh nóiméid."
    (iii) "Beir ar an bpeann agus scríobh alt."
    (iv) "Téigh amach agus dún an doras sin."
    (v)   "Tar isteach agus glan an clárdubh."
    (vi) "Dún do chlab agus ná bí dána."
    (vii) "Ith an lón agus fan i do shuí."
   (viii) "Ná téigh amach anois ach fág an seomra glan."
    (ix) "Críochnaigh an scéal agus ansin seas amach."
    (x)   "Tóg sos agus ansin oscail do leabhar."

C. TUISEAL GINIDEACH

Tuiseal Ginideach i ndiaidh
Ainm Briathartha e.g. a*g glanadh an bhoird; ag marú an éin*

chun	tar éis	i gcomhair
in aice	ar son	ar feadh
i dtaobh	i measc	ar aghaidh ↗ʰ

An Chéad Díochlaonadh
Tá na hainmfhocail firinscneach

an bád — dath an bháid	na báid — dath na mbád
an bord — cosa an bhoird	na boird — cosa na mbord
an fear — ceann an fhir	na fir — cinn na bhfear
an clúdach — dath an chlúdaigh	na clúdaigh — dath na gclúdach
an t-éan — gob an éin	na héin — goib na n-éan

 CLEACHTAÍ

Athscríobh na hainmfhocail seo a leanas agus scríobh an leagan ceart de na focail idir lúibíní.

(i) cluasa an (cat) : dath na (cait)
(ii) barr an (cnoc) : i lár na (cnoic)
(iii) ag ithe an (breac) : ag marú na (bric)
(iv) dath an (peann) : dath na (pinn)
(v) in aice an (iasc) : in aice na (éisc)
(vi) sciathán an (eitleán) : sciathán na (eitléain)
(vii) beannacht an (naomh) : beannachtaí na (naoimh)
(viii) ag glanadh an (bord) : ag glanadh na (boird)

An Dara Díochlaonadh
Tá na hainmfhocail baininscneach ach amháin *im* agus *sliabh*.

an chos — ingne na coise	na cosa — ingne na gcos
an bhróg — dath na bróige	na bróga — dath na mbróg
an lámh — caol na láimhe	na lámha — neart na lámha
an cháipéis — ag léamh na cáipéise	na cáipéisí — ag léamh na gcáipéisí
an tsráid — barr na sráide	na sráideanna — ag scuabadh na sráideanna
an reilig — in aice na reilige	na reiligí — ag cuardach na reiligí

 CLEACHTAÍ

Athscríobh na hainmfhocail seo a leanas agus scríobh an leagan ceart de na focail idir lúibíní.

(i) barr na (cluasa) : éisteacht na (cluasa)

(ii) ceol na (spideog) : ceol na (spideoga)

(iii) gob na (cearc) : ag marú na (cearca)

(iv) sciathán na (beach) : crónán na (beacha)

(v) ag glanadh na (fuinneog) : dath na (fuinneoga)

(vi) ag ardú na (cailís) : ag glanadh na (cailísí)

(vii) cúis na (stailc) : méid na (stailceanna)

(viii) teach na (baintreach) : tithe na (baintreacha)

An Tríú Díochlaonadh
Tá na hainmfhocail firinscneach agus baininscneach

an dochtúir — cóta an dochtúra	na dochtúirí — cóta na ndochtúirí
an báicéir — císte an bháicéara	na báicéirí — cístí na mbáicéirí
an buachaill — bróga an bhuachalla	na buachaillí — bróga na mbuachaillí
an bhliain — i rith na bliana	na blianta — i rith na mblianta
an mhóin — Bord na Móna	na móinte — ag taighde na móinte
an bhuairt — fáth na buartha	na buarthaí — fáth na mbuarthaí

 CLEACHTAÍ

Athscríobh na hainmfhocail seo a leanas agus scríobh an leagan ceart de na focail idir lúibíní.

(i) teach an (múinteoir) : tithe na (múinteoirí)

(ii) leabhar an (dlíodóir) : leabhair na (dlíodóirí)

(iii) páirc an (feirmeoir) : páirceanna na (feirmeoirí)

(iv) géire na (snáthaid) : géire na (snáthaidí)

(v) tús na (aicíd) : tús na (aicídí)

(vi) i lár na (seachtain) : i rith na (seachtainí)

(vii) ag úsáid na (uirlis) : ag úsáid na (uirlisí)

An Ceathrú Díochlaonadh
Tá na hainmfhocail firinscneach agus baininscneach.

an báidín — seol an bháidín	na báidíní — seolta na mbáidíní
an féirín — ag lorg an fhéirín	na féiríní — ag lorg na bhféiríní
an machaire — i lár an mhachaire	na machairí — i lár na machairí
an bhanaltra — éadaí na banaltra	na banaltraí — seomra na mbanaltraí
an lile — dath na lile	na lilí — dath na lilí
an oíche — i lár an oíche	na hoícheanta — fad na n-oícheanta

 **CLEACHTAÍ**

Athscríobh na hainmfhocail seo a leanas agus scríobh an leagan ceart de na focail idir lúibíní.

(i)   éadaí an (cailín) : éadaí na (cailíní)

(ii)   bád an (iascaire) : báid na (iascairí)

(iii)   ag ardú an (dréimire) : ag ardú na (dréimirí)

(iv)   bruíon na (bantiarna) : bruíonta na (bantiarnaí)

(v)   ag sileadh na (ola) : ag sileadh na (olaí)

(vi)   in aice na (trá) : in aice na (tráthanna)

(vii) i rith na (fleá) : i rith na (fleánna)

(viii) ag caitheamh na (sleá) : ag caitheamh na (sleánna)

An Cúigiú Díochlaonadh
Tá na hainmfhocail baininscneach
i gcoitinne ach tá roinnt díobh firinscneach.

an traein — carráiste na traenach	na traenacha — carráistí na dtraenacha
an mháthair — grá na máthar	na máithreacha — grá na máithreacha
an abhainn — uisce na habhann	na haibhneacha — uisce na n-aibhneacha
an lá — i rith an lae	na laethanta — i rith na laethanta
an cara — meon an charad	na cairde — meon na gcairde
an athair — ainm an athar	na haithreacha — ainmneacha na n-aithreacha

---

 **CLEACHTAÍ**

Athscríobh na hainmfhocail seo a leanas agus scríobh an leagan ceart de na focail idir lúibíní.

(i)   éadaí mo (máthair) : éadaí bhur (máithreacha)

(ii)   dath na (coróin) : dath na (corónacha)

(iii)   ag léamh na (litir) : ag léamh na (litreacha)

(iv)   cóta mo (deartháir) : cótaí mo (deartháireacha)

(v)   seomra an (bráthair) : scoil na (bráithre)

(vi)   ag troid an (namhaid) : ag troid na (naimhde)

(vii) pobal (Dia) : scéalta na (Déithe)

(viii) fear na (teach) : fir na (tithe)

D. RÉAMHFHOCAIL

Sa Ghaeilge cuirtear réamhfhocal agus forainm le chéile chun struchtúir nua a dhéanamh i.e. **forainm réamhfhoclach**. Tá na struchtúir seo an-tábhachtach. Moltar don dalta an liosta thíos a fhoghlaim sula dtugann sé/sí faoi na cleachtaí. Tá cleachtaí ar leith ann do gach réamhfhocal.

ag mé	→ agam
le mé	→ liom
as mé	→ asam

FOGHLAIM:

· RÉAMHFHOCAIL ·

Ag	agam	agat	aige	aici	againn	agaibh	acu
Ar	orm	ort	air	uirthi	orainn	oraibh	orthu
As	asam	asat	as	aisti	asainn	asaibh	astu
Chun/Chuig	chugam	chugat	chuige	chuici	chugainn	chugaibh	chucu
Do	dom	duit	dó	di	dúinn	daoibh	dóibh
Faoi	fúm	fút	faoi	fúithi	fúinn	fúibh	fúthu
Idir	idir mé	idir tú	idir é	idir í	eadrainn	eadraibh	eatarthu
Le	liom	leat	leis	léi	linn	libh	leo
Ó	uaim	uait	uaidh	uaithi	uainn	uaibh	uathu
Roimh	romham	romhat	roimhe	roimpi	romhainn	romhaibh	rompu
Trí	tríom	tríot	trí	tríthi	trínn	tríbh	tríothu
De	díom	díot	de	di	dínn	díbh	díobh
I	ionam	ionat	ann	inti	ionainn	ionaibh	iontu

Gramadach

1 Ag

Athscríobh na habairtí seo thíos agus cuir réamhfhocal a oireann sa bhearna i ngach cás.

(i) "Tá punt **agam**," arsa Seán le Máire.

(ii) "Go raibh maith _____ pháistí," arsa an bhean.

(iii) Bhí na cailíní sásta mar bhí an obair déanta _____ .

(iv) "Níl suim _____ sa cheol clasaiceach," arsa na páistí.

(v) Bhí sé i gceist _____ an mbuachaill post a fháil.

(vi) "Tá súil _____ go n-éireoidh leat sa scrúdú," arsa Máire le Pádraig.

(vii) "Tá sé ar intinn _____ dul ar saoire," arsa na cailíní.

(viii) Ní raibh morán oibre le déanamh _____ agus d'imigh sé abhaile.

2 Ar

Athscríobh na habairtí seo thíos agus cuir réamhfhocal a oireann sa bhearna i ngach cás.

(i) Bhí ocras **ar** an gcailín agus bhí **uirthi** dul abhaile.

(ii) Chuir na cailíní a hataí _____ .

(iii) Ní rabhamar ag obair agus theip _____ sa scrúdú.

(iv) D'iarr an múinteoir _____ sos a ghlacadh mar bhí siad tuirseach.

(v) "A Dhia déan trócaire _____ ," arsa na mná rialta.

(vi) Is iontach an cailín í, bail ó Dhia _____ .

(vii) Lig an páiste _____ go raibh sé ina chodladh.

(viii) "Ná cuir an milleán _____ ," arsa Seán.

3 As

Athscríobh na habairtí seo thíos agus cuir réamhfhocal a oireann sa bhearna i ngach cás.

(i) Ná bí ag maíomh **as** do chóta nua.

(ii) Nuair a chuala na daoine an drochscéal bhain sé stad _____ .

(iii) Tá an bhean sin craiceálta; tá sí _____ a meabhair ar fad.

(iv) D'éirigh go maith le mo dheirfiúracha sa scrúdú agus bhí mé an-bhródúil _____ .

(v) Nuair a bhain gortú do Sheán b'éigean dó éirí _____ a phost.

(vi) Cad _____ don pháiste sin?

(vii) Nuair a chonaiceamar an taibhse ligeamar béic _____ .

(viii) Is beag muinín atá agam _____ an ngluaisteán sin.

4 Chun/Chuig

Athscríobh na habairtí seo thíos agus cuir réamhfhocal a oireann sa bhearna i ngach cás.

(i) Ní dhearna Máire aon dul **chun** cinn san obair.

(ii) Rachaimid ar saoire an bhliain seo _____ .

(iii) Chuaigh na cailíní _____ an Aifrinn go luath.

(iv) Scríobh mé litir _____ m'uncail aréir.

(v) Cad _____ an cóipleabhar seo?

(vi) Caithfidh tú cur _____ an obair le díograis.

(vii) Féach _____ go bhfuil gach rud i gceart.

(viii) "Tabhair _____ an deoch a Sheáin," arsa Síle.

5 **Do**

Athscríobh na habairtí seo thíos agus cuir réamhfhocal a oireann sa bhearna i ngach cás.

(i) "Tabhair **dom** do lámh," arsa Seán le Nóra.

(ii) Cad a bhain _____ Sheán?

(iii) Taispeáin an ceacht _____ mar ní thuigeann siad é.

(iv) Tá grá ag Máire _____ Pheadar.

(v) Lig _____ agus ná bí ag cur isteach air.

(vi) Is iníon _____ Cháit an cailín sin.

(vii) Nollaig shona _____ a chailíní.

(viii) B'éigean _____ fanacht sa bhaile mar bhí tinneas orthu.

6 **Faoi**

Athscríobh na habairtí seo thíos agus cuir réamhfhocal a oireann sa bhearna i ngach cás.

(i) D'imigh na cailíní abhaile **faoi** dheireadh.

(ii) Tá an bhean bhocht _____ bhrón.

(iii) Buail _____ anseo, a Sheáin.

(iv) Níl eolas ar bith agam _____ ábhar sin.

(v) Bhí na buachaillí ag titim agus bhí Nóra ag gáire _____ .

(vi) Nollaig _____ shéan is _____ mhaise daoibh.

(vii) Bhíomar déanach agus bhí na páistí ag magadh _____ .

(viii) Bhí Seán náirithe agus bhí ceann _____ air.

7 **Idir**

Athscríobh na habairtí seo thíos agus cuir réamhfhocal a oireann sa bhearna i ngach cás.

(i) "Roinn an t-airgead **eadraibh**," arsa a máthair leis na páistí.

(ii) Bhí siad go léir ann _____ chléir agus thuaith.

(iii) D'imigh Seán _____ a trí agus a cúig.

(iv) D'imigh siad _____ an meán oíche agus lá.

(v) "_____ féin níl seans aige," arsa Nuala le Seán.

(vi) Bhí gach duine den tuairim chéanna _____ fhir is mhná.

(vii) Ní féidir le haon duine cur _____ .

(viii) Roinn sé _____ an bheirt acu é.

8 **Le**

Athscríobh na habairtí seo thíos agus cuir réamhfhocal a oireann sa bhearna i ngach cás.

(i)   "Abair **le** Seán go mbeidh mé déanach," arsa Pól.

(ii)   "Bí _____ anocht: beidh an-chraic againn," arsa na cailíní lena gcara.

(iii)   D'imigh sé _____ gan focal a rá.

(iv)   Chaith Máire go dona _____ mar bhí siad dána.

(v)   "An _____ an t-airgead seo a Nóra?"

(vi)   Bhailigh Máire _____ agus d'imigh sí abhaile.

(vii) Bhí mé ag caint _____ na buachaillí inné.

(viii) "Is _____ an téip sin a Sheáin," arsa Nóra.

9 **Ó**

Athscríobh na habairtí seo thíos agus cuir réamhfhocal a oireann sa bhearna i ngach cás.

(i)   "D'imigh ár n-athair **uainn** fadó," arsa na páistí.

(ii)   Tá an téip sin _____ mhaith anois.

(iii)   Céard atá _____ , a Nóra?

(iv)   Bhí siad buí _____ ngrian nuair a tháinig siad abhaile.

(v)   Bhí Pádraig ann _____ chianaibh.

(vi)   _____ féin a chuala mé an scéal cé nach ndúirt sé morán.

(vii) Ná creid _____ é; is minic í ag insint bréag.

(viii) Faraor tá sé _____ leigheas.

10 **Roimh**

Athscríobh na habairtí seo thíos agus cuir réamhfhocal a oireann sa bhearna i ngach cás.

(i)   "Tá fáilte is fiche **romhaibh**, a bhuachaillí," arsa an múinteoir.

(ii)   Chonaic mé an sliabh _____ amach.

(iii)   "Bí ar ais _____ a haon déag," arsa a máthair le hAisling.

(iv)   Níl eagla ar Sheán _____ an duine sin.

(v)   Cé tháinig _____ sa líne, a Sheáin?

(vi)   Bíodh an obair déanta agaibh _____ ré.

(vii) Bhí mé ag éisteacht leis an radio _____ éirí dom.

(viii) Tá a saol go léir _____ ag na cailíní.

11 **Trí**

Athscríobh na habairtí seo thíos agus cuir réamhfhocal a oireann sa bhearna i ngach cás.

(i)   Chuaigh mé **trí** shráid agus mé ag feadaíl.
(ii)   Bhí an seomra _____ thine agus rith mé amach.
(iii)   Chuaigh an píléar _____ a ghualainn agus thit sé.
(iv)   Chuaigh an ghaoth _____ agus bhíomar préachta.
(v)   Nuair a d'fhéach mé isteach bhí an seomra _____ chéile.
(vi)   Bhí an ceacht go léir _____ Ghaeilge.
(vii) Ghabh sí _____ chruatan an tsaoil.
(viii) Bhris fuarallas _____ amach nuair a nocht an taibhse.

12 **De**

Athscríobh na habairtí seo thíos agus cuir réamhfhocal a oireann sa bhearna i ngach cás.

(i)   Bain **díot** do chasóg, a Sheáin.
(ii)   Éirím go luath _____ ghnáth.
(iii)   Nuair a thug siad airgead dúinn bhíomar buíoch _____ .
(iv)   Bíonn Pádraig _____ shíor ag gearán.
(v)   Chuaigh sé _____ léim amach an fhuinneog.
(vi)   Tá mé bréan _____ ábhar sin.
(vii) Thit Seán _____ bhalla.
(viii) Rinne sí iarracht ach chuaigh _____ é a dhéanamh.

13 **I**

Athscríobh na habairtí seo thíos agus cuir réamhfhocal a oireann sa bhearna i ngach cás.

(i)   Bhí an oíche ag dul **i** bhfuaire.
(ii)   D'éirigh sé _____ ghála.
(iii)   Cad _____ a bhfuil spéis aige?
(iv)   Dún do bhéal agus bí _____ do thost.
(v)   Nuair a bhí mé _____ mo chodladh bhí tromluí agam.
(vi)   Chuir mé an ticéad _____ mo phóca.
(vii) Ní maith leis an t-ábhar agus ní chuireann sé suim _____ .
(viii) Lig Nóra scread aisti nuair a chuir an bheach cealg _____ .

E. AN AIDIACHT SHEALBHACH

(The Possessive Adjective)

mo c*h*ara	ár *g*cairde	m'uncail	ár *n*-uncail
do c*h*ara	bhur *g*cairde	d'uncail	bhur *n*-uncail
a c*h*ara	a *g*cairde	a uncail	a *n*-uncail
a *c*ara		a *h*uncail	

 CLEACHTAÍ

Scríobh amach na habairtí seo a leanas agus cuir isteach an fhoirm cheart de na focail idir lúibíní.

(i) Bhí mé ag caint le mo (deartháir).

(ii) Cuir glaoch ar do (máthair).

(iii) Bhí brón ar Sheán mar bhí a (cara) i dtrioblóid.

(iv) Labhair Aisling lena (athair).

(v) Chuamar ann lenár (cairde).

(vi) Cár fhág sibh bhur (ceirníní)?

(vii) Chaill siad a (bronntanais).

(viii) Glaoigh ar do (deirfiúr).

(ix) Tá ár (uncail) tinn.

(x) Chaill sí a (peann).

F. NA BUNUIMHREACHA

(The Cardinal Numbers)

aon chapall amháin	trí chapall déag	capall is tríocha
dhá chapall	ceithre chapall déag	dhá chapall is tríocha
trí chapall	cúig chapall déag	seacht gcapall is tríocha
ceithre chapall	sé chapall déag	daichead capall
cúig chapall	seacht gcapall déag	caoga capall
sé chapall	ocht gcapall déag	seasca capall
seacht gcapall	naoi gcapall déag	seachtó capall
ocht gcapall	fiche capall	ochtó capall
naoi gcapall	capall is fiche	nócha capall
deich gcapall	dhá chapall is fiche	céad capall
aon chapall déag	seacht gcapall is fiche	
dhá chapall déag	tríocha capall	

 CLEACHTAÍ

Athscríobh na habairtí seo a leanas agus cuir isteach an leagan ceart den ainmfhocal i ngach cás.

(i)   Ní bhfuair mé ach aon (cárta) amháin.

(ii)   Tá dhá (bosca) ar an mbord.

(iii)   Chonaic mé trí (dán) sa leabhar.

(iv)   Tá ceithre (fuinneog) ar oscailt.

(v)   Níl ach cúig (pingin) agam.

(vi)   Bhí sé (saighdiúir) sa líne.

(vii)   Níl ach seacht (capall) fágtha.

(viii) Fuair naoi (ball) bás.

(ix)   Tá deich (garda) sa stáisiún.

(x)   Níl ach dhá (cóipleabhar) déag agam.

(xi)   Tá trí (fuinneog) déag ar an teach.

(xii)   Tá seacht (doras) déag ann.

(xiii) Fuair fiche (daoine) bás.

(xiv)   Bhí ceithre (bord) is fiche sa bhialann.

(xv)   Chonaic mé seacht (cailín) is tríocha sa halla.

Eisceachtaí *(exceptions)*

bliain	
aon bhliain amháin	aon bhliain déag
dhá bhliain	dhá bhliain déag
trí bliana	trí bliana déag
ceithre bliana	ceithre bliana déag
cúig bliana	cúig bliana déag
sé bliana	sé bliana déag
seacht mbliana	seacht mbliana déag
ocht mbliana	ocht mbliana déag
naoi mbliana	naoi mbliana déag
deich mbliana	fiche bliain

ceann	*uair*
ceann amháin	uair amháin
dhá cheann	dhá uair
trí cinn	trí huaire
ceithre cinn	ceithre huaire
cúig cinn	cúig huaire
sé cinn	sé huaire
seacht gcinn	seacht n-uaire
ocht gcinn	ocht n-uaire
naoi gcinn	naoi n-uaire
deich gcinn	deich n-uaire

 CLEACHTAÍ

Athscríobh na huimhreacha seo a leanas agus cuir isteach an leagan ceart díobh agus de na hainmfhocail a leanann.

    (i)   15 fear

    (ii)   12 páipéar

    (iii)   18 cóipleabhar

    (iv)   23 bád

    (v)   30 capall

    (vi)   45 peann

    (vii) 52 milseán

    (viii) 67 madra

    (ix)   99 bileog

    (x)   100 cat

    (xi)   ceithre (bliain)

    (xii) seacht (uair)

    (xiii) deich (ceann)

    (xiv) dhá (bliain)

    (xv) naoi (ceann)

G. Na hUimhreacha Pearsanta

aon chailín amháin	trí chailín déag
bheirt chailín (chailíní)	ceithre chailín déag
triúr cailín	cúig chailín déag
ceathrar cailín	sé chailín déag
cúigear cailín	seacht gcailín déag
seisear cailín	ocht gcailín déag
seachtar cailín	naoi gcailín déag
ochtar cailín	fiche cailín
naonúr cailín	cailín is fiche
deichniúr cailín	dhá chailín is fiche
aon chailín déag	cúig chailín is tríocha
dáréag cailín	sé chailín is daichead

N.B.	bean amháin	seisear ban
	beirt bhan	seachtar ban
	triúr ban	ochtar ban
	ceathrar ban	naonúr ban
	cúigear ban	deichniúr ban

 CLEACHTAÍ

Athscríobh na huimhreacha seo a leanas agus cuir isteach an leagan ceart díobh agus de na hainmfhocail a leanann.

(i)   1 fear
(ii)   2 bean
(iii)   3 fear
(iv)   4 buachaillí
(v)   20 fear
(vi)   25 cailín
(vii)   37 gasúr
(viii) 40 múinteoir
(ix)   59 dalta
(x)   60 dochtúir
(xi)   73 táilliúir
(xii)   87 tincéir
(xiii) 98 clódóir
(xiv)   99 ball
(xv)   100 siúinéir

CEAPADÓIREACHT

Baineann an chaibidil seo le ceapadóireacht. Chuige sin tá go leor cleachtaí ann chun aire an dalta a dhíriú ar scríobh na haiste agus ar na gnéithe éagsúla a bhaineann leis.

A. Aiste Ghearr ar Ábhar Tugtha

1 Turasóireacht in Éirinn

Críochnaigh an aiste seo a leanas ag baint úsáide as an bhfoclóir thíos chun na bearnaí a líonadh.

Tagann go leor turasóirí go dtí an tír seo. Dar leo gur tír (1) _____ í ar fad. Cé nach bhfuil an (2) _____ ar fheabhas is fíor gur tír ghleoite an tír seo. Tá an (3) _____ _____ thar insint scéil agus tá na daoine go fial flaithiúil.

Ós tír bheag í, is féidir dul áit ar bith sa tír gan mórán (4) _____ . Tá (5) _____ agus cultúr na tíre an-sean agus an-suimiúil go deo. Bíonn baint ag a lán de na turasóirí le hÉirinn mar gurb as an tír seo dá (6) _____ . Tagann siadsan ó Mheiriceá nó ó Shasana agus bíonn siad ag lorg eolais faoina a (7) _____ .

Bhí cónaí ar go leor (8) _____ cáiliúla sa tír seo agus fágann sin go gcuireann turasóirí (9) _____ sa litríocht. Éisteann siad le léachtaí ar Joyce nó ar Yeats agus tagann siad anseo ó cheann ceann na bliana. Is maith an rud an turasóireacht mar go mbíonn (10) _____ ar fáil ach tá (11) _____ ag baint léi. Má thagann an iomad turasóirí beidh an tír thíos leis mar beidh truailliú ann agus ní bheidh áit chiúin ar bith fágtha.

FOCLÓIR

A	míbhuntáistí *(disadvantages)*	G	stair *(history)*
B	aeráid *(climate)*	H	suim *(interest)*
C	dua *(difficulty)*	I	sinsir *(ancestors)*
D	álainn *(beautiful)*	J	jabanna *(jobs)*
E	scríbhneoirí *(writers)*	K	ngaolta *(relatives)*
F	radharc tíre *(scenery)*		

 CLEACHTAÍ

Scríobh giota (dréacht) leanúnach ar na hábhair seo a leanas. Is féidir úsáid a bhaint as roinnt de na focail/nathanna thuas.

(i) Áilleacht na tíre seo.

(ii) Laethanta saoire.

(iii) Taisteal.

2 Peata a bhí Agam

Críochnaigh an aiste seo a leanas ag baint úsáide as an bhfoclóir thíos chun na bearnaí a líonadh.

Ní dhéanfaidh mé dearmad go deo ar an madra a bhí agam fadó. Spota ab ainm dó agus fuair mé é nuair a bhí mé (1) _____ _____ _____ . Fuair mé Spota mar (2) _____ ó m'uncail. Ní raibh ann ach
(3) _____ an uair sin. Bhí (4) _____ ag gach duine sa teach air. Bhí dath (5) _____ _____ _____ air. Ní raibh sé (6) _____ _____ . Lá amháin nuair a bhíomar amuigh ag siúl thosaigh sé (7) _____ _____ . D'fhéach mé (8) _____ _____ . Cad a bhí ann ach (9) _____ mór. Isteach le Spota agus (10) _____ é.

Faraor ní raibh Spota (11) _____ . Oíche amháin rith sé (12) _____ _____ gluaisteáin. Leag leoraí é agus (13) _____ . Bhí (14) _____ _____ orm. Beidh cuimhne agam go deo air.

FOCLÓIR

A	deich mbliana d'aois *(10 years old)*	G	mharaigh sé *(he killed)*
B	francach *(rat)*	H	cúramach *(careful)*
C	coileán *(puppy)*	I	bhronntanas *(present)*
D	an-bhrón *(great sorrow)*	J	ró-mhór *(too big)*
E	dubh agus bán *(black and white)*	K	i ndiaidh *(after)*
F	maraíodh é *(he was killed)*	L	ag tafann *(barking)*
		M	sa chlaí *(ditch)*
		N	cion *(affection)*

 CLEACHTAÍ

Scríobh giota (dréacht) leanúnach ar na hábhair seo a leanas. Is féidir úsáid a bhaint as roinnt de na focail/nathanna thuas.
(i)   Ag siúl le mo mhadra.
(ii)   Ainmhithe a thaitníonn liom.
(iii) Cat a bhí agam.

3 Ceolchoirm a Thaitin Go Mór Liom

Críochnaigh an aiste seo a leanas ag baint úsáide as an bhfoclóir thíos chun na bearnaí a líonadh.

B eidh cuimhne agam go héag ar an gceolchoirm bhreá a bhí ar siúl an samhradh seo caite. U2 a bhí (1) _____ _____ san RDS i mBaile Átha Cliath. Bhí mé féin agus mo chara (2) _____ _____ leis. Bhí (3) _____ _____ againn. Chuireamar airgead (4) _____ _____ . Tar éis míosa bhí (5) _____ _____ airgid againn. Cheannaíomar na ticéid. Tháinig an (6) _____ _____ . Tráthnóna breá samhraidh a bhí ann. Bhí an Saol Fódhlach (7) _____ _____ ar an RDS. Bhí an-atmasféar istigh. (8) _____ _____ gur tháinig Bono amach ar an stáitse. Lean (9) _____ _____ _____ de U2 é. Chan siad na seanamhráin (10) _____ _____. Ansin chan siad (11) _____ _____ . Bhí Bono ag cur (12) _____ _____ ar go leor daoine. Bhí sé an-ghreannmhar. Bhaineamar an-taitneamh as an gceolchoirm.

FOCLÓIR

A	i dtaisce *(in savings/saved)*	G	go leor *(all)*
B	ag tnúth *(longing for)*	H	ag seinm *(playing)*
C	ar dtús *(at first)*	I	sprioc-lá *(appointed day)*
D	glaoch teileafóin *(phone calls)*	J	ábhar nua *(new material)*
E	na baill eile *(other members)*	K	ag triall *(heading for)*
F	post samhraidh *(summer job)*	L	ba ghearr *(shortly)*

 CLEACHTAÍ

Scríobh giota (dréacht) leanúnach ar na hábhair seo a leanas. Is féidir úsáid a bhaint as roinnt de na focail/nathanna thuas.

(i)   Popcheol.

(ii) Oíche a thaitin go mór liom.

(iii) Cluiche ar bhain mé taitneamh as.

4 Rud greannmhar a tharla dom

Críochnaigh an aiste seo a leanas ag baint úsáide as an bhfoclóir thíos chun na bearnaí a líonadh.

Beidh (1) _____ agam go deo ar an lá a d'imir mo chara Phil cleas orm. Seo mar a (2) _____ :

Bhí mé ag déanamh mo cheacht baile sa seomra ranga ag a cúig chun a naoi ar maidin. Bhí an-deifir orm mar thuig mé go mbeadh an (3) _____ ag teacht go luath.

Bhí (4) _____ _____ orm mar ní raibh mórán ama fágtha agus bhí an múinteoir Béarla (5) _____ go leor. Leis sin chuala mé (6) _____ an mhúinteora taobh thiar díom agus í ag screadaíl orm."Dún an cóipleabhar sin agus seas taobh amuigh den (7) _____ ." Ba bheag nár thit mé (8) _____ _____ .

Sheas mé suas agus bhí mé chun dul (9) _____ nuair a chuala mé gach uile dhuine ag briseadh a gcroí ag gáire. Nuair a (10) _____ mé timpeall cé bhí ann ach mo chara Phil. Bhí sé tar éis (11) _____ a dhéanamh ar ghuth an mhúinteora!

Thosaigh mé féin ag gáire ansin agus lig mé _____ faoisimh. Leis sin chuala mé an múinteoir Béarla féin ag teacht. Ní dhéanfaidh mé (13) _____ ar an lá sin!

FOCLÓIR

A   dearmad *(forget)*
B   osna *(a sigh)*
C   i laige *(fainted)*
D   an-imní *(very worried)*
E   amach *(out)*
F   cuimhne *(remember)*
G   crosta *(cross)*
H   múinteoir *(teacher)*
I   tharla *(happened)*
J   guth *(voice)*
K   chas *(turned)*
L   doras *(door)*
M   aithris *(imitated)*

 ## CLEACHTAÍ

Scríobh giota (dréacht) leanúnach ar na hábhair seo a leanas. Is féidir úsáid a bhaint as roinnt de na focail/nathanna thuas.

(i)   Duine greannmhar atá i mo rangsa.
(ii) Ceachtanna baile
(iii) An geit ba mhó a baineadh asam.

5 An Dúlra (An Nádúr)

Críochnaigh an aiste seo a leanas ag baint úsáide as an bhfoclóir thíos chun na bearnaí a líonadh.

Is breá liom an dúlra (nádúr). Bíonn (1) _____ dhifriúil air ó cheann ceann na bliana. San earrach is maith liom siúl amach faoin tuath. Bíonn na héin ag (2) _____ agus bíonn bachlóga ar na crainn.

Is fearr liom an samhradh. Ní bhíonn le déanamh agam ach mo scíth a ligean.

(3) _____ cois (4) _____ agus bím ag féachaint ar an (5) _____ ciúin gorm agus ar an radharc tíre álainn. Taitníonn (6) _____ _____ liom agus bím ag tógáil na gréine.

Is álainn an séasúr an fómhar. Is ann a bhíonn gach saghas (7) _____ le feiceáil ar na crainn. Téann na laethanta i ngiorracht ach is cuma liom.

Fiú (8) _____ _____ féin is aoibhinn liom é. Bíonn cuma uaigneach ar na sléibhte agus is álainn go deo an tír faoi (9) _____ sneachta. Déanta na fírinne is breá liom an nádúr (10) _____ _____ na bliana go léir.

FOCLÓIR

A	an geimhreadh *(the winter)*		F	téim *(I go)*
B	uisce *(water)*		G	farraige *(sea)*
C	dath *(colour)*		H	an ghrian *(the sun)*
D	cuma *(appearance)*		I	canadh *(singing)*
E	bhrat *(a carpet)*		J	i rith *(during)*

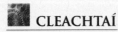 CLEACHTAÍ

Scríobh giota (dréacht) leanúnach ar na hábhair seo a leanas. Is féidir úsáid a bhaint as roinnt de na focail/nathanna thuas.

(i)   Séasúir na bliana.

(ii)   Aoibhneas an earraigh.

(iii)   An tuath sa samhradh.

6 An Lucht Siúil agus an Cineál Saoil a Bhíonn Acu

Críochnaigh an aiste seo a leanas ag baint úsáide as an bhfoclóir thíos chun na bearnaí a líonadh.

Fadó bhí fáilte roimh an lucht siúil. Tincéirí an t-ainm a bhí orthu mar bhídís ag deisiú potaí agus ag déanamh (1) _____ stáin.

Sa lá atá inniu ann is fuath le go leor daoine an lucht siúil. Deir siad go bhfuil siad (2) _____ agus nach bhfuil fonn orthu socrú. Ceapann an pobal lonnaithe go bhfuil an lucht siúil mímhacánta.

Bíonn saol (3) _____ ag an lucht siúil. Saol traidisiúnta a bhíonn acu. Bíonn siad ag taisteal ó (4) _____ go háit. Bíonn morán (5) _____ acu agus is beag (6) _____ a fhaigheann siadsan. Bailíonn siad conamar miotail agus bíonn cuma (7) _____ ar pé áit a socraíonn siad. Deir an pobal go gcuireann sin isteach ar (8) _____ a dtithe.

Tá an (9) _____ ag iarraidh ionaid speisialta a sholáthar don lucht siúil. Bíonn (10) _____ _____ ansin nuair a chuireann an pobal lonnaithe ina gcoinne. Ní féidir linn ár súile a dhúnadh ar fhadhb an lucht siúil. Ba chóir go mbeadh cothram na Féinne á fháil acu.

FOCLÓIR

A	luach *(value)*	F	rí rá *(uproar)*
B	áit *(place)*	G	oideachas *(education)*
C	gránna *(ugly)*	H	páistí *(children)*
D	salach *(dirty)*	I	rialtas *(government)*
E	crua *(hard/difficult)*	J	cannaí *(cans)*

 CLEACHTAÍ

Scríobh giota (dréacht) leanúnach ar na hábhair seo a leanas. Is féidir úsáid a bhaint as roinnt de na focail/nathanna thuas.

(i)   Daoine bochta.

(ii)   An dífhostaíocht.

(iii) Fear déirce a raibh aithne agam air.

Ceapadóireacht

7 **An Múinteoir is Rogha Liom**

Críochnaigh an aiste seo a leanas ag baint úsáide as an bhfoclóir thíos chun na bearnaí a líonadh.

Is í Bean Uí Riain an múinteoir is fearr liom. (1) _____ sí Béarla dúinn agus, dar liom, go bhfuil sí (2) _____ _____ . Bean óg is ea í agus tá sí go (3) _____ . Níl sí ró-chrosta ach tá (4) _____ aici ar an rang, mar sin féin.

Tá (5) _____ _____ aici agus bíonn an-chraic againn léi sa rang. Is múinteoir den chéadscoth í, áfach agus cuirimid an-suim san ábhar mar (6) _____ sí gach uile dhuine. (7) _____ thóg sí an rang go Stratford agus bhí an (8) _____ an-suimiúil go deo.

Faigheann (9) _____ na ndaltaí marcanna arda sa Bhéarla agus tá súil againn go bhfaighimid marcanna arda san (10) _____ . Tá an-tóir ar Bhean Uí Riain ar fuaid na scoile. Deir mo dhearthair óg atá sa chéad bhliain gur trua é nach bhfuil Bean Uí Riain aige. An (11) _____ seo caite cheannaigh an rang bronntanas di.

FOCLÓIR

A Ardteist *(Leaving Cert)*	G smacht *(control)*
B Nollaig *(Christmas)*	H spreagann *(encourages)*
C múineann *(teaches)*	J cumas grinn *(sense of humour)*
D gleoite *(lovely)*	I anuraidh *(last year)*
E formhór *(the majority)*	J turas *(trip)*
F ar fheabhas *(excellent)*	

 CLEACHTAÍ

Scríobh giota (dréacht) leanúnach ar na hábhair seo a leanas. Is féidir úsáid a bhaint as roinnt de na focail/nathanna thuas.

(i) An ceoltóir is rogha liom.
(ii) Cara atá agam faoin tuath.
(iii) M'uncail.

8 Turas Thar Lear

Scríobh giota (dréacht) leanúnach ar an ábhar seo. Tá cnámha an scéil déanta duit. Is féidir úsáid a bhaint as roinnt de na nathanna/focail thíos.

An bhliain seo caite — mé féin agus mo mhuintir — ar thuras go Londain. Sceitimíní orm — an t-aerfort plódaithe le daoine — scairdeitleán — radharc iontach ar an tír fúinn — thuirglingíomar ag Heathrow — ionadh orm — ár gceann scríbe — teach m'aintín i Wembley — na fáiltí geala — mo sheomra féin agam — cathair Londain — traein fothalamh — na radharcanna go léir — Túr Londain — Palás Buckingham — Músaem Céarach Madame Tussaud — dioscó san oíche — an amharclann — bhain mé an-taitneamh as an turas.

FOCLÓIR

A	chuaigh mé *(I went)*	G	ar cuairt *(on a visit)*
B	shroicheamar *(we reached)*	H	an-am *(a great time)*
C	d'fhéachamar *(we looked)*	I	amach linn *(out we went)*
D	bhí mé ar bís *(I was very excited)*	J	bhí an-tuirse orm *(I was very tired)*
E	áit álainn *(a beautiful place)*	K	le cúnamh Dé *(please God)*
F	rí rá agus ruaille buaille *(uproar and pandemonium)*	L	bhí mé an-sásta *(I was very happy/satisfied)*

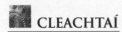 CLEACHTAÍ

Scríobh giota (dréacht) leanúnach ar na hábhair seo a leanas. Is féidir úsáid a bhaint as roinnt de na focail/nathanna thuas.

(i)   Taisteal.

(ii) Saoire samhraidh a thaitin go mór liom.

(iii) An t-aerfort.

9 Saol an Dochtúra

Scríobh giota (dréacht) leanúnach ar an ábhar seo. Tá cnámha an scéil déanta duit. Is féidir úsáid a bhaint as roinnt de na nathanna/focail thíos.

Bíonn saol dian ag an dochtúir — post an-tábhachtach — daoine faoin a chúram/cúram — ag tabhairt cuairte — daoine breoite — blianta fada ollscoile — pointí an-arda — dochtúirí óga sna hospidéil — uaireanta fada — beagán pá — bíonn siad traochta — uaireanta ní bhíonn jabanna ar fáil — dul ar imirce — muinín ag daoine as dochtúirí — má éiríonn go maith leis/léi — saol compordach — teach breá — an iomad daoine ag cur isteach ar an gcúrsa — bíonn gach duine ag brath ar an dochtúir.

FOCLÓIR

A	oideachas maith *(good education)*	K	páistí, seandaoine *(children, old people)*
B	post freagrach *(responsible job)*	L	gairm an leighis *(the medical profession)*
C	ag scrúdú othar *(examining patients)*		
D	an-bhrú *(great pressure)*	M	oideas a scríobh *(to write a prescription)*
E	bíonn orthu *(they have to)*	N	instealladh a thabhairt *(to give an injection)*
F	an pá go maith *(good pay)*		
G	luath nó mall *(sooner or later)*	O	is baol do dhochtúirí *(doctors are at risk)*
H	na hothair *(the patients)*		
I	andúiligh dhrugaí *(drug addicts)*	P	fios a chur ar an dochtúir *(to call the doctor)*
J	cúrsa fada ollscoile *(long university course)*		

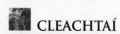 CLEACHTAÍ

Scríobh giota (dréacht) leanúnach ar na hábhair seo a leanas. Is féidir úsáid a bhaint as roinnt de na focail/nathanna thuas.

(i) An cineál saoil a bhíonn ag banaltra.

(ii) Tinneas a bhí orm.

(iii) Timpiste sráide a chonaic mé.

10 An Oíche a Raibh Gadaí sa Teach

Scríobh giota (dréacht) leanúnach ar an ábhar seo. Tá cnámha an scéil déanta duit. Is féidir úsáid a bhaint as roinnt de na nathanna/focail thíos.

Oíche gheimhridh — mo thuismitheoirí amuigh ag cóisir — mé i bhfeighil an tí — ag féachaint ar an teilifís — ag stealladh báistí — chuaigh mé a chodladh — fuaim thíos staighre — eagla an domhain orm — ag sleamhnú síos an staighre — fear ard caol — balaclava air — mé ag screadaíl — ghlan an gadaí leis — chuir mé fios ar na gardaí — ar an láthair — baineadh geit as mo thuismitheoirí – rug na gardaí air — bhí sé os comhair na cúirte — cuireadh ráithe príosúin air — alt faoi sa nuachtán — aláram ar an teach anois.

FOCLÓIR

A	scannán uafáis (*a horror film*)	J	i mo chodladh go sámh (*sleeping soundly*)
B	tháinig tuirse orm (*I became tired*)	K	ba bheag nár thit an t-anam asam (*I nearly died*)
C	suas liom (*up I went*)	L	rug mé ar bhata (*I grabbed a stick*)
D	go tobann (*suddenly*)		
E	dhúisigh mé (*I woke up*)	M	tháinig mé aniar aduaidh air (*I surprised him*)
F	bhí mála aige (*he had a bag*)		
G	bhí mé ar crith (*I was shaking*)	N	léim sé ar ghluaisrothar (*he jumped on a motorbike*)
H	go breá compordach (*nice and comfortable*)		
I	na páistí óga ina gcodladh (*the young children asleep*)	O	lean na gardaí é (*the guards followed him*)

 CLEACHTAÍ

Scríobh giota (dréacht) leanúnach ar na hábhair seo a leanas. Is féidir úsáid a bhaint as roinnt de na focail/nathanna thuas.

(i) Eachtra a tharla dom.

(ii) Robáil a chonaic mé.

(iii) Scriosadóireacht.

AISTÍ SCRÚDAITHE
(Ardteistiméireachta)

(i)   An aimsir in Éirinn.
(ii)   Ríomhairí.
(iii) Lá Fhéile Pádraig.   **1998**

(i)   An tslí bheatha ba mhaith liom.
(ii)   Turasóirí a thagann go hÉirinn.
(iii) An Ghaeilge timpeall orainn.   **1997**

(i)   An cineál léitheoireachta is fearr liom
(ii)   An Fichiú hAois
(iii) An Spórt - an tábhacht a bhaineann leis   **1995**

(i)   Na cairde is fearr atá agam
(ii)   Aoibhneas na hóige
(iii) An ceol - an tsuim atá ag daoine ann   **1994**

(i)   An áit is fearr liom in Éirinn
(ii)   Irisí agus Nuachtáin
(iii) Nósanna is maith liom (*nó* Nósanna nach maith liom)   **1993**

(i)   Faisin - an tsuim atá ag daoine iontu
(ii)   Ag féachaint siar ar mo laethanta scoile
(iii) An Dúlra (An Nádúr)   **1992**

(i)   Fadhbanna sóisialta in Éirinn sa lá atá inniu ann
(ii)   An cineál saoil atá romham, dar liom, tar éis na hArdteistiméireachta
(iii) An Phictiúrlann   **1991**

(i)   Na buntáistí a bhaineann le bheith i do chónaí in Éirinn sa lá atá inniu ann
(ii)   Crannchuir
(iii) Éire agus spórt idirnáisiúnta   **1990**

(i)   Polaiteoirí i saol an lae inniu
(ii)   Aerthaisteal
(iii) An cineál saoil a bhíonn ag popamhránaí   **1989**

(i)   Airgead Póca
(ii)   Duine cáiliúil a bhfuil meas mór agam air (uirthi)
(iii) Cluichí páirce — a n-áit i saol an duine   **1988**

(i)   An cineál léitheoireachta is fearr le déagóirí an lae inniu

(ii)   An Fharraige

(iii) Tír iasachta ar mhaith liom cuairt a thabhairt uirthi   **1987**

(i)   Aoibhneas an Earraigh

(ii)   An teilifís — an taitneamh agus an tairbhe a bhaineann léi

(iii) Éire mar thír do thurasóirí   **1986**

(i)   An eagla is mó a bhí riamh orm

(ii)   An chéad uair a chuaigh mé go dtí dioscó

(iii) An lucht siúil agus an cineál saoil a bhíonn acu   **1985**

Ceapadóireacht

B. Scéal a Cheapadh

(Nuair a thugtar an chéad líne)

1 **"Bhí mé cinnte gur fhág mé mo rothar taobh amach den halla ach bhí amhras orm anois go raibh sé imithe"**
Críochnaigh an aiste seo a leanas ag baint úsáide as an bhfoclóir thíos chun na bearnaí a líonadh.

Bhí mo (1) _____ i mo bhéal agam. Ní raibh an rothar agam ach seachtain agus rothar sléibhe den chéadscoth ba ea é. Bhí (2) _____ an domhain orm nár chuir mé an glas air. Nach mé a bhí (3) _____ . D'inis mé an scéal do mo chara Ger agus chuamar beirt ag (4) _____ .

Bhí beagnach gach uile dhuine ó chlub na n-óg (5) _____ abhaile faoin am seo. Chuireamar ceist ar dhuine nó dhó ach ní raibh (6) _____ acu ar an rothar. Ba bheag nár thit an t-anam asam.

Leis sin chuala mé (7) _____ agus chonaic mé duine éigin ar rothar sa dorchadas. Cé go raibh sé (8) _____ d'aithin mé mo dheartháir Seán. Stop sé in aice linn. Ba ansin a (9) _____ mé mo rothar nua. Dúirt sé go raibh brón air ach gur thóg sé an rothar ar iasacht chun dul go dtí an (10) _____ . Cheap sé go mbeadh sé ar ais in am ach bhí slua mór ann.

Nach mé a bhí sásta. Lig mé osna faoisimh asam. Bheinn níos (11) _____ as sin amach le mo rothar nua, geallaimse duit!

FOCLÓIR

A	aiféala *(sorry)*	G	dorcha *(dark)*
B	imithe *(gone)*	H	cúramaí *(careful)*
C	cuardach *(searching)*	I	eolas *(information)*
D	chroí *(heart)*	J	chonaic *(saw)*
E	glór *(voice)*	I	siopa *(shop)*
F	míchúramach *(careless)*		

CLEACHTAÍ

Ceap scéalta (leathleathanach nó mar sin) a mbeidh na sleachta seo a leanas oiriúnach mar **thús** leo.

(i) "Bhí an-deifir orm agus chonaic mé rothar mo charad in aice láimhe . . . "
(ii) "Nuair a d'fhéach mé i mo mhála scoile bhí mo leabhar Béarla ar iarraidh . . . "
(iii) "Cá bhfuil Liam Óg?" arsa Seán, agus an-imní air . . .

2 **"Bhí mé traochta agus bhí an ghrian ag spalpadh anuas orm. Shín an bóthar fada romham amach . . ."**

Críochnaigh an aiste seo a leanas ag baint úsáide as an bhfoclóir thíos chun na bearnaí a líonadh.

Bhí mé traochta agus bhí an ghrian ag spalpadh anuas orm. Shín an bóthar fada romham amach. Bhí mé ag cur allais ó bhrothall an lae. Shuigh mé síos ar thaobh an bhóthair. Ní raibh (1) _____ rua fágtha agam. Tháinig bus agus bhí (2) _____ orm.

Ansin bhcartaigh mé dul ar aghaidh ar an ordóg. Sheas mé ag (3) _____ agus d'ardaigh mé m'ordóg. D'imigh gluaistéan tharam. Ansin tháinig gluaisteán eile ach ba bheag aird a thug an (4) _____ orm. Tháinig gruaim an domhain orm.

Bhí an t-ádh dearg orm ina dhiaidh sin nuair a (5) _____ leoraí in aice liom. Níorbh fhada go raibh mé i mo shuí sa chábán. Fear mór (6) _____ ba ea an tiománaí. Ghiorraigh sé an (7) _____ dom.

Nach orm a bhí an t-áthas nuair a (8) _____ mé amach mo cheann scríbe. Beidh mé buíoch go deo den tiománaí sin!

FOCLÓIR

A	bóthar (*road*)	E	stop (*stop*)
B	crosaire (*crossroad*)	F	pingin (*cent*)
C	tiománaí (*driver*)	G	gealgháireach (*cheerful*)
D	díomá (*disappointment*)	H	bhain (*reached*)

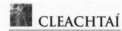 CLEACHTAÍ

Ceap scéalta (leathleathanach nó mar sin) a mbeidh na sleachta seo a leanas oiriúnach mar **thús** leo.

(i)   "Bhí íota tarta orm agus bhí an teas go millteanach . . . "

(ii) "Bhí cloig ar mo chosa bochta ón siúl. Shuigh mé síos ar thaobh an bhóthair . . "

(iii) "Thuig na cailíní go bhfaighidís síobadh. D'ardaigh Neasa a hordóg . . ."

Ceapadóireacht

3 **"Ar a dó a chlog ar maidin rug sí ar an bhfaill agus amach an doras léi go ciúin . . ."**

Críochnaigh an aiste seo a leanas ag baint úsáide as an bhfoclóir thíos chun na bearnaí a líonadh.

A r a dó a chlog ar maidin rug sí ar an bhfaill agus amach an doras léi go ciúin. Bhí a haigne déanta suas aici. Níor thuig a tuismitheoirí í. Níor mhaith leo Pól. Buachaill deas ba ea é cé go raibh (1) _____ ina chluais agus ina shrón aige.

Bhí sórt imní uirthi mar bhí an bóthar (2) _____ . Ansin tháinig an ghealach amach. Thug sin croí di. Bhí sí go sona sásta nuair a bhí sí óg. Anois bhí sí cúig bliana déag d'aois agus bhí gach rud (3) _____ .

Smaoinigh sí ar a seomra codlata. Bhí sé go breá _____ . Anois bhí an ghaoth _____ anuas uirthi. Thosaigh sí ag crith.

Chuala sí _____ sa chlaí taobh léi. Fágadh ina staic í. Rith _____ mór amach. Ba bheag nár thit an t-anam aisti! _____ nóiméad ina dhiaidh sin bhí sí ina codladh go sámh agus brionglóid á déanamh aici ar Phól!

FOCLÓIR

A	siosarnach (*a rustling*)	E	fáinní (*rings/studs*)
B	aduaidh (*north*)	F	athraithe (*changed*)
C	dorcha (*dark*)	G	francach (*a rat*)
D	deich (*ten*)	H	compordach (*comfortable*)

CLEACHTAÍ

Ceap scéalta (leathleathanach nó mar sin) a mbeidh na sleachta seo a leanas oiriúnach mar **thús** leo.

(i)   "D'éirigh idir í féin agus Seán. Phlab sí an doras agus amach léi . . . "

(ii) "Bhí an oíche go ciúin síochánta. Shiúil mé liom . . . "

(iii) "Bhí fhios ag Liam go raibh botún déanta aige. Bhí an ghaoth ag ardú . . ."

4   "Bíodh deoch eile agat," arsa Brian, agus aoibh an gháire ar a aghaidh . . ."

Críochnaigh an aiste seo a leanas ag baint úsáide as an bhfoclóir thíos chun na bearnaí a líonadh.

Ní raibh (1) _____ ar bith agam ar bheith ag ól ach bhí na leaids go léir ag féachaint orm agus níor mhaith liom bheith i mo (2) _____ _____ . Chaith mé siar an canna agus bhualamar (3) _____ . Agus sinn ag druidim leis an (4) _____ tháinig mearbhall ar mo cheann agus ba bheag nár (5) _____ mé i laige.

Bhí an-amhras ar fhear an dorais sa chlub agus níor (6) _____ sé isteach sinn. Bhraith mé tinn faoin am seo agus bhí fonn (7) _____ orm. Bhí mo chara Brian ag tathaint orm gan dul ach ní raibh aon mhaith bheith liom. Abhaile liom go mall agus bhuail mé ar an doras. D'oscail mo (8) _____ é agus thuig sí (9) _____ go raibh braon tógtha agam. Ní dúirt sí tada ach chuir sí a chodladh mé.

Nuair a dhúisigh mé ar maidin bhí tinneas cinn uafásach orm ach bhí níos measa le teacht. Labhair m'athair agus mó mháthair liom agus níor chuir siad fiacail ann. Fuair mé go dóite é agus bí cinnte de nach dtógfaidh mé (10) _____ amach anseo!

FOCLÓIR

A   braon *(a drop)*
B   taithí *(experience)*
C   lig *(let)*
D   cheap magaidh *(laughing stock)*
E   abhaile *(wanted to go home)*
F   bóthar *(road)*
G   mháthair *(mother)*
H   láithreach *(immediately)*
I   dioscó *(disco)*
J   thit *(fell)*

CLEACHTAÍ

Ceap scéalta (leathleathanach nó mar sin) a mbeidh na sleachta seo a leanas oiriúnach mar **thús** leo.
   (i)   "Bhí cuma aisteach ar Gher agus thuig mé go raibh sé / sí ólta . . . "
   (ii)   "Ar agaidh leat," arsa mo chairde. Níor mhaith liom bheith i mo cheap magaidh . . . "
   (iii) "Bhí slua mór taobh amuigh den dioscó. Bhí cuid acu ar meisce . . ."

5 **"Agus mé i mo luí ar an trá chuala mé scread. Bhí duine éigin i gcruachás . . ."**
Críochnaigh an aiste seo a leanas ag baint usáide as an bhfoclóir thíos chun na bearnaí na a líonadh.

Agus mé i mo luí ar an trá chuala mé scread. Bhí duine éigin i gcruachás. Bhí buachaill beag i mbaol a bháite. Gan a thuilleadh moille bhain mé díom agus isteach liom san uisce. Buíochas le (1) _____ bhí snámh an éisc agam. Bhí (2) _____ agam freisin ar thárrtháil.

Bhí líonrith ar an mbuachaill beag ach rug mé greim air agus ba ghearr go raibh sé ar an (3) _____ agam. Bhailigh (4) _____ . Tháinig máthair an pháiste agus bhí sí go mór trí chéile. Ba ghearr gur tháinig sé chuige féin.

Mhínigh sé go raibh sé ag imirt le liathróid trá. Chaith sé amach í agus ansin chuaigh sé ina diaidh. Tháinig (5) _____ mhór agus scuab sí léi an (6) _____ . Ní raibh snámh aige agus bhí sé i gcruachás.

Cúpla mí ina dhiaidh sin tháinig (7) _____ sa phost. Bronntanas a bhí ann ó thuismitheoirí an pháiste. Bhí mé buíoch díobh.

FOCLÓIR

A	tonn (*a wave*)		E	trá (*beach*)
B	beart (*a parcel*)		F	páiste (*a child*)
C	Dia (*God*)		G	slua (*a crowd*)
D	taithí (*knowledge/experience*)			

 CLEACHTAÍ

Ceap scéalta (leathleathanach nó mar sin) a mbeidh na sleachta seo a leanas oiriúnach mar **thús** leo.

(i)   "Bhí snámh an éisc ag Nóra. Isteach léi san uisce . . ."
(ii) "Agus sinn ag snámh chuala mé Aisling ag béicíl . . ."
(iii) "Bhailigh slua. Thuig mé go raibh rud éigin mícheart . . ."

6 **"Phairceáil Liam an carr agus chuaigh sé ag siúl ar thaobh an chnoic . . . "**
Críochnaigh an aiste seo a leanas ag baint úsáide as an bhfoclóir thíos chun na bearnaí a líonadh.

Pháirceáil Liam an carr agus chuaigh sé ag siúl ar thaobh an chnoic. Bhí an tráthnóna go hálainn agus ní raibh puth gaoithe ann. Ní raibh (1) _____ sa spéir agus bhí an ghrian ag spalpadh anuas. Bhí na héin ag canadh go (2) _____ agus ba bhreá (3) _____ _____ ar lá mar seo.

Fear óg láidir ba ea Liam. Shiúil sé gan (4) _____ suas (5) _____ an chnoic agus ansin ghlac sé (6) _____ .

Thíos faoi bhí na páirceanna glasa. Bhí na tithe ar nós tithe bábóige. Chonaic Liam an fharraige ghorm i bhfad uaidh agus na báid bheaga ar fhíor na spéire.

Bhí áthas an domhain ar Liam. Bhí sé go sona (7) _____ ina shuí. Ní raibh cíos, cás, ná cathú air. Ar aghaidh leis ansin agus níorbh fhada gur bhain sé amach barr an chnoic. Chaith sé (8) _____ ar a sháimhín só agus ansin d'fhill sé ar an ngluaisteán. Ní dhéanfaidh sé dearmad go deo ar an tráthnóna sin.

FOCLÓIR

A	dua *(difficulty)*		E	scamall *(a cloud)*
B	sos *(rest)*		F	tamall *(a while)*
C	bheith beo *(to be alive)*		G	sásta *(content)*
D	go ceolmhar *(musically)*		H	taobh *(side)*

CLEACHTAÍ

Ceap scéalta (leathleathanach nó mar sin) a mbeidh na sleachta seo a leanas oiriúnach mar **thús** leo.

(i) "Bhí am le sparáil agam agus bhí an mhaidin go hálainn . . ."
(ii) "Ní dhéanfaidh Nóra dearmad go deo ar an tráthnóna sin . . ."
(iii) "Shroicheamar barr an chnoic. Bhí an radharc tíre thar insint scéal . . ."

7   **"Chuala mé gíoscán na gcoscán agus scread uafásach . . ."**

Críochnaigh an aiste seo a leanas ag baint úsáide as an bhfoclóir thíos chun na bearnaí a líonadh.

Bhí (1) _____ óg tar éis rith trasna an bhóthair. Ní fhaca tiománaí an ghluaisteáin í agus anois bhí sí ina (2) _____ ar an mbóthar. Bhí (3) _____ an bháis uirthi agus bhí sí gan aithne gan urlabhra.

Rith mé chuici agus leag mé mo (4) _____ anuas uirthi. Chuir fear (5) _____ ar an otharcharr agus níorbh fhada go raibh sé ar an (6) _____ . Cuireadh ar shínteán an cailín agus cuireadh isteach san otharcharr í. D'imigh an t-otharcharr ansin ar nós (7) _____ agus bhí an (8) _____ ag bualadh.

Chuala mé ina dhiaidh sin go raibh cónaí ar an gcailín ar (9) _____ gar dom. Buíochas le Dia tháinig sí chuici féin san (10) _____ ach bhí cos léi briste. Bhí an t-ádh dearg uirthi nár maraíodh í. Beidh sí níos cúramaí ar na bóithre as seo amach.

FOCLÓIR

A	ospidéal	F	dath
B	cailín	G	tintrí
C	bhóthar	H	láthair
D	cnap	I	fios
E	chóta	J	bonnán

 CLEACHTAÍ

Ceap scéalta (leathleathanach nó mar sin) a mbeidh na sleachta seo a leanas oiriúnach mar **thús** leo.

(i)   "Chuala mé torann uafásach. Bhí duine ina luí ar an tsráid . . ."
(ii) "Chuala mé bonnán an otharchairr . . ."
(iii) "Bhí dath an bháis ar mo chara Jude. Bhí mé ag éirí neirbhíseach . . ."

8 **"Níl amhras ná go raibh an mí-ádh ar Pheadar an tráthnóna sin . . . "**

Críochnaigh an aiste seo a leanas ag baint úsáide as an bhfoclóir thíos chun na bearnaí a líonadh.

Níl amhras ná go raibh an mí-ádh ar Pheadar an tráthnóna sin. Bhí an aimsir go fuar feanntach an lá sin. Bhí sé ag cur seaca go trom. Bhí (1) _____ ar Pheadar agus é ag (2) _____ ar ais ar scoil.

Suas leis ar a (3) _____ agus as go bráth leis ar nós tintrí. Bhí na bóithre an-sleamhain. Go tobann sciorr sé ar an (4) _____ _____ . Thit sé ina chnap ar an mbóthar. Buíochas le (5) _____ ní raibh sé gortaithe go dona ach bhí an rothar curtha ó rath aige.

Shiúil sé leis ar scoil agus bhí sé (6) _____ . Bhí muc ar gach mala ag an múinteoir Béarla. Bhí ar Pheadar fanacht (7) _____ tar éis na scoile.

Nuair a shroich sé baile um thráthnóna ní raibh a mháthair sa teach. Faraor ní raibh (8) _____ ag Peadar. B'éigean dó suí síos ar lic an dorais ar feadh uair an chloig. Sin lá nach ndéanfaidh Peadar dearmad air!

FOCLÓIR

A	déanach *(late)*		E	Dia *(God)*
B	istigh *(in)*		F	eochair *(key)*
C	rothaíocht *(cycling)*		G	rothar *(bike)*
D	deifir *(hurry)*		H	leac oighir *(ice)*

 CLEACHTAÍ

Ceap scéalta (leathleathanach nó mar sin) a mbeidh na sleachta seo a leanas oiriúnach mar **thús** leo.

(i) "Is trua gur éirigh mé an mhaidin sin…"
(ii) "Bhí mí-rath ar Nuala an lá sin…"
(iii) "Thuig mé an tráthnóna sin go mbeadh cuimhne agam go héag air…"

9 **"Is cuimhin liom an oíche Dhomhnaigh sin chomh maith agus is cuimhin liom an oíche aréir . . . "**

Críochnaigh an aiste seo a leanas ag baint úsáide as an bhfoclóir thíos chun na bearnaí a líonadh.

Is cuimhin liom an oíche Dhomhnaigh sin chomh maith agus is cuimhin liom an oíche aréir. Bhí mé sé bliana déag d'aois agus bhí mé ag tnúth le mo bhreithlá. Bhí cóta nua ag teastáil uaim. Nuair a d'éirigh mé (1) _____ Domhnaigh d'iarr mo dheirfiúr orm dul amach (2) _____ _____ léi. Ní raibh fonn orm ach bhí sí ag tathaint orm agus faoi dheireadh d'imigh mé.

Ní raibh fonn abhaile ar mo dheirfiúr agus chuir sé ionadh orm. Thugamar (3) _____ ar go leor cairde. Faoi dheireadh (4) _____ abhaile. Bhí an teach (5) _____ agus bhí sé (6) _____ istigh. Ní túisce a bhí mé sa seomra suite ná bhí (7) _____ ann. Bhí mo ghaolta go léir ann agus mo chairde.

Tógadh (8) _____ mór breithlae isteach a raibh sé choinneal déag air. Ansin rug mo thuismitheoirí bosca mór isteach. D'oscail mé le fonn é. Cad a bhí ann ach cóta nua. Mise á rá leat gur bhain mé taitneamh as an lá sin!

FOCLÓIR

A	dorcha (*dark*)	E.	rírá (*uproar*)
B	cáca (*cake*)	F	cuairt (*visited*)
C	ciúin (*quiet*)	G	maidin (*morning*)
D	ag siúl (*walking*)	H	d'fhilleamar (*we returned*)

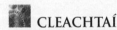 CLEACHTAÍ

Ceap scéalta (leathleathanach nó mar sin) a mbeidh na sleachta seo a leanas oiriúnach mar **thús** leo.

(i)   "Shocraigh mo chara go mbeadh cóisir (féasta) aige/aici. Fuaireamar go léir cuireadh . . ."

(ii) "Nuair a d'fhilleamar ar an teach chualamar an rírá istigh . . . "

(iii) "Ní raibh fúm ná tharam ach *walkman* nua. Thuig mé go raibh m'athair flaithiúil . . ."

10 **"Bhí an gluaisteán ó rath agus ní raibh duine ná deoraí mórthimpeall. Bhí cuma mhíshásta ar mo Dhaid . . . "**

Críochnaigh an aiste seo a leanas ag baint úsáide as an bhfoclóir thíos chun na bearnaí a líonadh.

Amach linn go (1)_____ ón ngluaisteán. Bhí mo dhearthair óg ag pusaíl (2) _____ . Mar bharr ar an donas thosaigh sé ag (3) _____ báistí. Ní raibh leigheas ar an scéal ach (4) _____ a aimsiú agus glaoch ar an A.A. Mhol m'athair do mo mháthair agus do na páistí (5) _____ sa ghluaisteán agus chuaigh mé féin leis ag lorg fóin.

Tar éis (6) _____ thángamar ar theach beag ar thaobh an bhóthair. Chnagamar ar an doras agus d'oscail (7) _____ an tí é. Mhínigh mé féin agus m'athair an (8) _____ go léir. Bhí an bhean an-tuisceanach. Lig sí dúinn an fón a úsáid agus dúirt sí linn go raibh (9) _____ romhainn go léir sa teach. Níorbh fhada go rabhamar go léir inár suí cois tine ag ól (10) _____ breá tae.

Ba ghearr go raibh an A.A. ar an láthair agus go raibh (11) _____ ar an ngluaisteán arís. D'fhágamar slán ag an mbean chineálta seo agus ar aghaidh linn ar ár n-aistear. Uair an chloig ina dhiaidh sin bhaineamar amach ár gceann (12) _____ . Geallaimse duit go raibh an-áthas orainn. Sin lá nach ndéanfaimid dearmad go deo air.

FOCLÓIR

A	scríbe	G	fáilte
B	léir	H	stealladh
C	tamaill	I	fanacht
D	scéal	J	bean
E	goil	K	caoi
F	teach	L	bolgam

CLEACHTAÍ

Ceap scéalta (leathleathanach nó mar sin) a mbeidh na sleachta seo a leanas oiriúnach mar **thús** leo.

(i)   "Bhí an ceo an-trom agus bhíomar ag dul ar strae . . ."
(ii)   "Tháinig fuaim aisteach as an ngluaisrothar agus ansin stad an t-inneall . . "
(iii)   "Ní raibh duine ná deoraí le feiceáil mar áit an-iarghúlta ba ea í . . ."

11 **"Bhí mé ag tnúth leis an oíche sin. Bhí mé ar bís an lá ar fad . . ."**
Athscríobh an aiste thíos trí na habairtí a scríobh amach san ord ceart.

Bhí mé ag tnúth leis an oíche sin. Bhí mé ar bís an lá ar fad. Nuair a shroich mé an scoil ar a naoi a chlog ar maidin bhraith mé go raibh an t-am an-fhada ar fad.

(a) Bhí áthas orm go raibh siad sa bhaile arís.

(b) Dúirt siad liom gur thaitin Miami go mór leo.

(c) Bhí an-oíche againn ansin ag caint agus ag comhrá.

(d) Rith mé amach le fonn agus chuir mé fáilte roimh mo thuismitheoirí.

(e) Tar éis an dinnéir ghlan mé an teach ó bhun go barr.

(f) Bhí siad go breá buí ón ngrian agus bhí go leor bronntanas acu.

(g) Ar a naoi a chlog bhí cnag ar an doras.

(h) Faoi dheireadh, bhí deireadh leis na ranganna agus ghread mé liom abhaile ar nós na gaoithe.

(i) Bhí tuirse orm ansin agus shuigh mé siar ag féachaint ar an teilifís.

(j) Bhí an ceacht Béarla an-leadránach.

(k) Ba bheag goile a bhí agam ag am lóin mar bhí mé ró-neirbhíseach.

(l) Ar a deich a chlog d'fhéach mé ar m'uaireadóir.

 CLEACHTAÍ

Ceap scéalta (leathleathanach nó mar sin) a mbeidh na sleachta seo a leanas oiriúnach mar **thús** leo.

(i) "Ní raibh ach lá amháin fágtha. B'fhada liom é sin . . ."

(ii) "Rith Máire abhaile ón scoil le fonn an tráthnóna sin . . ."

(iii) "Ní fhaca sé a chailín le mí. Bhí sé an-uaigneach ina diaidh . . ."

12 **"Bhí an-deifir ar Mháire an mhaidin sin. Suas léi ar a rothar . . ."**
Athscríobh an aiste thíos trí na habairtí a scríobh amach san ord ceart.

Bhí an-deifir ar Mháire an mhaidin sin. Suas léi ar a rothar. Thuig sí go raibh sí déanach don scoil. Bhí na soilse tráchta dearg ach ba chuma léi.

(a) Bhí Máire bhocht gan aithne gan urlabhra.

(b) Chas sí ach bhí sí ró-dhéanach.

(c) Ar aghaidh léi ar nós cuma liom.

(d) Ba ghearr go raibh sé ar an láthair.

(e) Tar éis cúpla seachtain bhí sí ar a boinn arís ach bhí ceacht foghlamtha aici.

(f) Tógadh Máire go dtí an t-ospidéal.

(g) Bhuail carr mór í agus leagadh í.

(h) Tháinig sí chuici féin go luath.

(i) Chuir fear fios ar an otharcharr.

(j) Go tobann chuala sí gíoscán na gcoscán.

(k) Bhí lámh léi briste ach bhí an t-ádh léi nár maraíodh í.

 CLEACHTAÍ

Ceap scéalta (leathleathanach nó mar sin) a mbeidh na sleachta seo a leanas oiriúnach mar **thús** leo.
- (i) "'Beidh rás againn anois' arsa na buachaillí ag léim ar a rothair sléibhe . . ."
- (ii) "Chuala Síle gíoscán na gcoscán. D'iompaigh sí . . ."
- (iii) "Rith an páiste uaim. Lean mé é ach bhí mé ró-dhéanach . . ."

13 **"Chuireamar baoite ar na dubháin agus chaitheamar amach . . ."**
Athscríobh an aiste thíos trí na habairtí a scríobh amach san ord ceart.

Chuireamar baoite ar na dubháin agus chaitheamar amach. Bhí mé féin agus Stiofán ag iascaireacht go luath ar maidin ón gcaladh.
- (a) Abhaile linn go sona sásta.
- (b) Go luath ina dhiaidh sin tharraing Stiofán isteach.
- (c) Tharraing mé isteach an dorú.
- (d) Maidin chiúin álainn ba ea í.
- (e) Bhí pollóg eile aige.
- (f) Bhí pollóg bhreá maraithe agam.
- (g) Ag a cúig a chlog bhíomar ag éirí tuirseach ach bhí sé iasc maraithe againn.
- (h) Go tobann fuair mé greim.
- (i) Timpeall meánlae d'itheamar an lón mar bhí airc ocrais orainn.
- (j) Bhaineamar an-taitneamh as an lá sin.
- (k) Ní raibh puth gaoithe ann, ní raibh duine ná deoraí le feiceáil agus bhí an fharraige ina gloine.

 CLEACHTAÍ

Ceap scéalta (leathleathanach nó mar sin) a mbeidh na sleachta seo a leanas oiriúnach mar **thús** leo.
- (i) "Maidin álainn shamhraidh bhuaileamar bóthar . . ."
- (ii) "Bhí an fharraige garbh go leor an tráthnóna sin . . ."
- (iii) "Chonaic Nóra breac mór ag snámh fúithi sa sruthán. Ar aghaidh léi . . ."

14 **"Nuair a dhúisigh mé ar maidin bhí mé cráite ag tinneas fiacaile . . . "**
Athscríobh an aiste thíos trí na habairtí a scríobh amach san ord ceart.

Nuair a dhúisigh mé ar maidin bhí mé cráite ag tinneas fiacaile. Bhí an phian go huafásach. Ní raibh mé istigh liom féin.
(a) Fear deas lách ba ea an fiaclóir.
(b) Ní raibh aon dul as agam ach dul go dtí an fiaclóir.
(c) Bhí deireadh leis an bpian agus mise á rá leat go raibh mé buíoch de!
(d) Shroich mé teach an fhiaclóra ar a deich a chlog ar maidin.
(e) Thug sé instealladh dom agus ansin bhí mo bhéal as mothú.
(f) Bhí roinnt daoine ann ag feitheamh.
(g) Faoi dheireadh glaodh isteach mé.
(h) Sheol an fáilteoir isteach sa seomra feithimh mé.
(i) Ba ghearr gur aimsigh sé an fhiacail lofa.
(j) Stoith sé an fhiacail lofa agus ghlan mé mo bhéal amach.
(k) Rinne mo mháthair coinne dom ar an teileafón.
(l) Shuigh mé síos sa chathaoir mhór agus scrúdaigh sé mo chuid fiacla.
(m) Bhí cuid díobh ag léamh irisí.

 CLEACHTAÍ

Ceap scéalta (leathleathanach nó mar sin) a mbeidh na sleachta seo a leanas oiriúnach mar **thús** leo.
(i) '"Ní féidir liom éirí' arsa Rónán. 'Tá pian uafásach i mo bholg . . ."'
(ii) "Bhí teocht an-ard ag an leanbh. Tháinig imní orm . . ."
(iii) "Shiúil Aisling isteach sa seomra feithimh. Bhí sí an-neirbhíseach . . ."

15 **"Nuair a d'fhéach mé amach an fhuinneog bhí brat tiubh sneachta ar an talamh . . ."**
Athscríobh an aiste thíos trí na habairtí a scríobh amach san ord ceart.

Nuair a d'fhéach mé amach an fhuinneog bhí brat tiubh sneachta ar an talamh. Léim mo chroí le háthas. Dé Sathairn a bhí ann.
(a) Thosaíomar ag caitheamh clocha sneachta lena chéile.
(b) Bhaineamar go léir an-taitneamh go deo as an sneachta.
(c) Chuir mé orm mo chuid éadaigh ar nós tintrí.
(d) Faoi am lóin ba bheag a bhí fágtha ar na bóithre.
(e) Nuair a d'éiríomar tuirse de sin thógamar fear mór sneachta sa ghairdín.
(f) Amach liom ar an tsráid.
(g) Bhí an-díomá orm agus mé ag filleadh ar mo theach.
(h) Bhí mo chairde go léir ann cheana féin.
(i) Um mheánlae tháinig an ghrian amach agus, faraor, thosaigh an sneachta ag leá.
(j) D'alp mé siar an bricfeasta agus ansin chuir mé orm mo chóta mór.

 CLEACHTAÍ

Ceap scéalta (leathleathanach nó mar sin) a mbeidh na sleachta seo a leanas oiriúnach mar **thús** leo.

(i) "Scaoil píobáin na scoile agus tugadh lá saor dúinn . . ."

(ii) "Thosaigh sé ag cur sneachta. 'Beidh Nollaig bhán againn' arsa m'athair . . ."

(iii) "Bhí an tuath go fíor-álainn. Ba bhreá liom an geimhreadh . . ."

16 **"Tháinig fearg an domhain ar Mháire. Amach an doras léi . . ."**

Ceap scéal (leathleathanach nó mar sin) a mbeidh an sleacht seo oiriúnach mar **thús** leis. Tá cnámha an scéil déanta duit. Is féidir úsáid a bhaint as roinnt de na nathanna/focail thíos.

Tinn tuirseach dá tuismitheoirí — ag tabhairt amach i gcónaí — níor thaitin a cuid éadaigh leo — ag cur brú uirthi — ar aghaidh léi — oíche álainn — gealach lán sa spéir — bhain sí taitneamh as an siúl — leoithne bhog ghaoithe — ba gheall le scíth é — chiúnaigh sí agus thosaigh sí ag smaoineamh — ní raibh an scéal chomh dona sin — shocraigh sí ar fhilleadh abhaile — a máthair go himníoch — tháinig siad chun muintiris.

FOCLÓIR

- na réalta (*the stars*)
- chas sí (*she turned*)
- stad sí (*she stopped*)
- na páirceanna (*the fields*)
- scamaill dhorcha (*dark clouds*)
- boladh cumhra (*fragrant smell*)
- shuigh sí ar gheata (*she sat on a gate*)
- crónán an tsrutháin (*the babbling of the stream*)
- níor thuig siad í (*they didn't understand her*)

- bhí sí bréan den staidéar (*she was fed up studying*)
- bhí a hathair an-chrosta (*her father was very cross*)
- chonaic sí soilse a tí (*she saw the lights of her house*)
- ní raibh sí féin gan locht (*she was not without fault herself*)
- bhí deireadh leis an téarma nach mór (*the term was nearly over*)

 CLEACHTAÍ

Ceap scéalta (leathleathanach nó mar sin) a mbeidh na sleachta seo a leanas oiriúnach mar **thús** leo.

(i) "Theip glan orm sa scrúdú. Bheadh mo thuismitheoirí ar buile . . . "

(ii) "Ní raibh aon dul as aici ach an teach a fhágáil. Amach léi go ciúin . . . "

(iii) "Bhí muc ar gach mala ag mo mháthair. Ní raibh sí ró-bhuíoch díom . . . "

17 **"Nuair a d'éirigh Máire tháinig laige uirthi. Bhí imní ar a máthair . . ."**

Ceap scéal (leathleathanach nó mar sin) a mbeidh an sliocht seo oiriúnach mar **thús** leis. Tá cnámha an scéil déanta duit. Is féidir úsáid a bhaint as roinnt de na nathanna/focail thíos.

Ar ais léi sa leaba — chuir a máthair fios ar an dochtúir — bean an-deas — mála dubh — scrúdaigh sí — frithbhualadh a croí — steiteascóp — a teocht — teasmhéadar — an fliú ar Mháire — scríobh sí amach oideas — siopa poitigéara — buidéal leighis — trí spúnóg in aghaidh an lae — blas searbh — sa leaba go ceann seachtaine — diaidh ar ndiaidh biseach ag teacht uirthi — ag éirí bréan den teach — ar ais ar scoil — ar na boinn arís.

FOCLÓIR

- deochanna teo (*hot drinks*)
- thit sí a chodladh (*she fell asleep*)
- bhí sí ar crith (*she was shivering*)
- bhí sí lag fós (*she was still weak*)
- bhraith sí go dona (*she felt terrible*)
- ní raibh sí ábalta ithe (*she couldn't eat*)
- bhí tinneas cinn uirthi (*she had a headache*)
- tháinig a cairde ar cuairt (*her friends came to visit*)

- ba mhaith léi dul amach (*she wanted to go out*)
- bhí sí ag éirí níos láidre (*she was getting stronger*)
- teilifís bheag sa seomra codlata (*a small T.V. in the bedroom*)
- bhí áthas uirthi agus í ag dul ar scoil arís (*she was happy going back to school again*)

 CLEACHTAÍ

Ceap scéalta (leathleathanach nó mar sin) a mbeidh na sleachta seo a leanas oiriúnach mar **thús** leo.

(i) "Go tobann thit Nóra i laige. Baineadh preab as gach duine . . . "

(ii) "Rinne mé iarracht éirí ach bhraith mé go dona . . . "

(iii) "'Cuirfidh mé fios ar an dochtúir,' arsa m'athair agus chuaigh sé go dtí an guthán . . . "

18 **"Um mheánoíche chuamar isteach sa seanreilig. Chuamar i bhfolach . . ."**

Ceap scéal (leathleathanach nó mar sin) a mbeidh an sliocht seo oiriúnach mar **thús** leis. Tá cnámha an scéil déanta duit. Is féidir úsáid a bhaint as roinnt de na nathanna/focail thíos.

Oíche Shamhna — Máire agus Clár ag filleadh abhaile — chuireamar bráillíní bána orainn — thosaíomar ag béicíl — léimeamar amach — sceon ar na cailíní — gach scread astu — rith siad lena n-anam — bhíomar sna tríthí — shiúlamar linn — go tobann chualamar fothram sa chlaí — fágadh inár staic sinn — bhíomar cinnte go raibh taibhse ann — chonaiceamar rud bán ag gluaiseacht — céard a bhí ann ach asal bán — bhí ceacht foghlamtha againn etc.

FOCLÓIR

- bhí siad ar crith (*they were shaking*)
- chromamar síos (*we crouched down*)
- bhí rógaireacht ar siúl againn (*we were messing*)
- d'fhanamar le faill (*we waited for an opportunity*)
- ní raibh sé chomh greannmhar (*it wasn't so funny*)
- bhí eagla an domhain orainn (*we were very frightened*)
- bhí an-ghreann againn orthu (*we had great fun at their expense*)

- bhíomar ag baint taitnimh as an oíche (*we were enjoying the night*)
- chonaiceamar chugainn na cailíní (*we saw the girls coming towards us*)
- bhí Máire agus Clár an-neirbhíseach (*Máire and Clare were very nervous*)
- bhí an rud bán taobh thiar den chlaí (*the white thing was behind the ditch*)
- ghluais scamaill dhubha thar an ngealach (*black clouds drifted past the moon*)

 CLEACHTAÍ

Ceap scéalta (leathleathanach nó mar sin) a mbeidh na sleachta seo a leanas oiriúnach mar **thús** leo.

(i)   "Tháinig an ghealach amach. Bhí scáthanna dorcha le feiceáil . . ."
(ii)   "Bhíomar go léir ag tnúth le hOíche Shamhna . . ."
(iii) "Chualamar scread uafáis. Ba bheag nár thit an t-anam asainn . . ."

Scéalta Scrúdaithe

(Ardteistiméireachta)

(i) "D'inis mo thuismitheoirí dom go raibh siad chun ár dteach a dhíol agus teach nua a cheannach i gceantar eile . . .'

(ii) "Ag cur bia ar sheilf a bhí mé san ollmhargadh ina raibh mé ag obair nuair a thit an tseilf anuas ar an urlár . . .   **1998**

(i) "'Tá dalta nua sa rang,' arsa an Príomhoide liom, 'agus ba mhaith liom go dtabharfá aire don dalta sin inniu . . .'"

(ii) "D'fhág mé mo rothar taobh amuigh den siopa nuachtán agus chuaigh mé isteach. Nuair a tháinig mé amach, ní raibh mo rothar le feiceáil . . ."   **1997**

(i) "Choinnigh an seanfhear cuimhne i gcónaí ar an lá sin, mar rinne an lá sin athrú mór ar a shaol . . . "

(ii) "Bhí an tseanbhean léi féin cois na tine sa chistin nuair a chuala sí an choiscéim ar an gcosán lasmuigh den teach . . . "   **1995**

(i) "Bhíodh mo mhadra romham gach tráthnóna ag geata an tí. Tráthnóna amháin, nuair a shroich mé an geata, ní raibh sé ann . . . "

(ii) "Tosaíonn mo scéal an lá a d'fhill mé ar Éirinn cúpla bliain ó shin . . . "   **1994**

(i) "'Ní thiocfaidh mé anseo arís,' arsa Eibhlín agus fearg uirthi. Shiúil sí amach an doras gan focal eile a rá . . . "

(ii) "Pháirceáil Liam an carr agus chuaigh sé ag siúl ar thaobh an chnoic . . . "   **1993**

(i) "'Ó mo sheanmháthair a fuair mé é deich mbliana ó shin,' arsa Treasa liom go brónach, 'ach anois tá sé caillte agam . . . '"

(ii) "Chonaic mé deatach ag teacht amach trí fhuinneog uachtarach an tí . . . "   **1992**

(i) "D'oscail Bríd an litir agus léigh sí í, arís agus arís eile . . . "

(ii) "Níl amhras ná go raibh an mí-ádh ar Pheadar an tráthnóna sin . . . "   **1991**

(i) "Is cuimhin liom an oíche Dhomhnaigh sin chomh maith agus is cuimhin liom an oíche aréir . . . "

(ii) "Bhí sé ina sheanduine an chéad uair a casadh ormsa é . . . "   **1990**

(i) "Bhí sé déanach san oíche nuair a shroich sé doras an tí. Chuir sé a lámh ina phóca chun an eochair a fháil, ach ní raibh sí ann . . . "

(ii) "Stad an bus i lár an bhaile. Shuigh sí ann ar feadh tamaill agus í ag smaoineamh ar an lá fiche bliain roimhe sin nuair a d'fhág sí an áit sin, a háit dúchais . . . "   **1989**

(i) "Cúpla mí ó shin tháinig cara liom go doras mo thí agus bosca ina láimh leis (léi)
     . . . "

(ii) "Bhí bóthar fada díreach ag síneadh amach romham agus bhí tuirse orm ag an siúl
     agus ag teas na gréine . . . "   **1988**

(i) "Bhí sé ag obair sa ghairdín. Go tobann bhuail an spád rud éigin sa chré . . . "

(ii) "Tháinig an meán oíche. Tháinig a haon, agus a dó, ach ní dheachaigh sí a luí.
     D'oscail sí an doras agus amach léi i ndorchadas na hoíche . . . "   **1987**

(i) "Dhúisigh mé i lár na hoíche. Shíl mé gur chuala mé fothram (torann) in áit éigin
     . . . "

(ii) "Gan bhréag ar bith bhí an t-ádh orm go raibh an madra in éineacht liom an lá sin
     . . . "   **1986**

AN LITIR

Baineann an chaibidil seo le scríobh litreacha. Tá dhá shaghas litreach ann.

A Neamhfhoirmeálta: litreacha pearsanta do chairde ⁊rl

B Foirmeálta: litreacha gnó: ag cur isteach ar phost ⁊rl

A. LITIR NEAMHFHOIRMEÁLTA

Is é an leagan seo a leanas gnáthleagan litreacha neamhfhoirmeálta/pearsanta.

① _____
_____
_____
② _____

③ _____
④ _____
_____
_____
⑤ _____
⑥ _____

① Do sheoladh (*your address*)   ④ Corp na litreach (*the body of the letter*)
② An dáta (*the date*)   ⑤ Críoch (*conclusion*)
③ An bheannacht (*the greeting*)   ⑥ Do shíneadh (*your signature*)

Seoltaí Úsáideacha

* 25 Bóthar na Trá, Loch Garman
* 33 Ascaill Uí Bhriain, Tamhlacht, Baile Átha Cliath
* 10 an Choill Rua, Indreabhán, Co na Gaillimhe
* 16 Baile Loisc, Muiríoch, Trá Lí, Co Chiarraí
* 26 Gairdíní an Halla Bháin, Portlaoise, Co Laoise
* 104 Bóthar na Bruíona, Co Luimní
* 93 Corrán an Chlúnaigh, Ros Comáin
* 11 Baile Bhiocáire, Na Cealla Beaga, Co Dhún na nGall

Beannachtaí Úsáideacha

* A Mháire a chara
* A Sheáin a chara
* A Nóra dhil
* A Liam dhil
* A Mhamaí dhil
* A Dhaidí dhil

Dátaí Úsáideacha

* 3ú Bealtaine
* 14 Feabhra
* 18 Deireadh Fómhair
* 25 Lúnasa
* 19 Aibreán
* 10 Mí na Nollag
* 10 Eanáir

Críocha Úsáideacha

* Is mise do chara
* Is mise do chara ionúin
* Is mise do chara dhil
* Do nia ionúin
* Do neacht dhil
* Do mhac geanúil
* D'iníon gheanúil
* Do gharmhac geanúil
* Do ghariníon gheanúil

1 Litir ag diúltú do chara leat dul go dtí an "Debs."

(a) Meaitseáil na nathanna seo a leanas (1-8) leis na leaganacha Béarla (A-H) agus ansin foghlaim iad.

1	Fuair mé an cuireadh uait.	A	I'll be in touch with you shortly.
2	Ba mhaith uait é.	B	I received your invitation.
3	Chuir sé an-áthas orm.	C	I hope you're not insulted.
4	Faraor, ní féidir liom dul an óiche sin.	D	It was nice of you.
5	Tá socrú déanta agam cheana féin dul go bainis mo dheirféar i Sasana.	E	Unfortunately, I can't go that night.
6	Tá an-bhrón orm faoi seo ach níl leigheas agam ar an scéal.	F	I was very pleased.
7	Tá súil agam nach mbeidh tú maslaithe.	G	I'm very sorry but there's nothing I can do.
8	Beidh mé i dteagmháil leat go luath amach anseo.	H	I've already arranged to go to my sister's wedding in England.

(b) Scríobh litir chuig cara leat ag diúltú dó / di ag baint úsáide as an gcreatlach tugtha. Beidh an foclóir thíos úsáideach.

A Ger a chara,

An-náire orm - tá tú an-chineálta - bheinn lán-sásta dul go dtí an "Debs" leat - fadhb bheag amháin - beidh mé thar lear i Sasana faoin am sin - bainis mo dheirféar i Londain - an socrú seo déanta le dhá mhí - tá cara liom gan pháirtí má bhíonn tú sásta dul ann léi / leis - beidh mé ag caint leat ar ball

Is mise do chara
Phil

FOCLÓIR

- is mór an trua é (it's an awful pity)
- bheinn sásta dul ann cinnte (I'd certainly have gone with you)
- ní raibh mé riamh ag "Debs" (I've never been to a "Debs")
- deirtear go bhfuil an t-óstán go galánta (they say the hotel is very posh)
- tá mo chairde go léir ag dul cheana féin (all my friends are going)
- ní féidir liom diúltú do mo dheirfiúr (I can't refuse my sister)
- tá mé i sáinn cheart (I'm in a right fix)
- tá mo chara an-dathúil (my friend is very good-looking)
- déanfaidh sé / sí páirtí maith (he / she will make a good partner)
- go dtí seo níl páirtí aige / aici (to date he / she hasn't got a partner)
- tá náire an domhain orm faoin scéal go léir (I'm very embarrassed about the whole situation)
- tá súil agam nach bhfuil olc ort (I hope you're not angry)
- labhróimid faoin scéal ag an deireadh seachtaine (we'll discuss the matter at the weekend)
- tá súil agam go bhfuil an méid seo sásúil (I hope this is satisfactory)

2 Litir chuig tuismitheoir agus tú ag obair thar lear.

(a) Meaitseáil na nathanna seo a leanas (1-8) leis na leaganacha Béarla (A-H) agus ansin foghlaim iad.

1	Chuaigh mé chuig agallamh.	A	I hope to get home at Christmas.
2	D'aimsigh mé post in oifig.	B	I'll see you soon.
3	Tá an pá go han-mhaith.	C	I went to an interview.
4	Is breá liom Londain.	D	The money is very good.
5	Uaireanta bíonn uaigneas orm áfach.	E	Tell the family I was asking for them.
6	Tá súil agam go mbeidh mé sa bhaile um Nollaig.	F	Sometimes I get lonely however.
		G	I love London.
7	Abair leis an gclann go raibh mé ag cur a dtuairisce.	H	I got a job in an office.
8	Feicfidh mé sibh go luath.		

(b) Scríobh litir chuig tuismitheoir agus tú ag obair thar lear ag baint úsáide as an gcreatlach tugtha anseo. Beidh an foclóir thíos úsáideach.

A Mhamaí dhil,

I Londain le seachtain — mearbhall orm — fuadar faoi gach duine — ar agallamh — d'aimsigh mé post i mbanc — lóistín deas agam i Wembley — pas beag neirbhíseach — ag fáil taithí ar an obair — cuirfidh mé glaoch teileafóin ort — uaigneas orm ó am go chéile

Is mise
Do mhac geanúil, Seán
D'iníon gheanúil, Máire

FOCLÓIR

- na sráideanna (*the streets*)
- plódaithe (*crowded*)
- bainisteoir (*manager*)
- an tuarastal (*the salary*)
- traein faoi thalamh (*underground train*)
- ag cur a thuairisce/tuairisce (*asking for him/her*)
- morán deoraithe (*many exiles*)
- cairdiúil (*friendly*)

- neamhchairdiúil (*unfriendly*)
- ríomhaire (*a computer*)
- scríobh chugam go luath (*write soon*)
- seans go bhfillfidh mé (*perhaps I'll return*)
- ag obair go dícheallach (*working diligently/hard*)
- foireann an bhainc (*the bank staff*)

3 **Litir chuig cara/gaol agus tú san ospidéal.**

(a) Meaitseáil na nathanna seo a leanas (1-10) leis na leaganacha Béarla (A-J) agus ansin foghlaim iad.

1 Is fada ó chuala mé uait.

2 Dála an scéil táim san ospidéal faoi láthair.

3 Nuair a bhí mé ag imirt leadóige an lá cheana thit mé go trom.

4 Bhris mé lámh liom agus b'é críoch agus deireadh an scéil go bhfuil mé san ospidéal anois.

5 Tá na dochtúirí agus na banaltraí ar fheabhas.

6 Éiríonn sé leadránach ó am go chéile.

7 Abair leis an dream go léir teacht isteach ar cuairt.

8 Beidh an-chraic go deo againn.

9 Ní gá bláthanna a thabhairt isteach.

10 Déanfaidh bosca seacláidí an gnó.

A We'll have great fun.

B There's no need to bring in flowers.

C It gets boring from time to time.

D The doctors and nurses are great/ excellent.

E Anyway I'm in hospital at present.

F When I was playing tennis the other day I fell heavily.

G A box of chocolates will do fine.

H I haven't heard from you in a long time.

I I broke my arm and the upshot of it all was that I'm now in hospital.

J Tell all the gang to come in and visit.

(b) Scríobh litir chuig cara/gaol agus tú san ospidéal ag baint úsáide as an gcreatlach tugtha anseo. Beidh an foclóir thíos úsáideach.

A Nuala dhil,

Ar fhleasc mo dhroma san ospidéal — cos liom briste — bréan den scéal cheana féin — na dochtúirí an-lách — na banaltraí an-deas — an-leadránach — barda deas — teilifís ar siúl — ní féidir liom léamh — thit mé de mo rothar — tar isteach ar cuairt — bíodh ár gcairde go léir leat

Is mise
Do chara ionúin, Seán/Áine

FOCLÓIR

- go gruama (*fed up/depressed*)
- mo thuismitheoirí (*my parents*)
- x-gathú (*an x-ray*)
- sceanairt (*an operation*)
- instealladh (*an injection*)
- is fuath liom an áit (*I hate the place*)
- tá mé ag tnúth le (*I'm looking forward to*)

- an bia (*the food*)
- piollaí (*pills*)
- buidéil leighis (*bottles of medicine*)
- pian uafásach (*terrible pain*)
- braithim an t-am an-fhada (*I find the time goes very slowly*)
- brostaigh ort/oraibh (*hurry up*)
- ní raibh mé cúramach (*I wasn't careful*)

4 Litir ag déanamh comhghairdis le cara faoi éirí go maith san Ardteist.

(a) Meaitseáil na nathanna seo a leanas (**1-10**) leis na leaganacha Béarla (**A-J**) agus ansin foghlaim iad.

1 Comhghairdeas ó chroí.	A I'll drop in on you at the weekend.
2 Is iontach go deo na torthaí seo.	B Heartiest congratulations.
3 Chreid mé riamh go n-éireodh go maith leat.	C Take a break now because it's high time you did!
4 Tá gach uile dhuine anseo an-bhródúil asat.	D These results are marvellous.
5 Beidh seans agat dul le leigheas san ollscoil anois.	E You now have a chance of doing medicine at university.
6 Tá na torthaí seo lán-tuillte agat.	F Will you be having a party?
7 An mbeidh cóisir agat?	G I always believed you'd do well.
8 Ná déan dearmad ar do sheanchairde má bhíonn!	H Everyone here is very proud of you.
9 Buailfidh mé isteach chugat ag an deireadh seachtaine.	I You fully deserve these results.
10 Tóg sos anois mar tá sé thar am agat!	J Don't forget your old friends if you do!

(b) Scríobh litir chuig cara ag tréaslú leis/léi faoin a thorthaí/torthaí san Ardteist ag baint úsáide as an gcreatlach tugtha anseo. Beidh an foclóir thíos úsáideach.

A Jude a chara,

Tá áthas an domhain orm gur éirigh chomh maith leat - tréaslaím leat ó chroí - creid uaimse é go bhfuil gach rud tuillte agat - is cosúil go bhfuil sceitimíní ar do thuismitheoirí - istigh leis seo tá bronntanas beag duit - bíodh saoire agat anois sula dtugann tú faoi chúrsa ollscoile - caithfidh tú teacht amach liom féin agus le mo chairde chun ceiliúradh ceart a dhéanamh

Is mise
Do chara buan, Phil

FOCLÓIR

- An-bhródúil asat féin (*Very proud of yourself*)
- Tá na torthaí seo thar insint scéil (*These results are incredible*)
- Tá tú éirimiúil thar chách! (*You're a genius!*)
- Ní dócha go mbeidh na torthaí céanna agamsa, faraor. (*I don't think I'll get the same results, unfortunately*)
- Cóisir thar oíche (*All-night party*)
- An-cheiliúradh (*A great celebration*)
- Do sheanchairde uile (*All your old friends*)
- An bhfuil tú ag tnúth leis an ollscoil? (*Are you looking forward to university?*)
- Ghnóthaigh Nóra sé A sa scrúdú (*Nora got six A's in the exam*)
- Beidh sise ag teacht chugat ar cuairt (*She'll be visiting you*)
- Bain taitneamh as an tsaoire (*Enjoy your holiday*)
- Caithfidh tú teagasc a thabhairt dom am éigin (*You'll have to give me grinds sometime*)

5 Litir ag cur síos ar eachtra a tharla duit.

(a) Meaitseáil na nathanna seo a leanas (**1-10**) leis na leaganacha Béarla (**A-J**) agus ansin foghlaim iad.

1 An bhfuil aon scéal agat?	A Believe me I'll never forget that incident!
2 Cén chaoi bhfuil/Conas tá do mhuintir?	B He was clearing off when I put out my foot.
3 Ní chreidfidh tú cad a tharla dom.	C I tripped him and he fell heavily.
4 Nuair a bhí mé ag filleadh abhaile ón mbaile chonaic mé gadaí.	D The gardaí were soon on the scene.
5 Sciob sé a mála láimhe ó sheanbhean.	E He was dazed and two men grabbed him.
6 Bhí sé ag glanadh leis nuair a chuir mé mo chos amach.	F How are your family?
7 Bhain mé tuisle as agus thit sé go trom.	G You won't believe what happened to me.
8 Bhí spreabhraídí air agus rug beirt fhear air.	H He snatched an old woman's handbag.
9 Ba ghearr go raibh na gardaí ar an láthair.	I When I was returning from town I saw a thief.
10 Creid uaimse é go mbeidh cuimhne agam go deo ar an eachtra sin!	J Have you any news?

(b) Scríobh litir chuig cara leat ag cur síos ar eachtra a tharla duit ag baint úsáide as an gcreatlach tugtha anseo. Beidh an foclóir thíos úsáideach.

A Bhríd dhil,

Conas tá tú? — súil agam go bhfuil tú ar fónamh — ní chreidfidh tú cad a tharla — ag filleadh abhaile ó chlub na n-óg — gaigíní i gcarr goidte — ag tiomáint ar nós tintrí — rith mé chuig bosca teileafóin — chuir mé fios ar na gardaí — sa tóir orthu — bhuail an carr i gcoinne balla — rug na gardaí ar na bligeaird — an-áthas orm

Is mise
Do bhuanchara, Pól/Máire

FOCLÓIR

- baineadh geit asam (*I got a fright*)
- i mbarr a luais (*at top speed*)
- léim mé as an tslí (*I jumped out of the way*)
- gíoscán na gcoscán (*the screech of brakes*)
- ar an láthair (*on the scene*)
- chuir sé olc orm (*it made me very angry*)
- chinn mé ar rud éigin a dhéanamh (*I decided to do something*)
- eachtra an-chorraitheach (*a very exciting incident*)
- bhí an carr ó rath (*the car was wrecked*)
- scríobh chugam go luath (*write soon*)
- ná déan dearmad (*don't forget*)
- is fada ó chuala mé uait (*I haven't heard from you in a long time*)
- buail isteach más féidir (*drop in if you can*)

6 Litir ag gabháil buíochais le gaol.

(a) Meaitseáil na nathanna seo a leanas (1-8) leis na leaganacha Béarla (A-H) agus ansin foghlaim iad.

1 Bhí an-áthas orm an bronntanas a fháil.	A It's really lovely.
	B I assure you I'll put it to good use.
2 Bhí rothair sléibhe uaim le fada.	
	C I was delighted to get the present.
3 Tá sé go fíor-álainn ar fad.	
	D I'd wanted a mountain bike for a long time.
4 Geallaimse duit go mbainfidh mé an-úsáid as.	
	E Tell Aunt Nora I was asking for her.
5 Tá mé ag tnúth le dul amach air á thástáil.	F I'll drop in to see you on Saturday.
6 Ba dheas uait é.	G I'm looking forward to going out and trying it out.
7 Buailfidh mé isteach chugat Dé Sathairn.	H It was nice of you.
8 Abair le hAintín Nóra go raibh mé ag cur a tuairisce.	

(b) Scríobh litir chuig gaol leat ag gabháil buíochais leis/léi as bronntanas ag baint úsáide as an gcreatlach tugtha anseo. Beidh an foclóir thíos úsáideach.

A Aintín Nóra,

Tá mé fíorbhuíoch díot as — ba dheas uait é — ní raibh mé ag súil lena leithéid — go gleoite ar fad — an-úsáideach — bhí tú an-chineálta — ag staidéar go dian — an-bhrú orm — seans go bhfeicfidh mé tú go luath

Is mise
Do nia dil, Seán
Do neacht dhil, Aisling

FOCLÓIR

- bhí an-ionadh orm (*I was very surprised*)
- beart sa phost (*parcel in the post*)
- d'oscail mé le fonn é (*I opened it enthusiastically*)
- bhí an leabhar sin uaim le fada (*I wanted that book for a long time*)
- conas tá Uncail Seán? (*How is Uncle John?*)
- abair leis go raibh mé ag cur a thuairisce (*tell him I was asking for him*)
- an bhfuil tú fós ag obair? (*are you still working?*)
- buailfidh mé isteach chugaibh (*I'll drop in on you*)
- bhí an-breithlá agam (*I had a great birthday*)
- bhí mo chairde go léir ann (*all my friends were there*)
- slán go fóill (*goodbye for the present*)
- go raibh maith agat arís (*thank you again*)

7 Litir ag cur síos ar scoil nua

(a) Meaitseáil na nathanna seo a leanas **(1-9)** leis na leaganacha Béarla **(A-I)** agus ansin foghlaim iad.

1 Cén chaoi bhfuil tú?	A Write to me soon.
2 Táimid socraithe inár dteach nua.	B It's very different but we love it.
3 Tá mé féin agus Peadar ag freastal ar Phobalscoil na Trá.	C The discipline is not as strict as in Scoil Bhríde.
4 Tá sí an-difriúil ach is breá linn í.	D We've settled into our new house.
5 Níl an smacht chomh dian sin agus atá i Scoil Bhríde.	E How are you?
6 Ní féidir liom gearán mar tá na ranganna measctha.	F Peter and I are attending the Strand Community College.
7 Tá ag éirí go maith liom agus tá marcanna arda faighte agam cheana féin.	G I really like all the teachers.
8 Is breá liom na múinteoirí go léir.	H I can't complain because the classes are mixed.
9 Scríobh chugam go luath.	I I'm doing well and I've got good marks already.

(b) Scríobh litir chuig cara ag cur síos ar do scoil nua ag baint úsáide as an gcreatlach tugtha anseo. Beidh an foclóir thíos úsáideach.

A Jude a chara,

Cén chaoi bhfuil tú? - Ní féidir liom gearán mar tá na ranganna measctha - tá an scoil nua an-mhór ar fad - tá gach uile áis inti - tá cairde nua agam cheana féin - ní bhraithim uaim Scoil Bhríde - tá ag éirí thar cionn liom sa scoil seo - dar liom go bhfuil na múinteoirí ar fheabhas an domhain - ná déan dearmad scríobh chugam

Is mise,
Do chara ceanúil, Nollaig.

FOCLÓIR

- Is fada ó chonaic mé tú *(I haven't seen you in a long time)*
- An bhfuil tú beo fós? *(Are you still alive?)*
- Táimid beirt an-sásta sa scoil nua *(We're both very happy in the new school)*
- Tá na múinteoirí den chéad scoth *(The teachers are first class)*
- Is breá liom ranganna measctha *(I love mixed classes)*
- Tá na daltaí an-chairdiúil *(The students are very friendly)*
- Tá gach áis nua-aimseartha sa scoil seo *(this school has every modern amenity)*
- Fuair mé grád A i scrúdú ranga an tseachtain seo caite. *(I got an A in a class exam last week)*
- Déan teangmháil liom go luath *(Get in touch soon)*
- Tá gach uile dhuine anseo ag cur do thuairisce *(Everyone here is asking for you)*
- Caithfidh tú teacht anseo ar cuairt am éigin *(You'll have to come here and visit some time)*
- Tá an ceantar go h-álainn *(The area is beautiful)*

8 Litir chuig cara ag cur síos ar thimpiste.

(a) Meaitseáil na nathanna seo a leanas (1-9) leis na leaganacha Béarla (A-I) agus ansin foghlaim iad.

1	Tá súil agam go bhfuil tú ar fónamh.	A	She was very upset.
2	Ní chreidfeá cad a tharla an lá cheana.	B	A young girl had fallen into the river.
3	Bhí mé ag filleadh abhaile ó theach m'uncail.	C	I threw it to her and pulled her ashore.
4	Chuala mé scread uafáis.	D	Thanks be to God she wasn't too bad.
5	Bhí cailín óg tar éis titim isteach san abhainn.	E	I heard a scream of terror.
6	Ar ámharaí an domhain bhí baoi tharrthála in aice láimhe.	F	I hope you're well.
7	Chaith mé chuici í agus tharraing mé i dtír í.	G	I was returning from my uncle's house.
8	Bhí sí go mór trí chéile.	H	You wouldn't believe what happened the other day.
9	Buíochas le Dia ní raibh sí ró-dhona.	I	Thanks be to goodness there was a life buoy near at hand.

(b) Scríobh litir chuig cara ag cur síos ar thimpiste ag baint úsáide as an gcreatlach tugtha anseo. Beidh an foclóir thíos úsáideach.

A Liam ionúin,

Tá súil agam go bhfuil sibh go léir ar fónamh — baineadh stad asam inné — agus mé ag dul thar bráid — thit buachaill isteach sa loch — i mbaol a bháite —isteach liom — tá taithí agam ar tharrtháil — rug mé isteach é — go mór trí chéile — fíorbhuíoch díom

Is mise,
Do chara dil, Pól

FOCLÓIR

- bhí gach scread as (*he was screaming*)
- bhí sé i gcruachás (*he was in difficulty*)
- tá snámh an éisc agam (*I'm a strong swimmer*)
- chiúnaigh mé é (*I calmed him down*)
- thit sé i laige (*he fainted*)
- tháinig sé chuige féin (*he came to*)
- chuir mé fios ar an otharcharr (*I sent for the ambulance*)
- ghabh a athair buíochas liom (*his father thanked me*)
- bhí dath an bháis air (*he was the colour of death*)
- chaith mé dhá lá sa leaba (*I spent two days in bed*)
- bhíomar fliuch báite (*we were soaked*)
- fuair mé fuacht (*I caught a chill*)

9 **Litir chuig cara ag déanamh comhbhróin.**

(a) Meaitseáil na nathanna seo a leanas (**1-9**) leis na leaganacha Béarla (**A-I**) agus ansin foghlaim iad.

1	Chuala mé an drochscéal.	A	I'll be in touch with you soon.
2	Mise á rá leat gur bhain sé preab asam.	B	He always had a sense of humour.
3	Is cuimhin liom d'uncail go maith.	C	I enclose a Mass card.
4	Togha fir ba ea é.	D	I'm telling you it gave me a shock.
5	Bhí an greann aige riamh.	E	I remember your uncle well.
6	Beidh uaigneas ar gach duine ina dhiaidh.	F	Everyone will miss him.
		G	He was a great man.
7	Istigh leis seo tá cárta Aifrinn.	H	May the Lord have mercy on his soul.
8	Ar dheis Dé go raibh a anam dílis.		
9	Beidh mé i dteagmháil leat go luath.	I	I heard the bad news.

(b) Scríobh litir chuig cara leat ag déanamh comhbhróin leis/léi (tar éis báis gaoil) ag baint úsáide as an gcreatlach tugtha anseo. Beidh an foclóir thíos úsáideach.

A Nóra a chara croí,

Chuala mé an drochscéal — bhain sé léim asam — ní raibh coinne agam leis — is maith is cuimhin liom d'athair — fear an-lách — cion ag gach duine air — croí mór aige — go ndéana Dia trócaire ar a anam — cárta Aifrinn istigh — ní féidir liom bheith ag an tsochraid — buailfidh mé isteach ar ball

Is mise,
Do bhuanchara Pádraig

FOCLÓIR

- tá an-trua agam daoibh (*I'm very sorry for you*)
- is mór an méala a bhás (*his death is lamentable/great loss*)
- bhí an greann aige (*he had a sense of humour*)
- glac misneach (*take courage*)
- beidh cuimhne agam go deo air (*I'll always remember him*)
- is mór an sólás do mhuintir (*your family is a great comfort*)
- ar dheis Dé go raibh a anam (*may God have mercy on his soul*)
- beidh mé i dteagmháil leat (*I'll be in touch*)
- beart gan leigheas, foighne is fearr air (*what can't be cured must be endured*)
- tiocfaidh mé ar cuairt chugat (*I'll visit you*)
- ba mhaith liom tacaíocht a thabhairt duit (*I'd like to give you support*)

10 Litir ag cur síos ar cheolchoirm.

(a)   Meaitseáil na nathanna seo a leanas (1-9) leis na leaganacha Béarla (A-I) agus ansin foghlaim iad.

1	Conas tá tú?/Cén chaoi bhfuil tú?	A	Write soon.
2	Bhí mé ag ceolchoirm iontach inné.	B	U2 were great.
3	Bhí U2 ag seinm.	C	How are you?
4	Chuamar go dtí an RDS.	D	He had new material also.
5	Bhí an áit plódaithe.	E	U2 were playing.
6	Bhí U2 ar fheabhas.	F	Bono sang the old numbers.
7	Chan Bono na seanamhráin.	G	I was at a great concert yesterday.
8	Bhí ábhar nua aige freisin.	H	The place was packed.
9	Scríobh chugam go luath.	I	We went to the RDS.

(b)   Scríobh litir chuig cara ag cur síos ar cheolchoirm ag baint úsáide as an gcreatlach tugtha anseo. Beidh an foclóir thíos úsáideach.

A Mháire a chara,

An bhfuil tú fós ag obair? — an bhfuil aon scéal agat? — ceolchoirm bhreá — ticéid ceannaithe agam — ag obair sa teach tábhairne — an tráthnóna go hálainn — na mílte daoine óga — Bono ar an stáitse — U2 ar fheabhas — ag glaoch ar dhaoine ar an teileafón — an ceol thar barr — an-tuirse orainn

Le gach deaghuí,
Nollaig

FOCLÓIR

- is breá liom U2 (*I love U2*)
- an Saol Fódhlach (*the whole of Ireland*)
- an stáitse (*the stage*)
- na soilse móra (*the big lights*)
- ceol an-ard (*very loud music*)
- gach duine ag luascadh (*everyone swaying*)
- bhí radharc breá againn (*we had a great view*)
- bhí na grúpaí eile réasúnta maith (*the other groups were fairly good*)
- na cailíní ag screadaíl (*the girls screaming*)
- daoine óga ann as gach contae (*young people from every county*)
- ná déan dearmad scríobh chugam (*don't forget to write to me*)
- is fada ó chuala mé uait (*I haven't heard from you in a while*)

11 Litir chuig duine óg agus tú ag lorg peanncharad.

(a) Meaitseáil na nathanna seo a leanas (1-9) leis na leaganacha Béarla (A-I) agus ansin foghlaim iad.

1 Cén chaoi bhfuil tú?	A I understand you're looking for a penfriend.
2 Tuigim go bhfuil tú ag lorg peanncharad.	
3 Tá mé féin seacht mbliana déag d'aois agus is scoláire mé i Meánscoil Rís i Luimneach.	B I'm seventeen years of age and I'm a student at Rice Secondary School in Limerick.
	C How are you?
4 Cé go bhfuil a lán cairde agam níl peannchara agam.	D I'm looking forward to a letter from you.
5 Is breá liom gach saghas ceoil agus seinnim féin an giotár.	E You must write to me and give me all the details about yourself.
6 Tá an-suim sna scannáin agam agus téim go dtí na scannáin beagnach gach uile sheachtain.	F I'm sure we'll both enjoy writing regularly.
7 Caithfidh tú scríobh chugam go luath agus gach tuairisc a thabhairt dom mar gheall ort féin.	G I love all types of music and I play the guitar.
	H While I have many friends I don't have a penfriend.
8 Tá mé cinnte go mbainfimid beirt an-taitneamh as bheith ag scríobh go rialta.	I I've a great interest in the cinema and I go to the cinema almost very week.
9 Tá mé ag tnúth le litir uait.	

(b) Scríobh litir chuig duine agus tú ag lorg peanncharad ag baint úsáide as an gcreatlach tugtha anseo. Beidh an foclóir thíos úsáideach.

A Isabelle a chara,

Cén chaoi bhfuil tú? - tuigim go bhfuil peannchara uait - cé go bhfuil go leor cairde agam féin in Éirinn ní raibh peannchara riamh agam - caithfidh tú cur síos ar do shaol féin sa Fhrainc - bhí mé ann uair amháin ach ní fhaca mé mórán den tír - mé ar bheagán Fraincise - is breá liom gach uile shórt ceoil - beidh mé ag tnúth le litir uait

Le gach dea-ghuí
Ger De Faoite

FOCLÓIR

- Conas tá tú? *(How are you?)*
- Cloisim go bhfuil tú ag lorg peanncharad freisin *(I hear you're also looking for a penfriend)*
- Ní raibh peannchara agam go dtí seo *(I've never had a penfriend until now)*
- Bhí mé i bPáras cúpla bliain ó shin ar thuras oideachais *(I was in Paris a few years ago on an educational tour)*
- Faraor, níl mórán Fraincise agam! *(Unfortunately, I don't have much French!)*
- Caithfidh tú gach tuairisc a thabhairt dom ar shaol na Fraince *(You'll have to give me every detail of life in France)*

- Is breá liom ceol agus na scannáin *(I love music and cinema)*
- Inis dom go luath cén saghas ceoil is rogha leat féin *(Tell me soon what's your favourite music)*
- Tá mé féin seacht mbliana déag d'aois agus ag freastal ar an meánscoil *(I'm seventeen years of age and am attending secondary school)*
- Scríobh chugam go luath *(Write to me soon)*
- Beidh mé ag tnúth le scéal uait *(I'll be looking forward to hearing from you)*

12 Litir chuig cara ag cur síos ar dhuais a bhuaigh tú.

(a) Meaitseáil na nathanna seo a leanas **(1-9)** leis na leaganacha Béarla **(A-I)** agus ansin foghlaim iad.

1	Cá raibh tú in aon chor?	A It was a first class CD player.
2	Is fada ó chonaic mé tú.	B It only cost 50p.
3	Cibé, ar bith é.	C Wasn't I amazed when I heard I'd won a prize.
4	Cheannaigh mé ticéad do chrannchur áitiúil.	D Where have you been at all?
5	Níor chosain sé ach caoga pingin.	E My parents are not too pleased.
6	Nach orm a bhí an t-ionadh nuair a chuala mé go raibh duais buaite agam.	F Well, at any rate.
7	Seinnteoir CD den chéad scoth a bhí ann.	G I bought a ticket in a local raffle.
8	Ní ró-shásta atá mo thuismitheoirí.	H That's another story however!
9	Sin scéal eile áfach!	I I haven't seen you in a long time.

(b) Scríobh litir chuig cara ag cur síos ar dhuais a bhuaigh tú ag baint úsáide as an gcreatlach tugtha anseo. Beidh an foclóir thíos úsáideach.

A Nóra a chara ionúin,

Is fada ó chuala mé uait — tá súil agam go bhfuil tú ar fónamh — ní chreidfidh tú cad a tharla — bhuaigh mé rothar sléibhe — crannchur sa scoil — cheannaigh mé ticéad — baineadh preab asam — an chéad duais buaite agam — bhí mo rothar féin an-sean — lúcháir orm — scríobh chugam go luath.

Is mise,
Do bhuanchara, Neasa/Pól

FOCLÓIR

- thug mé caoga pingin ar an ticéad (*I paid 50p for the ticket*)
- bhí an crannchur sa halla (*the draw was in the hall*)
- tharraing an príomhoide ticéad gorm amach (*the principal pulled out a blue ticket*)
- lig mé béic asam (*I let out a shout*)
- rothar sléibhe (*a mountain bike*)
- an chéad duais (*the first prize*)
- go gleoite (*lovely*)
- tá dath dearg air (*it's red*)
- go han-chompordach (*very comfortable*)
- is féidir linn dul ag rothaíocht (*we can go cycling*)
- buail isteach má's féidir (*drop in if you can*)
- tá sceitimíní orm (*I'm thrilled*)

 CLEACHTAÍ

(i) Tá tú sa Ghaillimh ar do laethanta saoire. Scríobh litir chuig cara leat ag cur síos ar an scéal.

(ii) Tá tú ag seoladh bronntanais chuig d'uncail/d'aintín dá bhreithlá/breithlá. Scríobh an litir a chuirfeá chuige/chuici.

(iii) Goideadh gluaisteán d'athar le déanaí. Scríobh litir chuig cara leat ag cur síos ar an eachtra.

(iv) Fuair tú bronntanas ó chol ceathrar leat. Scríobh an litir a chuirfeá chuige/chuici ag gabháil buíochais leis/léi.

(v) Beidh tú saor ar feadh seachtaine um Cháisc. Scríobh an litir a chuirfeá chuig cara leat ag tabhairt cuireadh dó/di teacht ar cuairt.

(vi) Chonaic tú timpiste agus tú ag dul ar scoil. Scríobh an litir a chuirfeá chuig cara leat ag cur síos ar an eachtra.

(vii) Fuair aintín le do chara bás go tobann. Scríobh an litir a chuirfeá chuige/chuici ag déanamh comhbhróin leis/léi.

(viii) Tá tú tar éis tosnú i scoil nua. Scríobh an litir a chuirfeá chuig d'aintín/d'uncail ag cur síos uirthi.

(ix) Tá tú ag obair go páirtaimseartha in óstán i Meiriceá. Scríobh an litir a chuirfeá chuig d'athair/do mháthair ag cur síos ar an scéal.

(x) Bhuaigh tú duais i gcrannchur áitiúil. Scríobh an litir a chuirfeá chuig cara leat ag cur síos uirthi.

B. Litir Fhoirmeálta

Is é an leagan seo a leanas gnáthleagan litreacha fhoirmeálta.

① _____
   _____
                                    ② _____

③ _____
   _____
   _____

④ _____

     ⑤ _____
     _____
     _____
     _____
        ⑥ _____
        ⑦ _____

① Do sheoladh baile (*your address*)   ⑤ Corp na litreach (*the body of the letter*)
② An dáta (*the date*)   ⑥ Críoch (*conclusion*)
③ An seoladh gnó (*the business address*)   ⑦ Do shíneadh (*your signature*)
④ An bheannacht (*the greeting*)

Seoltaí Gnó Úsáideacha
• An tEagarthóir, Scéala Éireann, Baile Átha Cliath 1
• An Bainisteoir, Óstán na Mara, Pórt Láirge
• An Príomhoide, Scoil Chaoimhín, Co na Gaillimhe
• An Bainisteoir, Tí Ruairí, Trá Lí, Co Chiarraí
• An tUasal O'Néill, Teach Laighin, Baile Átha Cliath 1
• An Roinn Oideachais, Corr na Mada, Áth Luain, Co na hIarmhí
• An tEagarthóir, Scribo, Coláiste Choilm, Ros Comáin
• An Bainisteoir, Ollmhargadh Quinnsworth, Baile Munna
• An Rúnaí, An Roinn Cosanta, Baile Átha Cliath 1
• An Stiúrthóir, Coláiste an tSléibhe, Rath Cairn

Beannachtaí le haghaidh Litreacha Foirmeálta
• A chara (*Dear Sir/Madam*)
• A phríomhoide (*Dear Principal*)
• A Aire (*Dear Minister*)

Críocha Úsáideacha
• Mise le meas (*Yours sincerely/faithfully*)
• Mise le deamhéin (*With kind regards/With compliments*)

1 **Litir ag cur isteach ar phost.**

(a)   Meaitseáil na nathanna seo a leanas (**1-7**) leis na leaganacha Béarla (**A-G**) agus ansin foghlaim iad.

1 Ba mhaith liom cur isteach ar an bpost a fógraíodh.	A I've done the Leaving Cert.
2 I n-Aoiseanna Gaelach.	B Find enclosed CV and reference from my school principal.
3 Tá mé seacht/ocht mbliana déag d'aois.	C Hoping I am successful.
4 Tá an Ardteist déanta agam.	D I'd like to apply for the job advertised.
5 Tá taithí agam cheana féin mar bhí mé ag obair in . . .	E I have previous experience as I worked in . . .
6 Istigh leis seo tá CV agus litir mholta ó phríomhoide mo scoile.	F In the *Irish Times*.
7 Le súil go n-éireoidh liom.	G I'm seventeen/eighteen years of age.

(b)   Fógraíodh post páirtaimseartha. Scríobh litir ag cur isteach ar an bpost ag baint úsáide as an gcreatlach tugtha anseo. Beidh an foclóir thíos úsáideach.

A chara,

Ba mhaith liom cur isteach ar an bpost a fógraíodh — tá mé i rang na hArdteiste — tá mé ocht mbliana déag d'aois — taithí agam ar an saghas seo oibre — litir mholta istigh — CV freisin — bheinn buíoch díbh ach teagmháil a dhéanamh liom

Mise le meas

_____

FOCLÓIR

- siopa poitigéara m'uncail (*my uncle's pharmacy*)
- níor sháraigh mé rialacha na scoile (*I did not break the school rules*)
- tá an-suim agam sa cheimic (*I've a great interest in chemistry*)
- d'aimsigh mé gráid arda (*I got high grades*)
- bheadh an taithí an-úsáideach (*the experience would be very helpful*)
- bheinn sásta obair go dian (*I'd be prepared to work hard*)
- i n-Aoiseanna Gaelach (*in the Irish Times*)
- tá m'uimhir ghutháin thuas (*my telephone number is above*)
- le súil go n-éireoidh liom (*hoping I am successful*)

2 Litir ag iarraidh litreach molta.

(a) Meaitseáil na nathanna seo a leanas (1-6) leis na leaganacha Béarla (A-F) agus ansin foghlaim iad.

1 Tá litir mholta ag teastáil uaim.

2 Tá áit aimsithe agam ar chúrsa FÁS.

3 D'fhág mé an scoil sa bhliain . . .

4 Tá mo dheartháir/dheirfiúr sa tríú bliain.

5 Níor sháraigh mé rialacha na scoile riamh.

6 Abair leis na múinteoirí eile go raibh mé ag cur a dtuairisce.

A I left school in . . .

B I never broke the school rules.

C I've got a place on a FÁS course.

D My brother/sister is in 3rd year.

E Tell the other teachers that I was asking for them.

F I need a reference.

(b) Tá litir mholta ag teastáil uait. Scríobh an litir a chuirfeá chuig príomhoide do scoile ag iarraidh na litreach, seo ag baint úsáide as an gcreatlach tugtha anseo. Beidh an foclóir thíos úsáideach.

A phríomhoide,

Post aimsithe agam — seans maith chun dul ar aghaidh — tá an t-airgead ar fheabhas — litir mholta ag teastáil ón bhfóstóir — bhí mé i rang 6B — d'fhág mé an scoil in . . . — tá mo dheartháir/dheirfúir fós sa scoil — bheinn buíoch díot ach í a sheoladh chugam go luath

Mise le deamhéin

_____

FOCLÓIR

- thaitin an scoil liom (*I liked school*)
- ag eagrú (*organising*)
- fuair mé tuairisc mhaith (*I got a good report*)
- bhuail tú le mo thuismitheoirí cheana féin (*you've already met my parents*)
- tá an litir mholta an-tábhachtach (*the reference is very important*)
- d'eagraigh mé crannchur sa chúigiú bliain (*I organised a draw in fifth year*)
- tá súil agam gur cuimhin leat mé! (*I hope you remember me!*)

3   Litir ag gabháil leithscéil.

(a)   Meaitseáil na nathanna seo a leanas (1-7) leis na leaganacha Béarla (A-G) agus ansin foghlaim iad.

1 Go raibh míle maith agat as an gcuireadh chuig . . .	A Perhaps there will be another night.
2 Ba dheas uait é.	B I have a previous appointment on the same night.
3 Faraor ní féidir liom bheith ann.	C I'm very disappointed about this.
4 Tá coinne agam cheana féin ar an oíche chéanna.	D It was nice of you.
5 Tá an-díomá orm faoin scéal.	E I'll be in touch with you again.
6 Beidh mé i dteagmháil leat arís.	F Unfortunately I can't be there.
7 Seans go mbeidh oíche eile ann.	G Thank you very much for the invitation to . . .

(b)   Tugadh cuireadh duit chuig seoladh leabhair i gClub na nÓg ach ní féidir leat bheith ann. Scríobh litir chuig Rúnaí an Chlub ag gabháil leithscéil ag baint úsáide as an gcreatlach tugtha anseo. Beidh an foclóir thíos úsáideach.

A chara,

Go raibh maith agat as an gcuireadh chuig — ba dheas uait é — bhí mé ag tnúth leis — faraor ní féidir liom bheith ann — tá an-náire orm — an féidir le cara liom dul thar mo cheannsa? — buailfidh mé isteach chugat — tá an-bhrón orm

Mise le meas

_____

FOCLÓIR

- ba mhór agam bheith ann (*I'd have been delighted to be there*)
- is mór an trua é (*it's a great pity*)
- de ghnáth bím saor (*I'm usually free*)
- níl aon dul as agam (*I can't avoid it*)
- tá an socrú déanta cheana féin (*the arrangements have already been made*)
- tá súil agam nach dtiocfaidh uabhar ort (*I hope you will not be offended*)

- ba mhaith liom labhairt leat (*I'd like to speak to you*)
- seans go dtuigfidh tú (*perhaps you will understand*)
- tá mé faoi chomaoin agat (*I'm obliged to you*)

4 Litir ag déanamh gearáin.

(a) Meaitseáil na nathanna seo a leanas (1-7) leis na leaganacha Béarla (A-G) agus ansin foghlaim iad.

1	Ba mhaith liom gearán a dhéanamh faoin mbia agus faoin bhfreastal.	A	This is a disgrace.
2	Bhí an stéig beagnach fuar.	B	The waiter was in no hurry.
		C	The meal cost £20 each.
3	Bhí na glasraí ró-bhruite.	D	The steak was nearly cold.
4	Ní raibh deifir ar bith ar an ngiolla.	E	I'm demanding a refund.
5	Chosain an béile fiche punt an duine.	F	The vegetables were over-cooked.
6	Tá mé ag éileamh aisíocaíochta ort.	G	I'd like to complain about the food and the service.
7	Is náireach an scéal é seo.		

(b) Bhí béile agat in óstán agus ní raibh tú ró-shásta leis an mbia ná leis an bhfreastal. Scríobh litir ghearáin chuig bainisteoir an óstáin ag baint úsáide as an gcreatlach tugtha anseo. Beidh an foclóir thíos úsáideach.

A chara,

Bhí mé ag tnúth leis an oíche — chuala mé go raibh clú amuigh ar an mbialann — nach orm a bhí an díomá — ní raibh an giolla ró-néata — bhí sé an-mhall — bhí orainn fanacht leathuair an chloig — an bia go dona — ró-bhruite — an fheoil an-shailleach — ní buíoch ná sásta a bhíomar — aisíocaíocht á héileamh agam

Mise le meas

_____

FOCLÓIR

- bhí mé náirithe (*I was embarrassed*)
- bhí na banghiollaí ar nós cuma leo fúinn (*the waitresses were indifferent to us*)
- ní raibh an bainisteoir ar fáil (*the manager was not available*)
- rinne mé gearán (*I complained*)
- ba bheag aird a tugadh orainn (*little notice was taken of us*)

- bhíomar ar buile (*we were furious*)
- ní ghlacfaidh mé leis seo (*I will not accept this*)
- cad faoi chearta an chustaiméara? (*what about the rights of the customer?*)
- a luaithe é is ea is fearr (*the sooner the better*)

5 Litir ag iarraidh eolais.

(a) Meaitseáil na nathanna seo a leanas (1-6) leis na leaganacha Béarla (A-F) agus ansin foghlaim iad.

1	Tá eolas uaim faoin gcomórtas filíochta.	A	Is there an age limit in the competition?
2	Cé mhéid dán is féidir a sheoladh isteach?	B	I hope I'm not too late.
		C	I require information on the poetry competition.
3	An bhfuil teorainn aoise sa chomórtas?		
		D	I've a great interest in poetry.
4	Bheinn buíoch díot ach foirm iontrála a sheoladh chugam.	E	I'd be grateful if you would send me an entry form.
5	Tá an-suim agam sa bhfilíocht.		
6	Tá súil agam nach bhfuil mé ró-dhéanach.	F	How many poems may be submitted?

(b) Fógraíodh comórtas aistí agus ba mhaith leat cur isteach air. Scríobh litir chuig lucht eagartha an chomórtais ag iarraidh eolais faoi ag baint úsáide as an gcreatlach tugtha anseo. Beidh an foclóir thíos úsáideach.

A chara,

Tá eolas uaim faoin gcomórtas aistí — an bhfuil roinn shinsearach agus roinn shóisearach ann? — cad é an dáta is deireanaí don chomórtas? — tá súil agam nach bhfuil mé ró-dhéanach — seol foirm iontrála chugam le do thoil — cuir glaoch ghutháin orm

Mise le meas

_____

FOCLÓIR

- cad iad na duaiseanna a bheidh ann? (*what will the prizes be?*)
- an bhfuil táille iontrála i gceist? (*is there an entry fee?*)
- is breá liom ceapadóireacht (*I love composition*)
- cé mhéid focal san aiste? (*how many words in the essay?*)
- déan teagmháil liom (*contact me*)
- an nglacfar le haiste grinn? (*will an humorous essay be accepted?*)
- cé hiad na breithimh? (*who are the judges?*)
- teorainn aoise (*an age limit*)
- na hiarrthóirí (*the competitors*)
- tá mé fíorbhuíoch díbh (*I'm very grateful to you*)

6 Litir ag tabhairt cuireadh.

(a) Meaitseáil na nathanna seo a leanas (1-6) leis na leaganacha Béarla (A-F) agus ansin foghlaim iad.

1 Ba mhaith liom cuireadh a thabhairt duit chuig . . .	A I hope you will be able to come.
	B After the show, tea and sandwiches will be provided.
2 Ba mhór againn tú a bheith ann.	
3 Tosóidh an taispeántas ar a seacht a chlog.	C The show begins at 7pm.
	D We'd be honoured to have you there.
4 Rachaidh an t-airgead do ALONE.	
5 Tar éis an taispeántais, beidh tae agus ceapairí ar fáil.	E The money is in aid of ALONE.
	F I'd like to invite you to . . .
6 Tá súil agam go mbeidh tú ábalta teacht.	

(b) Tá bronnadh duaiseanna á n-eagrú ag deireadh na bliana scoile. Scríobh an litir a chuirfeá chuig an Aire Oideachais ag iarraidh air/uirthi teacht ag baint úsáide as an gcreatlach tugtha anseo. Beidh an foclóir thíos úsáideach.

A Aire,

Bronnadh duaiseanna do na daltaí is fearr — daltaí a ghnóthaigh marcanna arda sna scrúduithe — bheimis fíor-bhuíoch díot dá dtiocfá — duaiseanna á mbronnadh — an t-aonú lá déag de Mheán Fómhair — tuigimid go bhfuil tú gnóthach — murar féidir leat teacht — déan teagmháil linn

Mise le meas

_____

FOCLÓIR

- ba mhór an onóir dóibh (*it would be a great honour to them*)
- ócáid ar leith (*a special occasion*)
- an-spreagadh (*great encouragement/incentive*)
- bhí tú linn anuraidh (*you were with us last year*)
- d'éirigh go rí-mhaith leis an oíche (*the night was a great success*)
- tae agus ceapairí (*tea and sandwiches*)
- tuismitheoirí na ndaltaí (*the parents of the students*)
- ceol traidisiúnta (*traditional music*)
- dalta na bliana (*the student of the year*)

7 Litir ag gabháil buíochais.

(a) Meaitseáil na nathanna seo a leanas (1-6) leis na leaganacha Béarla (A-F) agus ansin foghlaim iad.

1	Go raibh míle maith agat as an . . .	A	I'm very grateful to you.
2	Ba dheas uait é.	B	I wanted one of those for a long time.
3	Bainfidh mé an-úsáid as.	C	Thank you very much for the . . .
4	Bhí ceann mar sin uaim le fada an lá.	D	I'll put it to good use.
5	Tá an-áthas orm.	E	I'm very happy.
6	Tá mé fíorbhuíoch díot.	F	It was nice of you.

(b) Bhuaigh tú duais i gcomórtas aistí agus chuir an múinteoir Béarla chugat í. Scríobh litir ag gabháil buíochas leis/léi ag baint úsáide as an gcreatlach tugtha anseo. Beidh an foclóir thíos úsáideach.

A chara,

Ionadh orm nuair a chuir tú an duais chugam — ní raibh mé ag súil léi — baineadh stad asam — an-áthas orm — is cosúil go bhfuil muinín agat asam — bhí mé sásta leis an aiste — níor cheap mé go mbuafadh sí duais — sceitiminí ar mo thuismitheoirí — go raibh míle maith agat

Mise le meas

_____

FOCLÓIR

- an comórtas (*the competition*)
- na hiarrthóirí (*the competitors*)
- caighdeán ard (*high standard*)
- ba dheas uait é (*it was nice of you*)
- múinteoir Béarla den scoth (*a first class English teacher*)

- buailfidh mé isteach (*I'll drop in*)
- tá mé an-sásta (*I'm very pleased*)
- tá an-bhród orm (*I'm very proud*)
- an-spreagadh í seo (*this is a great encouragement/ incentive*)

8 **Litir ag tabhairt eolais.**

(a) Meaitseáil na nathanna seo a leanas **(1-6)** leis na leaganacha Béarla **(A-F)** agus ansin foghlaim iad.

1 Ag tagairt don alt a bhí i . . .	A People are asked to give generously.
2 Beidh daltaí ár scoile ina dtroscadh.	
3 Rachaidh an t-airgead do CONCERN.	B The proceeds will go to CONCERN.
	C With reference to the article in . . .
4 Tá urraíocht ag teastáil.	D There will be a collection in Johnstown next Saturday.
5 Beidh bailiúchán i mBaile Sheáin Dé Sathairn seo chugainn.	E The students of our school will be on a fast.
6 Iarrtar ar dhaoine airgead a thabhairt go fial.	F Sponsorship is required.

(b) Tá airgead á bhailiú le haghaidh CONCERN ag daltaí do scoile. Scríobh an litir a chuirfeá chuig eagarthóir nuachtáin áitiúla ag fógairt an scéil ag baint úsáide as an gcreatlach tugtha anseo. Beidh an foclóir thíos úsáideach.

A chara,

Ag tagairt don bhailiúchán le haghaidh CONCERN — daltaí sinsearacha ár scoile ina dtroscadh — dhá mhíle punt bailithe anuraidh — tá uainn é seo a shárú i mbliana — urraíocht ag teastáil — bailitheoirí freisin — iarrtar ar an bpobal tabhairt go fial — deachlú ar an scoil — sárobair déanta don Tríú Domhan.

Mise le meas

_____

FOCLÓIR

- um Nollaig (*at Christmas*)
- flaithiúil (*generous*)
- cabhair ag teastáil (*help needed*)
- na daltaí sóisearacha (*the junior students*)
- ní gá mórán a thabhairt (*there is no need to give a lot*)

- gorta (*famine*)
- na bochtáin (*the poor*)
- bheimis fíorbhuíoch (*we'd be very grateful*)
- An tAthair Finnucane (*Fr. Finnucane*)

9 **Litir ag tagairt d'alt sa nuachtán.**

(a)   Meaitseáil na nathanna seo a leanas **(1-7)** leis na leaganacha Béarla **(A-G)** agus ansin foghlaim iad.

1 Tagraím don alt faoin aos óg.	A The young people are prepared to work hard.
2 Dar leis an scríbhneoir go raibh siad leisciúil agus drochbhéasach.	B They are a minority.
3 Ní dóigh liom go bhfuil sin cóir ná cothrom.	C They also have manners.
	D I refer to the article on young people.
4 Cinnte tá stocairí sráide sa bhaile.	E I don't think this is fair.
5 Is mionlach iadsan.	F The writer thought that they were lazy and impolite.
6 Tá an t-aos óg sásta obair go dian.	
7 Tá béasa acu freisin.	G Of course there are cornerboys in the town.

(b)   Léigh tú alt i nuachtán nár thaitin leat mar bhí an scríbhneoir ag caitheamh anuas ar an aos óg. Scríobh litir chuig eagarthóir an nuachtáin á bhréagnú ag baint úsáide as an gcreatlach tugtha anseo. Beidh an foclóir thíos úsáideach.

A chara,

Ag tagairt don alt in *Anois* — Dé Domhnaigh seo caite — an scríbhneoir ag caitheamh anuas ar an aos óg — alt suarach — ní raibh sé cóir ná cothrom — ní raibh bun ar bith leis — meon claonta — an bhfuil páistí aige féin? — formhór na ndaoine óga — bíonn siad dícheallach agus deabhéasach — go leor fadhbanna acu — iad go gealgháireach — nár chuala sé riamh an seanfhocal "mol an óige agus tiocfaidh sí"?

Mise le meas

_____

FOCLÓIR

- go scannallach (*scandalous*)
- ar bheagán cúise (*for no apparent reason*)
- an dífhostaíocht (*unemployment*)
- an imirce (*emigration*)
- brú an staidéir (*the pressure of study*)
- an-éileamh orthu (*great demand on them*)
- mionlach (*a minority*)
- ní thuigeann sé (*he doesn't understand*)
- ní féidir ceann críonna a chur ar cholainn óg (*you can't put an old head on young shoulders*)

269

■ CLEACHTAÍ

(i) Fógraíodh post páirtaimseartha mar ghiolla i dteach tábhairne áitiúil. Scríobh an litir a chuirfeá chuig bainisteoir an tí tábhairne sin ag cur isteach ar an bpost.

(ii) Tá litir mholta ag teastáil uait le haghaidh poist pháirtaimseartha. Scríobh an litir a chuirfeá chuig múinteoir ag iarraidh na litreach molta sin air/uirthi.

(iii) Thug Teachta Dála cuireadh duit bheith i láthair ag bronnadh gradam i do cheantar áitiúil. Ní féidir leat dul ann. Scríobh an litir a chuirfeá leis/léi ag gabháil do leithscéil.

(iv) Thug tú cuairt ar óstán le déanaí agus ní raibh an áit ró-ghlan. Scríobh an litir a chuirfeá chuig bainisteoir an óstáin sin ag gearán faoin scéal.

(v) Teastaíonn uait bheith i do bhall de chlub áitiúil. Scríobh an litir a chuirfeá chuig rúnaí an chlub sin ag iarraidh eolais uaidh/uaithi.

(vi) Bhuaigh tú craobh spóirt le déanaí agus beidh an gradam á bhronnadh ort go luath. Scríobh an litir a chuirfeá chuig príomhoide do scoile á rá go mbeidh tú i láthair ag an mbronnadh sin.

(vii) Tógadh TD ó do cheantar áitiúil ina aire/haire. Scríobh an litir a chuirfeá chuige/chuici ag déanamh comhghairdis leis/léi.

(viii) Bronnadh gradam ort as obair a rinne tú don Tríú Domhan. Scríobh an litir a chuirfeá chuig cathaoirleach CONCERN ag gabháil buíochais leis.

(ix) Tá rince gan stad á eagrú agat i do chlub áitiúil d'fhonn airgead a bhailiú don lucht siúil. Scríobh an litir a chuirfeá chuig eagarthóir an nuachtáin áitiúil ag cur síos ar na himeachtaí.

(x) Léigh tú alt in iris le déanaí inar cáineadh do bhaile dúchais. Scríobh an litir a chuirfeá chuig eagarthóir na hirise sin ag gearán faoin alt.

LITREACHA SCRÚDAITHE

(Ardteistiméireachta)

(i) Ghortaigh tú do chos agus ní féidir leat cuairt a thabhairt an samhradh seo ar chara leat atá sa Fhrainc. Scríobh an litir (leathleathanach nó mar sin) a chuirfeá chuig an gcara sin.

(ii) Léigh tú litir sa nuachtán *Foinse* a dúirt nach bhfuil suim ag Éireannaigh óga i gcultúr na hÉireann. Scríobh an litir (leathleathanach nó mar sin) a chuirfeá chuig eagarthóir an nuachtáin sin. **1998**

(i) Tá tú ar saoire thar lear sa samhradh. Scríobh an litir (leathleathanach nó mar sin) a chuirfeá chuig cara leat atá sa bhaile in Éirinn.

(ii) Bhí litir i nuachtán áitiúil ag gearán faoin mbruscar a fhágann na daltaí ar an mbóthar taobh amuigh de do scoil. Scríobh an litir (leathleathanach nó mar sin) a chuirfeá chuig an eagarthóir mar fhreagra ar an litir sin. **1997**

(i) Beidh cara leat ag dul thar lear go luath ar feadh bliana. Ní bheidh deis agat é (í) a fheiceáil roimhe sin. Scríobh an litir (leathleathanach nó mar sin) a chuirfeá chuig an gcara sin sula n-imeoidh sé(sí).

(ii) Léigh tú litir sa nuachtán *Anois* a dúirt go raibh daoine óga an lae inniu tuirseach den saol. Ba mhaith leat freagra a thabhairt ar an litir sin. Scríobh an litir (leathleathanach nó mar sin) a chuirfeá chuig eagarthóir an nuachtáin sin. **1995**

(i) Bhí an bua ag do scoil i gcomórtas mór. Scríobh an litir (leathleathanach nó mar sin) a chuirfeá chuig cara leat ag insint dó(di) faoin mbua sin.

(ii) Tá tú ag smaoineamh ar chlub a bhunú sa scoil. Scríobh an litir (leathleathanach nó mar sin) a chuirfeá chuig nuachtlitir na scoile faoin gclub sin. **1994**

(i) Tá tú ag seoladh bronntanas Nollag chuig cara leat atá ag obair i Sasana. Scríobh an litir (leathleathanach nó mar sin) a chuirfeá leis an mbronntanas.

(ii) Ba mhaith leat a rá leis an Aire Oideachais go bhfuil tú sásta (nó míshásta) leis an gcóras oideachais. Scríobh an litir (leathleathanach nó mar sin) a scríobhfá chuig an Aire. **1993**

(i) Bhris gadaí (robálaí) isteach i do theach nuair a bhí tú féin agus do mhuintir ar saoire. Scríobh an litir (leathleathanach nó mar sin) a chuirfeá chuig cara leat ag insint dó (di) faoin scéal.

(ii) Tá plean agat chun cabhrú le daoine bochta. Scríobh an litir (leathleathanach nó mar sin) a chuirfeá chuig iris na scoile ag míniú an phlean sin. **1992**

(i) Tá cara leat tinn san ospidéal. Scríobh an litir (leathleathanach nó mar sin) a chuirfeá chuig an gcara sin.

(ii) Is tusa Rúnaí Spóirt na scoile. Scríobh an litir (leathleathanach nó mar sin) a chuirfeá chuig Príomhoide scoile eile ag iarraidh cluiche a shocrú idir an dá scoil.
1991

(i)   Tá do mhuintir tar éis aistriú go dtí ceantar eile agus tá tú ag freastal ar scoil nua. Scríobh an litir a chuirfeá chuig cara leat ag cur síos ar an gcineál saoil atá agat anois.

(ii) Chaith tú saoire i dteach do sheanmháthar agus tá tú tar éis filleadh abhaile. Scríobh an litir a chuirfeá chuig do sheanmháthair ag gabháil buíochais léi.

1990

(i)   Tá post samhraidh agat in áit atá i bhfad ó bhaile. Scríobh an litir a chuirfeá chuig cara leat ag cur síos ar an saol atá agat ann.

(ii) Osclaíodh páirc phoiblí nua in aice le d'áit chónaithe. Scríobh an litir a chuirfeá chuig nuachtán ag moladh na páirce sin.   **1989**

(i)   Ba mhaith leat cuireadh a thabhairt do chara leat teacht leat ar thuras rothaíochta. Scríobh an litir a chuirfeá chuig an gcara sin.

(ii) Ba mhaith leat fógraí a fháil d'iris na scoile. Scríobh an litir a chuirfeá chuig bainisteoir siopa áitiúil ag iarraidh air fógra a thabhairt duit don iris sin.   **1988**

(i)   Fuair tú cuireadh ó chara leat an Nollaig a chaitheamh in éineacht leis (léi). B'fhearr leat gan dul. Scríobh an litir a chuirfeá chuig an gcara sin.

(ii) Léigh tú alt i nuachtán faoi d'áit dúchais. Chuir an t-alt fearg ort. Scríobh an litir a chuirfeá chuig eagarthóir an nuachtáin sin.   **1987**

(i)   Ba mhaith leat cuireadh a thabhairt do chara leat teacht ar cuairt chugat i rith an tsamhraidh. Scríobh an litir a chuirfeá chuig an gcara sin.

(ii) Ba mhaith leat obair shamhraidh a fháil i dteach ósta. Scríobh an litir a chuirfeá chuig bainisteoir an tí ósta.   **1986**

(i)   Pósadh cara leat le déanaí agus bhí tú ar an mbainis. Scríobh an litir bhuíochais a chuirfeá chuig an gcara sin.

(ii) Tá peannchara agat i Meiriceá agus ba mhaith leis post a fháil in Éirinn ar feadh cúpla bliain. Scríobh an litir a chuirfeá chuige ag cur comhairle air.   **1985**

AN COMHRÁ

Baineann an chaibidil seo leis an gcomhrá. Is agallamh comhrá i.e. bíonn beirt ag caint ann. Beidh na nathanna thíos úsáideach mar is féidir iad a úsáid go mion minic ó chomhrá go comhrá.

Nathanna Úsáideacha

- Cogar *(Listen)*
- Dia leat *(God be with you)*
- An-chailín *(Good girl)*
- Togha fir *(Good man)*
- Ar fheabhas *(Great)*
- Go n-éirí leat *(Good luck)*
- Slán go fóill *(Goodbye now)*
- Fuair tú le rá é *(You hit the nail on the head)*
- Ná bí dom chrá *(Don't annoy me)*
- Ná habair é sin! *(You don't say!)*
- Ní gearánta dom *(I can't complain)*
- Beir beo ort féin! *(Look lively!)*
- Feicfidh mé tú arís *(I'll see you again)*
- Chun na fírinne a rá *(To tell the truth)*
- Bíodh ina mhargadh! *(It's a deal!)*
- A leithéid de sheafóid *(Such rubbish)*
- Ó féach, tá deifir orm *(Look, I'm in a hurry)*
- Ag sracadh leis an saol! *(Struggling!)*
- Maith an buachaill/cailín *(Good boy/girl)*
- An bhfuil aon scéal agat? *(Any news?)*
- Dia duit/Dia's Muire duit *(Hello)*
- Tá mé cuíosach/go measartha *(I'm fair)*
- Caithfidh mé dul abhaile anois *(I have to go home now)*
- Cén chaoi bhfuil tú/conas tá tú? *(How are you?)*
- Deabhal scéal mura bhfuil scéal agat féin *(Not a thing unless you have some news)*

1 **Chonaic tú féin agus cara leat an clár teilifíse céanna. Bhí malairt tuairime agaibh faoi.**

   (a)   Líon isteach gach bearna le habairt chuí ón liosta thíos.

Mé féin: Cén scéal a Nóra?
Nóra: _____

Mé féin: Bhí mé féin ag féachaint ar an gclár céanna. Dar liom go raibh sé ar fheabhas.
Nóra: _____

Mé féin: Ní aontáim leat ar chor ar bith. Tá Dave Fanning go h-iontach.
Nóra: _____

Mé féin: B'fheidir go labhraíonn sé an-tapaidh ach ní thógfainn sin air.
Nóra: _____

Mé féin: Seans nach féidir gach uile dhuine a shásamh ach, dar liom féin, gur breá an clár é.
Nóra: _____

Mé féin: Féach tá an bus ag teacht. Caithfidh mé imeacht. Feicfidh mé tú amárach. Slán.
Nóra: _____

- Ní thagaim leat. Tá Dave Fanning an-leadránach agus labhraíonn sé ró-thapaidh.
- Slán leat agus go n-éirí leat.
- Tá an clár go dona agus sílim go bhfuil Fanning ró-shean.
- Ní lia duine ná tuairim.
- Bhí mé ag féachaint ar chlár Dave Fanning ar cheol nua-aimseartha aréir agus bhí sé go h-ainnis.
- Bhuel, sin é do bharúil.

   (b)   Meaitseáil na nathanna Gaeilge seo a leanas (**1-7**) leis na leaganacha Béarla (**A-G**) agus ansin foghlaim iad.

1	Conas tá tú?	A	Which programme is that?
2	Ní gearánta dom	B	Maybe I'll see you tomorrow
3	Nach bhfuil sé an-fhuar?	C	I can't complain
4	Níl ná fuar	D	It's not a bit cold
5	Cé acu clár é sin?	E	How are you?
6	An clár le Dave Fanning	F	The one with Dave Fanning
7	Seans go bhfeicfidh mé tú amárach	G	Isn't it very cold?

2 **Tá cara leat ag iarraidh rothar a dhíol. Tá suim agat ann.**

(a)   Líon isteach gach bearna le habairt chuí ón liosta thíos.

Pól: Dia duit, a Shéamais. An é seo an rothar?

Mé féin: _____

Pól: Tá sé réasúnta. Cé mhéid atá á lorg agat?

Mé féin: _____

Pól: Níl tú i ndáiríre! Féach tá meirg ar na rotha agus tá an phéint ag scamhadh.

Mé féin: _____

Pól: Tabharfaidh mé caoga punt air.

Mé féin: _____

Pól: Cogar, scoiltfimid é. Cad faoi seachtó cúig phunt?

Mé féin: _____

Pól: Tabharfaidh mé duit é amárach. Slán go fóill.

Mé féin: _____

- Slán is beannacht a Phóil.
- Sin é. Nach bhfuil caoi mhaith air?
- Níl sé chomh dona sin. Thug mé féin dhá chéad punt air dhá bhliain ó shin.

- Is masla é sin!
- Céad punt.
- Is robáil é sin ach bíodh ina mhargadh.

(b)   Meaitseáil na nathanna Gaeilge seo a leanas (**1-8**) leis na leaganacha Béarla (**A-H**) agus ansin foghlaim iad.

1	Cá bhfuair tú é sin?	A	It's falling apart!
2	Tá sé ag titim as a chéile!	B	I was very happy with it anyway
3	Bhí mise an-sásta leis pé scéal é.	C	Where did you get that?
4	Cogar, cad faoi deich bpunt?	D	Don't be annoying me!
5	Ná bí dom chrá!	E	It's only scrap metal!
6	Tá mé ag cur ama amú	F	I'm wasting my time
7	Ní bheidh seans mar seo arís agat!	G	Listen, what about ten pounds?
8	Níl aon ach conamar miotail!	H	You won't get a chance like this again!

3 **Cháin duine de do mhúinteoirí scoile tú. Tá tú ag caint leis an bpríomhoide.**

(a)   Líon isteach gach bearna le habairt chuí ón liosta thíos.

An príomhoide: _____

Mé féin: Cén gearán é sin, a bhean uasail?

An príomhoide: _____

Mé féin: Bhuel, chun na fírinne a rá bhí mé giodamach ina rang ach ní raibh ann ach sin.

An príomhoide: _____

Mé féin: Is cosúil go bhfuil dul amú air. D'inis cara liom scéal barrúil agus phléasc mé amach ag gáire. B'fhéidir gur cheap an múinteoir go raibh mé ag gáire faoi.

An príomhoide: _____

Mé féin: Ceart go leor, a bhean uasail. Déanfaidh mé é sin. Tá brón orm. An bhfuil cead agam imeacht?

An príomhoide: _____

- Dúirt an t-Uasal Ó Broin go raibh tú ag pleidhcíocht ina rang.
- Níl mé sásta leis an leithscéal sin. Fanfaidh tú istigh tar éis scoile.
- Scríobhfaidh tú litir ag gabháil leithscéil.
- Suigh síos ansin. Chuala mé gearán fút.
- Tá. Ar aghaidh leat.
- Cogar, dúirt an t-Uasal Ó Broin go mbíonn tú ag magadh faoi.

(b)   Meaitseáil na nathanna Gaeilge seo a leanas (**1-9**) leis na leaganacha Béarla (**A-I**) agus ansin foghlaim iad.

1	Tá an-ionadh orm	A	I did well in the test the other day
2	De ghnáth ní fhaighim gearán		
3	D'éirigh go maith liom sa scrúdú an lá cheana	B	Goodbye
		C	I'm very surprised
4	B'fhéidir é ach tá cúis ghearáin ag do mhúinteoir	D	At least four
5	Bíonn an múinteoir sin sa mhullach orm i gcónaí	E	That teacher is always picking on me
6	Cé mhéid leathanach?	F	I don't usually get complaints
7	Ceithre cinn ar a laghad	G	How many pages?
8	Slán agat, a bhean uasal	H	Goodbye Miss
9	Slán leat	I	Maybe so but your teacher has reason to complain

4 Thug múinteoir leabhar ar iasacht duit agus chaill tú é.

(a) Líon isteach gach bearna le habairt chuí ón liosta thíos.

Bean Uí Riain: A Liam, an bhfuil tú críochnaithe leis an leabhar sin a thug mé duit an tseachtain seo caite?

Mé féin: _____

Bean Uí Riain: Cad é sin?

Mé féin: _____

Bean Uí Riain: An amhlaidh a bhfuil sé caillte agat, a Liam?

Mé féin: _____

Bean Uí Riain: Chosain an leabhar sin deich bpunt.

Mé féin: _____

Bean Uí Riain: Cén fáth nár thug tú aire don leabhar a Liam?

Mé féin: _____

Bean Uí Riain: Mura dtagann tú air caithfidh tú ceann nua a cheannach.

Mé féin: _____

- Maith go leor agus, arís, tá brón orm.
- Eh, tá, a mhúinteoir, ach tá fadhb bheag.
- Seans gur thóg mo dheartháir é ar iasacht. Déanfaidh mé seiceáil.
- Tá, a mhúinteoir. D'fhéach mé sa seomra leapa agus sa seomra suite ach níor tháinig mé air.

- Thug mé aire dó, a mhúinteoir, ach níl fhios agam cad a tharla.
- Seans gur thóg mo dheartháir é ar iasacht. Déanfaidh mé seiceáil.
- Bhuel nuair a chuardaigh mé sa seomra bia ní raibh sé ann.

(b) Meaitseáil na nathanna Gaeilge seo a leanas (**1-8**) leis na leaganacha Béarla (**A-H**) agus ansin foghlaim iad.

1	In ainm Dé cad a tharla?	A	You're a right idiot!
2	Is amadán cruthanta thú!	B	I hope you will
3	Bhí sé ann arú aréir	C	I'm very upset about the whole thing
4	Tá mé go mór trí chéile faoin scéal	D	In God's name what happened?
5	Ná bíodh imní ort faoi	E	I'll make every effort to find it
6	Déanfaidh mé gach iarracht teacht air	F	It was there the night before last
7	Tá súil agam go ndéanfaidh	G	I'll buy a new one
8	Ceannóidh mé ceann nua	H	Don't worry about it

5 **Is fuath le Síle toitíní. Tá sí go láidir ina gcoinne.**

(a)   Líon isteach gach bearna le habairt chuí ón liosta thíos.

Síle: _____

Ciarán: Dia's Muire duit, a Shíle. An mbeidh toitín agat?

Síle: _____

Ciarán: Ó ná bí mar sin, a Shíle. Is maith liom toitíní agus sin sin. "Ceart dom ceart duit". Nach bhfuil sé ráite riamh?

Síle: _____

Ciarán: Tóg go bog é. Cén dochar ceann nó dhó?

Síle: _____

Ciarán: Ó an seanphort céanna go deo!

Síle: _____

Ciarán: Cogar, a Shíle, caitheann mo sheanathair agus tá seisean ceithre scór bliain d'aois.

Síle: _____

Ciarán: Slán leat, a Shíle.

- Dá mbeadh rogha agam chuirfinn cosc orthu ar fad. Tá an deatach agus an boladh go huafásach.
- Dia duit, a Chiaráin.
- Níor chóir go mbeidís á ndíol ná á gcaitheamh.
- Ní bheidh. Chun na fírinne a rá is fuath liom toitíní.
- 'Sea ach tá go leor daoine eile atá ag tabhairt an fhéir a chaith tobac. Slán a Chiaráin. Tá an bus ag teacht.
- Siadsan is cúis le hailse.

(b)   Meaitseáil na nathanna Gaeilge seo a leanas (**1-9**) leis na leaganacha Béarla (**A-I**) agus ansin foghlaim iad.

1 An bhfuil aon scéal agat?	A	That's not fair!
2 Deabhal scéal mura bhfuil scéal agat féin	B	Have you any news?
	C	Please God
3 Tá plúchadh ort cheana féin	D	Not a bit. Have you?
4 Níl ann ach slaghdán	E	It's only a cold
5 Bíonn lucht chaite tobac an-leithleach	F	Smokers are very selfish
	G	You're choked already
6 Níl sin cóir ná cothram!	H	Don't run now or you'll be at risk!
7 Ná rith anois nó is baol duit!		
8 Feicfidh mé tú Dé Sathairn	I	I'll see you Saturday
9 Le cúnamh Dé		

6   Tá tú ag iarraidh ar do mháthair madra a cheannach duit, ach ní róshásta atá sí é sin a dhéanamh. Scríobh an comhrá (leathleathanach nó mar sin) a bheadh eadraibh.

Críochnaigh an comhrá seo a leanas ag cur isteach línte **an dara cainteora** (beidh na nathanna thíos úsáideach ach beidh ort féin an abairt a cheapadh).

Mé féin: A Mhamaí, an bhfuil cead agam madra a cheannach nó an gceannóidh tú ceann dom?

Mamaí: _____

Mé féin: Níl ná salach. Tá madra ag gach duine de mo chairde. Bheadh an teach slán leis istoíche.

Mamaí: _____

Mé féin: Ach, a Mhamaí, d'fhéadfainn é a thraenáil. Níl madra ró mhór uaim. Bheinn sásta le madra beag.

Mamaí: _____

Mé féin: Tá tú crúalta, a Mhamaí. Níl peata ar bith agam. Is breá liom madraí agus níl madra ar bith agam. Bíonn brón orm nuair a bhíonn mo chairde ag siúl lena madraí.

Mamaí: _____

Mé féin: Ó, a Mhamaí, ná bí dom chrá!

Nathanna Úsáideacha

Níl spás againn anseo *(we've no space here)* — bheadh na comharsana ag gearán *(the neighbours would be complaining)* — ag tafann *(barking)* — salach *(dirty)* — caithfidh tú cur suas leis *(you'll have to put up with it)* — cad faoi iasc órga? *(what about a goldfish?)* — níl réiteach ar an scéal *(there's nothing can be done)*

 CLEACHTAÍ

Scríobh comhrá ar na hábhair seo a leanas. Beidh na nathanna atá foghlamtha agat cheana úsáideach anseo.

(i) Chaill tú téip le do dheirfiúr. Tá fearg uirthi faoin scéal.

(ii) Tá cara leat ag díol ríomhaire. Tá suim agat ann.

(iii) Is fuath leat iománaíocht. Is breá le do chara an cluiche.

7 Tá cara leat ag freastal ar scoil ina bhfuil cailíní agus buachaillí. Níl ach cailíní (nó buachaillí) i do scoil féin. Scríobh an comhrá (leathleathanach nó mar sin) a bheadh eadraibh.

Críochnaigh an comhrá seo a leanas ag cur isteach línte **an dara cainteora** (beidh na nathanna thíos úsáideach ach beidh ort féin an abairt a cheapadh).

Nóra:	Dia duit, a Chiaráin.
Mé féin:	_____
Nóra:	Is breá liom í. Is scoil mheasctha í, tá fhios agat, agus tá go leor cairde agam.
Mé féin:	_____
Nóra:	Cén fáth nach dtéann tú go dtí mo scoilse?
Mé féin:	_____
Nóra:	Ní dóigh liom go bhfuil sin fíor. Tá na torthaí gach pioc chomh maith inár scoil.
Mé féin:	_____
Nóra:	Dála an scéil an mbeidh tú ag an dioscó inár scoil Dé Sathairn?
Mé féin:	_____
Nóra:	Slán leat, a Chiaráin.

Nathanna Úsáideacha

Conas tá ag éirí leat? *(how are you doing?)* — scoil mheasctha *(a mixed school)* — tá mé bréan de *(I'm fed up with it)* — mo thuismitheoirí *(my parents)* — bíonn na torthaí níos fearr *(the results are better)* — dar ndóigh *(of course)* — sin buntáiste eile *(that's another advantage)* — abair le Neasa go raibh mé ag cur a tuairisce *(tell Nessa I was asking for her)* — slán go fóill *(goodbye for now)*

 CLEACHTAÍ

Scríobh comhrá ar na hábhair seo a leanas. Beidh na nathanna atá foghlamtha agat cheana úsáideach anseo.

(i) Ba mhaith leat cat a cheannach ach níl d'athair sásta é seo a dhéanamh.

(ii) Bhí tú ag an amharclann agus thaitin an dráma go mór leat. Níor thaitin sé le do dheirfiúr.

(iii) Dhíol tú rothar le do chara agus thit sé as a chéile. Tá seisean/sise ag gearán faoi scéal.

8   Tá tú i siopa chun bronntanas a cheannach agus tá tú ag caint leis
     an siopadóir. Scríobh an comhrá (leathleathanach nó mar sin) a
     bheadh eadraibh.

Críochnaigh an comhrá seo a leanas ag cur isteach línte **an chéad chainteora**
(beidh na nathanna thíos úsáideach ach beidh ort féin an abairt a cheapadh).

An siopadóir: _____

Mé féin: Tá bronntanas uaim do mo mháthair. Bhí mé ag smaoineamh ar
                      bhuidéal cumhráin.

An siopadóir: _____

Mé féin: Cén praghas atá ar an mbuidéal seo?

An siopadóir: _____

Mé féin: Cad faoin gceann eile?

An siopadóir: _____

Mé féin: Maith go leor mar sin, tógfaidh mé an ceann sin.

An siopadóir: _____

Mé féin: Cuir más é do thoil é. Cogar, a dhuine uasail. An bhfuil cártaí
                      breithlae agat?

An siopadóir: _____

Mé féin: Go raibh maith agat.

An siopadóir: _____

Nathanna Úsáideacha

Céard atá uait? *(what do you want?)* — a bhuachaill/a chailín *(my boy/girl)* —
daor go leor *(dear enough)* — an-saor *(very cheap)* — tá sladmhargadh ann
(there's a sale) — an gcuirfidh mé páipéar beartán air? *(will I put wrapping paper
on it?)* — ar an seastán thall *(on the stand over there)* — fáilte romhat *(you're
welcome)*

 CLEACHTAÍ

Scríobh comhrá ar na hábhair seo a leanas. Beidh na nathanna atá foghlamtha agat
cheana úsáideach anseo.

(i)   Cheannaigh tú uaireadóir i siopa ach bhí droch-chaoi air. Tá tú ag gearán
        leis an siopadóir faoin scéal.

(ii)   Ba mhaith le do chara múitséail ón scoil ach tá eagla ort féin.

(iii)   Bhris tú fuinneog na scoile de thimpiste agus tá tú ag caint leis an
        bpríomhoide faoin scéal.

9   **Tá tú ag caint le príomhoide na scoile faoi sparán a fuair tú ar an mbóthar agus tú ag teacht ar scoil. Scríobh an comhrá a bheadh eadraibh.**

Críochnaigh an comhrá seo a leanas ag cur isteach línte **an chéad chainteora** (beidh na nathanna thíos úsáideach ach beidh ort féin an abairt a cheapadh).

Mé féin: _____

An Príomhoide: Céard tá uait a bhuachaill/chailín? Tá deifir orm.

Mé féin: _____

An Príomhoide: Cá raibh sé?

Mé féin: _____

An Príomhoide: Cé mhéid atá ann?

Mé féin: _____

An Príomhoide: An bhfuil cárta ann nó ainm duine air?

Mé féin: _____

An Príomhoide: Fág fúm é. Cuirfidh mé fógra amach ar an gcóras méadaithe. Seans gur le cailín ón scoil é.

Mé féin: _____

An Príomhoide: Go raibh maith agat. Rinne tú an rud ceart. Tá súil agam go dtiocfaimid ar an úinéir.

Mé féin: _____

An Príomhoide: Slán leat.

Nathanna Úsáideacha

Gabh mo leithscéal *(excuse me)* — a dhuine uasail *(sir)* — a bhean uasail *(madam)* — tháinig mé air *(I found it)* — ar thaobh an bhóthair *(on the side of the road)* — tá triocha punt ann *(there is £30 in it)* — faraor *(unfortunately)* — ceart go leor *(alright)* — cad a dhéanfaidh mé leis? *(what will I do with it?)* — míle buíochas *(many thanks)*

 CLEACHTAÍ

Scríobh comhrá ar na hábhair seo a leanas. Beidh na nathanna atá foghlamtha agat cheana úsáideach anseo.

(i)   Chaill do dheirfiúr a mála láimhe ag dioscó agus bhí eochair an tí ann. Tá sí ag caint leat faoin scéal.

(ii) Bhain madra greim as do chois gan chúis. Tá tú ag gearán le húinéir an mhadra.

(iii) Rinne stoirm an-damáiste do do theach thar oíche. Tá tú ag caint le do chara faoin scéal

10 **Tá d'athair tar éis bualadh leat i siopa i lár an bhaile nuair ba cheart duit bheith ar scoil. Scríobh an comhrá a bheadh eadraibh.**

Críochnaigh an comhrá seo a leanas ag cur isteach línte **an chéad chainteora** (beidh na nathanna thíos úsáideach ach beidh ort féin an abairt a cheapadh).

M'athair:	_____
Mé féin:	Eh … fuaireamar leathlá ón scoil agus eh … tháinig mé isteach ag siopadóireacht.
M'athair:	_____
Mé féin:	Seans nár chuala tú faoi. Anois, a Dhaidí, tá deifir orm. Slán …
M'athair:	_____
Mé féin:	Mar eh … fuair múinteoir bás is dócha.
M'athair:	_____
Mé féin:	Tá brón orm a Dhaidí, ach ní raibh an ceacht baile go léir déanta agam. Níor fhill mé ar ais tar éis lóin.
M'athair:	_____
Mé féin:	Tá brón orm a Dhaidí.

Nathanna Úsáideacha

A mhic/a iníon *(son/daughter)* —cad atá ar siúl agat? *(what are you doing?)* — nach aisteach é sin mar scéal *(isn't that strange)* — tóg go bóg é *(take it easy)* — cén deifir atá ort? *(what's your hurry?)* —tá mé an-amhrasach *(I'm very suspicious)* —cén fáth ar dúnadh an scoil? *(why was the school closed?)* —inis an fhírinne *(tell the truth)* — abhaile leat láithreach *(go home immediately)* — íocfaidh tú go daor as seo *(you'll pay dearly for this)*

 CLEACHTAÍ

Scríobh comhrá ar na hábhair seo a leanas. Beidh na nathanna atá foghlamtha agat cheana úsáideach anseo.

(i) Tháinig an príomhoide ort sa pháirc nuair ba cheart duit bheith ar scoil.

(ii) D'iarr cara leat teacht ar cuairt chuig a teach/theach. Níl do mháthair sásta cead a thabhairt duit.

(iii) Is breá leat an Ghaeilge ach is fuath le do chara í mar ábhar.

ÁBHAR SCRÚDAITHE
(Ardteistiméireacht. Comhráití)

(i)   Is breá leat féin popcheol ach tá cara leat nach n-éisteann leis ar chor ar bith.
      Scríobh an comhrá (leathleathanach nó mar sin) a bheadh eadraibh.

(ii) Tá tú ag caint le garda síochána faoin saol atá aige (aici). Scríobh an comhrá
      (leathleathanach nó mar sin) a bheadh eadraibh.   **1998**

(i)   Tá ar dhaltaí do scoile féin éide scoile a chaitheamh. Tá cara leat ag freastal ar
      scoil nach bhfuil ar na daltaí éide scoile a chaitheamh inti. Scríobh an comhrá
      (leathleathanach nó mar sin) a bheadh eadraibh faoi sin.

(ii) Tá tú ag iarraidh ar d'athair (nó ar do mháthair) breis airgid póca a thabhairt duit.
      Scríobh an comhrá (leathleathanach nó mar sin) a bheadh eadraibh.   **1997**

(i)   Tá suim mhór agat féin sa Ghaeilge, ach is beag suim atá ag cara leat inti. Scríobh
      an comhrá (leathleathanach nó mar sin) a bheadh eadraibh.

(ii) Tá tú féin agus d'athair (nó do mháthair) ag beartú deireadh na seachtaine a
      chaitheamh as baile. Scríobh an comhrá (leathleathanach nó mar sin) a bhí
      eadraibh.   **1995**

(i)   Tá tú ag caint le cara leat faoi chlár teilifíse a chonaic tú aréir ach nach bhfaca do
      chara é. Scríobh an comhrá (leathleathanach nó mar sin) a bheadh eadraibh.

(ii) Ba mhaith leat post samhraidh a fháil in óstán agus tá tú ag caint le bainisteoir an
      óstáin faoi. Scríobh an comhrá (leathleathanach nó mar sin) a bhí eadraibh. **1994**

(i)   Ba mhaith le cara leat dul ag obair thar lear ar feadh roinnt blianta, ach b'fhearr
      leatsa bheith ag obair sa tír seo. Scríobh an comhrá (leathleathanach nó mar sin)
      a bheadh eadraibh.

(ii) Tá tú ag iarraidh ar do mháthair madra a cheannach duit, ach ní róshásta atá sí é
      sin a dhéanamh. Scríobh an comhrá (leathleathanach nó mar sin) a bheadh
      eadraibh.   **1993**

(i)   Tá cara leat ag freastal ar scoil ina bhfuil cailíní agus buachaillí. Níl ach cailíní
      (nó buachaillí) i do scoil féin. Scríobh an comhrá (leathleathanach nó mar sin) a
      bheadh eadraibh faoin dá chineál scoile.

(ii) Tá tú tar éis filleadh abhaile ó thuras scoile agus tá tú ag caint le do mháthair faoi.
      Scríobh an comhrá (leathleathanach nó mar sin) a bheadh eadraibh.   **1992**

(i)   Tá cara leat ag iarraidh ort alt a scríobh d'iris na scoile. Scríobh an comhrá
      (leathleathanach nó mar sin) a bheadh eadraibh.

(ii) Tá tú i siopa chun bronntanas a cheannach agus tá tú ag caint leis an siopadóir.
      Scríobh an comhrá (leathleathanach nó mar sin) a bheadh eadraibh.   **1991**

NATHANNA ÓN SLIOCHT

Meaitseáil na nathanna/focail seo a leanas (**A-D**) leis na leaganacha cearta (**1-4**). Ansin cuir in abairtí iad.

A	Chuir a mháthair fios ar	1	Beidh cuimhne aici go deo ar
B	Ní raibh an dara rogha aici	2	Ar feadh seachtaine
C	Go ceann seachtaine	3	Ghlaoigh a mháthair ar
D	Ní dhéanfaidh sí dearmad go deo	4	Bhí uirthi

2 Botún

Bhuail Aisling le buachaill dathúil ag an dioscó. Ciarán ab ainm dó. Rinne sé coinne léi don Satharn.

Oíche Dé Sathairn ghléas Aisling í féin go péacach agus chóirigh sí a cuid gruaige. Bhí sí ag tnúth leis an oíche. Sheas sí ag Oifig an Phoist agus d'fhan sí. D'imigh leathuair an chloig ach níor tháinig Ciarán ar an láthair.

Deich nóiméad ina dhiaidh sin thuig sí nach raibh sé ag teacht. Abhaile léi go gruama agus na deora léi. Bhí sí náirithe amach is amach.

An lá dar gcionn d'inis sí an scéal dá cairde ar scoil. Bhí trua ag roinnt de na cailíní di ach bhí cailíní eile ag magadh fúithi.

Nuair a d'fhill sí abhaile um thráthnóna bhí dornán bláthanna sa teach roimpi agus nóta beag ó Chiarán di. Mhínigh sé gur bhain gortú dá dhearthrár agus go raibh air é a thógáil go dtí an t-ospidéal. Ba ghearr go raibh coinne eile déanta acu!

 CEISTEANNA

(i)   Cad ab ainm don bhuachaill sa sliocht?
(ii) Cár bhuail Aisling leis?
(iii) Cad a tharla tar éis leathuair an chloig?
(iv) Cad a bhí sa teach nuair a d'fhill Aisling an lá dár gcionn?
(v)   Cad a rinneadh faoi dheireadh?

 CEISTEANNA BREISE

(vi)   Cén sórt buachalla ba ea Ciarán?
(vii) Cén t-ullmhúchán a rinne Aisling?
(viii) Cár sheas Aisling?
(ix)   Cén fáth a raibh Aisling náirithe?
(x)   Cén leithscéal a bhí ag Ciarán?
(xi)   Cuir líne faoi na nathanna sa sliocht a bhfuil an bhrí seo a leanas leo:

(a)   Shocraigh sé dáta léi.
(b)   An lá ina dhiaidh sin.
(c)   Ghortaigh a dheartháir é féin.

 NATHANNA ÓN SLIOCHT

Meaitseáil na nathanna/focail seo a leanas (**A-D**) leis na leaganacha cearta (**1-4**). Ansin cuir in abairtí iad.

A	dathúil	1	go snasta
B	thuig sí	2	bhí fhios aici
C	ag magadh fúithi	3	dóighiúil
D	go péacach	4	ag spochadh aisti

3   Feoilséanadh

Ar na laethanta seo tá go leor daoine ag éirí as feoil a ithe. Sa bhliain 1983 bhí muintir na tíre seo ag ithe ceithre chíló is fiche an duine de fheoil. Tá laghdú tagtha air seo sa lá atá inniu ann.

Ní itheann muintir na hÉireann anois ach thart ar fhiche cíló an duine de fheoil. Tuigtear anois go bhfuil sicín agus éisc i bhfad Éireann níos sláintiúla ná feoil dhearg. Déanann daoine cúram den tsláinte anois agus tá a fhios acu go bhfuil baint idir fheoil dhearg agus galar croí.

Tá daoine eile fós nach n-itheann aon saghas feola agus a itheann glasraí amháin. Is feoilséantóirí na daoine sin. Dar leo go bhfuil sé crúalta ainmhí ar bith a mharú agus mar sin, séanann siad feoil.

Pé acu san é deir na dochtúirí nach baol don duine a itheann feoil. Tá próitéin sa fheoil agus tá sin tábhachtach don chorp. Is cosúil áfach go bhfuil ciall sa seanfhocal "Bíonn blas ar an mbeagán".

 CEISTEANNA

(i)   Cén nós atá ag daoine ar na laethanta seo?
(ii)   Cad a thuigeann na daoine anois faoin bhfeoil?
(iii)   Cad a itheann na feoilséantóirí?
(iv)   Cad tá san fheoil?
(v)   Luaigh an seanfhocal.

CEISTEANNA BREISE

(vi) Cé mhéid cíló feola an duine a bhí á ithe sa bhliain 1983?

(vii) Cén laghdú atá tagtha air sin anois?

(viii) Cad tá níos sláintiúla ná feoil dar leis na daoine?

(ix) Cén fáth a séanann daoine eile feoil go hiomlán?

(x) Cad deir na dochtúirí faoin bhfeoil?

(xi) Cuir líne faoi na nathanna/focail sa sliocht a bhfuil an bhrí seo a leanas leo:

   (a) Tugann daoine aire don tsláinte.

   (b) Daoine nach n-itheann ach glasraí amháin.

   (c) Sa lá atá inniu ann.

 NATHANNA ÓN SLIOCHT

Meaitseáil na nathanna/focail seo a leanas (A-D) leis na leaganacha cearta (1-4). Ansin cuir in abairtí iad.

A	ar na laethanta seo	1	tinneas croí
B	galar croí	2	is dócha
C	séanann siad	3	ar na saolta seo
D	is cosúil	4	ní bhacann siad le

4 Mairtín Ó Direáin

Rugadh Mairtín Ó Direáin, file, ar Inis Mór Árainn sa bhliain 1910. Buachaill ard ba ea é a raibh an-samhlaíocht aige. Ba mhinic é ag déanamh cruth daoine de chlocha mar chluiche.

Sa bhliain 1928 d'fhág sé Inis Mór agus fuair sé post in oifig an phoist i nGaillimh. Roinnt blianta ina dhiaidh sin tháinig sé go Baile Átha Cliath mar a raibh post aige sa státseirbhís.

Bhí uaigneas air i ndiaidh oileán Árann agus thosaigh sé ag cumadh dánta faoin a bhaile dúchais.

Níorbh fhada go bhfacthas go raibh féith na filíochta i Máirtín. Foilsíodh go leor cnuasach dánta leis agus bhí clú amuigh air. Phós Máirtín agus chuir sé faoi i mBaile Átha Cliath ar Bhóthar an Halla Bháin. Bhí bungaló deas aige ansin.

Léigh an Direánach dánta ar an raidió agus ar an teilifís agus iarradh air dánta a aithris sna scoileanna. Fuair sé bás sa bhliain 1988. Glactar leis go bhfuil sé ar dhuine de na filí Gaeilge is tábhachtaí.

 CEISTEANNA

(i)   Cár rugadh Mairtín Ó Direáin?
(ii) Cén sórt buachalla ba ea é?
(iii) Cén fáth a raibh clú amuigh ar Mhairtín?
(iv) Cár léigh sé dánta?
(v)   Cad a ghlactar leis?

 CEISTEANNA BREISE

(vi)   Cén fhianaise atá sa sliocht go raibh an-samhlaíocht ag Mairtín?
(vii) Cén bhliain ar fhág sé Inis Mór?
(viii) Cén post a bhí aige i mBaile Átha Cliath?
(ix)   Cad a thug air dánta a chumadh?
(x)   Cén sórt tí a bhí ag Máirtín?
(xi)   Cuir líne faoi na nathanna/focail sa sliocht a bhfuil an bhrí seo a leanas leo:
       (a) Bhí talann na filíochta aige.
       (b) Ba ghearr.
       (c) Bhí cáil air.

 NATHANNA ÓN SLIOCHT

Meaitseáil na nathanna/focail seo a leanas (A-D) leis na leaganacha cearta (1-4). Ansin cuir in abairtí iad.

A	mar chluiche	1 a rá ós ard
B	foilsíodh	2 shocraigh sé síos
C	chuir sé faoi	3 mar spórt
D	a aithris	4 cuireadh i gcló

5 James Joyce

Rugadh Séamas Mac Seoighe (nó James Joyce) i mBaile Átha Claith sa bhliain 1882. Bhí a athair go maith as agus chuaigh Séamas chuig Scoil na nÍosánach i gCo.Chill Dara. Ba mheisceoir a athair, áfach, agus níorbh fhada go raibh muintir Seoighe ar an gcaolchuid.

Agus é i gColáiste na hOllscoile, Baile Átha Cliath, thosaigh Séamas ag cumadh dánta agus gearrscéalta. Foilsíodh cuid díobh ach níor glacadh le roinnt eile, rud a chuir olc ar Shéamas. Bheartaigh sé ar imeacht thar lear go dtí an Fhrainc mar a rachadh sé le leigheas. Ní raibh airgead go leor aige chuige sin agus b'éigean dó filleadh abhaile tar éis dá mháthair bás a fháil. D'éirigh sé mór le bean ón nGaillimh faoin am seo. Nóra Ní Chadhain (Nora Barnacle) ab ainm di.

D'imigh sise thar lear go Trieste leis agus bhí beirt pháistí acu, Giorgio agus Lucia. Le h-imeacht aimsire foilsíodh "Dubliners," cnuasach gearrscéalta leis agus "A Portrait Of The Artist As a Young Man," a chéad úrscéal. Agus iad i bPáras na Fraince foilsíodh "Ulysses," a mhórshaothar, agus "Finnegans Wake," saothar aisteach a théann dian ar an léitheoir é a léamh.

Fuair Séamas bás sa bhliain 1941 agus cuireadh i Zurich na hEilbhéise é mar a raibh cónaí air le linn an chogaidh. Glactar leis go bhfuil sé ar dhuine de mhórscríbhneoirí ár linne.

 CEISTEANNA

(i) Cár rugadh Séamas Mac Seoighe?
(ii) Cén fáth a raibh a mhuintir ar an gcaolchuid?
(iii) Cén fáth nach ndeachaigh sé le leigheas?
(iv) Cad as do Nóra Ní Chadhain?
(v) Cár cuireadh Séamas Mac Seoighe?

 CEISTEANNA BREISE

(vi) Cé mhéid páistí a bhí ag an Seoigheach?
(vii) Cén teideal a bhí ar chéad úrscéal an tSeoighigh?
(viii) Cár foilsíodh "Ulysses?"
(ix) Cá raibh cónaí ar an Seoigheach le linn an chogaidh?
(x) Cén clú atá ar an Seoigheach?
(xi) Cuir líne faoi na nathanna sa sliocht a bhfuil an bhrí seo a leanas leo:
    (a) Rud a chuir fearg ar Shéamas.
    (b) Go beo bocht.
    (c) Mar a mbeadh sé ina dhochtúir.

 NATHANNA ÓN SLIOCHT

Meaitseáil na nathanna/focail seo a leanas (A-D) leis na leaganacha cearta (1-4). Ansin cuir in abairtí iad.

A Fuair sé bás	1 gustalach
B Shocraigh sé	2 d'éag sé
C Go maith as	3 pótaire
D Meisceoir	4 bheartaigh sé

6 Na Beatles

B'as cathair Liverpool na Beatles. Bhuail Paul McCartney le John Lennon sna caogaidí agus bhunaigh siad rocghrúpa. *"The Silver Beetles"* a thug siad air. Níos déanaí tháinig George Harrison isteach leo. Le himeacht aimsire bhí siad ag fáil gigeanna i Liverpool agus bhí an-tóir ar an drumadóir dathúil Pete Best.

D'imigh siad ansin go dtí cathair Hamburg sa Ghearmáin agus fuair siad an-taithí ag seinm ann i gclubanna beaga suaracha. D'fhill said ar Liverpool agus bhídís ag seinm sa Cavern. Thaitin a gcuid ceoil leis na cailíní agus bhídís ag screadaíl gan stad fad a bhídís ag seinm.

Ba ann a chonaic Brian Epstein iad. Chuir sé faoin a choimirce iad agus ghlac siad leis mar bhainisteoir. Nuair a chuaigh siad chun ceirnín a ghearradh ní raibh siad sásta leis an drumadóir Pete Best. Thug siad an bóthar dó agus thóg Ringo Starr a áit.

Chuaigh siad ó neart go neart agus bhí a gcuid amhrán go hard sna cairteanna. D'éirigh eatarthu sa bhliain 1970 agus thit an grúpa as a chéile ina dhiaidh sin.

 CEISTEANNA

(i)   Cad as do na Beatles?
(ii)   Cathain a bhuail Paul McCartney le John Lennon?
(iii)   Cé tháinig isteach níos déanaí?
(iv)   Céard a rinne Brian Epstein?
(v)   Cé ghlac áit Pete Best sa ghrúpa?

 CEISTEANNA BREISE

(vi)   Cad a bhunaigh Lennon agus McCartney sna caogaidí?
(vii)   Cén fáth a raibh tóir ar Pete Best?
(viii)   Cá mbídís ag seinm i Liverpool?
(ix)   Cad a bhíodh ar siúl ag na cailíní agus iad ag seinm?
(x)   Cá bhfuair siad taithí?
(xi)   Cuir líne faoi na nathanna/focail sa sliocht a bhfuil an bhrí seo a leanas leo:
    (a)   Thaitin an drumadóir le go leor daoine.
    (b)   Gan staonadh.
    (c)   Bhí titim amach eatarthu.

NATHANNA ÓN SLIOCHT

Meaitseáil na nathanna/focail seo a leanas (A-D) leis na leaganacha cearta (1-4). Ansin cuir in abairtí iad.

A	le himeacht aimsire	1	ainnis
B	ag seinm	2	ag béicíl go géar
C	ag screadaíl	3	tar éis tamaill
D	suarach	4	ag seinnt

7 Taibhsí

Cad is taibhse ann? Creideann daoine gurb é anam an duine é tar éis báis dó/di. Is iomaí duine a mhaíonn go bhfaca siad taibhse agus tá na mílte scéalta ann faoi thaibhsí . . .

Fadó bhí na daoine cinnte go raibh taibhsí ann. Sna laethanta sin ní bhíodh leictreachas sna tithe. Bhíodh an tuath an-dorcha ceal solais agus bhíodh eagla ar na daoine ag filleadh abhaile ó bheith ag imirt cártaí. Bhí daoine aineolach san am sin agus ba bheag oideachas a bhí acu. Tharla, mar sin, go raibh dearcadh teoranta acu ar an saol.

Ní nach ionadh cheap siad go bhfaca siad taibhsí nó gur chuala siad iad. De ghnáth b'ainmhithe a chonaic siad nó a chuala siad. Nuair a tháinig an leictreachas tháinig an solas agus diaidh ar ndiaidh ní raibh trácht chomh mór sin ar thaibhsí.

Mar sin féin tá daoine ann fós a deir go bhfaca siad taibhse nó go bhfuil teach áirithe sna púcaí. Tá saoithe ann a thóg grianghraf de thaibhsí. Cé go ndéarfaidh daoine nach bhfuil ann ach cleasaíocht is cinnte go bhfuil rud aisteach ann. Rud eile, ní bheidh freagraí go deo againn ar go leor gnéithe den saol.

 CEISTEANNA

(i)   Cad a mhaíonn go leor daoine?
(ii)   Cén dearcadh ar an saol a bhí ag daoine fadó?
(iii) Céard a bhíodh 'sna "taibhsí" de ghnáth?
(iv)   Cad a tharla nuair a tháinig an leictreachas agus an solas?
(v)   Cad deir daoine áirithe fós?

 CEISTEANNA BREISE

(vi)   Cad a chreideann daoine i leith taibhsí?
(vii)   Cad faoi a raibh na daoine cinnte fadó?
(viii) Cén fáth a mbíodh eagla ar dhaoine ag filleadh abhaile?

(ix)   Cad a rinne saoithe sa lá atá inniu ann?

(x)   Cad déarfaidh daoine eile faoi sin?

(xi)   Cuir líne faoi na nathanna/focail sa sliocht a bhfuil an bhrí seo a leanas leo:

      (a)   Tá morán daoine ann.

      (b)   De réir a chéile.

      (c)   Tá taibhsí sa teach.

 ## NATHANNA ÓN SLIOCHT

Meaitseáil na nathanna/focail seo a leanas (**A-D**) leis na leaganacha cearta (**1-4**). Ansin cuir in abairtí iad.

A	anam	1	imeartas
B	leictreachas	2	saineolaithe
C	saoithe	3	spiorad
D	cleasaíocht	4	aibhléis

8 An Tréadaí Maith

Nuair a bhí mé féin agus Máire ag taisteal ó cheann ceann na tíre ar ghluaisrothar anuraidh thugamar cuairt ar shléibhte Chill Mhantáin. Bhíomar ag baint taitnimh as an dreach tíre agus as na radharcanna go léir. Bhí an trathnóna go hálainn agus shocraíomar ar dhreapadh suas go barr sléibhe. Bhí loch álainn i ngar don sliabh agus theastaigh uainn radharc a fháil air. Loch Bré an t-ainm a bhí ar an loch seo agus bhí clú amuigh air.

Chuir mé an glas ar an ngluaisrothar agus chuir mé an eochair i bpóca mo chásóige. Suas liom féin agus le Máire ar shleasa an tsléibhe. Bhíomar ag cur allais go fras nuair a bhaineamar barr an tsléibhe amach. Bhí an radharc tíre fúinn go fíorálainn. Bhí an loch ag glioscarnaigh faoi luí na gréine.

Thángamar anuas ansin agus chuir mé mo lámh i bpóca mo chasóige. A thiarcais, bhí an eochair ar iarraidh! Suas linn arís ar an sliabh agus líonrith orainn. Bhí sé ag éirí dorcha agus ní raibh a fhios againn céard a dhéanfaimis. Leis sin tháinig tréadaí ar an láthair. "An libhse an eochair seo?" ar seisean. Mise á rá leat go rabhamar buíoch agus fíorbhuíoch de! Ní dhéanfaimid dearmad go deo ar an lá sin!

 ## CEISTEANNA

(i)   Cén contae ina raibh an scríbhneoir agus a chailín?

(ii)   Cad as a raibh siad ag baint taitnimh?

(iii)   Cén t-ainm a bhí ar an loch?

(iv)   Conas mar a bhí an radharc tíre fúthu?

(v)   Cé tháinig ar an láthair?

CEISTEANNA BREISE

(vi)   Cad air a raibh an scríbhneoir agus a chailín ag taisteal?

(vii) Cén fáth ar shocraigh siad dul in airde ar an sliabh?

(viii) Cár chuir an scríbhneoir an eochair?

(ix)   Cén fáth, dar leat, a raibh siad ag cur allais?

(x)   Cén fáth a raibh líonrith orthu?

(xi)   Cuir líne faoi na nathanna/focail sa sliocht a bhfuil an bhrí seo a leanas leo:

    (a)   Ag bárcadh allais.

    (b)   Caillte.

    (c)   Bhí an-eagla orainn.

 NATHANNA ÓN SLIOCHT

Meaitseáil na nathanna/focail seo a leanas (**A-D**) leis na leaganacha cearta (**1-4**). Ansin cuir in abairtí iad.

A ag baint taitnimh	1 feighleoir caorach
B go hálainn	2 mullach an chnoic
C barr an tsléibhe	3 ag baint suilt
D tréadaí	4 go haoibhinn

9   Scoileanna Measctha

Tríocha bliain ó shin ba bheag scoil daraleibhéil a bhí measctha. Théadh na buachaillí go scoil amháin agus na cailíní go scoil eile. Ba bheag uair a tháinig siad le chéile.

Le teacht na scoileanna pobail ag deireadh na seascaidí chonacthas malairt tuairime i leith an oideachais. Chuaigh buachaillí agus cailíní go dtí an scoil chéanna agus bhí siad lánsásta é seo a dhéanamh! Ba nuaíocht í seo agus bhí an-trácht air.

Ar na saolta seo tá go leor scoileanna pobail sa tír cé go bhfuil go leor scoileanna aonghnéasacha ann freisin. Mar sin, tá rogha scoile ag daltaí agus ag tuismitheoirí, rud nach raibh acu fadó. Glactar leis an dá shórt scoile go forleathan anois.

Tá buntáistí agus míbhuntáistí ag baint leis an dá shaghas scoile. Deir daoine go bhfoghlaimíonn dalta níos fearr i scoil aonghnéasach mar nach mbaintear dá threoir é/í. Ar an taobh eile den scéal, creideann daoine eile go bhfuil sé níos nádúrtha do bhuachaillí agus do chailíní dul ar scoil le chéile. Tá na torthaí go maith sa dá shaghas scoile. Is maith an scéalaí an aimsir.

 CEISTEANNA

(i)   Cad a thugtar ar scoil a bhfuil cailíní agus buachaillí ag freastal uirthi?
(ii)   Cad a chonacthas ag deireadh na seascaidí?
(iii) Cén fáth a raibh an-trácht ar na scoileanna measctha?
(iv)   Cad leis a nglactar anois?
(v)   Conas mar atá na torthaí sa dá shaghas scoile?

 CEISTEANNA BREISE

(vi)   Conas mar a bhí an scéal tríocha bliain ó shin?
(vii)   Cén rogha atá ag daltaí anois?
(viii) Luaigh buntáiste a bhaineann le scoil aonghnéasach.
(ix)   Luaigh buntáiste a bhaineann le scoil phobail.
(x)   Cathain a bunaíodh na scoileanna pobail?
(xi)   Cuir líne faoi na nathanna/focail sa sliocht a bhfuil an bhrí seo a leanas leo:
        (a)   Scoil do bhuachaillí/chailíní amháin.
        (b)   Dearcadh eile.
        (c)   Mac léinn.

 NATHANNA ÓN SLIOCHT

Meaitseáil na nathanna/focail seo a leanas (A-D) leis na leaganacha cearta (1-4). Ansin cuir in abairtí iad.

A	lán sásta	1	dar le daoine
B	daltaí	2	sa lá ata inniu ann
C	ar na saolta seo	3	mic léinn scoile
D	creideann daoine	4	lán-toilteanach

10 Iontaisí (Fossils)

Ar mhaith leat duilleoga a fheiceáil atá céad milliún bliain d'aois, duilleoga a bhí ann in aimsir na ndionosár? Ní féidir é a dhéanamh adeir tú, ach, chun na fírinne a rá, tá a leithéid ann! Tá míniú simplí ar an scéal seo.

Fadó fadó tháinig na séasúir agus d'imigh aimsir. Thit duilleoga de na crainn mar a dhéanann siad inniu. Uaireanta thit siad isteach sna haibhneacha agus rugadh chun siúil iad gur fágadh iad sa lathach cois farraige. Leis na milliúin blianta chuaigh na haibhneacha i ndísc agus brúdh an lathach gur chruaigh sí ina carraig. Trín bpróiseas seo caomhnaíodh na duilleoga.

Anois má chuirtear searbh ar na clocha agus ar na carraigeacha seo len iad a scoilteadh, is féidir linn teacht ar iontaisí na seanduilleog. Ní hamháin sin ach is féidir teacht ar iontaisí de bhláthanna, d'éisc, agus fiú, d'ainmhithe a mhair na milliúin blianta ó shin. Míorúilt nádúrtha atá anseo.

Tá iontaisí an-suimiúil mar tugann siad eolas dúinn ar shaol ár bplainéad fadó. Is sórt grianghrafanna nádúrtha iad. Nochtann an seansaol ós comhair ár súl!

 ## CEISTEANNA

(i)   Cathain a bhí na duilleoga ag fás?
(ii) Cad a thugtar ar dhuilleoga nó ar ainmhithe a caomhnaíodh sna clocha?
(iii) Conas a scoiltear na clocha anois?
(iv) Cén sórt míorúilte atá anseo?
(v)   Céard a nochtann de bharr na n-iontaisí?

 ## CEISTEANNA BREISE

(vi)   Cár thit na duilleoga fadó?
(vii) Cár fágadh iad faoi dheireadh?
(viii) Céard a tharla do na haibhneacha le himeacht aimsire?
(ix)   Céard a tharla don lathach?
(x)   Ainmigh dhá shórt iontaise seachas duilleoga.
(ix)   Cuir líne faoi na nathanna/focail sa sliocht a bhfuil an bhrí seo a leanas leo:
   (a)   Déanta na fírinne.
   (b)   Láib.
   (c)   A bhí beo.

 ## NATHANNA ÓN SLIOCHT

Meaitseáil na nathanna/focail seo a leanas (**A-D**) leis na leaganacha cearta (**1-4**). Ansin cuir in abairtí iad.

A	aimsir	1	déanta na fírinne
B	chun na fírinne a rá	2	amanta
C	uaireanta	3	a bhí beo
D	a mhair	4	am

11 Florence Nightingale

Rugadh Florence Nightingale i Sasana sa bhliain 1820. Bhí a muintir go maith as agus ní raibh siad róshásta nuair a theastaigh óna n-iníon bheith ina banaltra. Ní raibh fúithi ná thairisti, áfach, ach banaltracht. Nuair a d'fhás Florence suas, cáilíodh í mar bhanaltra agus ba ghearr go raibh ospidéal i Londain faoin a cúram. Bá léir go raibh cumas ar leith inti.

Bhí cogadh ar siúl san am sin idir an Bhreatain agus an Rúis. Bhí go leor saighdiúirí gonta ag fáil bháis sa Chrimé mar go raibh cúrsaí leighis go dona. Ba bheag eolas a bhí ag daoine san am sin ar leigheas. Shocraigh Florence dul ann agus thóg sí léi ocht mbanaltra is fiche. Bhain an drochchaoi a bhí ar an ospidéal preab astu. Thuig sí go mbeadh uirthi an scéal a réiteach go tapaidh mar go raibh bás nó beatha i gceist.

Ní raibh mórán bia ar fáil agus ba bheag leapacha a bhí ann. Ní raibh bindealáin ghlana ann ná blaincéid. Luigh Florence agus na banaltraí eile chun na hoibre. Ghlan siad an t-ospidéal ó bhun go barr. Chóirigh siad créachta na saighdiúirí agus d'ordaigh siad blaincéid nua.

Ba ghearr go raibh biseach ar na saighdiúirí gonta. Bhaist siad "bean uasal an lampa" ar Florence. Tá clú ar Florence Nightingale ó shin i leith. Ba í a tharraing aire an domhain ar thábhacht na banaltrachta.

 CEISTEANNA

(i)   Cár rugadh Florence Nightingale?
(ii)   Céard a theastaigh ó Florence?
(iii)   Cá raibh ospidéal faoin a cúram?
(iv)   Céard a thuig Florence nuair a chonaic sí an t-ospidéal?
(v)   Céard a bhaist na saighdiúirí ar Florence?

 CEISTEANNA BREISE

(vi)   Cathain a rugadh Florence Nightingale?
(vii)   Ainmnigh na tíortha a bhí ag troid sa chogadh ag an am sin.
(viii) Cén fáth a raibh saighdiúirí ag fáil bháis?
(ix)   Cé mhéid banaltra a thóg Florence léi go dtí an Chrimé?
(x)   Cén fáth ar baineadh preab astu?
(xi)   Cuir líne faoi na nathanna/focail sa sliocht a bhfuil an bhrí seo a leanas leo:
        (a)   Bhí a muintir saibhir.
        (b)   Thosaigh siad ag obair go crua.
        (c)   Feabhas.

NATHANNA ÓN SLIOCHT

Meaitseáil na nathanna/focail seo a leanas (**A-D**) leis na leaganacha cearta (**1-4**). Ansin cuir in abairtí iad.

A	ba léir	1	drochstaid
B	go dona	2	léim
C	preab	3	bhí sé soiléir
D	drochchaoi	4	go huafásach

12 Ollphéist Loch Neasa

An bhfuil ollphéist i Loch Neasa? Fiú sa séú haois bhí scéalta fúithi. Ó shin i leith tá deich míle tuairisc uirthi. Deirtear nach féidir dul amú a bheith ar a mhéid sin daoine.

Sa bhliain 1934 thóg fear darb ainm Wilson grianghraf den ollphéist. Sa ghrianghraf sin bhí ceann agus muineál na hollphéiste le feiceáil go soiléir ag éirí ó uisce an locha. Ní féidir a shéanadh go bhfuil rud éigin an-suimiúil anseo.

Tá an loch an-chaol. Síneann sé ceithre mhíle is fiche ach níl ach fad míle amháin inti. Tá an t-uisce an-dorcha agus an-doiléir de bharr móin a bheith ann cé go bhfuil go leor bradán, breac, eascanna agus ruabhreac ann. Tá sé deacair ceamaraí a úsáid san uisce gan solas.

Thóg fear eile darb ainm Dinsdale caoga troigh de scannán 16mm sa bhliain 1960. Feictear meall mór dorcha ag gluaiseacht go réidh trasna an locha. Ní raibh daoine ró-chinnte, áfach, gurbh í an ollphéist a bhí ann. Dúradh nach raibh ann ach cleasaíocht.

Rinneadh iarracht eile "Nessie" a aimsiú nuair a tháinig foireann eolaithe ó Mheiriceá. D'úsáid siad ceamaraí fo-uisce agus sónar agus thóg siad grianghraf suimiúil den ollphéist. Faraor, ní dóigh leis na saoithe go bhfuil an fhianaise seo sochreidte. Is cosúil go mbeidh "Nessie" ina hábhar conspóide le fada an lá! Pé acu sin é, beidh daoine ann go deo nach gcreidfidh scéalta aisteacha an tsaoil.

 CEISTEANNA

(i)   Cad deirtear faoin loch?

(ii)   Cén bhliain ar thóg Wilson an grianghraf?

(iii)   Cén fhad atá sa loch?

(iv)   Cén fáth a bhfuil sé deacair ceamaraí a úsáid sa loch?

(v)   Cad deir na saoithe faoi fhianaise na Meiriceánach?

CEISTEANNA BREISE

(vi)   Cé mhéid daoine a bhfuil tuairisc acu ar an ollphéist?
(vii) Céard atá le feiceáil i ngrianghraf Wilson?
(viii) Cén fáth a bhfuil uisce an locha an-dorcha?
(ix)   Céard a chonacthas i scannán Dinsdale?
(x)   Cad a úsáid an fhoireann eolaithe ó Mheiriceá?
(xi)   Cuir líne faoi na nathanna/focail sa sliocht a bhfuil an bhrí seo a leanas leo:
       (a)   Níl sé ró-shoiléir.
       (b)   Spéisiúil.
       (c)   Is féidir é a chreidiúint.

 NATHANNA ÓN SLIOCHT

Meaitseáil na nathanna/focail seo a leanas (A-D) leis na leaganacha cearta (1-4). Ansin cuir in abairtí iad.

A ó shin i leith	1 de dheasca
B dul amú	2 as sin amach
C is cosúil	3 botún
D de bharr	4 is dócha

13 J. M. Synge

I Rath Fearnáin Baile Átha Cliath a rugadh John Millington Synge sa bhliain 1871. Bhí a thuismitheoirí go maith as agus iad ina bProtastúnaigh dhíograiseacha. Ní raibh an tsláinte go ró-mhaith ag Synge nuair a bhí sé óg agus oileadh sa bhaile é. Ní raibh mórán cairde aige ach bhí an-suim aige sa nádúr. Bhíodh sé ag féachaint ar fhéileacáin go minic mórthimpeall ar Chaisléan Rath Fearnáin.

Chuaigh sé go Coláiste na Trionóide agus bhain sé céim ealaíne sa Ghaeilge agus sa cheol. Agus é i gCathair Paris dó bhuail sé le W. B. Yeats, file. Mhol Yeats dó dul go hOileáin Árann agus litríocht a scríobh faoin gceantar álainn seo, "saol nár cuireadh in iúl riamh."

Ghlac sé le comhairle Yeats agus chuaigh sé isteach ar Oileáin Árann. Bhí an Ghaeilge aige agus chuir sé an-suim i dteanga agus i nósanna na ndaoine. I ngeall air seo scríobh sé The Aran Islands ag cur síos ar a chuid eachtraí ar na hoileáin. Chum sé dráma den scoth Riders to the Sea mar gheall ar sheanbhean a chaill a fear céile agus a mic nuair a bádh iad. Bhí go leor dá chuid drámaí conspóideach. Bhí ciréibeanna ann nuair a léiríodh The Playboy of the Western World in Amharclann na Mainistreach i 1907. Bhí Synge luaite le Molly Allgood, aisteoir óg, ach fuair sé bás de dheasca ailse sa bhliain 1909. Ní raibh sé ach ocht mbliana is tríocha.

CEISTEANNA

(i) Cár rugadh J. M. Synge?
(ii) Cén fáth ar oileadh sa bhaile é?
(iii) Cén nós a bhí aige agus é óg?
(iv) Cén chomhairle a thug Yeats dó?
(v) Céard a tharla nuair a léiríodh *The Playboy of the Western World*?

 CEISTEANNA BREISE

(vi) Cá mbíodh J. M. Synge ag déanamh staidéir ar fhéileacáin?
(vii) Cár bhuail se le W. B. Yeats?
(viii) Céard a spreag *Riders to the Sea*?
(ix) Céard faoi an dráma sin?
(x) Céard a mharaigh J. M. Synge?
(xi) Cuir líne faoi na nathanna/focail sa sliocht a bhfuil an bhrí seo a leanas leo:
    (a) Múineadh é.
    (b) Chas sé ar.
    (c) Bhí sé chun pósadh le.

 NATHANNA ÓN SLIOCHT

Meaitseáil na nathanna/focail seo a leanas (**A-D**) leis na leaganacha cearta (**1-4**). Ansin cuir in abairtí iad.

A	go maith as	1	léiríodh
B	an-suim	2	rí-rá
C	cuireadh in iúl	3	an-spéis
D	ciréibeanna	4	saibhir

14 Músaem Madame Tussaud

Tá clú agus cáil ar Shráid Baker i gCathair Londain mar ba ann a bhí cónaí ar an mbleachtaire Sherlock Holmes, ach tá fáth eile lena cáil: is ann atá Músaem dealbh céarach Madame Tussaud. Tá an-tóir ar an músaem seo i measc na dturasóirí agus feictear daoine as gach tír ar domhan ag an doras.

Má théann tú ann bainfear stad as nuair a fheicfidh tú na dealbha céaracha a bhfuil dealramh na beatha orthu. Beidh tú beagnach cinnte go bhfuil na dealbha seo beo. Tá na dealbha seo déanta de phlástar ach tá na cinn agus na lámha déanta de chéir. Tá na súile déanta de ghloine agus tá gnáthéadaí réadúla ar gach dealbh. Cuireann sin le réadúlacht na ndealbh.

If féidir gach carachtar stairiúil a fheiceáil anseo ó Nelson go John F. Kennedy gan trácht ar réaltóga ár linne ar nós Michael Jackson agus Madonna.

Cuirfidh seomra na n-uafás an croí ar crith ionat. Feicfidh tú dúnmharfóirí agus gléasanna ciaptha. Tá *guillotine* ann réidh le titim agus cathaoir leictreach a bhfuil fear bocht ceangailte inti.

Ná déan dearmad, áfach, bualadh le bean bheag bhídeach a bhfuil éadaí dubha agus spéaclaí uirthi. Is í seo Madame Tussaud í féin, an bhean a bhunaigh an músaem fadó. Cé go bhfuil uafás anseo, is suimiúil go deo é go mbaineann formhór na gcuairteoirí an-taitneamh as.

 CEISTEANNA

(i)   Cé a thagann go dtí an músaem seo de ghnáth?
(ii)   Cad de a mbeidh tú cinnte?
(iii)   Cad leis a gcuireann éadaí na ndealbh?
(iv)   Luaigh dhá rud atá i seomra na n-uafás.
(v)   Céard a rinne Madame Tussaud fadó?

 CEISTEANNA BREISE

(vi)   Luaigh fáth a bhfuil clú ar Shráid Baker.
(vii)   Cad a bhainfidh stad asat?
(viii) Cad de a bhfuil na dealbha déanta?
(ix)   Ainmnigh beirt duine cáiliúil a bhfuil a ndealbha anseo.
(x)   Cén chuma a bhí ar Mhadame Tussaud?
(xi)   Cuir líne faoi na nathanna/focail sa sliocht a bhfuil an bhrí seo a leanas leo:
   (a)   Bainfear léim asat.
   (b)   Daoine a mharaigh daoine eile.
   (c)   Póilín i ngnáthéadaí.

 NATHANNA ÓN SLIOCHT

Meaitseáil na nathanna/focail seo a leanas (**A-D**) leis na leaganacha cearta (**1-4**). Ansin cuir in abairtí iad.

A gan trácht	1 cuma
B seomra na n-uafás	2 ní áirím
C gléasanna	3 halla an sceoin
D dealramh	4 trealamh

15 Tarrtháil

Tá snámh an éisc ag Gearóidín Ní Shé agus tá go leor craobh buaite aici. Téann sí ag snámh sa linn snámha gach maidin roimh dhul ar scoil. Tá gach oscar ar eolas aici. Ina theannta sin tá teastas aici i dtarrtháil.

An samhradh seo caite agus í ag filleadh ó theach a haintín, chuaigh sí thar dhroichead na habhann. Thug sí faoi deara go raibh beirt bhuachaillí ag iascaireacht ar bhruach na habhann. Níor thug sí aon aird orthu agus í ag dul thar bráid. Lean sí léi ag siúl.

Go tobann chuala Gearóidín scread uafáis. Nuair a chas sí bhí buachaill chuici agus gach scread as. "Tá mo dheartháir tite san abhainn," ar seisean, "agus níl snámh aige".

Ní dhearna Gearóidín a thuilleadh moille ach síos léi go dtí an bruach. Isteach léi san uisce mar a raibh an buachaill óg i gcruachás. Labhair sí go ciúin leis agus ansin rug sí greim air. Bhí ciall ag an mbuachaill agus lig sé di é a stiúradh. Nuair a tharraing sí amach é bhí sé ag titim i laige ach, buíochas le Dia, bhí sé beo. Chuir Gearóidín fios ar an otharcharr agus tháinig sé gan mhoill.

Bhí sé i gceist ag athair na mbuachaillí an scéal a insint do lucht nuachtáin ach níor theastaigh sin ó Ghearóidín. Dhiúltaigh sí glan dó. Is cailín an-chúlánta í.

 CEISTEANNA

(i)   Cathain a théann Gearóidín ag snámh?

(ii)   Cén séasúr a bhí ann agus í ag filleadh?

(iii) Conas a thaispeáin an buachaill a bhí san uisce go raibh ciall aige?

(iv) Céard a rinne Gearóidín nuair a thóg sí an buachaill i dtír?

(v)   Céard a bhí i gceist ag athair na mbuachaillí?

 CEISTEANNA BREISE

(vi)   Cén fhianaise atá sa sliocht gur snámhaí maith Gearóidín?

(vii) Cá raibh sí ar cuairt?

(viii) Céard a thug sí faoi deara?

(ix)   Cén fáth a raibh an buachaill ag screadaíl?

(x)   Cad a tharla don bhuachaill nuair a bhain siad an bruach amach?

(xi)   Cuir líne faoi na nathanna/focail sa sliocht a bhfuil an bhrí seo a leanas leo:

     (a)   Chomh maith leis sin.

     (b)   I bponc.

     (c)   Bhí sé ar intinn.

NATHANNA ÓN SLIOCHT

Meaitseáil na nathanna/focail seo a leanas (A-D) leis na leaganacha cearta (1-4). Ansin cuir in abairtí iad.

A	snámh an éisc	1	ag titim i bhfanntais
B	ag filleadh	2	thart
C	thar bráid	3	an-snámh
D	ag titim i laige	4	ag teacht abhaile

16 Gluaisrothair

Faoin am seo bhí Seán agus Breandán chun tosaigh toisc Honda 150 a bheith ag Seán. Ní raibh Pól agus Ciarán le feiceáil agus stad Seán agus Breandán féachaint an dtiocfaidís suas leo. Bhí an radharc go hálainn.

Thíos fúthu bhí cósta Chill Mhantáin agus os a gcomhair amach bhí Beann Gilspir. Ba chuimhin leis na buachaillí an sliabh sin. Théidis ann fadó ar a rothair agus chaithidis an lá ar fad ann. Bhí an ghrian ag dul faoi agus bhí solas aisteach ag cur leis an atmaisféar. Ba bheag comhrá a bhí eatarthu ach iad ag blaiseadh na hócáide go hiomlán.

Ba ghearr gur chuala siad torann innill. Bhí Pól agus Ciarán ag teacht ina dtreo agus saothar ar an Yamaha beag ag teacht aníos an bóthar sléibhe. "Cén mhoill a bhí oraibh?" arsa Breandán go searbhasach. "Tá go breá agatsa," arsa Pól ag tabhairt sonc dó. "Tabhair dom do ghluaisrothar ar iasacht agus a mhalairt ar fad a fheicfidh tú!"

Ansin thug siad faoi deara go raibh bonn an Yamaha bog. "A thiarcais," arsa Pól "tá sé pollta". Bhí ar na buachaillí an roth a bhaint den ghluaisrothar le teacht ar an mbolg. D'aimsigh siad an poll le dua ach ní raibh teannaire bonn acu. Bhí ar Sheán agus ar Bhreandán dul siar go Bré, mar a raibh garáiste, chun aer a chur sa bhonn. "Beidh na cailíní ar buile," arsa Seán, "ach níl leigheas ar an scéal!"

Bhí sé déanach go leor nuair a bhí caoi curtha acu ar an ngluaisrothar. D'imigh na buachaillí ar luas lasrach mar bhí siad ag dul le fána. Ní raibh na cailíní ag feitheamh leo ag an dioscó mar bhí sé an-déanach nuair a bhain siad an áit amach. "B'fhéidir go bhfuil siad istigh," arsa Breandán. "Ní dóigh liom go mbeidh siad buíoch dínn!" Bhí an ceart aige. Istigh sa dioscó thug siad faoi deara na cailíní agus iad ag rince le mic léinn Spáinneacha. Thuig na buachaillí ansin go raibh sé ró-dhéanach dóibh leithscéal a ghabháil. "Tá an milleán ar an sean-Yamaha!" arsa Breandán agus scairt gach duine amach ag gáire.

CEISTEANNA

(i) Cén fáth ar stad Seán agus Breandán?

(ii) Cá dtéadh na buachaillí fadó?

(iii)   Céard a chuala siad tar éis tamaill?
(iv)   Cén fáth a raibh ar Sheán agus ar Bhreandán dul siar go Bré?
(v)   Cén fáth nach raibh na cailíní ag feitheamh leo?

 CEISTEANNA BREISE

(vi)   Cén fáth a raibh Seán agus Breandán chun tosaigh?
(vii)   Cén radharc a chonaic siad fúthu?
(viii)   Cén fáth gur bheag comhrá a bhí eatarthu?
(ix)   Cad dúirt Pól nuair a tháinig sé suas le Seán agus le Breandán?
(x)   Céard a tharla don Yamaha?
(xi)   Cuir líne faoi na nathanna/focail sa sliocht a bhfuil an bhrí seo a leanas leo:
    (a)   Le feiscint.
    (b)   Feicfidh tú rud an-difriúil.
    (c)   Nuair a bhí an gluaisrothair deisithe acu.

 NATHANNA ÓN SLIOCHT

Meaitseáil na nathanna/focail seo a leanas (A-D) leis na leaganacha cearta (1-4). Ansin cuir in abairtí iad.

A	go hálainn	1	phléasc
B	ag dul faoi	2	go gleoite
C	saothar	3	ag fuineadh
D	scairt	4	brú

17 Na Cluichí Oilimpeacha

Gach ceithre bliana bíonn lúthchleasaithe an domhain san iomaíocht sna cluichí Oilimpeacha. Is mór an onóir don lúthchleasaí bheith san iomaíocht ar son a thíre/tíre. Teastaíonn go géar ó gach lúthchleasaí bonn a bhreith abhaile cibé ór, airgead nó cré-umha.

Ba iad na Gréagaigh a thionóil na cluichí den chéad uair ar mhachairí Oilimpia na céadta bliain roimh Chríost. Ba iad na Gréagaigh amháin a ghlac páirt sna cluichí san am sin agus reathaíocht amháin a bhí i gceist. Le himeacht aimsire, leathnaíodh na cluichí agus ceadaíodh dornálaíocht, coraíocht, teilgean ga agus rásaíocht carbad. Ina theannta sin, ligeadh do lúthchleasaithe ó thíortha eile bheith páirteach sna cluichí. Mhaisítí buaiteoirí na gcluichí le coróin óilóg agus ba ghearr go raibh siad ina laochra.

Cloíodh an Ghréig faoi dheireadh agus sa bhliain 393A.D. chuir Theodosius, Impire na Róimhe, cosc ar na cluichí. Rinneadh dearmad orthu go dtí an bhliain 1896 nuair a rinne Francach darbh ainm Baron Pierre de Coubertin athbheochan orthu. Ba mhór ag Coubertin idéal na gcluichí - daoine a bheith san iomaíocht ag cothú cairdis agus síochána idir náisiúin an domhain. Cuireadh na cluichí ar bun arís agus bhí beagnach trí chéad lúthchleasaí ó thrí thír déag páirteach iontu.

Sa lá atá inniu ann bíonn breis is cúig mhíle lúthchleasaí ó chéad tír páirteach iontu. Go luath sa chéad seo ba as na Stáit Aontaithe agus an Eoraip formhór na lúthchleasaithe. Sa bhliain 1904 nuair a tionóladh na cluichí i San Francisco ba iad na Meiriceánaigh a rug gach craobh leo nach mór.

Baineann conspóid leis na cluichí ó am go chéile. Chuir Jesse Owens, an reathaí dubh Meiriceánach olc ar Adolf Hitler nuair a chruthaigh sé don saol nach raibh sárchine Airíoch ann ar chor ar bith. Tarraingíodh mí-chlú ar na cluichí sa bhliain 1972 nuair a dúnmharaíodh lúthchleasaithe Iúdacha agus sa bhliain 1980 tharraing Na Stáit Aontaithe siar ó na cluichí de dheasca ionramh na Rúise ar an Afganastáin. Agus cad faoi cluichí Oilimpeacha na bliana 2000? Bhí trí ionad san iomaíocht: Cathair Beijing na Síne, Cathair Manchester, Shasana agus Cathair Sydney, na hAstráile. I Sydney a bheidh na cluichí agus tá súil againn nach mbeidh drugaí á dtógáil ag lúthchleasaí ar bith is go leanfar le hidéal uasal na gcluichí.

 CEISTEANNA

(i)   Ainmnigh an Francach a rinne athbheochan ar na Cluichí Oilimpeacha.

(ii)   Cé mhéid tíortha a bhí páirteach sa bhliain 1896?

(iii)   Cé mhéid lúthchleasaithe a bhíonn páirteach sna cluichí anois?

(iv)   Céard a chruthaigh Jesse Owens?

(v)   Cá mbeidh na cluichí ar siúl sa bhliain 2000?

 CEISTEANNA BREISE

(vi)   Cathain a bhíonn na Cluichí Oilimpeacha ann?

(vii)   Céard a theastaíonn ó gach lúthchleasaí?

(viii) Cé thionóil na cluichí den chéad uair?

(ix)   Conas a mhaisítí buaiteoirí na gcluichí fadó?

(x)   Céard a rinne Theodosius, Impire na Róimhe?

(xi)   Cuir line faoi na nathanna/focail sa sliocht a bhfuil an bhrí seo a leanas leo:

        (a)   Imreoirí spóirt.

        (b)   A reáchtáil.

        (c)   Forbraíodh.

NATHANNA ÓN SLIOCHT

Meaitseáil na nathanna/focail seo a leanas (**A-D**) leis na leaganacha cearta (**1-4**). Ansin cuir in abairtí iad.

A	conspóid	1	ionsaí
B	reathaí	2	beagnach
C	ionramh	3	cointinn
D	nach mór	4	duine a ritheann i rás

18 An Chéad Lá ar Scoil

Nuair a shroicheamar teach na scoile bhí na scoláirí go léir bailithe ann romhainn, ach ní raibh an máistir tagtha fós. Is gearr go bhfaca mé ag teacht é an bóthar anoir. Bhí balla maith ard ar an taobh amuigh de theach na scoile. Bhí trí nó ceathair de staighrí ag dul suas ann. Nuair a tháinig an máistir chomh fada leis, cibé gleo nó fothram a bhí ag na páistí roimhe sin bhí siad go ciúin ansin. Bhí mé féin ag féachaint air, agus á thabhairt faoi deara.

Balcaire leathan íseal meánaosta ba ea é, gan cuma róshláintiúil air. Bhí sé dian air na staighrí suas a chur de, ach d'éirigh leis an beart a dhéanamh. Nuair a chuaigh sé go dtí an doras, tharraing sé eochair as a phóca agus d'oscail sé an doras.

Seo leis na páistí go léir isteach, agus shuigh gach rang acu ar a mbinsí féin. Bhí greim an duine bháite agam féin ar Cháit, agus dhá bhullán súl agam le heagla agus le hionadh. Dá mhéad scóip a bhí orm ar maidin, deirimse leat go raibh mé ciúin go leor anois. Bhí súil sall agus súil abhus agam, ag tabhairt gach aon ní faoi deara. Bhraith mé an doras á oscailt; d'fhéach mé ina threo, agus is amhlaidh a bhí brainse de bhean óg chaol ard dhubh ann, scáth fearthainne ina láimh aici, agus péire d'fháinní buí ina cluasa. Níor stad sí go ndeachaigh sí suas go dtí an bord mar a raibh an máistir ina shuí.

"Dia linn, a Cháitín," arsa mise "cé hí sin?"

"Sin í an Mháistreás, a chailín," ar sise.

"An í sin Julia?" arsa mise.

"An bhean chéanna, a chailín," arsa Cáit.

"Bí ciúin anois mar ta na rollaí á nglaoch."

Thosaigh an Máistir ar na hainmneacha a ghlaoch os ard. Faoi mar a ghlaodh sé ainm, d'fhreagraítí é le *"Present, sir!"* Nuair a bhí an méid sin déanta aige, ghlaoigh sé ar an dara rang suas chun boird. Sin é an rang a raibh Cáit ann.

"Níl a fhios agam cad a dhéanfaidh mé anois leat," ar sise.

"Rachaidh mise le do chois," arsa mise, agus greim daingean agam uirthi.

Níorbh aon mhaith di bheith liom; lean mé suas go dtí an bord í, agus mo cheann fúm le náire.

"Dar fia!" arsa an máistir, "tá scoláire breise inniu againn."

 **CEISTEANNA**

(i)   Céard a bhí ina láimh ag an mbean óg?
(ii) Cad ab ainm don mháistreás?
(iii) Céard a bhí á nglaoch?
(iv) Céard a rinne an máistir nuair a bhí na hainmneacha glaoite aige?
(v)   Cén bhail a bhí ar an scríbhneoir agus í ag dul suas go dtí an bord?

 CEISTEANNA BREISE

(vi)   Cá raibh na scoláirí go léir bailithe?
(vii) Céard a bhí taobh amuigh de theach na scoile?
(viii) Cén sórt duine ba ea an máistir scoile?
(ix)   Céard a rinne an máistir nuair a chuaigh sé go dtí doras na scoile?
(x)   Cén bhail a bhí ar an scríbhneoir agus í ag dul isteach?
(xi)   Cuir líne faoi na nathanna/focail sa sliocht a bhfuil an bhrí seo a leanas leo:
    (a)   Thug mé faoi deara.
    (b)   Greim an-daingean.
    (c)   Puntán.

 NATHANNA ÓN SLIOCHT

Meaitseáil na nathanna/focail seo a leanas (**A-D**) leis na leaganacha cearta (**1-4**). Ansin cuir in abairtí iad.

A go ciúin	1	bean ard chaol
B bhí sé dian air	2	in éineacht leat
C brainse	3	rinne sé le dua é
D le do chois	4	ina dtost

19 Seán Dubh

Fear an-chneasta an-charthanach ba ea Éamann Rís. Ba é a bhunaigh Ord na mBráithre Críostaí in Éirinn. Bhí cónaí ar Éamann i bPort Láirge. Ba mhinic é ag siúl ar an gcaladh ansin agus é ag féachaint ar na longa ag teacht chun cuain.

Lá amháin thug sé faoi deara buachaill dubh agus é ina sclábhaí ar cheann de na longa. Bheannaigh Éamann dó agus thosaigh ag caint leis. Ní raibh mórán Béarla ag an mbuachaill dubh ach thug sé le fios gur mhaith leis scaradh leis an long agus cur faoi i bPort Láirge.

Ghlac trua ag an Ríseach dó agus chuaigh sé ag labhairt le captaen na loinge. Ba ghearr go raibh sé tar éis an buachaill óg a cheannach uaidh. Bhí an buachaill óg fíorbhuíoch de. Chuir Éamann ar scoil é chuig Siúracha na Toirbhirte i bPort Láirge. Buachaill éirimiúil ba ea é agus oileadh é ina Chaitliceach. Baisteadh é go luath ina dhiaidh sin ach ní fios anois cén t-aimn a tugadh air. Pé ar bith é, thug muintir Phort Láirge Seán Dubh mar leasainm air. D'éirigh go maith le Seán Dubh agus nuair a bhí a chuid scolaíochta críochnaithe aige d'aimsigh sé post mar bhuachaill aimsire ag na Bráithre Críostaí. Chaith Éamann Rís go fial leis. Nuair a bhí Seán Dubh in aois fir cheannaigh Éamann siopa beag dó ar imeall na cathrach. D'fhág sé faoi Sheán an siopa a eagrú agus déanamh dó féin.

Fear gnó maith ba ea Seán Dubh. D'oibrigh sé go dícheallach agus bhí sé macánta agus staidéartha ina ghnó. I ngeall air sin tharraing sé a lán custaiméirí chuig an siopa beag. Chuaigh an gnó ó neart go neart agus, faoi dheireadh, bhí sé in ann dhá theach a thógáil as an airgead a rinne sé.

Bhí clú amuigh air mar fhear an-naofa. Chonacthas go minic é san Ardeaglais ar a ghlúine ag paidreoireacht ós comhair na haltóra. Bhí an-tóir air i measc pháistí na cathrach mar gheall ar a charthanacht agus ar a chráifeacht. Bhídis á thionlacan trí na sráideanna go minic.

Nuair a d'éirigh Seán Dubh tinn chuir na mná rialta banaltra chuige chun aire a thabhairt dó. Fuair sé bás naofa agus d'fhág sé a thithe chuig na Bráithre agus na Siúracha. Dúirt an bhanaltra a bhí ag freastal air go raibh a anam chomh geal leis an sneachta.

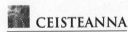 CEISTEANNA

(i)   Cén sórt duine a bhí i Seán Dubh?
(ii) Conas mar a oileadh é?
(iii) Conas a d'éirigh leis an siopa?
(iv) Cén clú a bhí amuigh air?
(v)   Céard dúirt an bhanaltra faoi tar éis bháis dó?

CEISTEANNA BREISE

(vi)   Cén sórt duine a bhí in Éamann Rís?
(vii) Cá raibh cónaí air?
(viii) Céard a bhíodh ar siúl aige ar an gcaladh dó?
(ix)   Céard a thug sé faoi deara lá amháin?
(x)   Céard ba mhaith leis an mbuachaill dubh?
(xi)   Cuir líne faoi na nathanna/focail sa sliocht a bhfuil an bhrí seo a leanas leo:
       (a)   Ag gabháil poirt.
       (b)   Chuir sé in iúl.
       (c)   Cliste.

NATHANNA ÓN SLIOCHT

Meaitseáil na nathanna/focail seo a leanas (**A-D**) leis na leaganacha cearta (**1-4**). Ansin cuir in abairtí iad.

A	pé ar bith é	1	go díograiseach agus go dian
B	d'aimsigh sé	2	go seasta
C	go dícheallach	3	fuair sé
D	staidéartha	4	pé scéal é

20 "Cath" Sráide

D'fhágamar slán ag na cailíní agus ar aghaidh linn chun burgair a cheannach. Bhí airc ocrais orainn uile tar éis an dioscó. Ní raibh pingin rua fágtha agam féin ná ag Seán ach thuigeamar go raibh cúpla punt fós ag Séamas. Ní raibh morán daoine fágtha ar an tsráid faoin am seo. Sula raibh an siopa sceallóg bainte amach againn chualamar cailín ag screadaíl in ard a cinn is a gutha. D'aithníomar glór Aoife. Ní dhearnamar an dara smaoineamh ach ritheamar caol díreach ina treo.

Nuair a shroicheamar an cúinne bhí an bheirt chailíní a rabhamar ag caint leo ní ba luaithe, i ngreim ag beirt bhligeard sráide. "Bog díobh nó is daoibh is measa," arsa Séamas. Scaoil bligeard amháin a ghreim ar dhuine des na cailíní agus chuir sé geáitse troda air. Rinne an bligeard eile an rud céanna agus tharraing sé buille dhoirn ar Sheán. Tá crios dubh ag Seán sa TAEKWONDO agus sula raibh seans ag an mbligeard a thuilleadh dochair a dhéanamh thug Seán cic nimhneach dó a bhuail idir an dá shlinneán é. Thit an bligeard sráide ina chnap agus gach béic as.

Lig a chara fead ghéar as agus, i bprap na súl, bhí breis is deich mbligeard anuas orainn. Ritheamar lenár n-anam agus sinn ag iarraidh na cailíní a chosaint ag an am gcéanna. Bhí an drong ag teacht suas linn nach mór nuair a shroicheamar teach Aoife. Ní rabhamar tríd an doras nuair a chualamar gloine na fuinneoige ag briseadh. B'amhlaidh a bhí an slua amuigh tar éis an teach a chrústú le clocha. Chuir athair Aoife fios ar na gardaí agus ba bheag an mhoill orthu teacht ar an láthair bíodh is go raibh na bligeaird glanta leo ón tsráid.

Faoin am sin bhraitheamar go léir go rabhamar ar crith. Tar éis cupán tae áfach, bhíomar ag caint is ag comhrá go gealgháireach agus bhí Aoife ag caitheamh catsúil le Seán, an "laoch" a d'fhuascail í.

 CEISTEANNA

(i)   Cén fhianaise atá sa sliocht go raibh sé go déanach san oíche?

(ii)   Céard a d'aithin na buachaillí nuair a chuala siad an screadaíl?

(iii)   Ar rug na gardaí ar an slua gaigíní? Cén fáth, dar leat?

(iv) San alt deireanach deir an t-údar go raibh Aoife ag caitheamh na súl le Seán. Cad ba chúis leis sin, dar leat?

(v) Cén sórt buachalla a bhí i Seán, dar leat?

 CEISTEANNA BREISE

(vi) Cén fáth, dar leat, a raibh ocras ar na buachaillí?

(vii) Cé aige a raibh an t-airgead?

(viii) Cad a tharla sular shroich na buachaillí an siopa sceallóg?

(ix) Céard a rinne Seán nuair a ionsaíodh é?

(x) Conas a tharla gur tháinig slua bligeard sráide ar an láthair?

(xi) Cuir líne faoi na nathanna/focail sa sliocht a bhfuil an bhrí seo a leanas leo:

    (a) Bhí ocras an domhain orainn uile.

    (b) Bhí a fhios againn.

    (c) Bhí sé ag béicíl.

 NATHANNA ÓN SLIOCHT

Meaitseáil na nathanna/focail seo a leanas (A-D) leis na leaganacha cearta (1-4). Ansin cuir in abairtí iad.

A	ar aghaidh linn	1	chuir sé staidiúir bhagrach air féin
B	faoin am seo	2	ar iompú boise
C	chuir sé geáitse troda air	3	faoin taca seo
D	i bprap na súl	4	siúd linn

B. TRIALACHA TUISCEANA
Struchtúr Scrúdaithe

Léigh na trialacha seo a leanas agus ansin freagair na ceisteanna a ghabhann leo.

21 Na Dionosáir ar Mire!

Bhí an-rath go deo ar an scannán *Jurassic Park* le Stephen Spielberg. Cuireann Spielberg roimhe samhlaíocht an duine a spreagadh trín a chuid scannán. De ghnáth ní bhíonn doimhneas iontu ach bíonn an-bhéim ar eachtraí corraitheacha. Ní dhéanfaimid dearmad ar *Jaws* mar a raibh daoine á nithe ag siorc mór bán. Sa scannán *Jurassic Park* ba iad na dionosáir a bhí ar thóir feola.

Tá an scannán bunaithe ar leabhar Michael Crichton ina n-úsáidtear DNA na ndionosár chun iad a chruthú arís. Cuireann corrmhíol ga i ndionosár agus diúlann sí braon dá chuid fola. Caomhnáitear an corrmhíol ansin i roisín crainn go dtí go ndéantar ómra de. Bristear an t-ómra ansin, aimsítear an corrmhíol agus aimsítear freisin fuil an dionosáir agus an DNA. Sa leabhar sin bhí trácht ar scór gné dionosár. Níl ach sé ghné sa scannán *Jurassic Park* ach níl cailleadh ar bith orthu! Tá an t-imeartas teicniúil den chéadscoth agus is fada ó na seanscannáin *King Kong versus Godzilla* scannán Spielberg.

Chosain *Jurassic Park* caoga milliún dollar len é a dhéanamh agus caoga milliún dollar eile chun é a fhógairt ach tig le Spielberg codladh go sámh mar níor chaill sé dollar ar bith ar an scannán seo! Bhí earra *Jurassic Park* á dhíol ó dhealbha na ndionosár go cupáin phlaisteacha a raibh pictiúir de na dionosáir orthu, gan trácht ar chaipíní *Jurassic Park*! Is maith a thuigeann Spielberg go bhfuil an-suim ag an aos óg sna dionosáir. Feicimid *Brachiosauras, Triceratops* (agus an créatúr bocht go dona tinn) an *Velociraptor* mear agus, dár ndóigh, *Tyrannosaurus Rex*.

Athchruthaítear na dionosáir agus cuirtear i bpáirc speisialta iad. Ní fada go gcuireann stoirm trealamh *Jurassic Park* ó rath agus go mbíonn na créatúir ag dul ar mire le craos feola. "Jaws ar chosa" atá sa scannán ansin! Is cosúil go mbeidh trácht ar an scannán seo le fada an lá. Lean Spielberg le téama na ndionosár sa scannán *The Lost World* ach is dóigh le go leor daoine nach bhfuil sé chomh maith le *Jurassic Park*.

 **CEISTEANNA**

(i)   Céard faoi an scannán *Jaws*?

(ii)   Cad is ainm d'údar an leabhair ar a bunaíodh an scannán *Jurassic Park*?

(iii)   Cén fáth, dar leat, nach bhfuil cailleadh ar bith ar an scannán seo?

(iv)   An ndearna Spielberg mórán airgid as *Jurassic Park*? Cén fáth?

(v)   Cén bhail atá ar *Triceratops* sa scannán?

22 An Club Thine Ifrinn

Ceann Comhairle cáiliúil ba ea William Conolly fadó. Fear saibhir ba ea é a raibh tailte aige i gCo Chill Dara agus i mBaile Átha Cliath. Thóg sé go leor tithe móra ach tá foirgneamh amháin leis a bhfuil aithne mhaith ag muintir Bhaile Átha Cliath air. Sin an Club Thine Ifrinn a sheasann go stuacach ar bharr shliabh Piléir.

Thóg Conolly an foirgneamh timpeall na bliana 1720 mar ghrianán seilge dó féin is dá chairde. Bhí carn cloch ar an sliabh agus d'úsáid Conolly na clocha chun an grianán a thógáil. Fear galánta ba ea Conolly ar mhór aige sult agus spórt. Níor chuir sé as dó baint leis an gcarn cloch.

Ní nach ionadh bhí drochiontaoibh ag muintir na háite as an ngrianán de bhrí gur cuireadh isteach ar an gcarn. Nuair a bhuail splanc an grianán agus gur leagadh an díon dúirt na daoine go raibh mallacht ar an áit. Bhí siad cinnte go raibh díoltas á imirt ag spiorad an chairn ar Chonolly agus ar a chairde.

Níor dhuine pisreogach Conolly, áfach, agus chuir sé díon nua ar an teach. Díon coirbéalta daingean a bhí sa díon sin agus bhí Conolly sásta go mairfeadh sí i bhfad. Ba mhinic ragairne agus ól sa bhoth agus bhí scéala amuigh go raibh craobh den Chlub Thine Ifrinn ann. Bhí droch-chlú ar an eagras seo mar go mbíodh an ealaín dhubh á chleachtadh acu.

Thit an foirgneamh as a chéile sa bhliain 1740 agus tá go leor scéalta aisteacha mar gheall air. Dúradh gur nocht an Diabhal féin le linn do bhaill an Chlub bheith ag imirt cártaí agus go bhfacthas crúb scoilte Sátain faoin mbord. Sa lá atá inniu ann bíonn ragairne ann fós. Is iomaí canna folamh agus buidéal a fágadh ann gach tránct ar ghraffiti! Is cosúil go bhfuil daoine ag fanacht amach ón áit fós go háirithe istoíche, ach ní bhaineann pisreog ar bith leis seo!

CEISTEANNA

(i)   Cén fáth a raibh clú ar William Conolly?

(ii) Cá bhfuil an Club Thine Ifrinn suite?

(iii) Cad as ar tógadh an grianán seilge?

(iv) Cén fáth, meas tú, go raibh muintir na háite míshásta?

(v)   Cén fhianaise atá sa sliocht gur beag aird a thug Conolly ar phisreoga na ndaoine?

23 Na Coiscéimeanna

Nuair a shroich Síle stad an bhus ní raibh duine ná deoraí le feiceáil. D'fhéach sí ar a huaireadóir agus bhí sé deich tar éis a dó dhéag. Thuig sí ansin go raibh an bus deireanach imithe. Bhí fearg uirthi go ndearna sí moill tar éis an dioscó. Cé go raibh sé déanach bhí an oíche bog go leor. Bhí leoithne bhog ghaoithe ag séideadh agus bhí tafann madra le cloisteáil i bhfad uaithi.

Ní raibh an dara rogha aici ach é a chrágáil abhaile. Bhí sórt imní uirthi mar bhí an oíche an-dorcha agus bhí míchlú ar an gceantar. Bhrostaigh sí léi trí na sráideanna agus í san airdeall i gcónaí. Chuala sí fuaim gloine ag briseadh in áit éigin. I dteach éigin bhí leanbh ag gol agus bhí fear ag argóint. Níor thaitin fuaimeanna na hoíche le Síle. Ba mhaith léi a bheith slán sábháilte ina leaba féin. Tháinig an ghealach amach agus thug sin croí di. Thug sí faoi deara go raibh spéir na hoíche an-álainn cé go raibh scamaill dhorca ag gluaiseacht faoin ngealach lán.

Faoi cheann tamaill thug sí faoi deara go raibh duine sna sála aici. Chuala sí na coiscéimeanna go soiléir agus chuir siad a cuid fola agus feola trína chéile. Ghéaraigh sí ar a siúl agus níorbh fhada go raibh sí ag sodar. Bhí allas tríthi amach agus bhí drithlíní fuachta léi.

Ní raibh de mhisneach inti casadh timpeall ach lean sí caol díreach ar aghaidh agus líonrith uirthi. Níor cheap sí riamh go bhféadfadh a leithéid a tharlú dí. Bhí áiféala anois uirthi nár fhoghlaim sí karate nuair a bhí an cúrsa ar siúl sa halla áitiúil. Ar a laghad bheadh seans aici í féin a chosaint. Cén fáth nár bhrostaigh sí léi go dtí an bus? Anois bhí an anachain déanta! Bhí sí cinnte go raibh a port seinnte. Shamhlaigh sí an tuairisc a bheadh sa nuachtán ar lá dar gcionn faoin gcailín a ionsaíodh. Tháinig arraing inti agus b'éigean di stad. "A chailín, cén deifir atá ort?" arsa guth cairdiúil. "Lig tú dod mhála láimhe titim!" Cé bhí ann ach garda óg!

 CEISTEANNA

   (i)   Cén fáth, dar leat, ar imigh an bus ar Shíle?
   (ii)   Céard a thug uirthi bheith san airdeall?
   (iii)   Conas a thuig sí go raibh duine á leanúint?
   (iv)   Cén fáth a raibh sí ag cur allais, meas tú?
   (v)   Cén fhianaise atá sa sliocht go raibh sí traochta?

24 Dia Leat Fungi!

Tá muintir an Daingin an-bhuíoch go deo den deilf Fungi atá i mBá an Daingin ó 1984 amach. Nuair a tháinig an deilf den chéad uair bhí uafás ar go leor daoine mar cheap siad gur siorc a bhí ann! Ba ghearr gur thuig siad a mhalairt agus go raibh sé soiléir gur bhuntáiste mór an créatúr álainn seo.

Is minic deilfeanna ag teacht ar cuairt go dtí cósta Chiarraí ach ní minic a fhanann siad ann go rialta. Is cosúil, mar sin, gur thaitin Bá an Daingin le Fungi agus gurb iad na daoine a thaitin leis chomh maith. Is deilf srón bhuidéil Fungi agus tá sé réasúnta mór. In ainneoin sin tá sé thar a bheith aclaí san uisce agus bíonn lucht féachana aige gach uile lá, go mórmór sa samhradh nuair a théann na sluaite daoine amach ag féachaint air ag déanamh gleacaíochta os comhair na mbád.

Nuair a théann tú síos chun ticéad a cheannach do na báid seo feicfidh tú fear ag díol na dticéad agus bríste aisteach air. Má fhéachann tú go géar ar an mbríste seo feicfidh tú pátrún ildaite air - pátrún de dheilfeanna! Is léir go bhfuil clú amuigh ar Fungi mar go bhfuil postaeir, cártaí poist, agus t-léinte á ndíol gach lá sa Daingean agus an-tóir orthu!

Ní amháin sin ach tá leabhair scríofa agus scannáin déanta mar gheall ar an gcréatúr lách seo agus meastar go bhfuil Fungi tar éis breis is 150,000 cuairteoirí a mhealladh chun an Daingin cheana féin. Deirtear gur sláintiúil an rud é don duine snámh le deilf agus tá na mílte daoine tar éis an méid seo a chruthú. Ní h-aon ionadh é go bhfuil súil ag muintir an Daingin go bhfanfaidh Fungi leo amach anseo!

CEISTEANNA

(i) Cá fhad atá Fungi i mBá an Daingin?

(ii) "Bhí uafás ar go leor daoine." Cén fáth, meas tú?

(iii) Cén cineál deilfe é Fungi?

(iv) "Feicfidh tú fear . . . agus bríste aisteach air." Cén rud atá aisteach faoin mbríste seo?

(v) Cén fáth, meas tú, go bhfuil súil ag muintir an Daingin go bhfanfaidh Fungi leo?

25 Maidhc Dainín Ó Sé

Rugadh Maidhc Dainín Ó Sé i nGaeltacht Chorca Dhuibhne sa bhliain 1942. Bhí tóir air i measc muintir na háite mar bhí an-chumas grinn aige agus bhí sé an-lách mar bhuachaill. Bhí an-ghrá aige don Ghaeilge agus don chultúr dúchasach. Ba ghearr gur tuigeadh go raibh féith an cheoil ann agus cheannaigh a athair bosca ceoil dó.

Níorbh fhada go raibh sé ag baint macalla as fraitheacha an tí lena chuid sleamhnán. Chaith sé tamall ag obair mar sclábhaí feirme i gCorca Dhuibhne ach ní raibh sé ró-shásta leis an obair sin. Thuig sé go mbeadh air dul ar imirce chun post seasta a fháil. Faraor, ní raibh morán oibre don aos óg san am sin agus béigean do Mhaidhc an bád bán a thógáil agus dul ar imirce. Chaith sé seal ag náibhíocht lena dheartháireacha agus b'ann a fuair sé ciall cheannaithe. D'oibrigh sé go crua ach ní raibh an obair seo ró-shásúil. Cé go raibh an t-airgead go maith ba mhinic é ag ragairne agus ag ól.

Bhí deartháir eile leis i Chicago agus cheap Maidhc go mbeadh seans níos fearr aige ann. Faoi cheann tamaill bhain sé Chicago amach. Bhí pobal mór Gaelach ann agus ba ghearr go raibh trácht ar Mhaidhc sna clubanna ag seinm ceoil.

Ba ann a bhuail sé le cailín Gaelach agus, dar leis, gur chuir sí ar bhóthar a leasa é sular pósadh iad. Fuair sé post maith agus bhí ag éirí go maith leo. Bhí teach gleoite agus carr mór acu. I rith na seascaidí áfach, tharla círéibeanna sa chathair mar go raibh leatrom á dhéanamh ar na daoine dubha.

Thuig Maidhc nach mbeadh feabhas ar an scéal agus d'fhill sé ar ais go hÉirinn. Ba mhór an t-athrú dó filleadh abhaile. Bhí deireadh le saol an rachmais ach thuig sé go maith go raibh a chroí ina bhaile dúchais. Tá post aige anois mar thiománaí leoraí ach bíonn sé fós ag seinm ceoil i mBóthar agus in Óstán Dhún an Óir. Tá clú air mar fhile, mar údar agus mar scéalaí.

CEISTEANNA

(i) Céard a tuigeadh go luath i saol Mhaidhc?

(ii) Cén uirlis ceoil a bhíodh á sheinm aige?

(iii)   Cén fáth, meas tú, a ndeachaigh sé ar imirce?

(iv)   Cén buntáiste dó bheith ag obair i Sasana?

(v)   Conas a d'éirigh leis i Meiriceá?

26 Préacháin Chliste

Tá sé ráite riamh gur "geal leis an bhfiach dubh a gearrcach". Más fíor don tseanfhocal cé nach bhfuil an préachán dathúil tá sé cliste go leor. Sin é a chreideann na saineolaithe, pé scéal é. Deir siadsan linn go bhfuil na préacháin an-chliste mar éin. Is féidir iad a mhúineadh gan dua murab ionann agus go leor éan eile. Thuig fear i gCeanada an méid sin agus ní dhéanfaidh seisean dearmad orthu go deo.

Tharla go raibh sé ag iascaireacht ar an leac oighir. Dheineadh sé poll ar dtús agus ansin chaitheadh sé isteach an dorú. Bhíodh baoite aige ar na duáin. Ó bhí an teocht an-íseal ní fhanadh sé amuigh an lá go léir ach dheineadh sé an slat iascaigh a shocrú. Ní bhíodh le déanamh aige ansin ach an dorú a tharraing isteach agus, dá mbeadh an t-ádh leis, bheadh iasc nó dhó ar na duáin. Cheap sé go raibh seift mhaith aige chun éisc a mharú gan mórán trioblóide ach bhí dul amú air.

Chuir sé iontas air nuair a d'fhill sé cúpla uair mar go raibh an dorú agus na duáin tarraingthe as an uisce. Shíl sé go bhfaca sé píosaí beaga éisc ar na duáin. Chinn sé ar an scéal a fhiosrú.

Chuaigh sé i bhfolach agus choimeád súil ar an trealamh. Tar éis tamaill thúirling dhá phréachán. Rug siad greim ghoib ar an dorú agus thosaigh siad ag tarraing le lán a nirt. Ba ghearr go raibh na héisc aimsithe acu agus d'alp siad siar iad. Leath a shúile ar an bhfear. Thuig sé go dóite ansin go raibh béile blasta déanta ag na préacháin dá chuid iasc. Cé go raibh fearg air bhí air a admháil go raibh na préacháin an-chliste agus an-dána, dar ndóigh! B'éigean dó teacht ar sheift glan as an nua chun an scéal a leigheas. Bhí air fanacht amuigh ina dhiaidh sin!

 CEISTEANNA

(i)   Céard í tuairim na saineolaithe i leith na bpréachán?

(ii)   Cén fáth nár ghnáth don fhear fanacht amuigh?

(iii)   Céard a bhíodh ar na duáin dá mbeadh an t-ádh leis?

(iv)   Cad a thugann le fios go raibh na préacháin an-chliste?

(v)   Cad a bhí ar an bhfear á dhéanamh faoi dheireadh?

27 Brugh na Bóinne

Sna seanscéalta ba i mBrugh na Bóinne a bhí cónaí ar Aonghus Óg Mac an Daghda, duine de na Tuatha Dé Danann. Áit dhiamhrach ba ea í a raibh draíocht ag baint léi. Ba é an Daghda an Dia ba thábhachtaí a bhain leis na Tuatha Dé Danann. Ba mhinic Aonghus ag teacht i gcabhair ar na Fianna mar go raibh draíocht aige.

Is áit an-suimiúil í Brugh na Bóinne. Meastar gur tógadh an áit tuairim is cúig míle bliain ó shin le linn na clochaoise. Níor bhrugh é i ndáiríre ach tuaim adhlactha ina ndearnadh urraim do cheannairí na treibhe a fuair bás. Bhí ar na daoine clocha a bhailiú as áiteanna iargúlta in Éirinn agus iad a bhreith leo ar ais go gleann na Bóinne chun an tuaim mhórthaibhseach seo a thógáil. Is cosúil gur rug na daoine seo na clocha ar ais i gcairteanna agus, fiú, i gcurracha beaga. B'éacht í seo, bíodh is go raibh foraiseacha móra ag fás go flúirseach in Éirinn is go raibh taisteal an-chontúirteach.

Istigh i lár na tuama tá seomra adhlactha ina bhfágtaí luaith na gceannairí a fuair bás. Tá poll nó bosca dín thar dhoras na tuama agus tá sé an-suimiúil go deo. Le linn grianstad an gheimhridh, ag breacadh an lae, tagann ga gréine isteach trín mbosca dín agus lastar suas an seomra adhlactha istigh ar feadh cúig nóiméad déag. Is radharc dochreidte radharc an gha gréine ag siúl an phasáiste agus ag lasadh an tseomra adhlachta istigh. Seans gur cheap na daoine ag an am go dtabharfadh an solas saol síoraí d'anamacha na marbh.

Ligtear don phobal an radharc iontach seo a fheiceáil ach caithfear d'ainm a chur ar liosta feithimh. Tá na mílte ainmneacha air cheana féin, mar sin bíodh foighne agat! Ní thuigfimid go deo meon na ndaoine a thóg an foirgneamh iontach seo ach beidh ábhar machnaimh ag stairithe agus ag seandálaithe le fada an lá.

CEISTEANNA

(i)   Cérbh é Aonghus Óg Mac an Daghda?
(ii)   Cén aois do Bhrugh na Bóinne?
(iii)   Cathain a tógadh é?
(iv)   Céard tá le feiceáil i lár an tuama?
(v)   Cad a tharlaíonn le linn grianstad an gheimhridh?

28 Réaltog Rac Áitiuil

I mBirmingham Sasana a rugadh Phil Lynott sa bhliain 1949 do Philomena Lynott agus Cecil Parris, fear dubh as Meiriceá Theas a bhí in Aerfhórsa Mheiriceá i Sasana tar éis an Dara Cogadh Domhanda. Scar a thuismitheoirí óna chéile cúpla bliain ina dhiaidh sin agus ní raibh a mháthair Philomena ábalta é a thógáil léi féin i Sasana. Bhí a sheanmháthair sásta é a thógáil i mBaile Átha Cliath áfach, agus d'fhás sé suas i gCroimlinn i ndeisceart na cathrach. B'aisteach le daoine go raibh sé dubh ach níorbh fhada gur glacadh leis agus go ndeachaigh sé go Scoil na mBráithre Críostaí.

Buachaill anamúil ba ea é a raibh an-suim aige sa cheol. Ní raibh sé ach aon bhliain déag d'aois nuair a bhí sé ag canadh i mbanna ceoil. *The Black Eagles* a thug siad air. Bhí an-tóir ar an mbanna ceoil seo níos déanaí sna seascaidí nuair a bhídís ag seinm go rialta i Halla Moeran i mBaile Bhailcín.

Le h-imeacht aimsire thit na *Black Eagles* as a chéile agus glacadh Phil isteach i mbanna eile darb ainm *Skid Row*, mar phríomh-amhránaí. Moladh dó an dordghiotár a mháistriú agus ba ghearr go raibh clú amuigh orthu. Níor tharla ina mhegaréaltóg Phil áfach, go dtí gur chuir sé grúpa eile le chéile darb ainm *Thin Lizzy.* Faoin am seo bhí clú ar an ngrúpa sna Stáit Aontaithe agus ar fuaid an domhain iomláin.

Faraor, bhí ró-dhúil ag Phil san ól agus sna drugaí agus cé nár thuig a mháthair é ní raibh an tsláinte go ró-mhaith aige. Phós sé agus bhí beirt iníonacha aige. Bhí a mháthair an-bhródúil as a mhac clúiteach saibhir a cheannaigh teach di i mBeann Éadair agus a bhí ina chéad páirt timpeall uirthi. Den chéad uair riamh bhí réaltóg rac againn in Éirinn agus é ina fhear dubh.

I mí Eanáir na bliana 1986 fuair Phil bás in ospidéal Salisbury. Ní raibh sé ach sé bliana is tríocha d'aois. Cuireadh é i reilig Chill Fhionntain seachtain ina dhiaidh sin. Tá an scríbhinn seo a leanas ar a uaigh: "Go dtuga Dia suimhneas dá anam. Róisín Dubh." Is fada a bheidh trácht ar an réaltóg rac a bhain clú agus cáil amach don tír bheag seo.

 CEISTEANNA

(i)   Cárb as d'athair Phil Lynott?
(ii)   Cén fáth ar thóg a sheanmháthair é?
(iii)   "Buachaill anamúil ba ea é a raibh an-suim aige sa cheol." Cén cruthú atá air seo?
(iv)   Luaigh **dhá** ghrúpa a raibh páirt ag Phil iontu.
(v)   Cén chaoi a bhfuair Phil Lynott bás?

29 JFK in Éirinn 1963

Nuair a tháinig John Fitzgerald Kennedy ar cuairt go hÉirinn sa bhliain 1963 bhí sceitimíní ar mhuintir na tíre seo. Tír bheag ba ea Éire i dtús na seascaidí nach raibh trácht uirthi i measc náisiúin an domhain agus bhí ceannairí na hÉireann ag iarraidh comhlachtaí móra idirnáisiúnta a mhealladh isteach d'fhonn geilleagar ár dtíre a fhorbairt agus poist nua a chruthú. Go dtí sin bhí béim ar thalamhaíocht agus bhí na mílte daoine ag tógáil bád bán na himirce. Bhíothas ag súil leis an scéal seo a athrú.

Bhí an-mheas ar an gCinnéideach mar Uachtarán Mheiriceá agus bhí muintir na hÉireann thar a bheith bródúil as mar ba de bhunadh na hÉireann é agus ba Chaitliceach é. Nuair a thoiligh sé teacht go hÉirinn ar cuairt thuig an rialtas go mbeadh an-tairbhe ar an turas mar bheadh súile an domhain ar an tír seo. Bheadh lucht teilifíse agus lucht nuachtáin an domhain in Éirinn chun tuairisc a thabhairt ar an turas. Bheadh an-sheans againn ár dtír álainn a fhógairt don domhan uile.

Is cuimhin liom féin agus mo chara Proinnsias an rí rá i Sráid Westmoreland agus é ar cuairt. Thaisteal sé i limisín mór oscailte, fear óg dathúil griandóite a raibh culaith ghorm air. Bhí na mná ag osnaíl agus ag moladh dathúlacht an Uachtaráin. Ní raibh duine ar an láthair nach raibh meas aige air. Chuaigh sé dian ar na gardaí cosanta an lá sin mar bhí an slua ag brú isteach air agus ag croitheadh lámh leis. Ba chuma leis an Uachtarán, áfach, mar thuig sé nár bhaol dó i measc mhuintir na hÉireann.

Bhrúigh Proinnsias trín slua go bhfuair sé deis. Bhí mé féin sna sála aige.

Shíneamar amach ár lámha agus, ar ámharaí an tsaoil, rug an t-Uachtarán orthu agus chroith iad go fonnmhar. Bhí linn agus geallaimse duit go rabhamar bródúil asainn féin. Thuigeamar go raibh an ócáid seo an-stairiúil. Is cuimhin liom an ócáid sin fiú gur tharla sé breis is tríocha bliain ó shin. Is cuimhin liom freisin gurbh é Proinnsias a thug scéala báis an Uachtaráin chugam cúig mhí ina dhiaidh sin.

CEISTEANNA

(i) Cén fáth, dar leat, go raibh sceitimíní ar mhuintir na tíre seo go raibh JKF ag teacht?

(ii) Céard a bhí á iarraidh ag rialtas na hÉireann san am?

(iii) Cén tairbhe, dar leat, a bheadh ar thuras JFK go hÉirinn?

(iv) Déan cur síos ar JFK de réir tuairisc an scríbhneora.

(v) Conas a chuala an scríbhneoir scéala báis an Uachtaráin?

30 An Míol Gorm

Céard é an t-ainmhí is mó dá raibh beo riamh? Dionosár b'fhéidir, adeir tú, nó créatúr a mhair fadó? Ní hé, go deimhin, ach ainmhí atá beo fós. Sin é an míol gorm.

Tá an créatúr seo chomh mór sin go bhfeadfadh ocht neilifint seasamh taobh le taobh ar a dhroim. Cé go bhfuil cuma an éisc ar na míolta móra ní héisc iad ar chor ar bith, ach sineacha, ainmhithe a bheireann a nóg agus a thugann bainne cíche dóibh. Mar sin tá na míolta cosúil le hainmhithe agus tá go leor tréithe eatarthu araon.

Análann na míolta aer agus ní féidir leo fanacht ró-fhada faoin uisce. Má tharlaíonn sin báfar iad. Cheapfá b'fhéidir go níosfadh na créatúir mhóra seo rudaí móra, ach ní hamhlaidh atá an scéal. Tá scórnacha na míolta móra chomh beag sin nach féidir leo ach rudaí an-bheaga a shlogadh. Bheadh rud ar bith níos mó ná oráiste ró-mhór dóibh! Sin é an fáth nár chóir go mbeadh eagla ar an duine roimh an míol mór. Cé gur fathach é is fathach ciúin lách é.

Maireann na míolta móra ar phlanctan amháin, plandaí agus ainmhithe mara atá chomh beag sin nach féidir iad a fheiceáil gan miocroscóp a úsáid. Aisteach mar scéal gurb é planctan bia an chréatúir mhóir seo, ach is iomaí iontas i ríocht an nádúir.

Fadó bhí mórchuid míolta sa bhfarraige. Tá sealgaireacht á dhéanamh orthu i gcónaí áfach. Maraítear na míolta móra mar go n-itear a gcuid feola agus go núsáidtear a gcuid ola. Níl morán míolta gorma fágtha anois. Tá lucht Greenpeace ag iarraidh an t-ainmhí álainn seo a chosaint. Tá siad ag tarraing aire an domhain ar an slad uafásach atá ar siúl. Fágann sin go bhfuil go leor tíorthaí ag éirí as míolta a sheilg. Faraor tá tíortha fós ann, an tSeapáin mar shampla, a leanann leis an slad mar is traidisiún é. Is náireach an scéal é go bhfuil an duine tar éis an créatúr is mó ar domhan a mharú ar bheagán cúise.

 **CEISTEANNA**

(i) Céard é an t-ainmhí is mó ar domhan de réir tuairisc an tsleachta?

(ii) Tabhair sampla de mhéid an mhíl ghoirm.

(iii) Cad is sineach ann?

(iv) Cén fáth nach féidir leis na míolta móra rudaí móra a ithe?

(v) Cén fhianaise atá sa sliocht nach fada a bheidh an míol gorm beo?

31 Bjorn Again

Tá sé ráite nach bhfuil rud nua ar bith ann faoin ngrian agus is cosúil gur fíor é sin. I saol an cheoil nua-aimseartha tuigeann na boic mhóra an méid sin go rí-mhaith. Pé áit a mbíonn éileamh bí cinnte go mbeidh duine éigin sásta an deis a thapú agus lear mór airgid a thuilleamh! Má éirigh go maith le ceirnín sna caogaidí, sna seascaidí, nó fiú, sna seachtóidí, cén dochar ach é a éisiúint arís glan as an nua i riocht nua.

Ní hamháin sin ach, ós rud é go bhfuil daoine ag caitheamh i ndiaidh aimsire atá thart, beidh an-tóir ar ghrúpaí a dhéanann aithris ar na seanghrúpaí. Ar na saolta seo tá Cavern a chlúdaíonn stór amhrán na mBeatles; The Australian Doors a thugann dúinn Jim Morrison (nó a mhacasamhail) ina steillbheatha gan trácht ar Bjorn Again a bhfuil gach nóta agus gach céim córagrafaíochta díreach mar a bhí ag Abba sna seachtóidí. Ní hiad na daoine meánaosta amháin a fheictear ag ceolchoirmeacha na ngrúpaí seo ach aos óg ár linne a bhfuil fonn orthu pé draíocht a bhain leis na seanghrúpaí a bhlaiseadh athuair.

Is buan an t-ábhar machnaimh an scéal seo. An amhlaidh go bhfuil ceol an lae inniu chomh dona sin go mbíonn ar cheoltóirí amhráin níos fearr a chlúdach, nó an bhfuil aos óg ár linne ag teacht ar cheol agus faisean a raibh draíocht ar leith ag baint leo fadó? Seans go bhfuil go leor daoine óga ag éirí bréan den cheol leictreonach mar go bhfuil sé an-leadránach bíodh is go bhfuil rithim láidir rince leis. Ní fios an mbeidh daoine ag clúdach grúpaí ar nós Nirvana agus REM deich nó fiche bliain amach anseo. Is maith an scéalaí an aimsir. Agus cad faoi Vivaldi é féin? Tá seisean tagtha ar ais ó mharbh i riocht Nigel Kennedy agus scairf Aston Villa á chaitheamh aige!

 CEISTEANNA

(i) Cén fath, dar leat, go ndeir an scríbhneoir nach bhfuil rud nua ar bith ann faoin ngrian?

(ii) Luaigh dhá ghrúpa nua-aimseartha a chlúdaíonn stór amhrán seanghrúpaí.

(iii) Mínigh cen fáth a bhfuil daoine anois ag caitheamh i ndiaidh aimsire atá thart.

(iv) Cé hiad "na boic mhóra", dar leat, a luaitear sa sliocht?

(v) Cén trácht atá sa sliocht ar Nigel Kennedy?

32 Sábháilteacht Bóthair

Cloistear tuairiscí ar an raidió agus ar an teilifís faoi thimpistí uafásacha inar maraíodh daoine nó inar gortaíodh daoine go dona. Feicimid grianghrafanna gach oíche den slad uafásach seo ach, faraor, is beag aird a thugaimid ar an scéal. In ainneoin cláracha sábháilteachta agus fógraí teilifíse tá ag éirí fós ar líon na ndaoine atá á marú ar bhóithre na hÉireann. Is iomaí fáth atá leis an bhfás seo.

Ar an gcéad dul síos tá go leor daoine óga beagbeann ar rialacha an bhóthair. Is cuma leo sa deabhal faoi shoilse tráchta ná faoi chomharthaí bóthair. Más rothaithe iad ní chaithfidh siad clogaid rothaíochta mar nach bhfeictear dóibh go bhfuil siad faiseanta. Is dual don duine óg bheith go dána neamheaglach. Ar an ábhar sin bíonn sé an-deacair cur ina luí orthu nach bhfuil an dara rogha acu ach aire a thabhairt dóibh féin i gcónaí.

Ní hé an t-aos óg amháin áfach, a bhfuil cáineadh tuillte acu. Tiomáineann go leor daoine gluaisteáin agus iad ólta. Ní haon ionadh é go dtarlaíonn mórchuid de thimpistí bóthair tar éis do na tithe tábhairne a dhúnadh.

Thairis sin tá méadú as cuimse ar an trácht ar na bóithre le himeacht aimsire. Tá bóithre na tíre i bhfad níos dáinséaraí ná mar a bhí siad fiche bliain ó shin.

Cad is cóir a dhéanamh mar sin? Is mithid don rialtas oideachas speisialta sa sábháilteacht a chur ar bun. Is gá cláracha teilifíse maraon le fógraíocht a bheith ar fáil gan trácht ar phíonós trom a ghearradh orthu siúd a sháraíonn an dlí. "I dtús na haicíde is ea is fusa í a leigheas." Ní féidir an seanfhocal sin a shárú!

Tá seanfhocal eile ann áfach: "Ní féidir ceann críonna a chur ar cholainn óg". Beidh an scéal mar sin i gcónaí is dócha ach caithfimid tús áite a thabhairt don sábháilteacht chomh fada agus is féidir.

CEISTEANNA

(i) Mínigh cén fáth a bhfuil ag méadú ar líon na ndaoine atá á marú ar na bóithre?

(ii) Léirigh cé chomh míchúramach is atá an t-aos óg i leith sábháilteacht bóthair.

(iii) Cathain a tharlaíonn mórchuid timpistí?

(iv) Cad is cúis leis seo?

(v) Cad is cóir don rialtas a dhéanamh chun an fhadhb a shárú?

33 An Rí

IdTupelo Mississippi a rugadh Elvis Presley sa bhliain 1935. Nuair a bhí sé ag obair mar thiománaí leoraí rinne sé ceirnín mar bhronntanas dá mháthair. Faoin am sin bhí cúrsaí ceoil an-leamh sna Stáit Aontaithe. Bhí an t-aos óg ag feitheamh le rud glan as an nua agus fuarthas sin in Elvis. Bhí guth iontach aige agus nuair a chan sé bhíodh a chorp go léir ar luascadh. Bhí rian an cheoil dhuibh, ar chuala Presley mar pháiste, ar a chuid amhrán. Sular ghearr sé cúpla ceirnín eile bhí an-tóir air. Ba ghearr gur thuig an "Coirnéal" Tom Parker go raibh mianach óir san amhránaí óg. Chuir Presley a ainm le conradh sa bhliain 1955 agus tamaillín ina dhiaidh sin bhí *Heartbreak Hotel* go hard sna cairteanna. Thar oíche, ba réaltog Presley agus bhíodh na cailíní sa tóir air agus gach scread astu pé áit a chuaigh sé. Ba mhinic amhráin Presley go hard sna cairteanna ina dhiaidh sin. Glaodh isteach san arm é le haghaidh seirbhíse míleata agus bhíothas den tuairim go ndéanfaí dearmad air. Nuair a tháinig sé amach sa bhliain 1960 bhí clú níos mó ná riamh air. Ghlac sé páirt i mórchuid scannán ach, i gcoitinne, níor éirigh go ró-mhaith leo mar bhí Elvis teoranta mar aisteoir agus níorbh fhiú faic na scannáin chéanna.

D'éirigh Presley as bheith ag canadh go poiblí. Chuir sé faoi i nGraceland, teach galánta a cheannaigh sé as brabús a gceirníní. Phós sé agus bhí iníon amháin aige. Faraor, d'éirigh sé mí-shásta leis féin, teanntaithe i nGraceland gan seans dá laghad aige dul amach i measc daoine. D'éirigh sé tugtha do na drugaí agus thit se chun feola. Bhí "teacht ar ais" aige i Las Vegas sna seachtóidí agus ba léir go raibh a ghuth chomh maith agus riamh. Sa bhliain 1977 fuair "an Rí" bás. Taom croí a mharaigh é. Ní bréag a rá nach mbeidh a leithéid ann arís mar ba é a bhunaigh fochultúr nua - fochultúr an aosa óig.

 CEISTEANNA

(i)   Cé dó a ndearna Presley a chéad cheirnín?
(ii)   Cén fáth, dar leat, ar éirigh chomh maith le Presley?
(iii)   Cad a thuig an "Coirnéal" Tom Parker?
(iv)   Cén éifeacht a bhí ag Presley ar na cailíní?
(v)   Cad a cheap daoine nuair a chuaigh Presley isteach san arm?

34 Na filí nua-aimseartha

S a bhliain 1970 foilsíodh iris filíochta in Ollscoil Chorcaí dar teideal *Innti*. Iris an-suimiúil ba ea í ina raibh baicle d'fhilí óga ag scríobh. Ina measc siúd bhí Michael Davitt, Nuala Ní Dhomhnaill, Liam Ó Muirthille, Gabriel Rosenstock agus daoine eile. Micléinn ollscoile a bhformhór a bhí ag cumadh filíochta glan as an nua sa Ghaeilge.

Cé go raibh an-éagsúlacht stíleanna le feiceáil, bhí na tréithe seo a leanas ag na scríbhneoirí ar aon: Níor chainteoirí ó dhúchais iad; b'as na cathracha a bhformhór agus bhí siad ag léiriú a gcuid taithí ar an saol nua-aimseartha.

Níor tuigeadh a gcuid dánta ar dtús. Ní amháin sin ach bhí na filí traidisiúnta go mór ina gcoinne. Cháin Seán Ó Ríordáin go leor de na filí óga á rá nach raibh ina n-iarrachtaí ach gimic. Ainneoin sin lean na scríbhneoirí óga leo ag saothrú. Mhair an iris *Innti* fad a bhí siad sa choláiste ach nuair a bhain siad an chéim amach chuaigh sé i léig ar feadh tamaill.

Timpeall na bliana 1979, áfach, seoladh an iris arís agus an t-am seo bhí an iris ar bhonn proifisiúnta. Chuaigh sé ó neart go neart agus níorbh fhada gur glacadh leis mar ghuth na nuafhilí Gaeilge. Diaidh ar ndiaidh ghlac na criticí ollscoile lena raibh ann agus níor chuir siad ina choinne. Le h-imeacht aimsire bhain go leor de na filí seo clú agus cáil amach as feabhas a gcuid ealaíne.

Tá *Innti* ann fós agus an-rath air go deo. Seoladh *Innti* 14 i gcaife Bewley's i mBaile Átha Cliath sa bhliain 1994. Bhí idir óg agus sean ann. Ní filí óga filí na seachtóidí a thuilleadh ach tá filí eile ag scríobh d'*Innti* a rugadh sna seachtóidí. Glactar leis gur chuidigh na nuafhilí le h-athbheochan na filíochta Gaeilge. Is éacht é sin sa lá atá inniu ann.

CEISTEANNA

(i)   Cérbh iad na tréithe a bhí ag filí *Innti* ar aon?

(ii)   "Níor tuigeadh a gcuid dánta ar dtús." Cén dearcadh a bhí ag na filí traidisiúnta ina leith?

(iii) Céard a tharla timpeall na bliana 1979?

(iv) Cén chaoi ar éirigh le filí *Innti* le h-imeacht aimsire?

(v)   Cén "éacht" a rinne filí *Innti*?

35 Gluaiseacht Chearta na mBan

Ar na saolta seo tugtar feimineachas ar an ngluaiseacht chun cearta na mban a bhaint amach. Is ón Laidin *femina* a thagann an focal seo. Ag tús na haoise seo bhí ar na mná feachtas a chur ar siúl chun cearta bunúsacha polaitíochta a bhaint amach. Ina measc siúd bhí ceart vótála agus ceart bheith ina mbaill pharlaiminte.

D'éirigh leo na cearta bunúsacha seo a bhaint amach cé gur dhíol siad go dóite as an bhfeachtas. Baineann feimineachas an lae inniu le polaitíocht na seascaidí. Sna blianta sin bhí mionlaigh agus dreamanna eile a bhí thíos leis ag féachaint le cothram na Féinne a bhaint amach dóibh féin.

Glacadh leis go raibh leatrom á dhéanamh ar na mná i gcúrsaí eacnamaíochta agus soisialta. Bhí sé thar am a gcearta a thabhairt dóibh. Bunaíodh an ghníomhaireacht Um Chomhionannas Fostaíochta sa bhliain 1977 chun comhchearta do gach duine a bhaint amach i gcúrsaí oibre. Tháinig feabhas mór ar chúrsaí ina dhiaidh sin. Foilsíodh an Tuarascáil um Stádas Ban i 1973 agus as sin d'eascair an Chomhairle um Stádas na mBan. Tá baint ag an gcomhairle sin le seacht n-eagraíocht is seachtó sa tír anois.

Murab ionann agus tíortha eile, caitheadh go maith leis na mná fadó in Éirinn. Níor mhaoin phearsanta í an bhean de chuid a fir riamh ná níor leis an bhfear a maoin siúd. Bhí cead ag na mná de réir dlí saoirse a bhaint amach dóibh féin.

Tá sé suimiúil gur beag idirdhealú a fheictear idir fir is mná i dteanga na Gaeilge. Usáidtear "duine", "daonna" agus "daon" sa Ghaeilge áit a mbíonn "man" de ghnáth sa Bhéarla. Ciallaíonn "cathaoirleach" fear nó bean. Is mar an gcéanna "a chara/a chairde" mar bheannú litreach.

Déarfaidh go leor ban ar na laethanta seo nach bhfuil an scéal sásúil fós i leith a gcearta agus go bhfuil mná thíos leis i gcónaí. Tá morán le déanamh fós chun an seanmheon traidisiúnta a athrú ach caithfear a rá go bhfuil cúrsaí níos fearr anois ná mar a bhí fiche bliain ó shin. San am sin ní fheicfeá bean an phoist ná bean ag tiomáint bus. Is cosúil freisin nach bhfeicfeá bean álainn éirimiúil ina hUachtarán ar an tír ach chomh beag.

 **CEISTEANNA**

(i) Cad is ciall le feimineachas ar na saolta seo?

(ii) Cén cearta a bhí ó na mná ag tús na haoise seo?

(iii) Cén eagraíocht a bunaíodh sa bhliain 1977?

(iv) Cén cead a bhí ag na mná de réir dlí in Éirinn fadó?

(v) Cad déarfaidh go leor ban ar na saolta seo?

36 Spraoi-Mharcaíocht

Is beag lá den tseachtain anois nach bhfuil tuairisc 'sna nuachtáin faoi dhaoine óga ag spraoi-thiomáint. Ní ceart an t-ainm seo a thabhairt ar an nós gránna mar bíonn gluaisteáin á ngoid agus iad á dtiomáint i mbarr a luais ar fuaid na mbóithre. Is beag cúram a dhéanann na gadaithe óga seo den phobal i gcoitinne agus is cuma leo sa tubaiste má ghortaítear páiste nó duine ar bith.

Faraor, is minic a maraítear na spraoi-mharcaithe iad féin. Tarlaíonn seo uaireanta nuair a théann na gardaí sa tóir orthu. Uaireanta eile, tarlaíonn sé nuair a théann na gluaisteáin ó smacht agus nuair a bhuaileann siad faoi chrann nó faoi chuaillí sráide. Gabhann daoine áirithe leithscéalta faoi na spraoi-mharcaithe seo, á rá nach bhfuil dóthain áiseanna dóibh nó, go bhfuil siad ar an gcaolchuid. Is beag sólás a thabharfaidh a leithéid de leithscéal don phobal cráite.

I gceantair áirithe thug ceannairí na n-óg ceachtanna tiomána speisialta do na daoine óga agus chabhraigh siad leo ag cur caoi ar sheanghluaisteáin. Cuireadh traic rásaíochta speisialta ar fáil dóibh d'fhonn iad a mhealladh ó na sráideanna agus d'éirigh go maith leis an tionscnamh. Ní féidir a leithéid a dhéanamh i ngach ceantar áfach, mar go bhfuil an scéim an-chostasúil.

Nuair a bhí an spraoi-thiomáint go dona i mBaile Átha Cliath sa bhliain 1984 osclaíodh príosún ar leith d'ógchiontóirí ar oileán Spíce i gCuan Chorcaí. Chuir seo cosc ar go leor gaigíní ach ba ghearrthéarmach é mar réiteach iomlán ar an bhfadhb. Is gá do thuismitheoirí smacht a chur ar an aos óg agus bonn moráltachta a thabhairt dóibh. Mura ndéantar seo beidh an fhadhb uafásach linn go fada an lá.

 CEISTEANNA

(i) Cén "nós gránna" a luaitear sa sliocht?

(ii) Cén chaoi a maraítear na spraoi-mharcaithe?

(iii) "Gabhann daoine áirithe leithscéalta." Cén leithscéalta iad seo?

(iv) Céard a rinneadh "i gceantair áirithe" chun an fhadhb a shárú?

(v) Cad ba chóir do thuismitheoirí a dhéanamh chun déileáil leis an bhfadhb?

37 Ceoltóir Cáiliúil! (Ardteistiméireacht 1993)

Ambasadóir cultúir ar son na tíre seo is ea Paddy Moloney. I nDomhnach Cearna i mBaile Átha Cliath a rugadh é. Bhí suim sa cheol traidisiúnta ar dhá thaobh an teaghlaigh aige. Nuair a bhí sé sé bliana d'aois ceannaíodh feadóg dó agus d'fhoghlaim sé í a sheinm. Bhí sé d'ádh air go raibh múinteoir aige sa bhunscoil a raibh an-chumas ceoil ann. D'aithin seisean féith an cheoil sa dalta óg agus thug sé spreagadh agus teagasc dó.

Le himeacht aimsire bhí baint ag **Paddy Moloney** le grúpaí éagsúla ceoltóirí. Ba é an ceol traidisiúnta ab fhearr leis i gcónaí, agus chomh luath agus a chuala sé ceol Sheáin Uí Riada thuig sé gur cheoltóir ar leith é. Chabhraigh sé leis an Riadach an bhuíon a chur ar bun ar ar tugadh *Ceoltóirí Chualann*. Tamall ina dhiaidh sin, thug sé grúpa eile ceoltóirí traidisiúnta le chéile, agus shocraigh siad na **Chieftains** a thabhairt mar ainm orthu féin.

Ó shin i leith tá cáil nach beag ar an ngrúpa sin, ní amháin sa tír seo ach i dtíortha ar fud an domhain. Tá dialann an ghrúpa lán cheana féin go dtí 1995. Bíonn sé mhí thar lear gach bliain acu, agus sé mhí sa bhaile, ag seinm agus ag taifeadadh. Is ag forbairt agus ag seinm cheol na tíre seo is mó a bhíonn siad, ach is minic iad ag seinm le ceoltóirí agus le ceolbhuíonta iasachta chomh maith. Is mó duine a chuala faoin turas a thug siad an an tSín. Ach is ar an India atá **Paddy Moloney** ag díriú faoi láthair. Beidh sé ag caitheamh tréimhse ann chun taighde a dhéanamh agus chun ceangal úr a shnaidhmeadh idir an India agus an tír seo. Mar is eol do mhórán daoine, tá gaol idir ceol na hÉireann agus ceol na hIndia. B'fhéidir, nuair a fhillfidh **Paddy Moloney** ar a thír dhúchais, go gcuirfidh sé eolas nua ar fáil dúinn ar an ngaol sin.

 CEISTEANNA

(i) Conas a chabhraigh an múinteoir sa bhunscoil le **Paddy Moloney**?

(ii) Céard a insítear faoi Sheán Ó Riada sa sliocht?

(iii) Conas a léirítear go bhfuil cáil nach beag ar na **Chieftains**?

(iv) Cén fáth a mbeidh **Paddy Moloney** ag caitheamh tréimhse san India?

(v) Cén fáth, dar leat, a dtugtar "ambasadóir cultúir ar son na tíre seo" ar **Paddy Moloney** sa sliocht?

38 An Tollán Farraige is Faide ar Domhan! (Ardteistiméireacht 1994)

Chomh fada siar leis an mbliain 1802 chinn an Bhreatain agus an Fhrainc tollán faoin bhfarraige a thógáil idir an dá thír. Ba é an t-innealtóir Francach **Albert Mathieu** a leag amach an chéad phlean. Mhol sé tollán bóthair 23 mhíle ar fad a thógáil, agus é a shoilsiú le lampaí ola agus é a aeráil le simléir a bheadh os cionn leibhéal an uisce. Thiocfadh an tollán go huachtar an uisce ar oileán a thógfaí i lár na farraige, agus mhalartófaí na capaill chóiste ann.

Ba é an t-innealtóir Sasanach **William Low** an chéad duine a mhol tollán iarnróid a dhéanamh faoin bhfarraige. Sa bhliain 1860 bheartaigh sé péire de tholláin iarnróid a thógáil, agus go bhféadfadh gluaiseacht na dtraenacha na tolláin a aeráil gan bheith i muinín simléar. Rinneadh roinnt oibre ar na tolláin sin go dtí gur chuir rialtas na Breataine deireadh leis an obair sa bhliain 1882. Ní raibh ceannairí míleata na Breataine sásta leis an bplean ó thaobh slándála de.

Faoi dheireadh, sa bhliain 1985, agus an dá thír ina mbaill den Chomhphobal Eorpach, chuir rialtas na Breataine agus rialtas na Fraince comórtas ar bun chun plean nua-aimseartha a chur ar fáil. Ba é an plean a bhuaigh, péire de tholláin iarnróid, agus tollán seirbhíse eatarthu, a thógail ó chomharsanacht *Dover* go comharsanacht *Calais*. Tosaíodh ar an tollánú sa bhliain 1987, agus tar éis trí bliana tháinig tolláin na Breataine agus na Fraince le chéile. Ón lá stairiúil sin, an chéad lá de Nollaig 1990, ní raibh an Bhreatain ina hoileán a thuilleadh.

Tá na tolláin á n-ullmhú faoi láthair do na traenacha paisinéirí agus earraí, ach tá go leor oibre le déanamh fós ar na hiarnróid ardluais idir *Dover* agus Londain. Go ceann roinnt blianta beidh na traenacha ó Pháras ag taisteal tríd an bhFrainc ar bhreis agus 100 míle san uair, ach beidh siad ag taisteal i bhfad níos moille trí dheisceart Shasana. Ní thógfaidh an turas faoin bhfarraige féin ach 35 nóiméad.

 CEISTEANNA

(i) Cén córas aerála a cheap **Albert Mathieu** don tollán?
(ii) Cad é an plean a mhol **William Low**?
(iii) Cén fáth nár cuireadh plean **William Low** i bhfeidhm?
(iv) De réir an scríbhneora, lá stairiúil ba ea an chéad lá de Nollaig, 1990. Cén fáth?
(v) Cén fáth a mbeidh na traenacha ag taisteal níos moille trí dheisceart Shasana?

39 An Sagart agus An Titanic! (Ardteistiméireacht 1995)

Chuaigh an línéar *Titanic* go tóin na farraige nuair a bhuail sé cnoc oighir amach ó chósta Mheiriceá oíche 14 Aibreán 1912. Ba í long ba mhó agus ba bhreátha ar an bhfarraige í lena linn, agus ba é an turas farraige ó Shasana go Meiriceá an chéad turas agus an turas deireanach a rinne sí. Ní raibh ach beagán blianta ó d'éirigh le *Marconi* an raidió a fhorbairt lena úsáid ar tír agus ar farraige. Chuala línéar eile glaonna raidió an *Titanic*, agus dá bharr sin bhíothas in ann a lán de na paisinéirí a shábháil. Ach bádh 1500 duine, dhá thrian dá raibh ar bord. Ceann de na tubaistí farraige ba mheasa riamh ba ea é.

Ag taisteal ó *Southampton* go *Nua-Eabhrac* a bhí an *Titanic*. Bhí mac léinn Íosánach darbh ainm **Proinsias de Brún** i measc na bpaisinéirí, ach é ar intinn aige dul i dtír nuair a shroichfeadh sí an *Cóbh* i gCorcaigh. Ní raibh aige ach ticéad don chuid sin den turas a fuair sé mar bhronntanas óna uncail, Easpag Chluana. Ba ghnách leis an bhfear óg seo a cheamara a bheith leis, agus thóg sé a lán fótagraf den long fad a bhí sé ar bord. Tar éis na tubaiste bhí fótagraif an Bhrúnaigh le feiceáil ar nuachtáin ar fud an domhain.

Thosaigh an Brúnach ar a chuid fótagrafaíochta nuair a bhí sé ina dhéagóir, agus thóg sé fótagraif gach áit dá ndeachaigh sé. Bhí sé ina mhac léinn san Iodáil, agus ina shéiplíneach airm sa Fhrainc. Chaith sé tréimhsí ag taisteal san Eoraip agus san Astráil. Ina dhiaidh sin, chaith sé tríocha bliain ina shagart Íosánach ag cur cúrsaí spioradálta ar siúl ar fud na hÉireann agus na Breataine. Nuair a fuair sé bás, d'fhág sé bailiúchán 42,000 fótagraf ina dhiaidh.

Rud an-tábhachtach a rinne an **tAthair de Brún** ba ea gur scríobh sé nótaí faoi ábhar agus faoi dháta fhormhór na bhfótagraf agus faoin áit inar tógadh iad. Cibé cúis a bhí leis, fágadh an bailiúchán luachmhar seo ina luí i dtrunc ar feadh cúig bliana is fiche gan baint leis. Nuair a thángthas air sa bhliain 1985, b'éigean cóiriú as an nua a dhéanamh ar na fótagraif. Rinneadh catalóg díobh - baineann 35,000 acu le hÉirinn - agus foilsíodh cuid acu i leabhair. Le cúpla bliain anuas tá taispeántas fótagraf as an mbailiúchán á thaispeáint in áiteanna ar fud na hÉireann. Tá an bailiúchán cáiliúil seo an Bhrúnaigh á chaomhnú anois mar oidhreacht thábhachtach.

 CEISTEANNA

(i) Cé mhéad duine a mheasann tú a bhí ar bord an *Titanic*?

(ii) Cad é an bhaint a bhí ag *Marconi* lena lán de na paisnéirí a shábháil?

(iii) Cén fáth, dár leat, a raibh fótagraif an Bhrúnaigh le feiceáil ar nuachtáin ar fud an domháin?

(iv) Cad é an tábhacht is dóigh leat a bhain le nótaí an Bhrúnaigh?

(v) Cén fáth, dár leat, arbh éigean cóiriú as an nua a dhéanamh ar na fótagraif?

40 Ó John Barry go dtí an JFK   (Ardteistiméireacht 1997)

Is deacair an t-iompróir aerárthaí Meiriceánach, an JFK, a shamhlú, tá sé chomh mór sin – níos faide ná Sráid Uí Chonaill agus níos airde ná Halla na Saoirse i mBaile Átha Cliath. Go dtí an samhradh seo caite ní fhacthas riamh i bhfarraigí na hÉireann árthach ar an scála sin. Dá gcuirfí trí pháirc shacair le chéile ní bheidís ó cheann go ceann chomh fada leis. Baile ar snámh is ea é, dáiríre. Iompraíonn sé foireann 5,000 duine agus 75 aerárthach, agus tá cábáin agus hallaí bia ann, amharclanna agus pictiúrlanna, siopaí, cúirteanna cispheile agus go leor ionad eile caithimh aimsire.

Seo téacs litreach a foilsíodh i nuachtán sular tháinig an JFK go hÉirinn:

"Ba mhaith liom freagra a thabhairt orthu siúd atá i gcoinne chuairt an JFK. Is mian liom a chur in iúl go n-aontaím féin go hiomlán leis an gcuairt sin. Tugann sí deis dúinn ceann de na gléasanna cumhachtacha a fheiceáil a chuidíonn leis an daonlathas a chosaint ar fud an domhain.

"Ba chóir gan dearmad a dhéanamh choíche gur tháinig na Stáit Aontaithe i gcabhair ar an Eoraip, ní uair amháin ach dhá uair, san aois seo. Ba chóir cuimhneamh ar an gcogadh domhanda deireanach. Dá mbeadh an tIarthar ullamh, chríochnófaí an cogadh sin i bhfad níos luaithe. Faoi mar a tharla, fágadh na milliúin duine marbh. Murach na Stáit Aontaithe, bheadh rialtóirí ó thíortha eile againn i dTeach Laighean agus i bPáirc an Fhionnuisce.

"Ní mór don Iarthar bheith ullamh i gcónaí agus gléasanna éifeachtacha cogaidh a choinneáil. Féachaim ar an JFK, agus fáiltím roimhe, mar ghléas síochána; ní mar ghléas le cogadh a throid, ach mar ghléas le cogadh a chosc. Ba cheart dúinn bheith buíoch i gcónaí de na Stáit Aontaithe."

Sular sheol an JFK go Dún Laoghaire – áit ar chuir na sluaite daoine fáilte roimhe – bhí sé beartaithe go ligfí do na mílte duine dul ar bord lena fheiceáil agus go dtabharfadh baill den fhoireann cuairt ar leacht John Barry i Loch Garman. I ndeireadh an ochtú haois déag bhuaigh John Barry cathanna móra farraige do chabhlach na Stát Aontaithe. Dhá chéad bliain ó shin – sa bhliain 1797 – bhronn an tUachtarán Washington an post is airde sa chabhlach nua ar an bhfear misniúil seo ó Chontae Loch Garman. Go dtí an lá atá inniu ann, tugtar "Athair Chabhlach na Stát Aontaithe" air mar theideal cúirtéise.

 CEISTEANNA

(i)   Conas a chuireann scríbhneoir an tsleachta in iúl fad an JFK?
(ii)   Cad a spread scríbhneoir na litreach chun an litir a scríobh?
(iii)   "Ba cheart dúinn bheith buíoch i gcónaí de na Stáit Aontaithe," dar le scríbhneoir na litreach. Cén fáth?
(iv)   Cén fáth, dar le scríbhneoir an tsleachta, ar tháinig an JFK go hÉirinn?
(v)   Cén fáth a dtugtar "Athair Chabhlach na Stát Aontaithe" mar theideal cúirtéise ar John Barry?

41 Imirceach Nár Thréig a Dhúchas   (Ardteistiméireacht 1998)

Tá leacht cuimhneacháin ar Broadway a bhfuil inscríbhinn air i nGaeilge, i Laidin agus i mBéarla in onóir do Liam Mac Cnáimhín (William McNevin 1763-1841). Láimh le hEachroim i gContae na Gaillimh a rugadh é; i stair Mheiriceá tá cáil air i gcúrsaí eolaíochta. Ach an bhfuil dearmad déanta ag Éirinn air, an fear seo a bhí ar choiste ceannais na nÉireannach Aontaithe? Ceithre throigh is tríocha ar airde atá an leacht, agus is ábhar bróid ag Éireannaigh i Nua-Eabhrac é le fada an lá. Ina cheantar dúchais, áfach, go bhfios dom, níl ainm Mhic Chnáimhín le feiceáil go poiblí ar aon chomhartha eolais.

Bhain daoine de shinsir Mhic Chnáimhín céimíocht amach ar mhór-roinn na hEorpa i gcúrsaí míleata agus i gcúrsaí léinn. Rinne sé féin imirce go dtí an mhór-roinn. Thug sé aghaidh ar Phrág, mar a raibh uncail leis i gceannas ar dhámh an leighis san ollscoil agus ina phríomhdhochtúir ag an mbanríon, Maria Theresa. Ghnóthaigh Mac Cnáimhín céimeanna eolaíochta, leighis agus teangacha, agus chaith sé tréimhse i Vín le traenáil mhíleata – éacht oibre d'fhear chomh hóg leis. Nuair a d'fhill sé ar Éirinn, chuaigh sé i mbun oibre mar dhochtúir i mBaile Átha Cliath. Ach má ba thréan glaoch na heolaíochta agus na dochtúireachta air, ba threise fós air glaoch eile.

Bá é mian a chroí bheith páirteach sa réabhlóid chun an tír a fhuascailt ó dhaorsmacht. Tháinig an lá tubaisteach i Márta na bliana 1798 nuair a gabhadh é féin agus ceannairí eile na nÉireannach Aontaithe i mBaile Átha Cliath. Sa tréimhse sin bhí dlúthbhaint agus comhoibriú aige le Thomas Addis Emmet. D'oibrigh siad le chéile ar choiste stiúrtha na nÉireannach Aontaithe; chaith siad bliain i bpríosún in Albain; i bPáras dóibh tar éis iad a scaoileadh saor, rinne siad comhiarracht cabhair mhíleata a eagrú sa Fhrainc; faoi dheireadh, chinn siad ar imirce a dhéanamh go Nua-Eabhrac.

Bhí Mac Cnáimhín ag déanamh ar an leathchéad nuair a thosaigh an tréimhse dá shaol inar bhain sé cáil amach mar eolaí. Fuair sé post mar ollamh Ceimice in Ollscoil Nua-Eabhrac. Chomh maith lena chuid scríbhinní eolaíoctha, d'fhoilsigh sé roinnt dréachtaí faoi stair na hÉireann. Bliain sula bhfuair sé bás ceapadh é ina phríomhdhochtúir i stát Nua-Eabhrac. D'ainneoin a chuid saothair i gcúrsaí eolaíochta leighis, choinnigh sé oifig d'Éireannaigh i Nua-Eabhrac chun cabhrú leo fostaíocht a fháil.

 CEISTEANNA

(i) Cad atá i gceist ag an scríbhneoir nuair a fhiafraíonn sé "an bhfuil dearmad déanta ag Éirinn air"?
(ii) Cén sampla a thugtar sa sliocht den "chéimíocht" a bhain sinsir Mhic Chnáimhín amach?
(iii) Cad é an "glaoch eile" a bhí ar Mhac Cnáimhín?
(iv) Cén comhoibriú a bhí idir Mac Cnáimhín agus Emmet?
(v) Conas a thaispeáin Mac Cnáimhín le linn dó bheith i Meiriceá nár thréig sé a dhúchas?

TRIALACHA CLUASTUISCEANA

Mairfidh an triail tuairim is tríocha nóiméad. Ba cheart duit éisteacht go géar leis na giotaí cainte ar fad agus leis na treoracha ginearálta a chloisfidh tú ar an téip. Tá trí chuid sa triail — Cuid A, Cuid B agus Cuid C. Tá na treoracha speisialta agus na ceisteanna a ghabhann le gach ceann de na trí chuid sin clóbhuailte ar do scrúdpháipéar.

AONAD 1

CUID A

Cloisfidh tú *trí cinn* d'fhógraí raidió sa chuid seo. Cloisfidh tú gach fógra díobh *faoi dhó*. Beidh sosanna le haghaidh scríobh na bhfreagraí tar éis na chéad éisteachta agus an dara héisteacht.

Fógra a hAon

Líon isteach an t-eolas atá á lorg sa ghreille anseo.

Ainm na scoile	
Cá rachaidh an t-airgead	
Cé mhéid a bailíodh anuraidh	
Cé hiad na daltaí a bheidh ina dtroscadh	

Fógra a Dó

1 (a)   Cá bhfuil cónaí ar Sheán?

   (b)   Cén aois dó?

2 (a)   Cad ba mhaith leis a dhéanamh nuair a fhágann sé an scoil?

   (b)   Cá bhfuil a dheirfiúr ag obair?

Fógra a Trí

1 (a)   Cad as do na buachaillí?

   (b)   Céard a tharla don bhád?

2 (a)   Cé tháinig i gcabhair orthu?

_____

   (b)   Cá raibh tuairisc ar an eachtra?

_____

CUID B

Cloisfidh tú *trí cinn* de chomhráite sa chuid seo. Cloisfidh tú gach comhrá díobh *trí huaire*. Cloisfidh tú an comhrá ó thosach deireadh an chéad uair. Ansin cloisfidh tú é ina *dhá mhír*. Beidh sos le haghaidh scríobh na bhfreagraí tar éis gach míre díobh. Ina dhiaidh sin cloisfidh tú an comhrá ó thosach deireadh arís.

Comhrá a hAon

An Chéad Mhír

1   Cad a chaitheann Seán?

_____

2   Cén aois do sheanathair Sheáin?
   (a)   ochtó bliain d'aois
   (b)   seasca bliain d'aois
   (c)   caoga bliain d'aois
   (d)   daichead bliain d'aois

cuir an litir cheart
sa bhosca

An Dara Mír

1   Tá dlúthbhaint idir tobac agus
   (a)   eitinn
   (b)   tinneas cinn
   (c)   fliú
   (d)   ailse scamhóg

cuir an litir cheart
sa bhosca

2   Cé mhéid toitín a chaitheann Seán in aghaidh an lae?

_____

Comhrá a Dó

An Chéad Mhír

1   Cén sórt aimsire atá ann?

_____

2   Luaigh fadhb amháin a bhí ag Séamas.

_____

An Dara Mír

1   Cé a chonaic Séamas trasna na sráide?

2   Cé acu ráiteas díobh seo atá fíor?
    (a)   bhí na daltaí tinn
    (b)   d'éalaigh siad ón scoil
    (c)   bhí ocras orthu
    (d)   bhí tart orthu

cuir an litir cheart
sa bhosca

Comhrá a Trí

An Chéad Mhír

1   Cé hí Bean Uí Bhroin?

2   Cén leithscéal a bhí ag Séamas?

An Dara Mír

1   Cé scríobh an litir bhréige, dar le Séamas?

2   Cén pionós a tugadh do Shéamas?

CUID C

Cloisfidh tú *trí cinn* de phíosaí raidió sa chuid seo. Cloisfidh tú gach píosa díobh *faoi dhó*. Beidh sosanna le haghaidh scríobh na bhfreagraí tar éis na chéad éisteachta agus an dara héisteacht.

Píosa a hAon

1   Cé rinne an damáiste?

2   Luaigh dhá imeacht a bhí ar siúl sa halla.

Píosa a Dó

1   Céard a bhí á chaitheamh ag an gcailín?

2   Cén fáth a bhfuil a tuismitheoirí go mór trí chéile?

_____

Píosa a Trí

1   Céard a bhuail líán an eitleáin?

_____

2   Cén t-ainm a bhí ar an bpíolóta?

_____

Is féidir úsáid a bhaint as an bhfoclóir tugtha thíos (ní thugtar foclóir sa scrúdú, áfach).

AONAD 1

FOCLÓIR

Fógra a hAon
- ina dtroscadh *(on a fast)*
- a shárú *(to exceed/surpass)*
- ranganna sóisearacha *(junior classes)*

Fógra a Dó
- ag tathaint orm *(urging/nagging me)*
- banaltra *(a nurse)*
- thar lear *(abroad)*

Fógra a Trí
- an t-ádh *(luck/lucky)*
- loic *(stopped/failed)*
- ar cheann téide *(in tow)*
- tuairisc *(report)*

Comhrá a hAon
- is fuath liom *(I hate)*
- dlúthbhaint *(close connection)*
- ag seanmóireacht *(preaching)*
- dod phlúchadh féin *(choking yourself)*

Comhrá a Dó
- an-chasta *(very complicated/difficult)*
- spíonta *(worn out)*
- éalú ón scoil *(to dodge/mitch from school)*
- amhrasach *(suspicious)*

Comhrá a Trí
- a dhuine uasail *(Sir)*
- lorg a láimhe *(her handwriting)*
- gnóthach *(busy)*
- gach pioc *(every bit)*

Píosa a hAon
- smearadh *(daubed/smeared)*
- gaigíní *(hooligans)*
- an-bhuartha *(very upset)*

Píosa a Dó
- ar iarraidh *(missing)*
- bróga spóirt *(runners/trainers)*
- ón bpobal *(from the public)*

Píosa a Trí
- ar eitilt thraenála *(on a training flight)*
- lián *(propellor)*
- ar foluain *(in a glide)*
- stuaim *(level headedness)*

AONAD 2

CUID A

Cloisfidh tú *trí cinn* d'fhógraí raidió sa chuid seo. Cloisfidh tú gach fógra díobh *faoi dhó*. Beidh sosanna le haghaidh scríobh na bhfreagraí tar éis na chéad éisteachta agus an dara héisteacht.

Fógra a hAon

Líon isteach an t-eolas atá á lorg sa ghreille anseo.

Cén tír atá luaite?	
An áit a raibh na daoine i mbaol.	
Cé mhéid talaimh a bhí faoi uisce?	
Cé mhéid duine a fuair bás?	

Fógra a Dó

1 (a) Cá bhfuil an banc suite?

(b) Cár luigh na custaiméirí?

2 (a) Céard dúirt na fir armtha?

(b) Cén chaoi ar éalaigh siad ón áit?

Fógra a Trí

1 (a) Cén t-ainmhí a d'éalaigh amach?

(b) Cé tháinig ar an láthair ar dtús?

2 (a) Cé tháinig ón sú?

(b) Céard a chaith siad leis an ainmhí?

CUID B

Cloisfidh tú *trí cinn* de chomhráite sa chuid seo. Cloisfidh tú gach comhrá díobh *trí huaire*. Cloisfidh tú an comhrá ó thosach deireadh an chéad uair. Ansin cloisfidh tú é ina *dhá mhír*. Beidh sos le haghaidh scríobh na bhfreagraí tar éis gach míre díobh. Ina dhiaidh sin cloisfidh tú an comhrá ó thosach deireadh arís.

Comhrá a hAon

An Chéad Mhír

1   Cad a tharlaíonn ó am go chéile, dar le hÁine?

_____

2   Cár chaith Aogán oíche?
    (a)   sa pháirc
    (b)   sa tsráid
    (c)   i dteach siúil
    (d)   sa leaba

cuir an litir cheart sa bhosca

An Dara Mír

1   Bhí
    (a)   fiche punt
    (b)   deich punt
    (c)   cúig phunt
    (d)   punt
    le híoc ag Pádraig Ó Riain.

cuir an litir cheart sa bhosca

2   Céard a úsáid na buachaillí nuair nach raibh leaba sa teach?

_____

Comhrá a Dó

An Chéad Mhír

1   Cad tá ag teastáil ón mbean?

_____

2   Cén fáth, dar leat, go dteastaíonn cliabhán uaithi?

_____

An Dara Mír

1   Cén praghas atá ar an seomra agus bricfeasta leis?

_____

2   Cé acu ráiteas díobh seo atá fíor?
    (a)   Tá an bhean ag imeacht.
    (b)   Tá sí ag cur seomra in áirithe.
    (c)   Tá sí ag seinm ceoil.
    (d)   Tá sí ag ithe a bricfeasta.

cuir an litir cheart
sa bhosca

Comhrá a Trí

An Chéad Mhír
1   Cad tá ar iarraidh?
_____

2   Cé bhí ag súgradh leis an ainmhí dar leis an gcailín?

An Dara Mír
1   Cén dath atá ar an ainmhí?
_____

2   Cén bhail atá ar mhac an fhir?
_____

CUID C

Cloisfidh tú *trí cinn* de phíosaí raidió sa chuid seo. Cloisfidh tú gach píosa díobh *faoi dhó*. Beidh sosanna le haghaidh scríobh na bhfreagraí tar éis na chéad éisteachta agus an dara héisteacht.

Píosa a hAon
1   Cé bhronn an gradam ar na mic léinn?
_____

2   Cén sórt cailín ar cumadh an dráma fúithi?
_____

Píosa a Dó
1.   Cén chaoi ar tharla an timpiste?
_____

2.   Cár tógadh an gleacaí gortaithe?
_____

Píosa a Trí
1   Cé mhéid spásairí a lainseáladh?
_____

2   Cad air a ndéanfaidh na spásairí taighde?
_____

Is féidir úsáid a bhaint as an bhfoclóir tugtha thíos (ní thugtar foclóir sa scrúdú, áfach).

AONAD 2

FOCLÓIR

Fógra a hAon
- tuile *(flood)*
- a thréigean *(to leave/desert)*
- teanntaíodh *(were trapped)*
- staid éigeandála *(a state of emergency)*

Fógrá a Dó
- de ruathar *(rushed)*
- gunnaí gráin *(shotguns)*
- an t-airgeadóir *(the teller)*

Fógra a Trí
- d'éalaigh *(escaped)*
- rabhadh *(warning)*
- theilg siad ga *(They fired a dart)*

Comhrá a hAon
- a admháil *(to admit)*
- teach siúil *(a haunted house)*
- seanfhothrach *(an old ruined building)*
- thugamar a dhúshlán *(we took up/accepted his challenge)*

Comhrá a Dó
- an oíche dar gcionn *(the following night)*
- cliabhán *(a cot)*
- seirbhís feighleoireachta *(a babysitting service)*
- éarlais *(deposit)*

Comhrá a Trí
- tásc ná tuairisc *(a trace)*
- spáinnéar *(a spaniel)*
- an eaglais *(the church)*

Píosa a hAon
- gradam ealaíne *(an arts award)*
- éagumasach *(disabled)*
- máchail *(a disability)*
- talann *(talent)*

Píosa a Dó
- gleacaí *(acrobat)*
- luascán eitilte *(flying trapeze)*
- líon slándála *(safety net)*
- lucht féachana *(audience)*

Píosa a Trí
- spásairí *(astronauts)*
- ar diathar *(in orbit)*
- lucht eolaíochta *(scientists)*
- saineolaí *(an expert)*

AONAD 3

CUID A

Cloisfidh tú *trí cinn* d'fhógraí raidió sa chuid seo. Cloisfidh tú gach fógra díobh *faoi dhó*. Beidh sosanna le haghaidh scríobh na bhfreagraí tar éis na chéad éisteachta agus an dara héisteacht.

Fógra a hAon

Líon isteach an t-eolas atá á lorg sa ghreille anseo.

Cén aimsir a bheidh ann anocht?	
Cén teocht a bheidh ann anocht?	
Cén chaoi a mbeidh na bóithre amárach?	
Cén treo a shéidfidh an ghaoth amárach?	

Fógra a Dó

1 (a) Cá bhfuil Scoil Iognáid?

  (b) Cén lá a bheidh an cluiche ar siúl?

2 (a) Cathain a fhillfidh na busanna?

  (b) Cé uaidh a bhfuil breis eolais ar fáil faoin gcluiche?

Fógra a Trí

1 (a) Cé mhéid páistí a maraíodh?

  (b) Cár tharla an timpiste?

2 (a) Conas a tharla an timpiste?

  (b) Céard a rinne athair na bpáistí?

CUID B

Cloisfidh tú *trí cinn* de chomhráite sa chuid seo. Cloisfidh tú gach comhrá díobh *trí huaire*. Cloisfidh tú an comhrá ó thosach deireadh an chéad uair. Ansin cloisfidh tú é ina *dhá mhír*. Beidh sos le haghaidh scríobh na bhfreagraí tar éis gach míre díobh. Ina dhiaidh sin cloisfidh tú an comhrá ó thosach deireadh arís.

Comhrá a hAon

An Chéad Mhír

1   Cá fhad a chaith Aisling sa Ghaeltacht?

_____

2   Cathain a bhíodh an dioscó-céilí ar siúl?
   (a)   gach tráthnóna
   (b)   gach lá
   (c)   gach oíche
   (d)   gach seachtain

cuir an litir cheart
sa bhosca

An Dara Mír

1   Bhí
   (a)   fear an tí
   (b)   Seán
   (c)   bean an tí
   (d)   a cairde
   sásta Gaeilge a labhairt le hAisling.

cuir an litir cheart
sa bhosca

2   Cá rachaidh Seán an bhliain seo chugainn?

_____

Comhrá a Dó

An Chéad Mhír

1   Cá fhad a bhí Nuala ag feitheamh?

_____

2   Cén fáth a bhfuil fearg uirthi?

_____

An Dara Mír

1   Cén bhail a bhí ar an bpáiste?

_____

2   Cé acu ráiteas díobh seo atá fíor?
   (a)   Chreid Nuala leithscéal Shéamais.
   (b)   Níor chreid Nuala leithscéal Shéamais.   cuir an litir cheart
   (c)   Leagadh Séamas.   sa bhosca
   (d)   Bhí Séamas tinn.

Comhrá a Trí

An Chéad Mhír

1   Cár aimsigh Pádraig an post páirtaimseartha?

_____

2   Cad a bhíonn le déanamh aige?

_____

An Dara Mír

1   Cén fáth nach bhfuil post ag Póilín?

_____

2   Cad ba mhaith le Pádraig a cheannach?

_____

CUID C

Cloisfidh tú *trí cinn* de phíosaí raidió sa chuid seo. Cloisfidh tú gach píosa díobh *faoi dhó*. Beidh sosanna le haghaidh scríobh na bhfreagraí tar éis na chéad éisteachta agus an dara héisteacht.

Píosa a hAon

1   Céard a rinne Seán de Búrca ar an seanscoil?

_____

2   Cá fhad a bhí sé ina ardmháistir?

_____

Píosa a Dó

1   Cé mhéid duine atá ar iarraidh?

_____

2   Céard dúirt na hiascairí le cara acu?

_____

Píosa a Trí

1   Cár tharla an eachtra seo?

_____

2   Cén baol a bhí ann?

_____

Is féidir úsáid a bhaint as an bhfoclóir tugtha thíos (ní thugtar foclóir sa scrúdú, áfach).

AONAD 3

FOCLÓIR

Fógra a hAon
- faisnéis na haimsire *(weather report/forecast)*
- ceathanna *(showers)*
- frithchuaranfa *(an anticyclone)*
- teocht *(temperature)*

Fógra a Dó
- cluiche leathcheannais *(semi-final)*
- staid *(stadium)*
- an-tacaíocht *(great support)*

Fógra a Trí
- go dona tinn *(seriously ill)*
- ar scoite lasrach *(caught fire/blazed)*
- lucht siúil *(travellers)*

Comhrá a hAon
- ar fheabhas *(great/excellent)*
- áis *(amenity/convenience)*
- ró-fhoirmeálta *(too formal)*

Comhrá a Dó
- móra na maidine duit *(good morning)*
- coinne *(a date)*
- ar an láthair *(on the scene)*
- crágáil abhaile *(to traipse home)*

Comhrá a Trí
- d'aimsigh mé *(I got/secured)*
- ó am go chéile *(from time to time)*
- ríomhaire *(a computer)*

Píosa a hAon
- a rinne forbairt *(developed)*
- trealamh *(equipment)*
- nua-aimseartha *(modern)*

Píosa a Dó
- potaí gliomach *(lobster pots)*
- nach raibh coinne *(weren't expecting)*
- cartadh i dtír *(were washed)*

Píosa a Trí
- sciorr *(skidded)*
- mionghortú *(minor injuries)*
- bealaigh éaluithe *(safety exits)*
- na húdaráis *(the authorities)*

AONAD 4

CUID A

Cloisfidh tú *trí cinn* d'fhógraí raidió sa chuid seo. Cloisfidh tú gach fógra díobh *faoi dhó*. Beidh sosanna le haghaidh scríobh na bhfreagraí tar éis na chéad éisteachta agus an dara héisteacht.

Fógra a hAon

Líon isteach an t-eolas atá á lorg sa ghreille anseo.

Cad a bheidh ann in oirthear na tíre anocht?	
Conas a bheidh an teocht maidin amárach?	
Cad a bheidh ann i lár na tíre amárach?	
Cá fhad a mhairfidh an dea-aimsir?	

Fógra a Dó

1 (a)   Cé dó an turas oideachais?

   (b)   Cén t-am a fhágfaidh na daltaí an scoil?

2 (a)   Cad air a dtabharfaidh siad cuairt?

   (b)   Cén costas atá ar an turas?

Fógra a Trí

1 (a)   Cár tharla an eachtra?

   (b)   Cá raibh na buachaillí nuair a chuala siad an screadaíl?

2 (a)   Cé chaith an coileán isteach san uisce?

   (b)   Cad tá i gceist ag na buachaillí a dhéanamh?

CUID B

Cloisfidh tú *trí cinn* de chomhráite sa chuid seo. Cloisfidh tú gach comhrá díobh *trí huaire*. Cloisfidh tú an comhrá ó thosach deireadh an chéad uair. Ansin cloisfidh tú é ina *dhá mhír*. Beidh sos le haghaidh scríobh na bhfreagraí tar éis gach míre díobh. Ina dhiaidh sin cloisfidh tú an comhrá ó thosach deireadh arís.

Comhrá a hAon

An Chéad Mhír

1   Cad is ainm do dheirfiúr Phádraig?

_____

2   Cá raibh Pádraig ag dul?
   (a)   go teach a aintín
   (b)   ag iascaireacht
   (c)   ag rince   cuir an litir cheart
   (d)   ag staidéar   sa bhosca

An Dara Mír

1   Bhí deirfiúr Phádraig
   (a)   ag ullmhú le haghaidh scrúdaithe
   (b)   ag iascaireacht
   (c)   ag cócáil   cuir an litir cheart
   (d)   ag snámh   sa bhosca

2   Luaigh an obair a rinne Pádraig, dar leis.

_____

Comhrá a Dó

An Chéad Mhír

1   Cé fuair bás?

_____

2   Conas a fuair sé bás?

_____

An Dara Mír

1   Cén bhail atá ar Eoin?

_____

2   Cé acu ráiteas díobh seo atá fíor?
   (a)   Tá an fear san ospidéal.
   (b)   Tá an corp á chur i Reilig Chaoimhín.   cuir an litir cheart
   (c)   Tá Eoin marbh.   sa bhosca
   (d)   Tá Bean Uí Bhriain marbh.

Comhrá a Trí

An Chéad Mhír

1 Cén t-am den bhliain atá ann?

_____

2 Cá rachaidh Máire nuair a bheidh deireadh leis an obair?

_____

An Dara Mír

1 Conas a d'éirigh le Ruairí sa scrúdú Fraincise?

_____

2 Cén cúrsa a dhéanfaidh Ruairí?

_____

CUID C

Cloisfidh tú _trí cinn_ de phíosaí raidió sa chuid seo. Cloisfidh tú gach píosa díobh _faoi dhó_. Beidh sosanna le haghaidh scríobh na bhfreagraí tar éis na chéad éisteachta agus an dara héisteacht.

Píosa a hAon

1 Cár bhris na fir isteach?

_____

2 Céard a bhí uathu?

_____

Píosa a Dó

1 Cad tá tanaí i mbliana?

_____

2 Cad a mholtar do dhaoine?

_____

Píosa a Trí

1 Cén fhadhb atá ag áitritheoirí Chéide Uí Néill?

_____

2 Cad ba mhaith leo a dhéanamh faoin scéal?

_____

Is féidir úsáid a bhaint as an bhfoclóir tugtha thíos (ní thugtar foclóir sa scrúdú, áfach).

AONAD 4

FOCLÓIR

Fógra a hAon
- brádán báistí *(drizzle)*
- an-mheirbh *(very close/sultry)*
- mairfidh *(will last)*

Fógra a Dó
- daltaí sinsearacha *(senior students)*
- iarsmalann *(museum)*
- cosnóidh *(will cost)*

Fógra a Trí
- coileán *(pup)*
- stocairí sráide *(hooligans/delinquents)*
- cead *(permission)*

Comhrá a hAon
- ar cuairt *(on a visit)*
- socrú *(arrangements)*
- níos toilteanaí *(more willing)*

Comhrá a Dó
- an drochscéal *(the bad news)*
- i bhfad uainn an t-olc *(God between us and all harm)*
- dochreidte *(incredible/unbelievable)*
- comhbhrón a dhéanamh *(to sympathise)*

Comhrá a Trí
- ag campáil *(camping)*
- cad fút féin? *(what about you?)*
- mé féin a chur in iúl *(to express myself)*
- bréan *(fed up)*

Píosa a hAon
- sa tóir ar *(are pursuing/seeking)*
- siopa poitigeára *(a chemist/pharmacy)*
- lán na lámh *(a haul)*

Píosa a Dó
- ag moladh do *(recommending/advising)*
- sraith ozóin *(the ozone layer)*
- ailse craiceann *(skin cancer)*

Píosa a Trí
- áitritheoirí *(residents)*
- gaiginí *(hooligans)*
- stocairí cúinne *(corner boys)*
- ar a laghad *(at least)*

AONAD 5

CUID A

Cloisfidh tú *trí cinn* d'fhógraí raidió sa chuid seo. Cloisfidh tú gach fógra díobh *faoi dhó*. Beidh sosanna le haghaidh scríobh na bhfreagraí tar éis na chéad éisteachta agus an dara héisteacht.

Fógra a hAon

Líon isteach an t-eolas atá á lorg sa ghreille anseo.

Céard atá i gceist ag Coiste Gairmoideachais Bhaile Átha Cliath a dhéanamh?	
Cén baol a bhí ann?	
Luaigh ábhar **amháin** a mhúinfear sa scoil.	
Cén chaoi a rachaidh daltaí ar scoil a bhfuil cónaí orthu i bhfad ón áit?	

Fógra a Dó

1 (a) Cén bhliain ina bhfuil na scoláirí a rachaidh ar an turas?

  (b) Cá bhfanfaidh siad i gCorca Dhuibhne?

2 (a) Cé air a gcuirfear agallamh?

  (b) Céard a chosnóidh an turas?

Fógra a Trí

1 (a) Cá bhfuil cónaí ar Pheadar Ó Riain?

  (b) Luaigh caitheamh aimsire **amháin** atá ag Peadar.

2 (a) Céard a bhuaigh Peadar?

  (b) Cén chaoi a ndéanann Peadar airgead sa bhaile?

CUID B

Cloisfidh tú *trí cinn* de chomhráite sa chuid seo. Cloisfidh tú gach comhrá díobh *trí huaire*. Cloisfidh tú an comhrá ó thosach deireadh an chéad uair. Ansin cloisfidh tú é ina *dhá mhír*. Beidh sos le haghaidh scríobh na bhfreagraí tar éis gach míre díobh. Ina dhiaidh sin cloisfidh tú an comhrá ó thosach deireadh arís.

Comhrá a hAon

An Chéad Mhír

1   Cén fáth nár ligeadh do Liam dul go Féile?

_____

2   Cén sórt tuismitheoirí atá ag Peadar, dar le Liam?
    Tá siad
    (a)   reasúnta
    (b)   cantalach
    (c)   greannmhar   cuir an litir cheart
    (d)   an-sean   sa bhosca

An Dara Mír

1   Tá
    (a)   gruaig fhada
    (b)   gruaig ghearr
    (c)   gruaig scáinte   cuir an litir cheart
    (d)   gruaig dhaite   sa bhosca
    ag Peadar.

2   Luaigh na cailíní a bheidh ag dul go Féile.

_____

Comhrá a Dó

An Chéad Mhír

1   Cé faoi a bhfuil na cailíní ag caint?

_____

2   Cén fáth nach bhfaca Eithne an duine a luaigh Mairéad?

_____

An Dara Mír

1   Conas a thagann an duine *"álainn"* ar scoil?

_____

2 Cad is dóigh le hEithne faoin duine a luaigh Mairéad?
   (a)   Tá sé an-dathúil
   (b)   Tá sé an-ghránna
   (c)   Tá sé saibhir
   (d)   Tá sé bocht

cuir an litir cheart
sa bhosca

Comhrá a Trí

An Chéad Mhír

1 Cén deacracht a bhí ag Pól?

_____

2 Céard a d'iarr sé ar Mháire?

_____

An Dara Mír

1 Céard faoi an aiste?

_____

2 Cé leis a bhfuil coinne déanta ag Pól?

_____

CUID C

Cloisfidh tú *trí cinn* de phíosaí raidió sa chuid seo. Cloisfidh tú gach píosa díobh *faoi dhó*. Beidh sosanna le haghaidh scríobh na bhfreagraí tar éis na chéad éisteachta agus an dara héisteacht.

Píosa a hAon

1 Cén fáth a raibh clú amuigh ar Ginger Rogers?

_____

2. Cén sórt mná ba ea Ginger Rogers?

_____

Píosa a Dó

1 Céard a cheap daoine fadó mar gheall ar chaitheamh tobac?

_____

2 Luaigh **dhá** áit nach féidir tobac a chaitheamh.

_____

Píosa a Trí

1 Cén fáth a mbíonn seandaoine i mbaol?

_____

2 Cén chaoi ar féidir leis na seandaoine féin aire a thabhairt dóibh féin?

_____

Is féidir úsáid a bhaint as an bhfoclóir tugtha thíos (ní thugtar foclóir sa scrúdú, áfach).

AONAD 5

FOCLÓIR

Fógra a hAon
- lán-Ghaelach *(all Irish)*
- den chéadscoth *(first class/high quality)*
- sa todhchaí *(in future)*

Fógra a Dó
- ar thuras oideachais *(on an educational tour)*
- agallamh *(an interview)*
- leathchéad *(fifty)*

Fógra a Trí
- ball *(a member)*
- dordghiotáir *(bass guitar)*
- bonn seasta *(secure base)*

Comhrá a hAon
- mo cholcheathrar *(my cousin)*
- réasúnta *(reasonable)*

Comhrá a Dó
- ar fheabhas *(excellent)*
- dathúil *(handsome)*

Comhrá a Trí
- geall leis *(almost)*
- diúltú duit *(to refuse you)*

Píosa a hAon
- an-tóir *(very popular)*
- réaltóg *(a star)*

Píosa a Dó
- galair scamhóg *(lung disease)*
- scáileáin mhóra *(big screens)*
- plúchadh *(bronchitis/asthma)*

Píosa a Trí
- iargúlta *(remote)*
- taithí *(experience)*
- san airdeall *(on the alert)*

AN LASAIR CHOILLE

──────── An Drámadóir ────────

Caitlín Maude. Rugadh í i Ros Muc i gConamara i 1941. Ba mhúinteoir, amhránaí, file agus aisteoir í. Fuair sí bás i 1982. Tógadh an dráma seo (a scríobh sí i bpáirt le Mícheál Ó hAirtnéide) as Caitlín Maude: Drámaíocht agus Prós (1988) eagraithe ag Ciarán Ó Coigligh.

Leagan Gearr d'Imeachtaí an Dráma

Tá Séamas (fear óg simplí gan mórán éirime cúig bliana is fiche d'aois) in aimsir le dhá bhliain déag i dteach sean-Mhicil, cláiríneach. Bíonn Micil ag coimeád na leapan. Oibríonn Séamas go dian agus tuilleann sé roinnt airgid. Tá peata éin ag Séamas. Is lasair choille é agus é i gcás sa teach. Bíonn Séamas ag caint leis an éan agus ag feadaíl chun ceol a bhaint as.

Luann Séamas go bhfuil sé ag smaoineamh ar imeacht go Sasana ach déanann Micil a bheag den tuairim, á rá leis an bhfear óg nach bhfuil ann ach ceann cipín agus nach féidir leis rud ar bith a dhéanamh as a chonlán féin. Cuireann sé i gcuimhne do Shéamas freisin go mbuaileann taomanna é agus nach mbeadh sé slán leis féin taobh amuigh den teach.

Leis sin buaileann bean óg isteach. Míoda is ainm di. Dar le Séamas nach tincéir í ach bean uasal álainn. Tá sí stiúgtha leis an ocras agus iarrann sí bia ar Shéamas. Deir sí gur éalaigh sí ón Teach Mór i mBaile na hInse. Is iníon í le hIarla Chonnacht agus tá sí ag teitheadh mar nár lig sé as a radharc í bhí grá chomh mór aige di.

Tá sé i gceist ag Míoda éalú go Sasana. Casann sí port do Shéamas agus dúisíonn Micil. Tuigeann an seanduine láithreach gur tincéir í agus teastaíonn uaidh an bóthar a thabhairt di. Tá eagla air go ngoidfidh Míoda an t-airgead atá curtha aige sa scilléad (aon phunt déag).

Cuireann an bhean óg ar shúile Shéamais go bhfuil Micil á choinneáil sa bhaile chun sclábhaí a dhéanamh de. Dar léi gur le Séamas féin an t-airgead mar gur thuill sé féin é. Iarrann sí air éalú léi go Sasana fad atá airgead acu.

Bíonn eagla agus imní ar Mhicil ansin agus impíonn sé ar Shéamas gan é a fhágáil leis féin. Déanann sé iarracht a chur ina luí ar Shéamas go bhfuil fadhbanna aige sa chaoi nach n-éireoidh leis thall. Bréagnaíonn Míoda an méid seo á rá le Séamas gur fear breá láidir é.

Tá Séamas i gcás idir dhá chomhairle. Tá Micil ag impí air fanacht agus tá Míoda ag tathaint air imeacht. Deir Micil ansin go bhfágfaidh sé a theach agus a thalamh do Shéamas má fhanann sé ach tá níos mó misnigh ag Séamas anois agus bean deas aige.

Buailtear an doras ansin agus tagann fear isteach. Is tincéir é agus bagraíonn sé ar Mhíoda. Ordaíonn sé di filleadh abhaile. Tosaíonn sí féin agus an fear ag magadh faoi Shéamas bocht mar gur chreid sé gurbh iníon Iarla í. Imíonn an bheirt tincéirí agus fágtar Séamas agus Micil leo féin.

Faoin am seo tá níos mó féin-mhuiníne ag Séamas as féin agus tá sé buíoch de Mhíoda mar gur oscail sí a shúile. Scaoileann sé saor an lasair choille agus canann an t-éan den chéad uair i mbarr crainn. Nuair a fhiafraíonn Micil de an bhfanfaidh sé sa teach deir sé nach bhfuil sé cinnte. Tá rogha aige ar a laghad anois agus ní bheidh sé faoi shlat ag an seanduine choíche. Tá sé tar eís an tsaoirse a bhlaiseadh agus is fear difriúil é, fear diongbháilte cumasach.

GLUAIS

- gan mórán éirime - gan mórán céille *(not very intelligent)*
- in aimsir - ar aimsir *(in service / working)*
- cláiríneach - bacach *(cripple)*
- lasair choille - éan beag de chuid na nglasóg *(goldfinch)*
- déanann Micil a bheag de - déanann Micil spior spear de *(he dismisses the idea)*
- ceann cipín - ceann maide *(blockhead)*
- as a chonlán féin - as a stuaim féin *(off his own bat)*
- go mbuaileann taomanna é - go bhfuil titeamas air *(that he takes epileptic fits)*
- stiúgtha leis an ocras - tá an-ocras uirthi *(she's ravenous with the hunger)*
- casann sí port - seinneann sí dreas ceoil *(she plays a tune)*
- sa scilléad - sa phota dubh a chuirtear ar an tine *(in the skillet)*
- sclábhaí - searbhónta *(slave / servant)*
- impíonn sé - agraíonn sé *(he begs)*
- bréagnaíonn sí - tugann sí eitheach *(she contradicts)*
- ag tathaint air - á spreagadh *(urging him)*
- faoi shlat - faoi bhois an chait *(under his thumb)*
- diongbháilte - daingean *(determined)*

THE GOLDFINCH

Seamus, a simple young man of low intelligence, twenty five years of age, has been in service for twelve years in the house of old Micil, a cripple. Micil is confined to the bed. Seamus works hard and makes some money. He has a pet bird. It's a goldfinch and he keeps it in a cage in the house. Seamus talks to the bird and whistles at it to try to make it sing.

Seamus mentions that he is thinking of going to England but Micil dismisses the notion telling the young man that he's a blockhead and that he can't fend for himself. He reminds Seamus also that he takes fits and that he wouldn't be safe outside the house.

Just then a young woman arrives. Her name is Míoda. Seamus doesn't consider her a tinker but a beautiful young lady. She is ravenous with the hunger and she asks Seamus for food. She claims she has escaped from the Big House in Ballinahinch. She is the daughter of Lord Connacht and she is fleeing because he loves her so much he can't let her out of his sight.

Míoda intends to escape to England. She plays a tune for Seamus and wakens Micil. He immediately recognises that she is a tinker and wants to show her the door. He fears Míoda will steal the money he has hidden in the skillet (eleven pounds).

The young woman opens Seamus's eyes to the fact that Micil is keeping him in the house as a slave. She considers the money belongs to Seamus as he has earned it. She asks him to flee to England with her while they have money.

Micil then becomes frightened and worried and begs Seamus not to leave him alone. He tries to convince Seamus that he has problems and that he could not manage abroad. Míoda contradicts him telling Seamus that he is a fine strong man.

Seamus is of two minds. Micil is begging him to stay and Míoda is urging him to go. Micil says he will leave Seamus his house and his land if he stays but Seamus has more confidence now that he has a pretty woman.

There is a knock at the door and a man comes in. He is a tinker and he threatens Míoda. He orders her home. She and the man start to jeer poor Seamus because he believed she was the daughter of a lord. The two tinkers leave and Seamus and Micil are left alone.

By this time Seamus has more self-confidence and he is grateful to Míoda for opening his eyes. He releases the goldfinch and the bird sings for the first time in a tree top. When Micil asks Seamus if he will remain in the house he says that he is not sure. Now he has a choice at least and he will no longer be under the old man's thumb. He has tasted freedom and he is a different man, determined and capable.

TÉAMA AN DRÁMA

Saoirse phearsanta is téama don dráma seo ach tá forbairt phearsanta agus cumas an duine mar théamaí ann freisin.

 PRÍOMHPHOINTÍ

- Bhí Séamas cúig bliana is fiche d'aois agus é in aimsir i dteach Mhicil, sean-chláiríneach. Duine simplí gan mórán éirime ba ea Séamas agus bhí sé faoi bhois an chait ag an seanduine.
- Ba mhaith le Séamas bualadh amach faoin saol agus imeacht go Sasana ach chuir Micil ina luí air nach mbeadh sé slán taobh amuigh den teach mar go raibh sé an-teoranta mar dhuine.
- Bhí peata éin ag Séamas. Binncheol a thug sé air agus lasair choille ba ea é. Bhíodh Séamas ag caint leis agus ag iarraidh ceol a bhaint as.
- Lá amháin bhuail bean óg isteach. Dúirt sí gurbh í iníon Iarla Chonnacht í ó Theach Mór i mBaile na hInse agus go raibh sí ag éalú óna h-athair mar nár thug sé saoirse ar bith di bhí grá chomh mór sin aige di.
- Bhí sé i gceist aici éalú go Sasana agus d'iarr Séamas uirthi é a thógáil léi. Chas sí port do Shéamas ansin agus dhúisigh Micil.
- D'aithin seisean gur tincéir a bhí inti agus bhí sé chun an ruaig a chur uirthi. Chuir sí ar shúile Shéamais go raibh sé faoi shlat ag an seanduine. D'iarr sí air ansin an t-airgead a bhí tuillte aige a thógáil agus imeacht léi.
- Bhí Séamas mímhuiníneach as féin fós agus bhí sé i gcás idir dhá chomhairle. Bhí Micil ag impí air fanacht agus bhí Míoda ag iarraidh air imeacht.
- Thuig Micil nach mbeadh i ndán dó ach Teach na mBocht dá n-imeodh Séamas. Dúirt sé go bhfágfadh sé an teach agus an talamh dó dá bhfanfadh sé.
- Leis sin tháinig tincéir isteach agus bhagair sé ar Mhíoda. A h-athair (nó a fear céile) a bhí ann. Thuig Séamas ansin gur tincéir Míoda i ndáiríre. Thosaigh Míoda agus an fear ag magadh faoi Shéamas bhí sé chomh somheallta sin. D'imigh siad beirt ansin.

- Scaoil Séamas Binncheol agus chuaigh sé suas i mbarr crainn mar ar chan sé den chéad uair.
- D'fhiafraigh Micil de Shéamas ansin an bhfanfadh sé sa teach. Dúirt sé nach raibh sé cinnte. Thuig Micil ansin go raibh athrú tagtha ar Shéamas. Ní bheadh sé faoi shlat ag Micil as sin amach.

 ## CEISTEANNA

Meaitseáil na ceisteanna seo a leanas (A, B, C, D) leis na freagraí thíos (1-4) agus scríobh amach go hiomlán iad, san ord ceart.

A   Cén gnó a bhí ag Séamas i dteach Mhicil?
B   Céard a theastaigh ó Shéamas a dhéanamh?
C   Cén fáth a ndearna Micil a bheag den tuairim sin?
D   Cén fáth, meas tú nár chan Binncheol?

 ## FREAGRAÍ

1   Níor chan Binncheol mar is cosúil nach raibh sé ró-shona sa chás. Éan fiáin ba ea é.
2   Bhí sé in aimsir i dteach Mhicil le dhá bhliain déag. Bhíodh sé ag obair do Mhicil ag díol ualach móna agus ag tabhairt aire don seanduine.
3   Níor mhaith leis go n-imeodh Séamas mar ní bheadh duine ar bith ann ansin chun aire a thabhairt dó.
4   Ba mhaith leis bualadh amach faoin saol agus imeacht go Sasana.

 ## CEISTEANNA BREISE

Léigh na ceisteanna seo a leanas (E, F, G, H) agus ansin líon isteach na freagraí (5-8) ag baint úsáide as an bhfoclóir tugtha.

E   Céard iad na fadhbanna a bhí ag Séamas, dar le Micil?
F   Céard a bhíodh ar siúl ag Séamas chun ceol a bhaint as an éan?
G   Cén scéal a d'inis Míoda do Shéamas?
H   Céard a dúirt Micil nuair a chonaic sé Míoda sa teach?

 ## FREAGRAÍ

Líon isteach na bearnaí trí úsáid a bhaint as an bhfoclóir ceart thíos.

5   Dar leis gur (1) _____ _____ a bhí ann, nach raibh (2) _____ ar bith aige agus go mbíodh (3) _____ á bhualadh.
6   Bhíodh sé ag (4) _____ agus ag (5) _____ leis an éan.
7   Dúirt sí gurbh (5) _____ Iarla Chonnacht í agus go raibh sí ag (6) _____ ón Teach Mór i mBaile na hInse mar nár lig a h-athair as a (7) _____ í.
8   Dúirt sé nach raibh inti ach (8) _____ agus go raibh fúithi an (9) _____ a ghoid.

FOCLÓIR

A	caint	F	taomanna
B	tincéir	G	feadaíl
C	ceann cipín	H	éirim
D	t-airgead	I	éalú
E	iníon	J	radharc

 NATHANNA ÓN SLIOCHT

1 A Meaitseáil na nathanna seo a leanas (a)-(f) lena míniú tugtha 1-6 agus scríobh amach go h-iomlán iad, san ord ceart.

Nathanna
(a) go beo *(quickly / lively)*
(b) bhí brath orm imeacht *(I was thinking of leaving)*
(c) as mo chonlán féin *(off my own bat)*
(d) éirim sciortáin *(the intelligence of an insect / tick)*
(e) easpa géag *(disability)*
(f) in ann *(able)*

Míniú
1 ábalta
2 bhí mé ag smaoineamh ar imeacht
3 an-dúr
4 gan lúth na ngéag
5 go tapaidh
6 as mo stuaim féin

B Líon isteach na bearnaí sna habairtí seo a leanas ag baint úsáide as an nath ceart ón liosta (a)-(f) thuas.
(i) Ní raibh mé _____ an cheist a chríochnú.
(ii) Níl _____ _____ sa duine bocht.
(iii) Tá sé i gcathaoir rotha mar tá _____ _____ air.
(iv) Ní bhfuair mé cabhair ar bith: rinne mé an gnó _____ _____ _____ _____ .
(v) Cuir síos an citeal _____ _____ ; tá deifir orainn.
(vi) Thóg mé roinnt airgid amach mar _____ _____ _____ _____

2 A Meaitseáil na nathanna seo a leanas (g)-(l) leis na freagraí thíos (7-12) agus scríobh amach go hiomlán iad, san ord ceart.

Nathanna
(g) go deimhin (certain)
(h) aon aird (any attention)
(i) aiféala (regret)
(j) go h-éasca (easily)
(k) sciúrtóg (a cent)
(l) ar bhealach (in a way)

Míniú
7 ar chaoi
8 brón
9 pingin rua
10 go cinnte
11 go furasta
12 aon aire

357

B Líon isteach na bearnaí sna habairtí seo a leanas ag baint úsáide as an nath ceart ón liosta (g)-(l) thuas.

(vii) Bhí _____ an domhain orm nuair a chaill mé mo pheann nua.

(viii) Níl carr ag Seán ach dúirt sé go mbeadh sé ann _____ _____ éigin.

(ix) "Déanfaidh mé an obair duit _____ _____ " arsa Nuala.

(x) Níor thug siad _____ _____ ar an duine bocht agus bhí sé trí chéile.

(xi) Rinne Aisling an ceacht _____ _____ mar bhí sí an-éirimiúil.

(xii) Ní raibh _____ fágtha ag Seán tar éis na h-oíche.

CLEACHTAÍ

Cuid A

1 Cén aois do Shéamas sa dráma?
2 Cén sórt duine ba ea é?
3 Cén obair a bhí ar siúl aige?
4 Cén t-ainm a bhí ar an lasair choille?
5 Céard ba mhaith le Séamas a dhéanamh?
6 Cén fáth ar chuir Micil ina choinne?
7 Cén scéal a bhí ag Míoda?
8 Cén fáth nár thaitin Míoda le Micil?
9 Céard a mhínigh Míoda do Shéamas?
10 Cén chaoi ar thuig Séamas nach raibh inti ach tincéir?
11 Cén spreagadh a thug Míoda do Shéamas?
12 Céard a rinne an lasair choille tar éis do Shéamas é a shaoradh?

Cuid B

1 Cén cineál duine é Séamas i dtús an dráma, meas tú?
2 Cén fáth nach gcanann an t-éan, dar leat?
3 Déan cur síos gearr ar an bpáirt a ghlacann Míoda sa dráma.
4 Cén fáth, meas tú, a scaoileann Séamas an t-éan faoi dheireadh?
5 Cén cineál duine é Micil, dar leat?
6 Cen cineál mná í Míoda?

Cuid C

1 "Hu! Coinnigh leis an mBúrcach, a bhuachaill, is beidh tú ceart. Ach céard a dhéanfása i Sasana?" Cén fáth, meas tú a ndúirt Micil an méid sin?
2 "Nach gcuirfeadh duine ar bith clúdach ar scilléad?" Cén fhadhb a bhí ag Séamas anseo?
3 "Ní dhéanfaidh mise tada ort. Ach ní cosúil le tincéara thú." Cén scéal a d'inis Míoda ina dhiaidh sin?
4 "Nach mór an spórt é? Go deimhin, is mór an náire é a choinneáil i ngéibheann mar sin." Céard a bhí i gceist ag Míoda agus cén fáth a raibh sí buartha faoin éan?
5 "Ar mhaithe leat féin a choinnigh tú anseo mé. Is beag an imní a bhí ort fúmsa riamh." Cén fáth, meas tú, a ndúirt Séamas é sin le Micil.
6 "Is ait an mac an saol. Ní bheadh a fhios agat céard a tharlódh fós." Cén t-athrú a bhí tagtha ar Shéamas faoin am sin?
7 Ar thaitin an dráma seo leat. Cén fáth?

Téacs an Dráma

Foireann

Séamas (fear óg cúig bliana is fiche)
Micil (seanfhear cláiríneach)
Míoda (cailín a thagann isteach)

Suíomh

*T*ú *dhá sheomra ar an ardán. Tá leaba i seomra amháin agus is seanchistin é an seomra eile. Tá Micil sa leaba i seomra umháin agus tá Séamas sa gcistin. Tá cás éin ar crochadh sa gcistin agus lasair choille istigh ann. Tá Séamas ag caint le Binncheol (an lasair choille), agus ó am go chéile déanann sé fead leis an éan.*

Séamas: A Bhinncheoil! 'Bhinncheoil! *[Fead]* Cas poirtín dom. Tá tú an-chiúin inniu. Ní fhéadfadh aon údar bróin a bheith agat sa teach seo. Tú te teolaí, agus neart le n-ithe agat. *[Fead]* Seo, cas port amháin.

Micil: As ucht Dé ort, a Shéamais, agus éist leis an éan sin, nó an gceapann tú go dtuigeann sé thú?

Séamas: Á, mhuis, ní raibh mé ach ag caint leis. Shíl mé go raibh tú i do chodladh.

Micil: Cén chaoi a bhféadfainn codladh sa teach seo agus do leithéidse d'amadán ag bladaireacht in ard do ghutha!

Séamas: Tá aiféala orm.

Micil: Tá, má tá. Tabhair aníos an t-airgead anseo chugam.

Séamas: Tá go maith. *[Téann sé suas chuige.]* Tá tuilleadh i mo phóca agam.

Micil: Cuir sa scilléad uilig é.

Séamas: A dó, a trí, a ceathair, agus sé pingine – a dhiabhail, ní hea.

Micil: Seo, déan deifir.

Séamas: A cúig . . . a haon, a dó, a trí, a ceathair, a cúig, a sé, a seacht, a hocht, agus sé pingine.

Micil: Naoi bpunt, deich bpunt, aon phunt déag . . . is mór an t-ionadh go raibh an ceart agat. Dhá phunt eile is beidh mé in ann an carr asail a cheannacht ó Dhúgán. Sin é an uair a dhéanfas mé an t-airgead. Meas tú, cé mhéad lucht móna atá agam faoi seo?

Séamas: Deich gcinn nó b'fhéidir tuilleadh.

Micil: Móin bhreá í. Ba cheart go bhfaighinn dhá phunt an lucht uirthi. Sin scór. Slám deas airgid. Tabhair dom peann is páipéar.

Séamas: Tá go maith. *[Téann síos.]* A Bhinncheoil, poirtín amháin. *[Fead. Torann sa seomra]* Λ Mhicil!

Micil: A Shéamais, 'Shéamais! Tá mé gortaithe.

Séamas: Go sábhála Mac Dé sinn céard d'éirigh dhuit? Cén chaoi ar thit tú as an leaba? Maróidh tú thú féin.

Micil: Ó! *[Osna]* Tá an t-airgead ar fud an urláir.

Séamas: Ná bac leis an airgead. Fan go gcuirfidh mé isteach sa leaba thú. 'Bhfuil tú gortaithe?

Micil: Tá mé ceart. Tá mé ceart. Cruinnigh suas an t-airgead go beo. Breathnaigh

	isteach faoin leaba. 'Bhfuil sé agat? Chuile phingin?
Séamas:	Tá. Tá. B'fhearr duitse aire a thabhairt duit féin. Céard a dhéanfá dá mbeinnse amuigh?
Micil:	Imigh leat síos anois. Tá mé ceart. *[Téann Séamas síos leis an scilléad.]*
Séamas:	Thit sé as an leaba, a Bhinncheoil. Nach air a bhí an t-ádh nach raibh mé amuigh? *[Fead]* Féach an bhfuil d'airgead againn.
Micil:	Ach an éistfidh tú leis an airgead? Ach ar ndóigh tá sé chomh maith dom a bheith ag caint leis an tlú.
Séamas:	A dhiabhail, a Mhicil, céard a dhéanfas muid leis?
Micil:	Nár dhúirt mé leat cheana go gceannóinn carr asail leis.
Séamas:	Ach leis an scór a dhéanfas tú ar an móin?
Micil:	Nach mór a bhaineann sé dhuit?
Séamas:	Ní raibh mé ach á fhiafraí dhíot.
Micil:	Céard tá ort anois? Céard tá ag gabháil trí do cheann cipín anois?
Séamas:	Dheamhan tada. *[Stad]* Bhí braith orm imeacht.
Micil:	Imeacht? Imeacht cén áit?
Séamas:	Go Sasana.
Micil:	Go Sasana! Céard sa diabhal a thabharfadh thusa go Sasana? Níl gnó ar bith acu d'amadáin i Sasana.
Séamas:	Ach shíl mé—
Micil:	Ach shíl tú. Céard a shíl tú? Cé a bhí ag cur na seafóide sin i do cheann?
Séamas:	Bhí mé ag caint leis an mBúrcach inné.
Micil:	Hu! Coinnigh leis an mBúrcach, a bhuachaill, is beidh tú ceart. Ach céard a dhéanfása i Sasana?
Séamas:	Is dóigh nach ndéanfainn mórán ach—
Micil:	Nuair a fhiafrós siad díot céard a bhí tú a dhéanamh sa mbaile céard a bheas le rá agat? 'Bhí mé ar aimsir ag cláiríneach.' Níl seanduine thall ansin ag iarraidh an dara péire cos agus lámh. Agus sin a bhfuil ionatsa. Níl éirim sciortáin ionat. Ní bhfaighidh tú an dara duine a inseos duit le chuile shórt a dhéanamh, mar a dhéanaimse. Ar ndóigh, ní choinneoidh aon duine eile thú ach mé féin.
Séamas:	Tá a fhios agam. Ní raibh mé ach ag caint.
Micil:	Bhuel, ná bíodh níos mó faoi anois. Nach bhfuil muid sona sásta anseo? Gan aon duine ag cur isteach ná amach orainn.
Séamas:	Tá a fhios agam, ach ba mhaith liom rud éigin a dhéanamh as mo chonlán féin.
Micil:	Choíche, muis, ní dhéanfaidh tusa aon rud as do chonlán féin. Ach an fhad a bheas mise anseo le comhairle a thabhairt duit ní rachaidh tú i bhfad amú.
Séamas:	Déanfaidh tusa mo chuid smaoinimh dhom. B'in é atá i gceist agat.
Micil:	Is maith atá a fhios agat nach bhfuil tú in ann smaoineamh a dhéanamh dhuit féin. Déanfaidh mise an smaoineamh dhuit. Béidh mise mar cheann agat.
Séamas:	Is beidh mise mar chosa is mar lámh agatsa. B'in é é!
Micil:	Céard tá ort, a Shéamais? Tá tú dhá bhliain déag anseo anois. Ar chuir mise milleán ná bréag ná éagóir ort riamh sa bhfad sin?
Séamas:	Níor chuir. Níor chuir, ach dúirt an Búrcach—
Micil:	Ná bac leis an mBúrcach. Níl a fhios aigesean tada fút. Níl a fhios aige go

mbuaileann na *fits* thú. Céard a dhéanfá dá mbuailfeadh siad siúd thú thall i Sasana?

Séamas: Níor bhuail siad le fada an lá anois mé.

Micil: Hu! Bhuailfeadh siad siúd thú an uair is lú a mbeadh súil agat leo.

Séamas: Ní raibh mé ach á rá. Ní raibh mé dáiríre. Tá a fhios agat go maith nach bhféadfaidh mé gabháil in aon áit. Bheidís uilig ag gáirí fúm.

Micil: Nach bhfuil tú ceart go leor anseo? Mar a chéile muid. Beirt chláiríneach. Easpa géag ormsa agus easpa meabhrach ortsa. Ach ní bheadh aon duine ag gáirí fúinn anseo.

Séamas: Tá aiféala orm. Nach seafóideach an mhaise dhom é ar aon chaoi? Ar ndóigh, ní bheadh tada le déanamh ag aon duine liomsa!

Micil: Déan dearmad air. Cuir an clúdach ar an scilléidín agus leag suas é.

Séamas: Níl aon chall clúdaigh air.

Micil: Tuige nach mbeadh? Nach bhfuil sé beagnach ag cur thar maoil? *[Tógann Séamas trí nó ceathair de chlúdaigh as an gcófra. Titeann ceann. Titeann siad uilig.]* Céard sin? Céard tá tú a dhéanamh anois?

Séamas: Thit an clúdach.

Micil: As ucht Dé ort agus cuir an clúdach ar an scilléad!

Séamas: Cé acu an ceann ceart?

Micil: Níl ann ach aon cheann ceart amháin.

Séamas: Thóg mé cúpla ceann as an bpreas. Ní raibh a fhios agam cérbh é an ceann ceart.

Micil: Bain triail as cúpla ceann eile.

Séamas: Tá siad róbheag.

Micil: Tá ceann acu ceart.

Séamas: Ní gá é a chlúdach, a Mhicil. Tá a fhios agat go maith nach bhfuil mé in ann aon rud mar seo a dhéanamh.

Micil: Déan iarracht agus ná bí i do pháiste. Nach gcuirfeadh duine ar bith clúdach ar scilléad?

Séamas: Ach níl a fhios agam cé acu. A Mhuire anocht! Tá creathaí ag teacht orm. Tá mé réidh!

Micil: Agus tusa an fear a bhí ag gabháil go Sasana!

Séamas: Éist liom. Éist liom. *[Sos]*

Micil: Fág ansin é mar sin.

Séamas: *[Sos – ansin labhraíonn le Binncheol]* Níl smid asat anocht. Céard tá ort? *[Fead]* A Mhicil!

Micil: Céard é féin? *[Leath ina chodladh]*

Séamas: Cuirfidh mé síos an tae.

Micil: Tá sé róluath. Ná bac leis go fóill.

Séamas: Cén uair a gheobhas muid an carr asail?

Micil: Nuair a bheas an t-airgead againn.

Séamas: An mbeidh mise ag gabháil go Gaillimh leis?

Micil: Beidh má bhíonn tú sách staidéarach. *[Sos]*

Séamas: Scór punt! Slám breá. A Mhicil!

Micil: Céard sin? Is beag nach raibh mé i mo chodladh.

Séamas: Codail mar sin. *[Fead]* A Mhicil!

Micil: Céard tá ort anois?

Séamas: Áit mhór í Sasana?

Micil: Bíodh beagán céille agat. Gabh i leith anseo chugam. Breathnaigh isteach sa scáthán sin. An dtuigfidh tú choíche nach mbeidh ionat ach amadán thall ansin? Ní theastaíonn uathu ansin ach fir atá in ann obair a dhéanamh, agus obair chrua freisin. Chomh luath is a labhraíonn duine leatsa tosaíonn tú ag déanamh cnaipí.

Séamas: Ní raibh mé ach á rá.

Micil: Síos leat anois agus bíodh beagán céille agat. Bí ciúin nó ní bhfaighidh mé néal codlata.

Séamas: Tá go maith. *[Sos]*

Micil: A Shéamais!

Séamas: Is ea.

Micil: Ná tabhair aon aird ormsa. Ar mhaithe leat a bhím.

Séamas: Tá sé ceart go leor. Ní raibh mé ach ag iarraidh a bheith ag caint le duine éigin.

Micil: Cuir na smaointe díchéillí sin faoi Shasana as do cheann. Níl tú ach do do chur féin trína chéile.

Séamas: Tá a fhios agam. Téirigh a chodladh dhuit féin anois. *[Sos]* A Bhinncheoil, tá tú chomh balbh le breac. Cas barra nó dhó. Fuar atá tú? Tabharfaidh mé gráinne mine chugat. *[Fead]* Seo, cas port. *[Buailtear an doras.]* Gabh isteach. *[Míoda isteach]*

Míoda: Dia anseo.

Séamas: Go mba hé dhuit.

Míoda: Go méadaí Dia sibh, agus an mbeadh greim le n-ithe agaibh? Tuige an bhfuil tú ag breathnú orm mar sin?

Séamas: Ar ndóigh, ní tincéara thú? Ní fhaca mé do leithéid de chailín riamh cheana.

Míoda: Sílim gur fearr dom a bheith ag gabháil sa gcéad teach eile.

Séamas: Ná himigh, ná himigh. Ní dhéanfaidh mise tada ort. Ach ní cosúil le tincéara thú.

Míoda: Is maith atá a fhios agamsa céard tá ort.

Séamas: Ní leagfainnse lámh ort, a stór. A Bhinncheoil, an bhfaca tú a leithéid riamh cheana? A haghaidh bhog bhán. As Gaillimh thú?

Míoda: Leat féin atá tú anseo?

Séamas: Is ea. Ní hea. Tá Micil sa seomra. Tá sé ar an leaba. As Gaillimh thú?

Míoda: Ní hea.

Séamas: Ní faoi ghaoth ná faoi bháisteach a tógadh thusa.

Míoda: Ní hea. Is beag díobh a chonaic mé riamh. *[Go hobann]* Meas tú an dtabharfá cabhair dom?

Séamas: Tuige? Céard a d'éirigh dhuit?

Míoda: Dá n-insínn mo scéal duit b'fhéidir go sceithfeá orm.

Séamas: Ní sceithfinn.

Míoda: *[Osna]* Níor ith mé greim le dhá lá, ná níor chodail mé néal ach oiread.

Séamas: Ach céard a d'éirigh dhuit? Cá bhfuil do mhuintir?

Míoda: Inseoidh tú orm má insím duit é.

Séamas: Ní inseoidh mé do dhuine ná do dheoraí é.

Míoda: Buíochas le Dia go bhfuil trua ag duine éigin dom.
Séamas: Déanfaidh mé a bhféadfaidh mé dhuit. Inis do scéal.
Míoda: Tá mé ag teitheadh ó m'athair.
Séamas: Ag teitheadh ó d'athair? Cérb as thú?
Míoda: As Baile na hInse. Is é m'athair an tIarla — Iarla Chonnacht.
Séamas: Iarla Chonnacht! Tháinig tú an t-achar san uilig leat féin.
Míoda   [Go searbh] D'éirigh mé tuirseach den Teach Mór is de na daoine móra.
Séamas: Fear cantalach é d'athair?
Míoda: Ní hea ná ar chor ar bith. Níor dhúirt sé focal riamh liom a chuirfeadh brón
            ná fearg orm. Ach níor lig sé thar doras riamh mé.
Séamas: 'Bhfuil sé sean'?
Míoda: Ceithre scóir. Sin é an fáth a raibh sé chomh ceanúil orm. Tá a fhios aige gur
            gearr uaidh agus ní raibh aon rud eile aige le haiteas a chur ar a chroí. Níor
            lig sé as a amharc riamh mé. D'fheicinn aos óg an bhaile ag gabháil chuig an
            gcéilí agus mé i mo sheasamh i bhfuinneoig mhór an pharlúis agus an brón
            agus an doilíos ag líonadh i mo scornach.
Séamas: Ach nach raibh neart le n-ithe agus le n-ól agat? Céard eile a bhí uait?
Míoda: Bhí, ach cén mhaith a bhí ann? Ba chosúil le héinín lag i ngéibheann mé.
            Cosúil leis an éinín sin ansin.
Séamas: Tá Binncheol lántsásta anseo. Nach bhfuilir, a Bhinncheoil? Ach céard a
            dhéanfas tú anois?
Míoda: Níl a fhios agam, ach ní rachaidh mé ar ais chuig an gcaisleán ar aon chaoi.
            Cé go mbeidh dinnéar mór agus coirm cheoil ann anocht. Beidh na boic
            mhóra uilig ann faoi éide is faoi sheoda áille soilseacha. Ach ní bheidh an
            dream óg ann. Ní bheidh sult ná spórt ná suirí ann. Fir mhóra, le boilg mhóra,
            leath ina gcodladh le tinneas óil.
Séamas: Beidh do mháthair uaigneach.
Míoda: Níl aon mháthair agam. Is fada an lá básaithe í. Dá mbeadh deirfiúr nó
            deartháir féin agam!
Séamas: Ní hionadh go raibh d'athair chomh ceanúil ort is gan aige ach thú.
Míoda: Ach dhearmad sé go raibh mo shaol féin amach romham agus gur orm féin a
            bhí é a chaitheamh. Cén mhaith, cén mhaith a bheith beo mura bhféadfaidh tú
            a dhéanamh ach ithe agus ól? Té mé ag iarraidh rud éigin níos fearr a
            dhéanamh dhom féin agus bualadh amach faoin saol.
Séamas   [Go simplí] Níos fearr! Ní fhéadfá mórán níos fearr a dhéanamh ná a bheith
            i d'iníon ag Iarla Chonnacht.
Míoda: B'fhearr staid ar bith ná an staid ina raibh mé.
Séamas: Íosfaidh tú rud éigin? Tá tú caillte leis an ocras.
Míoda: Tá mé ceart go fóillín. Is mó an tuirse ná an t-ocras atá orm. Suífidh mé síos
            scaithimhín, mura miste leat.
Séamas: Suigh, suigh. Cén t-ainm atá ort?
Míoda: Míoda.
Séamas: Míoda! Nach deas. Séamas atá ormsa.
Míoda: Ainm breá d'fhear breá.
Séamas: Tá sé maith go leor. Binncheol atá air féin.
Míoda: Ó, a leithéid d'ainm álainn! [Sos]

Séamas: Cá rachaidh tú anois?

Míoda: Níl a fhios agam. Go Sasana b'fhéidir.

Séamas: Go Sasana? Ach ní fhéadfá a ghabháil ann leat féin.

Míoda: Dar ndóigh, níl le déanamh ag duine ach gabháil go Baile Átha Cliath agus bualadh ar an mbád ag Dún Laoghaire.

Séamas: Is ní bheidh leat ach thú féin?

Míoda: Nach liom féin a bhain mé amach an áit seo, is nach beag a bhain dom. Ach tá easpa airgid orm.

Séamas: Nach bhféadfá a ghabháil go Gaillimh is jab a fháil?

Míoda: Faraor nach bhféadaim. Tá leath na dúiche ar mo thóir ag m'athair cheana féin. Má bheirtear orm, beidh mo chaiscín déanta. Caithfidh mé filleadh ar an gcarcair sin de chaisleán. Nár fhága mé an teach seo beo más sin é atá i ndán dom.

Séamas: Go sábhála Dia sinn, ná habair é sin, ach céard a dhéanfas tú ar chor ar bith?

Míoda: Ná bíodh imní ar bith ort fúmsa. Nuair a bheas mo scíth ligthe agam buailfidh mé bóthar arís, téadh sé olc maith dom. [Sos] Cén sórt éin é sin?

Séamas: Lasair choille.

Míoda: Nach mór an spórt é? Go deimhin, is mór an náire é a choinneáil i ngéibheann mar sin. Nach mb'fhearr i bhfad dó a bheith saor amuigh faoin spéir?

Séamas: Níorbh fhearr dó, muis. Níl sioc ná seabhac ag cur isteach air anseo. [Sos] Gléas ceoil é sin agat. 'Bhfuil tú in ann casadh?

Míoda: Táim. Is minic a chaith mé an tráthnóna uilig ag casadh do m'athair sa bparlús. Bratacha boga an urláir, coinnleoirí óir is chuile shórt ann. Cé nár thaitnigh sé liom beidh sé tairbheach anois.

Séamas: Cén chaoi?

Míoda: Nach bhféadfadh mé corrphort a chasadh i leataobh sráide má chinneann orm — gheobhainn an oiread is a choinneodh mé ar aon chaoi.

Séamas: Ní bheidh ortsa é sin a dhéanamh. Nach bhfuil scoil ort? Gheobhfása post in oifig go héasca! Ní bheidh ortsa gabháil ó dhoras go doras.

Míoda: Is dóigh gur fíor duit é. Ach cén fáth a mbeifeása ag bacadh liom? Níl ionam ach strainséara.

Séamas: Ní hea, ná ar chor ar bith. Seanchairde muid le deich nóiméad. Ní fhaca mé cailín taobh istigh den doras seo riamh cheana, agus riamh i mo shaol ní fhaca mé do leithéidse de chailín.

Míoda: Ach is beag an chabhair a fhéadfas tú a thabhairt dom, a Shéamais. Dhá mhéad míle bóthair a fhéadas mé a chur idir mé féin agus Baile na hInse is ea is fearr. Agus casfaidh mé ceol i leataobh sráide má chaithim . . .

Séamas: Ní chaithfidh tú, ná choíche, a stór. [Sos] Cas port dom. B'fhéidir go dtosódh Binncheol é féin nuair a chloisfeadh sé thú.

Míodh: Ní maith liom thú a eiteach, ach ní ceol a bheas ann ach giúnáil. Céard a chasfas mé?

Séamas: Rud ar bith.

Míoda: Céard faoi seo? [Port sciobtha]

Micil: A Shéamais! Céard é sin?

Míoda Cé atá ag caint?

Séamas: Níl ann ach Micil. Tá sé sa leaba. Tá cailín anseo, a Mhicil.

Micil: Céard tá uaithi?

Séamas: Greim le n-ithe.

Micil: Níl ár ndóthain againn dúinn féin, ní áirím do chuile chailleach bóthair is bealaigh dá mbuaileann faoin doras.

Séamas: Ní cailleach ar bith í.

Micil: Céard eile atá inti? Tabhair an doras amach di.

Míoda: Imeoidh mé. Ná lig anuas é.

Séamas: Ara, níl sé in ann siúl.

Micil: M'anam, dá mbeinn ní bheinn i bhfad ag tabhairt bóthair duit.

Séamas: Ach ní tincéara í, a Mhicil. Nach í iníon Iarla Chonnacht í?

Micil: Iníon Iarla Chonnacht! Chreidfeá an diabhal é féin. Cuir ar an tsráid í a deirim.

Séamas: Tá sí ag teitheadh óna hathair. Tá siad á tóraíocht.

Micil: Gabh aníos anseo, a iníon Iarla Chonnacht, go bhfeice mé thú.

Míoda: Ní rachaidh mise sa seomra.

Micil: Céard sa diabhal a bheadh iníon Iarla Chonnacht a dhéanamh ag imeacht ag casadh ceoil ó dhoras go doras?

Míoda: Mura gcreidfidh tú mé tá sé chomh maith dhom a bheith ag imeacht.

Séamas: Ná h-imigh. Cá rachaidh tú anocht? Fan scaithimhín eile.

Micil: Ní ar mhaithe liomsa ná leatsa a thaobhaigh sí sin muid ar chor ar bith. Iníon Iarla Chonnacht! Go dtuga Dia ciall duit.

Míoda: Ní raibh uaim ach greim le n-ithe.

Micil: Tháinig tú isteach ag goid, a raicleach. Coinnigh súil uirthi, a Shéamais. Ghoidfeadh a leithéid sin an tsúil as do cheann.

Séamas: Muise, éist leis an gcréatúr bocht. Tá ocras agus fuacht uirthi.

Micil: A Shéamais, a Shéamais, an t-airgead! Cá bhfuil sé?

Séamas: Ar an gcófra.

Micil: Cén áit ar an gcófra?

Séamas: Sa scilléad. 'Deile?

Micil: Dún do chlab is ná cloiseadh sí thú!

Míoda: Caithfidh sé go bhfuil an diabhal is a mháthair ann leis an gcaoi a bhfuil tú ag caint.

Séamas: Tá aon phunt déag ann.

Micil: Dún do chlab mór, a amadáin!

Míoda: Ná bac leis sin. Ag magadh fút atá sé. Níl sé sin ach ag iarraidh searbhónta a dhéanamh dhíot. Chuile shórt a dhéanamh dhósan is gan tada a dhéanamh dhuit féin.

Séamas: Ach níl mé in ann aon rud a dhéanamh, a Mhíoda.

Míoda: Ná bíodh seafóid ort. Déarfaidh sé sin leat nach bhfuil tú in ann rud a dhéanamh ionas go gcoinneoidh sé anseo thú ag freastal air. Agus cé leis an t-aon phunt déag sin?

Séamas: Le Micil.

Míoda: Le Micil! Cé a shaothraigh é? An cláiríneach sin?

Séamas: Ní hé. Mise.

Míoda: Nach leatsa mar sin é? Níl baint dá laghad ag Micil dó.

Micil: Cuir amach í.

Míoda:	Tá sé in am agatsa a bheith i d'fhear, agus mórán de do shaol á chur amú ag tabhairt aire don tseanfhear sin.
Séamas:	Níl a fhios agam céard a dhéanfas mé.
Míoda:	Mura bhfuil a fhios agatsa é, tá a fhios agamsa é. Seo é do sheans. Tá an bheirt againn sáinnithe i ngéibheann ar nós an lasair choille sin. Tabharfaidh an t-aon phunt déag sin go Sasana muid.
Séamas:	Go Sasana? Is ea!
Micil:	As do mheabhair atá tú, a Shéamais! Ní fhágfá anseo liom féin mé th'éis a ndearna mé dhuit riamh!
Séamas:	Níl a fhios agam. Ba mhaith liom imeacht.
Míoda:	Má ba mhaith féin tá an ceart agat. Nach fearr i bhfad dó sin a bheith thoir i dTeach na mBocht ná a bheith ag cur do shaoilse amú?
Séamas:	An dtiocfása in éineacht liom, a Mhíoda? Ní imeoinn asam féin.
Míoda:	Thiocfainn gan amhras.
Micil:	A Shéamais!
Míoda:	D'éireodh thar barr linn. Gheobhadsa post breá thall ansiúd agus d'fhéadfá gabháil in do rogha áit agus do rogha rud a dhéanamh.
Micil:	Ní fheicfidh tú aon amharc uirthi sin arís go brách má thugann tú di an t-airgead. Sin a bhfuil uaithi sin.
Séamas:	Ach céard tá uaitse? Mo chosa is mo lámha? Mo shaol fré chéile?
Micil:	Tá tú meallta aici cheana féin.
Míoda:	Níl uaim ach an fear bocht a ligean saor uaitse. Bhí orm mé féin a scaoileadh saor ón ngéibheann cheana. Seanduine ag iarraidh beatha is misneach duine óig a phlúchadh. Ní óinseach ar bith mise. Tá an deis againn anois agus bainfidh muid leas as. Tá saol nua amach romhainn agus luach saothair an ama atá caite.
Séamas:	Tá mé ag gabháil go Sasana, a Mhicil.
Micil:	Ar son anam do mháthar, a Shéamais!
Séamas:	Tá mé ag iarraidh rud éigin a dhéanamh ionas nach mbeidh daoine ag gáirí fúm.
Míoda:	Cé a dhéanfadh gáirí faoi fhear breá?
Séamas:	An gceapfása gur fear breá mé, a Mhíoda? Ní dhéanfása gáirí fúm?
Míoda:	Tuige a ndéanfainn? Tá mé ag inseacht na fírinne. *[Torann sa seomra]*
Micil:	A Shéamais, a Shéamais!
Séamas:	Thit sé as an leaba.
Micil:	Gabh i leith, a Shéamais. Gabh i leith.
Míoda:	Ara, lig dó. Ag ligeann air féin atá sé sin go bhfeicfidh sé an bhfuil máistreacht aige ort fós.
Séamas:	Gabhfaidh mé suas chuige.
Míoda:	Ná téirigh. Lig dó. Bíodh aige.
Séamas:	Ní fhéadfaidh mé é a fhágáil 'na luí ar an urlár. 'Bhfuil tú gortaithe?
Micil:	Ar ndóigh, ní imeoidh tú, a Shéamais? Ní fhágfá anseo liom féin mé. An t-airgead! Fainic an t-airgead.
Míoda:	Go deimhin, ní leagfainnse méar ar do chuid seanairgid lofa.
Micil:	Ardaigh aníos mé. Cuir 'mo shuí suas mé. Ní bheinn in ann tada a dhéanamh de d'uireasa.

Míoda: Ach dhéanfadh Séamas togha gnó de d'uireasa-sa.

Séamas: Éist leis, a Mhíoda.

Micil: Is fearr an aithne atá agamsa ortsa ná atá ag aon duine ort. Ag magadh fút a bheas siad. Titfidh an t-anam asat chuile uair a dhéanfas tú botún. Beidh an domhan mór ag faire ort. Níl anseo ach mise, agus ní bheidh mise ag magadh fút.

Míoda: Is maith atá a fhios agat go bhfuil an cluiche caillte agat, a sheanchláirínigh lofa. Éist leis. Lig dó a thuairim féin a bheith aige.

Micil: Tá a fhios agat go maith, a Shéamais, go bhfuil mé ag inseacht na fírinne. Níl maith ná maoin leat ná ní bheidh go deo. Níl meabhair ar bith ionat. Cuireann an ruidín is lú trína chéile thú. Fan anseo, áit nach gcuirfear aon aird ort.

Séamas: Níl a fhios agam, a Mhicil, ach ar ndóigh tá an ceart agat. Níl maith ná maoin liom.

Míoda: Stop ag caint mar sin. Fear breá láidir thú. Dhéanfá rud ar bith dá ndéanfá iarracht. Breathnaigh, tá ár ndóthain dár saol curtha amú againnn faoi bhois an chait ag amadán nach gcuirfeadh smacht ar mhada beag. Seanfhear agus cláiríneach. Níl tada cearr leatsa. Dhéanfása rud ar bith.

Séamas: Meas tú?

Micil: Má imíonn tú ní ligfidh mé taobh istigh den doras arís choíche thú.

Míoda: Thoir i dTeach na mBocht ba chóir duitse a bheith le fiche bliain.

Séamas: Bíonn togha lóistín ann ceart go leor, a Mhicil. B'fhearr an aire a thabharfaidís duit ná mise. Gheobhfá chuile shórt ann!

Micil: B'fhearr liom a bheith in ifreann! Ná fág liom féin mé! Ar son anam do mháthar!

Séamas: Mura n-imím anois ní imeoidh mé go deo. B'fhéidir gurb é an seans deireanach é.

Micil: Níl aon mhaith dhomsa a bheith ag caint mar sin. Imigh! Imigh!

Míoda: D'imeodh sé arís ar aon chaoi.

Micil: An imeodh?

Míoda: Céard a dhéanfadh sé dá bhfaighfeása bás? Fágtha leis féin is é ag ceapadh nach raibh maith ná maoin leis. Dún suas anois. Tabhair freagra ar an gceist má tá tú in ann.

Séamas: Tá cion agam ort, a Mhicil. Níl aon rud i d'aghaidh agam. Ach tá mé tuirseach den áit seo.

Micil: Ní chuirfidh mise níos mó comhairle ort.

Séamas: Beidh mé ag imeacht mar sin. Tabharfaidh mé liom an t-airgead.

Míoda: Míle moladh le Dia, tháinig misneach duit sa deireadh.

Séamas: Meas tú gur ceart dom é?

Míoda: Má imíonn tú beidh a fhios agat sin.

Séamas: Ach ní raibh mé amuigh faoin saol cheana riamh.

Míoda: Níl sa saol ach daoine. Cuid acu ar nós Mhicil. Cuid acu ceart go leor. Éireoidh thar barr leat. Má tá fúinn imeacht tá sé chomh maith dhúinn tosú ag réiteach. Céard a thabharfas tú leat?

Séamas: Níl agam ach a bhfuil ar mo chraiceann. Ar ndóigh, ní chaithfidh muid imeacht fós.

Míoda: Caithfidh muid. Gheobhaidh muid marcaíocht go Gaillimh fós.

Séamas: An dtabharfaidh muid Binncheol linn?

Míoda: Ní thabharfaidh. Bheadh sé sa mbealach.

Séamas: Céard faoi Mhicil? Caithfidh muid a inseacht do dhuine éigin go bhfuil sé anseo leis féin.

Míoda: Ar ndóigh, buaileann duine éigin isteach anois is arís.

Séamas: Beidh siad ag teacht leis an mbainne ar maidin.

Míoda: Cén chlóic a bheas air go dtí sin? Seo, cá bhfuil do chóta?

Séamas: Sa seomra.

Míoda: Déan deifir. Faigh é.

Séamas: Níl mé ag iarraidh gabháil sa seomra.

Míoda: Ara, suas leat. Ná bíodh faitíos ort roimhe sin. B'fhéidir go dtosódh sé ag báisteach.

Séamas: Tá go maith, a Mhicil, sílim go bhfuil an ceart agam. A Mhicil, mura labhróidh tú liom mar sin, bíodh agat. Cén áit i Sasana a rachfas muid?

Míoda: Londain.

Séamas: Nach mór an gar dom thusa a bheith liom, a Mhíoda. Ní dheachaigh mé ag taisteal riamh cheana. *[Osna]* Meas tú an mbeidh sé ceart go dtí amárach leis féin?

Míoda: Déan dearmad air anois. Ní fheicfidh tú arís go brách é.

Séamas: Is dóigh nach bhfeicfead.

Míoda: Téanam. 'Bhuil tú réidh?

Séamas: Tá, ach ní imeoidh muid fós.

Míoda: Mura n-imeoidh, beidh aiféala ort. Téanam go beo. Céard tá ort?

Séamas: Níl a fhios agam. B'fhéidir nach dtiocfainn ar ais go deo.

Míoda: Mura dtaga féin, ní dochar é sin.

Micil: Ná h-imigh, a Shéamais.

Séamas: Caithfidh mé, a Mhicil.

Micil: Caillfear i dTeach na mBocht mé.

Míoda: Is gearr uait ar aon chaoi.

Micil: Fágfaidh mé agat an teach is an talamh ar ball má fhanann tú.

Séamas: Cén mhaith ar ball?

Micil: Fágfaidh mé agat anois é.

Séamas: Níl aon mhaith duit a bheith ag caint. Tá bean anseo agus bean deas – nach gceapann gur amadán mé. Ar mhaithe leat féin a choinnigh tú anseo mé. Is beag an imní a bhí ort fúmsa riamh.

Micil: Admhaím gur beag a d'fhéadfainn a dhéanamh asam féin, ach cá bhfuil an dara duine a choinneodh thusa? Fuist, a bhean. Tagann *fits* air. Céard a dhéanfas tú ansin?

Míoda: A Shéamais!

Séamas: Níor tháinig na *fits* orm riamh ó bhí mé i mo pháiste.

Míoda: Téanam! Cá bhfios dúinn nach bhfuil fir an Tí Mhóir sa gcomharsanacht?

Séamas: Fan scaithimhín eile. Gheobhaidh muid marcaíocht go Gaillimh go héasca.

Míoda: Cá gcuirfidh muid an t-airgead? Aon phunt déag!

Micil: Sin a bhfuil uaithi sin. Mar a chéile í féin agus chuile bhean eile. Coinneoidh siad leat a fhad is atá do phóca teann.

Míoda: Éist do bhéal thusa! *[Buailtear an doras]* Ó!

Séamas: Fir an Tí Mhóir!

Míoda: Stop! S-s-shhh!

Guth: *[Amuigh]* A Mhíoda. A Mhíoda.

Míoda: Ná habair tada!

Guth: *[Fear isteach]* A Mhíoda!

Séamas: Cé thú féin?

Fear: Cá raibh tú ó mhaidin? Is dóigh nach bhfuil sciúrtóg faighte agat?

Séamas: A Mhíoda, cé hé féin?

Fear: Is mór an t-ádh ort, a bhuachaill, ná thabharfadh mise crigín faoin gcluais duit. Ceapann tú go bhféadfaidh tú do rogha rud a dhéanamh le cailín tincéara?

Séamas: A Mhíoda!

Míoda: Dún do bhéal, a amadáin!

Séamas: Tincéara thú.

Míoda: Ar ndóigh, ní cheapann tú gurb é seo Iarla Chonnacht agat!

Séamas: Ach dúirt tú—

Míoda: Dúirt mé — 'deile céard eile a déarfainn, nuair a cheap amadán gur bean uasal a bhí ionam? 'Ar ndóigh, ní tincéara thú'. Há! Há! Há!

Fear: Gabh abhaile, a óinseacháin, chuig do champa — áit a rugadh is a tógadh thú.

Míoda: Níl ionam ach tincéara, a Shéamais, nach bhfuil in ann rud ar bith a dhéanamh ach goid is bréaga.

Séamas: Céard faoi Shasana?

Míoda: Sasana! Brionglóidigh álainn ghlórmhar! Níl gnó díom ach in áit amháin — sa gcampa. Tá mé chomh dona leat féin. Fan le do sheanchláiríneach.

Fear: Déan deifir. Ná bac le caint. Tá bóthar fada amach romhainn.

Míoda: *[Ag gabháil amach]* Iníon Iarla Chonnacht. Há! Há! Há! A amadáin! Há!

Fear: Ba chóir duit náire a bheith ort. Murach leisce orm, chuirfinnse néal ort. Ag coinneáil Mhíoda go dtí an tráth seo. Ag déanamh óinseach di.

Séamas: Ach dúirt sí—

Fear: Dúirt sí! Ise ba chiontach. Cé a chreidfeadh tincéara? Agatsa atá an ceart, mo léan. Go maithe Dia dhuit é. *[Imíonn]*

Séamas: A Bhinncheoil! Rinne sí amadán díom.

Micil: Anois, tá a fhios agat é, is níl aon ghá dhomsa é a rá leat.

Séamas: Tá a fhios agam é.

Micil: Rinne sí amadán críochnaithe dhíot.

Séamas: Rinne. Ach, ar bhealach, ní dhearna. D'oscail sí mo shúile dhom. 'Bhfuil a fhios agat cén fáth ar choinnigh tusa mise anseo, ag sclábhaíocht duit, agus cén fáth a gcoinníonn an tincéara sin Míoda agus cén fáth a gcoinnímse Binncheol? Inseoidh mise dhuit cén fáth. Mar tá muid uilig go truamhéalach. Tá muid mar 'tá muid. Tá tusa i do chláiríneach agus bhí tú ag iarraidh cláiríneach a dhéanamh díomsa freisin. Agus tá an tincéara ag iarraidh Míoda a choinneáil ina chuid salachair agus ina chuid brocamais féin. Agus coinnímse Binncheol i ngéibheann ionas go mbeidh sé chomh dona liom féin. Ceapaim, má cheapaim, go maródh an sioc is an seabhac é dá ligfinn saor é — ach níl ansin ach leithscéal. Ach, ní i bhfad eile a bheas an scéal mar sin.

[Éiríonn. Imíonn amach leis an gcás. Sos]

Micil: A Shéamais, cá raibh tú?

Séamas: Scaoil mé amach Binncheol. Agus an bhfuil a fhios agat céard é féin — chomh luath is a d'oscail mé an doras sciuird sé suas i mbarr an chrainn mhóir agus thosaigh sé ag ceol.

Micil: 'Bhfuil tú ag imeacht, a Shéamais, nó ar athraigh tú d'intinn?

Séamas: Is ait an mac an saol. Ní bheadh a fhios agat céard a tharlódh fós. Tiocfaidh athrú ar an saol — orainne agus ar chuile shórt. Ach ní bheidh Binncheol ná éan ar bith i ngéibheann sa gcás sin arís go brách. *[Tógann suas an cás]*

Brat Anuas

GLUAIS

- scilléad - pota beag dubh a chuirtí ar an tine *(skillet)*
- lucht móna - ualach móna *(load of turf)*
- slám - oiread *(amount)*
- go beo - go tapaidh *(smartly)*
- ceann cipín - ceann maide *(blockhead)*
- dheamhan tada - faic *(not a bit)*
- ar aimsir - in aimsir *(in service)*
- éirim sciortáin (sciortán = sceartán *(tick)* - gan chiall ar bith *(no intelligence)*
- as mo chonlán féin - as mo stuaim féin *(off my own bat)*
- easpa géag - gan lúth na ngéag *(disabled)*
- clúdach - barr *(cover / lid)*
- níl aon chall - níl aon ghá le *(there's no need for)*
- tuige nach mbeadh? (cad chuige nach mbeadh?) - cén fáth nach mbeadh? *(why wouldn't there be?)*
- in ann - ábalta *(able)*
- creathaí - creathánach *(the shakes)*
- tá mé réidh - tá deireadh liom *(I've had it)*
- staidéarach - ciallmhar *(sensible)*
- gabh i leith - tar anseo *(come over here)*
- ar mhaithe leat a bhím - bím ag iarraidh do leas a dhéanamh *(I'm looking out for you)*
- cas barra nó dhó - seinn dreas ceoil *(play a bar or two)*
- ní faoi ghaoth ná faoi bháisteach a tógadh thusa - ní den lucht siúil tú *(you're not a tinker)*
- meas tú? - an gceapann tú é? *(do you think so?)*
- an t-achar san uilig - an fad sin go léir *(all that way)*
- cantalach - crosta *(cranky)*
- gur gearr uaidh - nach mairfidh sé i bhfad eile *(that he won't live much longer)*
- le h-aiteas a chur ar a chroí - chun a chroí a thógáil *(to make him happy)*
- doilíos - brón *(sorrow)*
- neart - go leor *(plenty)*
- na boic mhóra - na daoine mór le rá *(the bigwigs)*
- faoi éide - cultacha míleata orthu *(in uniform)*
- gur orm féin a bhí é a chaitheamh - fúm féin a bhí sé le caitheamh *(it was up to me to spend it)*
- scathaimhín - tamaillín *(a little while)*
- bualadh ar an mbád - dul ar boird loinge *(to board the ship)*
- nach beag a bhain dom - ba bheag a tharla dom *(little happened to me)*
- beidh mo chaiscín déanta - beidh mo phort seinnte *(my number will be up)* caiscín *(wholemeal bread)*
- carcair - príosún *(jail)*
- ag casadh - ag seinm *(playing music)*
- bratacha boga - brait bhoga *(soft carpets)*
- tairbheach - úsáideach *(useful / profitable)*
- tú a eiteach -diúltiú duit *(to refuse you)*
- giúnaíl (geonaíl) - seinm míbhinn *(droning)*
- port sciobtha - dreas ceoil meidhreach *(fast lively tune)*
- ní áirím - gan trácht ar *(not to mention)*
- a thaobhaigh sí sin muid - a tháinig sise chugainn *(that she came to us)*
- raicleach - báirseach *(harridan)*
- 'deile = cad eile *(what else?)*

GLUAIS

- an diabhal is a mháthair ann - an-chuid airgid ann *(a great amount of money)*
- searbhónta - giolla *(servant)*
- ná bíodh seafóid ort - ná bí amaideach *(don't be silly)*
- sáinnithe - teanntaithe *(trapped)*
- a shaothraigh - a thuill *(who earned)*
- ag plúchadh - ag múchadh *(smothering / stifling)*
- máistreacht aige ort fós - go bhfuil cumhacht aige ort fós *(still your master)*
- fainic - seachain *(watch / mind)*
- de d'uireasa - gan tú *(without you)*
- nach gcuirfear aon aird ort - nach dtabharfar aon aire duit *(you won't be noticed)*
- curtha amú - caite *(wasted)*
- faoi bhois an chait - faoi shlat ag *(under the thumb of)*
- ar aon chaoi - am éigin eile *(at some future stage)*
- i d'aghaidh - i do choinne *(against you)*
- má tá fúinn imeacht - má tá sé i gceist againn imeacht *(if we have it in mind to go)*
- ach a bhfuil ar mo chraiceann - an méid atá a chaitheamh agam *(what I'm wearing)*
- marcaíocht - síob *(a lift)*
- clóic - mácail *(defect / blemish)*
- cén chlóic a bheas air go dtí sin?- nach mbeidh sé ceart go leor go dtí sin? *(won't he be all right until then?)*
- faitíos -eagla *(fear)*
- bíodh agat - fút féin atá sé *(have it your own way)*
- an gar - an buntáiste *(advantage)*
- téanam - imímis *(let's go)*
- is beag imní a bhí ort fúmsa riamh - ba chuma leat riamh fúmsa *(it's little you ever cared about me)*
- asam féin - liom féin *(by myself)*
- do phóca teann - agus airgead agat *(once your pocket's full)*
- sciúrtóg (sciúrtach) - pingin rua *(a red cent)*
- crigín (cnaigín) - buille - *(a clip / clout)*
- óinseachán - bean dúr / amaideach
- murach leisce orm, churfinn néal ort - dá mbeadh fonn orm bhuailfinn tú *(only I don't feel like it I'd make your head spin)*
- ar bhealach - ar chaoi *(but in a way)*
- brocamas - bruscar *(refuse / filth)*
- sciuird sé - d'eitil sé go tapaidh *(he dashed)*